G. GÜNTHER · ZUR OPERATIONSFÄHIG

GOTTHARD GÜNTHER

# Beiträge zur Grundlegung einer operationsfähigen Dialektik

Band I

Metakritik der Logik · nicht-Aristotelische Logik
Reflexion · Stellenwerttheorie · Dialektik
Cybernetic Ontology · Morphogrammatik
Transklassische Maschinentheorie

FELIX MEINER VERLAG HAMBURG

CIP–Kurztitelaufnahme der Deutschen Bibliothek

**Günther, Gotthard**
[Sammlung]
Beiträge zur Grundlegung einer operationsfähigen Dialektik. – Hamburg: Meiner

Bd. 1. Metakritik der Logik, nicht-aristotelische Logik, Reflexion, Stellenwerttheorie, Dialektik, Cybernetic Ontology, Morphogrammatik, transklassische Maschinentheorie. – 1. Aufl. – 1976.
ISBN 3-7873-0371-5


Gesamtherstellung: Hain-Druck KG, Meisenheim/Glan
Printed in Germany

# INHALT

# VORBEMERKUNG DES VERLAGS

Aus Kostengründen erfolgte der Druck der in diesem Band zusammengefaßten Arbeiten in weitgehend unverändertem photomechanischen Nachdruck der Erstveröffentlichungen, wobei allerdings nach Angaben des Verfassers einige sinnstörende Druckfehler stillschweigend behoben wurden. Außerdem wurde auf jeder Seite unten außen eine durchlaufende Pagination hinzugefügt und eine Vereinheitlichung der Inhaltsangaben (der sog. Kolumnentitel) am Kopf jeder Seite durchgeführt. Die ursprünglichen Seitenzahlen blieben indessen absichtlich bestehen, damit Zitate nach den Erstveröffentlichungen ohne weiteres auffindbar bleiben.

Den beteiligten Verlagen sei herzlich gedankt für die Genehmigung zum photomechanischen Nachdruck der Erstveröffentlichungen.

In memoriam

WARREN STURGIS McCULLOCH,

dem Gefährten auf späten Wegen

## VORWORT

Ein beträchtlicher Teil der hier gesammelten Aufsätze enthält jene Überlegungen, die den zweiten Band von „Idee und Grundriß einer nicht-Aristotelischen Logik“ gefüllt haben würden, wenn die äußeren Lebensumstände es dem Verfasser ermöglicht hätten, diesen Band in der ursprünglich vorgesehenen Form zu schreiben. Reichlich 160 Manuskriptseiten waren für den zweiten Band geschrieben, als sich die Arbeitsbedingungen des Schreibenden radikal änderten und ihn zwangen, die Weiterarbeit einzustellen. Er hatte bis dahin als Research Associate der Bollingen Foundation (New York) gearbeitet und erhielt ziemlich unerwartet ein Angebot, als Spezialist für Logik (mit besonderer Berücksichtigung der Komputertheorie) in das Department for Electrical Engineering der Staatsuniversität von Illinois einzutreten. Er folgte diesem Rufe außerordentlich gern, da es ihm schon seit längerem klar war, welchen enormen Einfluß die Komputertheorie in ihrer speziellen Fassung als die Lehre vom *biologischen* Komputer auf die weitere Entwicklung der Logik – auch als philosophischer Disziplin – haben müsse. Sein Aufsatz „Seele und Maschine“, der schon Mitte der 50er Jahre entstanden war, zeugt dafür.

Im Gegensatz zu Europa, wo die Komputertheorie und -technik unter den subalternen Gesichtspunkten von Rechenmaschine und Datenverarbeitungsmechanik verstanden wird, war es in Amerika einer kleinen Schicht von bedeutenden Köpfen von vornherein klar, daß der traditionelle Begriff von Maschine viel zu eng gefaßt ist und daß eine generalisierte Konzeption von ‚Maschine‘ möglich sei, die auch biologische Systeme umfasse. Zu diesen Systemen gehört der Mensch. Hier trat ein neues Phänomen in den Gesichtskreis des theoretischen Kybernetikers: Im Gegensatz zum Tier, dem man Psyche zubilligen darf, besitzt der Mensch noch eine pneumatische Seite. Daß der Gegensatz zwischen Psyche und Pneuma für eine sog. Logik der Geisteswissenschaften fundamental ist, dürfte wohl niemand ernsthaft leugnen. Die Entwicklung der amerikanischen Kybernetik aber hat sehr eindrücklich gezeigt, daß die Grenze zwischen Psyche und Pneuma eine höchst problematische Sache ist und daß die naiven

Annahmen, mit denen sich die sog. Geisteswissenschaften in früheren Generationen begnügt haben, sich heute als ganz unzureichend erweisen. Was ist an dem Phänomen der Erinnerung z. B. psychisch und was ist pneumatisch? Eins ist sicher; sehr Vieles, was man früher der Seite des Geistes zugeschrieben hat, muß heute dem Psychischen zugerechnet werden, und noch mehr, was wir gewohnt waren als psychische Erscheinungen anzusehen, gehört in Wirklichkeit in den Funktionsbereich der Hyle. Umgekehrt ist der Umkreis des Machbaren seit dem Lebensstil der Naturvölker bis ins fast Unvorstellbare gestiegen. Was geht hier vor? Man wird den Schlüssel zu dieser Entwicklung nicht finden, solange man sich nicht zu der Einsicht bekehrt, daß während der letzten Jahrtausende die Thematik des exakten Wissens rigoros auf den Bereich des Toten eingeschränkt worden ist. Die klassische Metaphysik hat uns in die eisige Gletscherwelt des ewigen unveränderlichen Seins geführt und willig alles warme Leben und seine Geheimnisse dem Mythos und der Poesie überlassen. Dieser Entwicklung kam eine Überzeugungskraft ohnegleichen zu. Denn wer einmal versucht hat, die Grenzen des klassischen Wissens zu überschreiten, dem drängt sich als erster Erfolg seiner Bemühung die Überzeugung auf, daß die abendländische Wissenschaft und Technik niemals ihren Siegeszug durch die Jahrhunderte hätte antreten können, wenn der totale Umfang des möglichen Wissens bereits bei Aristoteles in die Grundlagen der Wissenschaftstheorie eingearbeitet worden wäre. Ein logisch relativ ungeschultes Wissen wäre an dieser Aufgabe zerbrochen. In der platonischen Philosophie, besonders im Alterswerk Platos, sind zwar Ahnungen eines Denkens vorhanden, das über die Grundlagen der klassischen Metaphysik in noch unmeßbare Fernen hinauszufliegen scheint, aber vielleicht der größte und temporär erfolgreichste Charakterzug der aristotelischen Philosophie liegt darin, daß sie das Thema des Wissens vorerst auf einen geringfügigen Elementarbereich eingeschränkt hat, der eine einfache Problemsicht bot, die auch von einem noch ungelenken Geist bewältigt werden konnte.

Aber diese Epoche der geistigen Selbstbeschränkung auf das Thema des toten Seins und seine ewig unveränderlichen metaphysischen Gesetze ist heute zuende. Und selbst für die Naturwissenschaft wird heute ein Zustand unerträglich, der durch die Grenzbedingungen der klassischen Metaphysik gegeben war. Um in die Eiswelt des toten Seins einzudringen, war es notwendig, aus ihr das

Problem des Werdens, also der Zeit, auszuschließen. Und heute besteht in der kompetenten Naturphilosophie kaum ein Zweifel darüber, daß durch die bisherige abendländische Naturwissenschaft die dominierende Tendenz hindurchgeht, die Zeit aus dem System der Naturgesetze fern zu halten, indem man sie „geometrisiert", wie das Beispiel Einsteins zeigt. Daraus ergab sich eine ganz ungeheure Vereinfachung des physikalischen Weltbildes. Heute aber wissen wir, daß das selbst in der Kosmologie zu einem unbefriedigenden Weltbild führt, nicht zu reden von den sog. Kultur- und Geschichtswissenschaften.

Ein erster systematischer Versuch, die Zeit nicht negativ (als zu eliminierenden Faktor), sondern positiv in das Begriffssystem eines modernen Weltbilds einzuführen, ein Versuch, der den tiefsten Ambitionen der platonischen Altersphilosophie ebenbürtig ist – ist von Hegel gemacht worden. Aber der Übergang zu einem neuen Weltbild ist unglaublich schwer, und man darf wohl sagen, daß er selbst Hegel nicht voll geglückt ist. Das Unzureichende seines Versuchs, in neue Dimensionen des Weltverständnisses durchzubrechen, bezeugt sich in der marxistisch-leninistischen Kritik an den Grundlagen des Hegelschen Denkens. Aber auch dazu ist zu sagen, daß man im Grunde genommen noch nicht so recht will und noch nicht alle emotionalen Hemmungen überwunden worden sind. Das ist in den Augen des Verfassers bedauerlich, aber leider nur zu gut verständlich. Hier wird ein menschliches Opfer verlangt, zu dem die Menschheit als Ganzes wohl nie bereit sein wird. Es gibt ein sacrificium habitudinis, das man wohl einem reifen Menschen als Unerhörtes zumuten kann, es wäre aber höchst töricht, dasselbe von einer noch im geistigen Kindesalter stehenden Person zu verlangen. Worum es sich hier handelt, ist folgendes: die klassisch-zweiwertige Rationalität, unser kostbares Erbe von den Griechen, ist die Rationalität des menschlichen Bewußtseins. So denkt der Mensch in seinen natürlichen, entspannten Gehirnfunktionen. Die hier möglichen Denkvollzüge kommen „von selbst". Die Hegelsche „Anstrengung des Begriffs" ist hier nicht vonnöten. In einem sich auf dieser Grundlage entwickelnden Weltbild begreift der Mensch sein eigenes vernünftiges Wesen. Das ist entwicklungsgeschichtlich erst einmal notwendig. Und solange diese Bewußtseinshaltung nicht – wie in der klassischen Metaphysik – mit Absolutheits- und Finalitätsansprüchen auftritt, ist sie voll zu bejahen. Der Übergang zum Nicht-Aristotelischen schließt eine Selbstentthronung des Menschen ein. Sie impliziert, daß der Mensch keineswegs die spirituelle Krone der Schöpfung ist und daß jenseits seiner Existenz noch ungeahnte Entwicklungsmöglichkeiten jenes rätselhaften Phänomens liegen, das wir Leben nennen. Die bisherige Tradition hat sie in dem Mythos vom „Ewigen Leben" zusammengefaßt und dadurch aus der wissenschaftlichen Entwicklung ausgeschlossen. Schärfer gefaßt, besteht die Dethronisierung des menschlichen Bewußtseins darin zu begreifen, daß das System der menschlichen Rationalität keineswegs das System der Rationalität des Universums ist. Es liefert nur einen infinitesimalen Bruchteil des letzteren. Das Universum „denkt" in aristotelischen Kategorien nur dort, wo es sich um Totes handelt. Es ist der Tod, den der Mensch in sich fühlt und dem er nicht entfliehen kann, es sei denn, er gibt sich selbst auf. Aber diese Selbstaufgabe, die, wissenschaftstheoretisch gesprochen, den Übergang zu einer transklassischen Logik bedeutet, scheint ein zu hoher Preis zu sein, und deshalb klammert sich die gegenwärtige Philosophie noch immer verzweifelt an die aristotelische Logik, die nicht verlangt, daß der Mensch in weiten Bereichen sein privates Evidenzbewußtsein preisgibt und durch den Rechenprozeß ersetzt. Was nicht begriffen wird, ist, daß durch eine geringfügige Preisgabe unendlich mehr gewonnen wird. Einer der Gründe, warum die mit soviel Pathos angekündigte Logik der Geisteswissenschaften sich nie verwirklicht hat, ist die Tatsache, daß das, was heute noch unter dem Terminus ‚Geist' verstanden wird, nichts weiter als eine trübe Mischung von Materialität und Spiritualität ist, in der sich die beiden Komponenten im einzelnen aller Identifizierung entziehen. Diese Identifizierung ist mühseligste Kärrnerarbeit, und dazu ist die heutige Geistesphilosophie zu vornehm.

Arnold Gehlen hat in seiner tief gedachten „Theorie der Willensfreiheit" darauf hingewiesen, daß, um das Problem der Freiheit und damit des Geistes überhaupt erst in Sicht zu bekommen, man dem Materialismus alles zugeben muß, was er für sich fordert. Und er fordert in seiner letzten dialektischen Version eben „alles". Das aber bedeutet philosophische Aufgabe des Idealismus, und darum hat sich auch der Verfasser im gegenwärtigen Stadium des Arguments als einen dialektischen Materialisten erklärt – ein Bekenntnis, zu dem er zu dem Zeitpunkt, als er „Idee und Grundriß . . ." schrieb, noch nicht fähig war.

Eine ganz andere Frage aber ist, ob das, was heute im Osten als das letzte Wort der materialistischen Philosophie verkündet wird, auch wirklich das letzte Wort ist. Die Kampfstellung, die diese Philosophie dem Idealismus gegenüber einnimmt, zeigt drastisch, wie blind und fanatisch beide Parteien an das Problem glauben, über dessen Deutung und Lösung sie sich entzweit haben. Angesichts dieser fundamentalen Einigkeit über das philosophische Recht der Fragestellung fällt die Differenz in den Antworten weltgeschichtlich überhaupt nicht mehr ins Gewicht. Es ist die Überzeugung des Verfassers, daß eine neue Groß-Epoche der Philosophie in Vorbereitung ist, die von der Voraussetzung ausgeht, *daß der Gegensatz Idealismus und Materialismus philosophisch irrelevant geworden ist.* D. h. die neue Philosophie wird nicht eine der bisher gegebenen philosophischen Antworten bejahen oder bestreiten und zu verbessern suchen, sie wird vielmehr die Legitimität jener Urfragen negieren, aus denen alles philosophische Leben bisher erwachsen ist. Zu dieser Ansicht führt die Beschäftigung mit einer Disziplin, die heute unter dem Kennwort ‚mehrwertige Logik' höchst unzureichend bekannt und benannt ist.

Der Verfasser hat immer wieder von Philosophen und Geisteswissenschaftlern zu hören bekommen, daß sie die meisten seiner Texte nicht lesen können, weil dazu mathematische Kenntnisse erforderlich seien. Dazu muß hier folgendes erklärt werden: Diejenigen, die solche Einwände gemacht haben, haben damit nur demonstriert, daß es ihnen nicht der Mühe wert schien, auch nur einen Versuch zu machen, die in diesem ersten Band (dem noch ein zweiter folgen soll) gesammelten Aufsätze sorgfältig mit einem Bleistift in der Hand und etwas Rechenpapier zu lesen. Ansonsten müßte ihnen deutlich geworden sein, daß keiner der Texte Rechnerisches enthält, das Obersekundaner-Niveau übersteigt. Der Verfasser ist selbst nichts weniger als ein Mathematiker, und er hat sich von mathematischer Seite sogar den umgekehrten Vorwurf anhören müssen, daß das, was rechnerisch in seinen Arbeiten enthalten ist, viel zu elementar sei, um angesichts moderner mathematischer Spekulation irgend eine Relevanz zu haben. Andererseits aber wurde ihm von einem mathematischen Kollegen mit internationalem Ruf auf seine Bitte, einige Fragen zu beantworten, die auf seinen Gebrauch der Stirling-Zahlen in der Theorie der Mehrwertigkeit hinausliefen, geantwortet, er könne diese Fragen deshalb nicht beantworten, weil sich die Mathematik bis heute mit diesen Fragestellungen nicht eingehend beschäftigt habe. Das läßt die Mathematik vorläufig aus dem Spiel. Was aber die Haltung der Philosophie anbetrifft, so ist ein Erlebnis bezeichnend, das der Verfasser vor einigen Jahren hatte. Er versuchte einem Kollegen, der einen Lehrstuhl an einer der renommiertesten amerikanischen Universitäten innehatte, zu erklären, was eine Transjunktion ist, indem er ihm den Wertverlauf einer solchen Funktion demonstrierte. Dafür gibt es eine ganz elementare Technik, so einfach wie etwa das Addieren. Der Kollege weigerte sich, auch nur zuzuhören mit dem Hinweis darauf, daß er kein ‚Mathematiker' sei. Als zufällig in diesem Augenblick die 14jährige Tochter des Kollegen ins Zimmer kam, bat der Verfasser sie, sich dazu zu setzen und sich eine Erklärung des Mechanismus anzuhören, der den dreiwertigen Wertverlauf einer neunstelligen Transjunktion produziert. Mit einigen wenigen Gegenfragen war das Verständnis in etwa zehn Minuten hergestellt. Der Verfasser legte ihr darauf eine dreiwertige unausgefüllte Werttafel vor und bat sie, die Wertfolge, die ihr bis dahin total unbekannt war, selbständig einzuzeichnen. Das heranwachsende Mädchen tat das fehlerlos. Sie versagte auch nicht, als die Werttafel durch Hinzufügung einer zusätzlichen Variablen auf 27 Stellen erweitert wurde. Zu diesem Bericht muß hinzugefügt werden, daß die Lektion an den Vater verschwendet war. Um Mißverständnissen vorzubeugen, sei ausdrücklich bemerkt, daß es sich vorläufig überhaupt nicht darum handelt, die philosophische Tiefe und Tragweite einer arithmetisierenden Operation zu erfassen (und da scheiden Experimente mit Kindern und Heranwachsenden selbstverständlich aus), sondern um das Erlernen einer elementaren Technik, die man erst einmal ganz wie das Einmaleins und ABC einüben muß, ehe man beginnen kann, über ihre philosophische Relevanz zu grübeln. Um es noch einmal zu wiederholen: die Technik ist von äußerster Primitivität und erfordert überhaupt keine geistige Reife, aber sie ist so ungewohnt, daß der Lernprozeß im vorgerückten Alter guten – sehr guten – Willen erfordert, der selten vorhanden zu sein scheint.

Wir haben oben von der Legitimität jener Urfragen gesprochen, die das philosophische Leben zum mindesten seit den Griechen (oder auch noch früher, wenn man will) beseelt haben. Die Fragen werden als solche auch weiter bestehen. Für das moderne Bewußtsein haftet ihnen aber eine gewisse Naivität an. Es ist trivial und selbstverständlich, daß jener Reflexionsprozeß, den wir Geschichte nennen, uns allein durch das menschliche Bewußtsein zur Erkenntnis kommt. Aber daraus zu schließen, daß die Geschichte schon in ihren elementarsten Grundlagen menschliche Züge trägt und eben Geschichte des Menschen und nichts weiter ist, zeugt von einem Lokalpatriotismus des menschlichen Gehirns, der nicht mehr zu übertreffen ist. Ein Vorwort ist nicht der Platz für detaillierte Analysen, weshalb hier nur kurz gesagt werden soll: eine transklassische Logik ist eine Logik des geschichtlichen Prozesses, in dem das Subjekt der Geschichte *Leben überhaupt* ist und nicht die ephemere und zufällige Gestalt, die dasselbe im Menschen angenommen hat. Das tote Sein, dessen Logik uns die aristotelische Tradition gegeben hat, hat keine Geschichte. Deshalb haben wir heute eine Technik, die jenes schon von Mythologemen befreite Denkbare ins Machbare übergeführt hat. Und deshalb stehen wir historischen Prozessen heute noch genau so hilflos gegenüber wie vor 10 000 Jahren. Zwar beginnen sich heute Ahnungen zu regen, daß es anders sein könnte – im dialektischen Materialismus etwa –, aber mehr besitzen wir noch nicht. Es wird lange dauern, bis wir zu bestimmteren Einsichten kommen werden. Die emotionalen Hindernisse zwischen uns und dem Erfolg sind enorm. Es geht gegen alle Instinkte einzusehen, daß die Geistesgeschichte nicht mit dem Menschen beginnt – er ist nur das vorläufig allerletzte Reflexionsphänomen –, sie beginnt vielmehr in jenem Urereignis, in dem Leben aus dem Toten zu sprossen begann. Darum scheidet der auch heute noch sehr unterschätzte Schelling zwischen einer Urgeschichte und dem, was unser Vordergrundinteresse Geschichte nennt. Und solange nicht etwas von jener Urgeschichte begriffen wird, ist alles, was wir über unsere eigene Geschichte sagen, auch in den seltenen Fällen, wo die Aussage geglückt ist, geniale, aber unzuverlässige Intuition – wissenschaftlich betrachtet, aber besseres oder schlechteres Gerede. Das wird nicht anders werden, solange das Denken nicht von dem Eindruck der metaphysischen Irrelevanz des Menschen erschüttert ist. Heute aber will auch der in sich so zwiespältige dialektische Materialismus nicht von dem Bemühen lassen, dem Menschen eine noch anspruchsvollere apokalyptische Rolle anzufrisieren. Zu Hilfe kommt diesem Bemühen die immer größer werdende Angst vor der Technik, in der alles nach der Reduzierung des Menschen strebt. Der Geisteswissenschaftler blickt auf dieselbe in einer höchst trügerischen Selbstsicherheit herab.

Wir schließen diese philosophische Betrachtung, indem wir dieser hochmütigen Selbstsicherheit mit einem lang vergessenen Wort Hermann Lotzes aus seinem „Mikrokosmus“ antworten: „Nirgends ist der Mechanismus das Wesen der Sache, aber nirgends gibt sich das Wesen eine andere endliche Gestalt des Daseins als durch ihn."

Wozu wir nur noch hinzufügen wollen: jenes Gestaltgeben ist das, was wir Geschichte nennen sollten.

Es ist dem Verfasser eine angenehme Pflicht, erstens seinem Verleger Herrn Richard Meiner dafür warm und herzlich zu danken, daß er das Risiko der Veröffentlichung von Texten unternommen hat, die sich radikal gegen den Zeitgeist wenden, der heute all überall auf diesem Globus herrscht.

Ebenso herzlicher Dank gebührt den Herren Claus Baldus und Rudolf Kaehr, die trotz der Kürze der zur Verfügung stehenden Zeit, in der das Erscheinen dieses Bandes vorbereitet werden mußte, die redaktionelle Betreuung übernommen haben und die, wie der Verfasser weiß, die notwendige Kompetenz dafür besitzen.

Der hier vorgelegten Aufsatzsammlung soll ein zweiter Band folgen. Die Reihenfolge der Essays folgt nur insofern systematischen Gesichtspunkten, als sich dieselben aus der geistigen Entwicklungsgeschichte des Autors ergeben haben. Für die Einordnung einer Abhandlung ist also überwiegend ihr Erscheinungsjahr maßgeblich gewesen.

Dem zweiten Band wird ein Personen- und Sachregister für die gesamte Aufsatzsammlung beigegeben werden.

Hamburg, im Frühjahr 1976 Gotthard Günther

# Wahrheit, Wirklichkeit und Zeit, die transzendentalen Bedingungen einer Metaphysik der Geschichte

SOMMAIRE. — La question logique qui se dresse à l'entrée de chaque métaphysique de l'histoire, peut être formulée en ces termes: Les moyens transcendentaux d'une théorie de la conscience divine ou absolue, sont-ils capables de comprendre toutes les dimensions de l'existence historique, si cette conscience absolue, générale est considérée comme n'étant rien que pensée ? Pour la pensée, le temps est toujours vu à travers la mémoire, parce qu'il est temps immanent, représenté. L'action, au contraire, se trouve rapportée à un temps transcendant. Concevant l'histoire avec la seule logique de la conscience divine — ce qui veut dire : comme révélation — on suppose que tout l'avenir peut être projeté dans un sens isomorphe (eindeutig) sur la durée du souvenir. Ceci pourtant est impossible, parce que, en projetant l'un sur l'autre, la mesure de la mémoire serait préférée arbitrairement à celle de l'expression (réalisation) — sans qu'on puisse en donner raison. En conséquence de l'incommensurabilité du temps de la mémoire et du temps transcendant, la conscience agissante ne peut jamais être mise en congruence avec la pensée, et ainsi une logique métaphysique ne peut jamais suffire, à elle seule, comme science fondamentale de la métaphysique de l'histoire. La conscience raisonnante et la conscience pratique, ayant des relations différentes avec le temps, ne peuvent être considérées comme sujet identique que dans une dimension indifférente à l'écoulement du temps (zeitfolge-unbestimmte Dimension). C'est pourquoi nous avons besoin d'une troisième science transcendentale, celle du rapport de la conscience au temps, qui lierait les deux dimensions du temps dans une définition de la réalité, indifférente à l'écoulement du temps. Le présent est cette réalité-là.

Die Geschichte der Philosophie kennt ein sehr altes und doch in seinen metaphysischen Hintergründen bis heute nicht aufgehelltes, geschweige denn gelöstes Problem : das Verhältnis von Wahrheit, Wirklichkeit und Zeit, wie es von der theologischen Antinomie im Bewusstsein Gottes dargestellt wird. Das göttliche, d. h. das absolut allgemeine Selbstbewusstsein muss in seiner vollendeten Totalität sowohl als allmächtig wie auch als allwissend begriffen werden. Dabei aber ergibt sich ein unauflöslicher Widerspruch, der konstituierend für das Wesen jedes allgemeinen Bewusstseins und sein Verhältnis zur Zeit in das transzendentale Existenzproblem selbstbewussten (historischen) Daseins eintritt.

Wenn Gott nämlich allwissend ist, dann muss in seinem Bewusstsein jedes « künftige » Ereignis bereits definitiv bestimmt und in seiner endgültigen faktischen Gestalt unveränderlich festgelegt sein. Sofern dies aber der Fall ist, fällt jede Möglichkeit weg, Gott als Allmächtigen zu verstehen, denn wenn alle Zukunft im theoretischen Bewusstsein als im Wissen bestimmte auftritt, unterliegt der Wille notwendig dem Zwang, dies bereits Gewusste handelnd zu bekräftigen und auszuführen. Wo alles im Denken vorher bestimmt werden kann, da geht die Zukunft dem Willen als Feld freier Möglichkeiten und als Raum seiner eigenen selbstbewussten Realität unwiderruflich verloren. Und wo es im « Buch des Lebens » von Allem, was da sein wird, heisst : « Es steht geschrieben, dass... », dort bleibt dem Willen keine freie Wahl, und er hat seine Kraft demütig unter das Gewicht des ewigen « Worts » zu beugen.

Setzt man aber umgekehrt das Selbstbewusstsein Gottes als allmächtig, dann muss dem Wissen jeder Blick in die Zukunft unwiderruflich verschlossen bleiben, denn alle Dinge harren dann noch der Schöpferkraft des freien und mächtigen Willens, der ihre faktische Bestimmtheit zum wirklichen Dasein aufruft.

Diese Antinomie ist unaufhebbar ; wenn Gott absolut allmächtig ist, dann kann er nicht durch sein eigenes Wissen vom Zukünftigen gebunden sein und dann ist ihm das, was kommen wird, ebenso unbekannt wie dem endlichen Bewusstsein von geringerer Allgemeinheit und mangelnder Totalität. Falls Gott aber allwissend ist, muss notwendig an diesem Wissen seine Allmacht zerbrechen, denn dann steht das « Wort » in alle Ewigkeit, und *jeder* Wille muss ihm dienstbar sein.

Wie verhält sich nun das endlich-menschliche Bewusstsein gegenüber dieser Antinomie von Wissen und Wollen ? Wir entdecken hier, dass theoretisches und praktisches Bewusstsein sich grundsätzlich durch ihr verschiedenes Verhältnis zur Zeit aus der Einheit des Bewusstseins heraus differenzieren. It is no use crying over spilt milk, sagt ein englisches Sprichwort, drastisch die Einsicht illustrierend, dass das Vergangene den Entscheidungen des Willens endgültig entzogen ist und *als* Vergangenes allein der leidenschaftslosen Bestimmung des theoretischen Begreifens anheimzufallen hat. Der sich entscheidende Wille aber entwirft sein Bild auf die Zukunft als die Dimension freier Möglichkeiten der Bestimmung. So « *erinnert* » sich das Denken der Bestimmungen des « Wesens », das einstmals *geworden* sein muss, ehe dies lebendige Werden in die tote Ewigkeit des « Gewesenen » eingegangen ist. Und auf der anderen Seite « äussert » der freie schaffende Wille sich in seinen Möglichkeiten und lässt sie zu Wirklichkeiten *werden*, denen bestimmt ist, durch immer neue Realitätserfüllungen abgelöst und in immer frischen Entwürfen sich überboten zu sehen.

Dergestalt scheint also das Bewusstsein im Denken und Handeln ein durchaus eindeutiges Verhältnis zur Zeit zu haben, wobei die Zeit als Zukunft dem in Entscheidungen lebenden Ich zugeordnet ist, die Zeit als Vergangenheit aber das Schema liefert, in dem das theoretische Bewusstsein seine Bestimmungen entwickelt. Indes trifft diese Einteilung nur für eine transzendentale Schematik des Zeit*bewusstseins* zu, das reelle Existenzproblem eines sich in zeitlichen Bestimmungen entwickelnden Bewusstseins, und damit das metaphysische Problem der Geschichte, trifft sie nicht, weil hierbei die jedem Erleben geläufige Tatsache ausser acht gelassen worden ist, dass die Unterscheidung von Vergangenheit und Zukunft in der *Gegenwart* und der sich allein in ihr faktisch realisierenden identischen Einheit des Bewusstseins selbst keine Zeitbestimmung mehr ist. Alle Ereignisse, die in einen identischen *Jetzt*punkt fallen, sind grundsätzlich *zeitfolgeunbestimmt.* Sie sind « gleichzeitig », sagt die populäre Erfahrung. Aber wem « gleicht » die Zeit eigentlich in jeder strengen Gegenwart ? Gleicht sie dem Denken oder dem Entscheiden, oder gleicht sie gar in jenem Jetzt das denkende und handelnde Bewusstsein einander an ? Das Identitätserlebnis jedes zeitlichen Bewusstseins lässt uns jene letzte Frage bejahen, und wir müssen uns fragen, welche Gestalt wohl jene « Gleichung » haben mag, in der im ewigen Jetzt Denken und Wollen zur konkreten Einheit eines identischen Bewusstseins verschmelzen.

Das in Entscheidungen lebende Ich der praktischen Vernunft erlebt sich *in* der Zeit. D. h. die Zukunft ist ihm die existentielle Dimension, in die es die Entwürfe seines Willens *hinein* zu bilden hat. Entscheidungen fallen *in* der Zeit, weshalb sich die Zeit als von höherer metaphysischer Mächtigkeit erweist als der Wille. In dem Augenblick aber, in dem sich eine Entscheidung realisiert hat und damit unabänderlich geworden, freie Möglichkeit *gewesen* ist, sinkt die Zeit zum blossen Gegenstand der « Erinnerung » herab. Sie tritt als Objekt in das theoretische Bewusstsein, und an ihr vermag das Denken « rückwärts » zu gehen auf unendlichem Wege entgegen der « prima causa » alles Gewordenen, auf dass der ganze Zeitverlauf vom Anfang aller Tage bis heute noch einmal neu in die *Erinnerung* treten möge. Das Denken entwickelt sich selbst also in der Erinnerung als höhere Mächtigkeit gegenüber der Zeit, die als blosses Objekt der Bewegung der theoretischen Reflexion ausgeliefert ist. Und der reine Begriff beweist hier seine höhere Mächtigkeit, indem er in der Antizipation, z. B. im Naturgesetz, die « Zukunft » seinen Bestimmungen unterwirft und zum gehorsamen Medium seiner « Erinnerung » macht.

Wir wissen damit, wie sich Denken und Handeln zur Zeit verhalten, aber das direkte Verhältnis von Begriff und Entscheidung ist damit noch nicht gegeben und die Frage vorerst unbeantwortet : in welcher Weise gleicht die Zeit im *zeitfolgeunbestimmten* Augenblick der Gegenwart Denken und Handeln zur Identität des Selbstbewusstseins aus ? Dass diese « Gleichung » nur in einer zeitfolgeunbestimmten Dimension erfolgen kann, ist selbstverständlich, denn wir haben festgestellt, dass die Zeit der Zukunft als eine Transzendenz, in die das Ich seine Entscheidungen projiziert, erfahren wird. In der Erinnerung aber tritt die Zeit als Bewusstseinsimmanenz auf. Einmal also ist sie von höherer Mächtigkeit als das Bewusstsein und diesem untergeordnet. Das andere Mal ist sie der *Erinnerung* unterworfen und von niederer metaphysischer Valenz als jedes Ich.

Will man nun Denken und Handeln als Identität (des Selbstbewusstseins) begreifen, so muss notwendig der Forderung, Vergangenheit und Zukunft identisch zur Deckung zu bringen, Genüge geleistet werden. Aber es ist deutlich, dass diese Aufgabe in chronologischem Sinn nicht eindeutig erfüllbar ist, denn die transzendente Zeit und die Zeit der Erinnerung besitzen kein gemeinsames, objektives (gegenständliches) Zeitmass, wie jedermann aus der Fruchtlosigkeit jedes Vergleichs von Traumzeit und « wachem » Zeiterleben weiss. Folglich können Vergangenheit und Zukunft nur in einer Dimension, in der jedes Zeitmass gegenstandslos ist, als (selbstbewusste) Identitäten aufeinander abgebildet werden. Diese Bedingung trifft jedoch nur auf das *Jetzt*erlebnis des Bewusstseins zu, in dem alle Ereignisse grundsätzlich zeitfolgeunbestimmt angeordnet werden müssen.

Damit aber entfällt ganz prinzipiell die Möglichkeit, auf diesem Niveau das direkte Verhältnis von Denken und Handeln in dem Sinne zu bestimmen, dass das eine dem andern als höhere Mächtigkeit vorgeordnet und vom Primat der theoretischen oder praktischen Vernunft gesprochen wird. Denken und Handeln sind hier unbedingt von gleicher Mächtigkeit, denn sie repräsentieren beide in ganz ebenbürtiger Weise die Totalität des Selbstbewusstseins. Und sie unterscheiden sich nur insofern, als sie das unterschiedliche Verhältnis des Selbstbewusstseins zur Zeit indizieren. Jeder Versuch, von einem Primat der theoretischen oder praktischen Vernunft im Selbstbewusstsein und seiner *momentan*reellen Identität zu sprechen, bringt die Idee einer metaphysischen Zeitfolge in die zeitfolgeunbestimmte Identitätsdimension des konkreten Subjekts hinein und begeht damit den unverzeihlichen Verstoss, dass er das Mass der transzendenten Zeit zugleich als Zeitmass der Zeit der Erinnerung betrachtet. Damit aber wird gerade das metaphysische Willensproblem vernichtet, das in der *Freiheit* des Bewusstseins, jene beiden Zeitmasse nach Massgabe freier Entscheidung zu trennen oder zur Deckung zu bringen, kulminiert.

Diesen Fehler begeht die Hegelsche Geschichtsphilosophie ebenso wie die vorausgehenden geschichtsphilosophischen Entwürfe der Aufklärung. Die Folge davon ist, dass, weil man glaubt, die *ganze* geschichtlich-metaphysische Wirklichkeit vom ersten Anfang an bis in alle erdenkliche Zukunft auf *ein* reelles Zeitmass bringen zu können, notwendig auch *ein* Sinnzusammenhang die Substanz des geschichtlichen Daseins beherrschen müsse. So gestaltet sich für alle diese Typen von Geschichtsphilosophie der konkrete historische Verlauf zur Offenbarung des göttlichen *Wortes*, so wie es im Ev. Johanni heisst:

Und das Wort ward Fleisch, und wohnte unter uns,
Und wir sahen seine Herrlichkeit....

Und Hegel, ganz im Geiste der Johanneischen Verkündigung, erklärt am Ende seiner Phänomenologie von der Geschichte : « Ihr Ziel ist die Offenbarung der Tiefe, und diese ist *der absolute Begriff* ».

Für diese Auffassung muss also das metaphysische Geschichtsproblem vermittels einer absoluten *Logik* des göttlichen Bewusstseins, das sich im Ablauf der historischen Zeit offenbart, erschöpfend zu bewältigen sein, da, wie Hegel bemerkt, die Logik « die *Darstellung Gottes* ist, *wie er in seinem ewigen Wesen vor der Erschaffung der Natur und eines endlichen Geistes ist* ». (1) Alle konkrete Historie ist dann die explizite Auslegung des göttlichen Bewusstseins *in der Dimension*

1. Hegel, III, Ed. Lasson, S. 31.

*der Zeit*, also die Fleischwerdung des « Wortes » in den reellen Gestalten des geschichtlichen Daseins. Und es ist ganz selbstverständlich, dass unter dieser transzendentalen Voraussetzung die *Logik* eines absoluten und totalen Bewusstseins zureichen muss, wenn der Mensch an die Aufgabe geht, den metaphysischen Hintergrund geschichtlichen Wesens und damit seiner eigenen Existenz aufzuhellen.

Jedoch ist es der tiefste und vielleicht folgenschwerste Irrtum aller bisherigen Geschichtsphilosophie, wenn sie im Gefolge der Aufklärung und Hegels annimmt, dass das sich selbst in absoluter Allgemeinheit konsequent durchführende Denken imstande sei, ganz allein *alle* transzendentalen Dimensionen einer Metaphysik der Geschichte auszumessen. Die Fehlleistung besteht, wie bereits angedeutet, in dem aussichtslosen Versuch, die transzendente Zeit und die Zeit der Erinnerung *eindeutig* auf einander abzubilden und zur reellen Deckung zu bringen.

Dass ein solcher Versuch äusserst verführerisch ist, leuchtet sofort ein, wenn wir uns den Unterschied von göttlichem, allmächtigem und allwissendem Selbstbewusstsein und menschlicher, endlich-existenter Vernunft vor Augen führen. Wir sahen : ein absolut allgemeines, *allwissendes* Selbstbewusstsein ist reine *Erinnerung* und steht somit transzendental am *Ende aller Zeiten*. (Denn wenn es für dieses Bewusstsein noch eine Zukunft gäbe, die sich als freie, noch *unbestimmte* Möglichkeit eines handelnden Willens darstellte, dann wäre es eben nicht allwissend infolge seiner Ohnmacht die Zukunft zu bestimmen !) Umgekehrt aber muss die Idee eines allmächtigen Selbstbewusstseins bis an den *Anfang und ersten Ursprung alles Gewordenen* zurücktreten, weil ein Wille, dem das einmal Gewordene als unabänderliche Macht des factum brutum gegenüber tritt, und der an ihr zerbricht, eben kein schlechthin allmächtiger Wille genannt werden kann. Die oft von einem vorbildlichen metaphysischen Instinkt geleitete Mythologie setzt deshalb die Allmacht Gottes im Gedanken der Weltschöpfung an den Anfang aller Zeit ; denn Weltschöpfung bedeutet nichts anderes, als dass ein absolut all(gemein)-mächtiger Wille als Ursprung und *erstes* Realitätsmotiv der transzendenten Zeit begriffen werden muss. Wie aber verhält sich die menschliche, endlich-existente Vernunft zu einem absoluten Selbstbewusstsein, das sich dergestalt *entzweit*, dass es als denkende *Erinnerung* die Eschatologie aller Zeiten produziert und als schöpferische *Aeusserung* sich in der dämmernden Morgenröte des Weltaufganges zu verlieren scheint ?

Aufklärung und Idealismus bemerken hierzu : diese Entzweiung ist nur scheinbar und besteht nur für den *endlichen* Horizont menschlich existenter Erinnerung. Diese allerdings sieht sich einer unbestimmten und nicht erinnerbaren Zukunft gegenüber, aber es gehört ja zum Wesen der Geschichte, tempus quod aequabiliter fluit, dass die unbestimmte Zukunft unaufhörlich in Entscheidungen bestimmt und als bestimmte ins Bewusstsein hineingezogen und zum Gegenstand der Erinnerung gemacht wird. Im Prozess der Entscheidung und beim Hindurchgang durch die Gegenwart bildet sich also das Zukünftige selbst auf die Erinnerung ab, und das Ende aller Zeiten wird herbeigekommen sein, wenn alles Kommende seine Abbildung in der Erinnerung gefunden haben wird. Entwerfen wir also in einer absoluten Logik ein nicht mehr überbietbares, definitiv allgemeines Selbstbewusstsein der Erinnerung, so muss ein solches notwendig am Ende aller Zeiten stehen. Das bedeutet aber, dass diese Logik alle Möglichkeiten des Willens endgültig bestimmt und dem theoretischen Bewusstsein unterworfen hat ; denn für ein Denken, das die Geschichte der Welt bis zu den eschatologischen Abgründen des jüngsten Gerichtes überschaut, gibt es keine geschichtliche Zukunft mehr, die einem schöpferischen Willen gestatten würden, Möglichkeiten zu realisieren, die noch nicht den Eingang in den Bestimmungsbereich des erinnernden Bewusstseins gefunden haben. *Alle Macht* des Willens, also seine absolute Allmacht, ist hier auf das Denken abgebildet, weshalb für diese Philosophie Metaphysik der Logik und Metaphysik der Geschichte zusammenfallen.

Aber Aufklärung und Idealismus irren, wenn sie glauben, dass es möglich ist, in einer absoluten Logik alle Zukunft der Welt auf ihre vergangene Geschichte abzubilden. Dieses Unternehmen ist aus prinzipiellen Gründen undurchführbar. Wir erinnern dabei an zwei von uns bereits festgelegte transzendentale Grundsätze :

1) Die Zeit ist von höherer metaphysischer Mächtigkeit als der Wille.

2) Das Denken besitzt eine höhere Mächtigkeit als die Zeit.

Hierzu tritt jetzt noch ein weiteres Prinzip :

3) Der Wille entwickelt eine höhere Mächtigkeit als das Denken.

Das scheint mit dem bisher Gesagten in Widerspruch zu stehen, denn wir führten ausdrücklich aus, dass jede Abbildung der theoretischen Vernunft auf die praktische und umgekehrt nur in einer *zeitfolgeunbestimmten* Dimension d. h. als ewige Gegenwart (Wahrheit) erfolgen könnte. Die Unmöglichkeit, hier eine Zeitbestimmung einzusetzen, schliesst aber jeden Anspruch auf ein Primat aus. Diese Abbildung der Vernunft auf sich selbst erfolgt hier also nicht *in* der Zeit, weshalb notwendig die Zeit ihrerseits (als System des Willens) auf die Erinnerung abgebildet wird. Der ganze Prozess ist also ein logischer, und selbstverständlich muss sich *in* der Logik das Bewusstsein mit sich selbst zur Deckung bringen können.

Ganz anders aber liegen die Dinge, wenn wir jetzt nach der geschichtlichen *Existenz* und metaphysischen Realität des Denkens fragen! Die Realität des denkenden Selbstbewusstseins in der Zeit ist wie jede andere Realität eine bestimmte. Bestimmungen zu setzen und damit die unbestimmte Zukunft ihrer reellen Erfüllung (und der Erinnerung) zuzuführen, ist Sache des Willens. Auch das existierende Selbstbewusstsein ist eine Faktizität, und alles Faktische kann nur als Resultat einer *Entscheidung* begriffen werden. (Das Resultat des Denkens ist niemals Faktizität sondern Notwendigkeit!) Dass also ein denkendes Selbstbewusstsein faktisch *da* ist, d. h. *dass* ich denke, kann « ursächlich » nur darin begriffen werden, dass ich denken *will*. Das Denken als *Existenz* ist Handlung, sagt Fichte mit tiefer Einsicht in diesen Zusammenhang. Es ist einer der schwersten Irrtümer der spekulativen Logik zu glauben, dass das absolut allgemeine Denken auch seine eigenen Existenzkategorien enthalten müsse. Das Problem der Existenz des Denkens, d. h. des Selbstbewusstseins, ist nur in einer transzendentalen Theorie des Willens explizierbar, nur sie allein enthält die Existenzkategorien der Bewusstseinsrealität. Die transzendentale *Logik* der Philosophie muss also durch eine transzendentale Ethik (Lehre von den Entscheidungen) ergänzt werden, die die höhere (weil existente) Mächtigkeit des Willens gegenüber dem Denken darstellt.

Unmöglich aber können diese beiden transzendentalen Bestimmungsgruppen des Bewusstseins in einem geschlossenen, streng finitistischen System vereinigt werden. Denn wie man unmittelbar sieht, können auf Grund der drei Prinzipien:

1) Die *Zeit* ist von höherer Mächtigkeit als der Wille.

2) Das *Denken* besitzt höhere Mächtigkeit als die Zeit.

3) Der *Wille* entwickelt eine höhere Mächtigkeit als das Denken,

niemals drei Aussagegruppen von *transitivem Charakter* gebildet werden. Folglich lässt sich das Zeitproblem auch nicht auf das unmittelbare Verhältnis von Handeln und Denken reduzieren und in ihm auflösen. Auf Grund der mangelnden Transitivität der drei Prinzipien bleibt der Zeitverlauf im konkreten Bewusstsein stets *doppelsinnig*, und um dem Problem der Metaphysik der Geschichte gerecht zu werden, bedarf die Philosophie deshalb noch einer *dritten* Transzendentalwissenschaft, die den zeitlichen Horizont des existenten Selbstbewusstseins als geschichtliches Dasein beschreibt. *Vermittlung der Zeit im Bewusstsein* und *Vermittlung des Bewusstseins in der Zeit* sind die beiden thematischen Grundmotive jener letzten und abschliessenden Transzendentaltheorie des Selbstbewusstseins, in der sich die Metaphysik der Geschichte zu einem totalen Reflexionszusammenhang zusammenschliesst, wobei sie das Denken einen Kreis durchlaufen lässt, dessen Umfang auszumessen nur der Weltgeschichte selbst von Ewigkeit zu Ewigkeit bestimmt sein kann.

# Logistik und Transzendentallogik.[1]

Es kann nicht vertuscht werden: Das derzeitige Verhältnis zwischen Philosophie und mathematisierender Logik[2] ist ein außerordentlich unerfreuliches. Kenner der Literatur werden sich erinnern, daß vor nicht langer Zeit einer der bedeutendsten Logistiker der Gegenwart prinzipielle Sätze aus Heideggers „Sein und Zeit" in seine abstrakte Symbolik mit dem Resultat übertragen hat, daß von allem Tiefsinn nur ein Häufchen teils sich selbst widersprechender, teils gänzlich sinnloser Aussagesätze übrigblieb. Das Verfahren ist als böswillig charakterisiert worden. Völlig zu Unrecht! Denn jeder, der Wert auf Reinheit im Denken legt, wird von jedem sprachlichen Ausdruck, der mit dem Anspruch auftritt, Allgemeingültiges zu verkünden, als Mindestes verlangen dürfen, daß sich derselbe den elementarsten Gesetzen des Verstehens fügt. Wir können es nur als Selbstverständlichkeit hinnehmen, daß eine Philosophie, die sich solche Blößen gibt, jeden Kredit bei wirklichen Wissenschaftlern verliert.

Nein, man kann es den Vertretern des Logizismus wirklich nicht verargen, wenn sie für die sogenannte geisteswissenschaftliche Philo-

[1] Grundsätzliche Bemerkungen eines Philosophen zu Alfred Tarskis Einführung in die mathematische Logik. Verlag Jul. Springer, Berlin 1938, 166 Seiten.

[2] Da es sich in den folgenden Erörterungen nur um den ganz umfassenden Gegensatz zwischen der aus dem Idealismus und der Historischen Schule entstandenen Geistesphilosophie und allen jenen wissenschaftlichen Bestrebungen handelt, die sich auf Leibniz zurückführen, werden hier die Ausdrücke « Logistik », « Logizismus », « Leibnizlogik », « mathem. Logik », « Kalkülforschung » usw. gleichbedeutend gebraucht. Für « Philosophie », « Geistesphilosophie », « Transzendentaltheorie » usf. gilt dasselbe.

sophie bestenfalls ein Achselzucken übrig haben, da fast jede Publikation der Gegenseite, gleichgültig, welches Thema sie behandelt, die großartigen Entdeckungen und Fortschritte, die die Logik seit Leibniz in ihrer Gestalt als Symbolrechnung gemacht hat, zu übersehen pflegt. Besonders in den letzten Jahrzehnten überstürzen sich die neuen Erkenntnisse und Lösungen alter Probleme in atemberaubendem Tempo — und was tut die Philosophie? Nun, sie blickt skeptisch auf die minutiöse Arbeit der Kalkülrechner herab und erklärt, daß man dort in jener handwerklichen Atmosphäre nichts von der ihr eigenen durch die historischen Perspektiven aufgegebenen Problemfülle ahne und daß der Logizismus für die Tiefe ihrer existentiellen Motive kein Organ habe.

Die Gerechtigkeit erfordert allerdings, festzustellen, daß auf der logizistischen Seite der Schuldanteil an diesem schmerzlichen Verhältnis zwischen exakter Wissenschaft und Philosophie auch nicht eben gering ist. Fühlt man sich doch versucht, nach der Lektüre sonst sehr beachtenswerter Veröffentlichungen der Kalkülforschung auf den jeweiligen Autor die Worte eines geistvollen Romans zu variieren: „daß seine geisteswissenschaftliche Bildung hauptsächlich darin bestand, nichts von Philosophie zu wissen, und daß er stolz darauf war. Schon das Wort schien Schande".

Der Schaden, der durch diese wechselseitigen Vorurteile in beiden Gruppen angerichtet wird, dürfte sich vermutlich die Waage halten. Was die Philosophie angeht, so stellt sich in denjenigen Arbeiten der Geistesphilosophie, die ernst zu nehmen sind, immer klarer heraus, daß die aufgeworfenen Fragen einen derartigen Grad von Komplikation erreicht haben, daß ohne exakte (und mechanisierbare) Methoden ihre Bewältigung über jede menschliche Kraft geht.

Umgekehrt kann man zwar den mathematisierenden Disziplinen den Vorwurf mangelnder Exaktheit und Zucht schwerlich machen, aber auch sie übersehen zu ihrem eigenen Schaden einwandfreie Ergebnisse, die auf geisteswissenschaftlicher Seite schließlich doch erarbeitet worden sind und heute als unbestrittener Besitz der Forschung auf dem Gebiet der philosophischen Logik zu gelten haben. (Ein solches Resultat werden wir in den kommenden Überlegungen ausdrücklich einzuführen haben.) In der Gegenwart ist die Logistik allmählich in ein Stadium getreten, in dem u. E. eine weitere Nichtbeachtung der im anderen Lager gewonnenen Ergebnisse zu einer grundsätzlichen Fehlleitung in den Kalkülwissenschaften führen muß. Die Symptome einer solchen Desorientierung sind schon zu spüren, wenn an bestimmten Stellen der mathematischen Logik die Alternative sichtbar wird, entweder auf absolute Exaktheitsansprüche zu verzichten (ganz unmöglich!) oder sehr wesentliche Teile des mathematischen Wissens preiszugeben (erst recht nicht möglich!). —

Wir wollen jetzt versuchen, uns ganz allmählich jenem Punkte zu nähern, in dem sich Logistik und Geistesphilosophie sachlich berühren und eine gemeinsame Problematik haben: Sowohl die rechnende Logik als auch die spekulative Philosophie stimmen darin überein, daß die klassische, von Aristoteles erstmalig in Form gebrachte Logik einschließlich der ihr zugeordneten Methodenlehre modernen Ansprüchen in keiner Weise mehr genügt und daß der vielzitierte Stillstand der Logik von den Griechen bis Leibniz oder Kant durch neue Arbeit am Problem des reinen Denkens abgelöst werden müsse. Aber damit ist die ganze schöne Einigkeit auch schon am Ende! In welcher Gestalt und mit welchen Intentionen die neue logische Forschung aufzugreifen sei, darüber herrschen bei beiden Parteien so unversöhnliche Gegensätze, daß man sich in keiner einzigen Zeile zu verstehen scheint. Schon um den geschichtlichen Ansatzpunkt der nachklassischen Logik ist ein erbitterter Streit entbrannt. Die Logistiker verlegen ihn in die Bemühungen von Leibniz[3], während die philosophischen Logiker die endgültige Abwendung vom klassischen Formbegriff erst in der mit Kant beginnenden Transzendentaltheorie des reinen Bewußtseins vollzogen sehen wollen.

Tatsächlich aber ist die Entwicklung der Logik seit Leibniz doppelspurig erfolgt, wovon wir uns leicht überzeugen werden. Der Neubeginn bei Leibniz läßt sich ungefähr unter folgenden Gesichtspunkten verstehen: Dieser große Denker ergreift zum ersten Male den Gedanken einer vollkommenen Algebraisierung der Sprachlogik in seiner ganzen Tragweite und grundsätzlichen Bedeutung. « Grundsätzlich » faßt Leibniz diesen Gedanken insofern, als diese neue „lullische Kunst" bei ihm nicht etwa als subalterner technischer Apparat und als Appendix zur eigentlichen Logik auftritt, sondern in seinen Erwägungen sofort (und mit Recht!) die Gestalt einer neuen geschlossenen Wissenschaft von durchaus eigenständiger Physiognomie gewinnt. Andererseits aber übernimmt Leibniz die spezifische p h i l o s o p h i s c h e I d e e des klassischen Identitätsformalismus, wie sie seit griechischen Zeiten her bestanden hatte. Ja, er ist es erst gewesen, der dieser Idee in seiner Formulierung des Identitätsprinzips den letzten und schärfsten Ausdruck gegeben hat.

Dieser Neubeginn ist also durch zwei grundsätzliche Stellungnahmen Leibniz' bestimmt. Einerseits akzeptiert er die philosophische Idee der Aristoteleslogik: daß der Identitätsformalismus die adäquate Selbstdefinition des theoretischen Bewußtseins sei. Andererseits hält er die Explikation und Durchführung dieser Idee in der überlieferten Gestalt der Logik für unpräzis und bruchstückhaft, weshalb er der „Realisierung" des philosophischen Prinzips, in dem er sich mit der klassischen Logik einig weiß, eine durchaus neue Gestalt geben will.

In dieser zweifachen Stellungnahme, die die moderne Logistik mit einer gewissen Nüance von Leibniz übernommen hat, liegt ihre Stärke und Schwäche zugleich. Die Frage, ob die klassische Identitätsthematik (mit ihrer Konsequenz in « Widerspruch und Drittensatz ») wirklich

---

[3] Vgl. das Schriftchen von H. Scholz (Berlin 1931), das einen knappen Abriß der Geschichte der Logik gibt.

als schlechthin allgemeinste Selbstinterpretation des reinen Denkens gelten darf, bleibt in allen logistischen Entwürfen seither sorgfältig außer Spiel. Denn alles, was „metaphysisch" ist, war dem Logizismus immer fremd. Aber in der Ignorierung der „metaphysischen" Problematik liegt die Schwäche des Logikkalküls, die ihn einer Ergänzung bedürftig macht. Alle die großartigen Neuentdeckungen, die durch die Symbolrechnung seither gemacht worden sind, treten als Erweiterungen der klassischen Logik auf, d. h. unter der Interpretation: die überlieferte Idee des reinen Denkens sei bis Leibniz nur höchst fragmentarisch und zum geringsten Teile realisiert worden; als Aufgabe der Logistik müsse gelten, diese Realisierung weiterzutragen und womöglich zu vollenden.

Daß diese Meinung, die der Logizismus von sich selbst besitzt, eine schwache Stelle hat, beweist der zweite Neubeginn der Logik auf transzendentaler Basis. Denn ehe die so über alles Erwarten ertragreiche Entwicklung der Kalkülforschung um die Mitte des 19. Jahrhunderts wirklich beginnt, hat sich dem Leibnizschen Gedanken einer „formalistischen Präzisionssprache" eine neue logische Konzeption zugesellt. Nämlich die Idee einer sogenannten Transzendentallogik, erstmalig propagiert in Kants «Kritik der reinen Vernunft». Diese Transzendentaltheorie darf unter keinen Umständen — analog und parallel der Leibnizschen Symbolrechnung — als eine Erweiterungsdisziplin betrachtet werden, die unter selbstverständlicher und stillschweigender Voraussetzung der tradierten philosophischen Idee der Logik überhaupt ihr ein neues Anwendungsgebiet oder weitertragende Methoden erschließt, sondern der Transzendentalismus bestreitet höchst ausdrücklich, daß das klassische Formprinzip als solches für eine adäquate Selbstinterpretation des reinen Denkens zureiche. Die seit Aristoteles überlieferte und von Leibniz aufgenommene philosophische Idee der Form repräsentiere nur einen Spezialfall des reinen Begriffs und sei in einer wesentlich allgemeineren und umfassenderen Interpretation der Struktur des reinen theoretischen Bewußtseins aufzuheben. Alle logischen Schriften der Transzendentalphilosophie versuchen diesen Nachweis zu führen, und alle Kritik richtet sich hier immer nur gegen die philosophische Grundintention der alten Logik und nie gegen deren praktische Durchführung im Einzelnen. Ob da etwas verbesserungsfähig oder gar zu ergänzen sei, darum hat sich der transzendentale Idealismus allerdings nicht gekümmert.

In dem Schicksal der Transzendentallogik, die bis in die Gegenwart dem gleichen Schicksal unterlag wie die Leibnizlogik bis zu den Zeiten G. Booles, zeigt sich die sachliche Zusammengehörigkeit von Logizismus und transzendentaler Logik. Die erfolgreiche Durchführung der idealistischen Theorie des Denkens hätte nämlich eine Technik und einen weitgehend entwickelten Kalkül erfordert, wie er damals noch nirgends zur Verfügung stand. (Ohne eine raffinierte Mechanisierung sind Denkfiguren, wie sie z. B. die Hegelsche Logik entwirft, einfach nicht mehr zu bewältigen.) Erst mit dem Hauptwerk Booles: « An Investigation of the Laws of Thought », das 1854 in London erschien, setzt die Entwicklung der Symbolrechnung ein, die zwischen 1790 und 1830 den Untersuchungen Fichtes und Hegels so sehr gefehlt hat. Einen gewissen Höhepunkt erreicht die Logistik in den Jahren 1910—1913 mit dem erstmaligen Erscheinen der « Principia mathematica » von B. Russell und A. N. Whitehead, nachdem um einiges früher jene Bewegung eingesetzt hatte, die wir seit Wilhelm Windelband als „Hegelrenaissance" zu bezeichnen gewohnt sind. Inzwischen ist weit mehr als ein Vierteljahrhundert verflossen, und heute dürfen wir als durchaus gesichertes Resultat buchen, daß in der transzendentalen Fragestellung für die Logik eine Problemdimension gewonnen worden ist, in der der durch die klassische Logik und die Leibnizlogik getragene Formbegriff des reinen Denkens endgültig überboten ist. Freilich, w i e diese transzendental orientierte Logik durchgeführt werden soll, darüber ist man sich noch weitgehend uneinig, aber das Vorhandensein der neuen Problematik ist unbestritten und macht es fortan unmöglich, a l l e Weiterarbeit an logischen Fragen als geradliniges Vorwärtstreiben der klassischen Idee der reinen Form zu verstehen.

Gegen dieses nicht mehr bestreitbare Resultat verstößt aber die Logistik zwangsläufig, seit ihre Untersuchungen sie über den Aristotelisch—Leibnizschen Formbegriff unversehens hinausgetragen haben. Da sie „metaphysische" Reflexionen über das Wesen der Logik ablehnt, orientiert sie sich immer noch ausschließlich an der klassischen Axiomatik, deren Alleinherrschaft bereits zu beträchtlichen Schwierigkeiten in den Kalkülwissenschaften Anlaß gibt[4]. Unter diesen Umständen ist eine sinnvolle Auseinandersetzung zwischen philosophischer Logik einerseits und den logistischen Disziplinen andererseits ein dringendes wissenschaftliches Erfordernis. Leider stand dem bisher ein erhebliches Hindernis entgegen. Der Philosoph, der unvorbereitet nach einer beliebigen logistischen Veröffentlichung zwecks näherer

[4] Um Mißverständnissen vorzubeugen, sei noch einmal mit allem Nachdruck folgendes festgestellt: Der Verfasser weiß ganz genau, daß überall in der logistischen Literatur gegen die klassische Logik polemisiert wird und daß sich der Logizismus als „neue Logik" der „alten Logik" des Aristoteles entgegensetzt. (Vgl. etwa R. Carnap: « Die alte und die neue Logik », Erkenntnis I, S. 12—26.) Aber alle Kritik der Symbolrechner richtet sich n i e gegen die philosophische Idee dieser Logik, sondern immer nur gegen die mangelnde Differenzierung und nicht weit genug getriebene Ausführung dieser Theorie des Denkens. Höchst charakteristisch ist eine Anmerkung Tarskis in seiner « Einführung in die mathematische Logik », die den Anlaß zu unseren Betrachtungen gibt. Wir lesen dort (S. 46): „Die ganze alte Aristotelische Logik kann fast restlos auf die Lehre von den Grundbeziehungen zwischen Mengen, also auf ein kleines Bruchstück der Klassentheorie, zurückgeführt werden." — Wenn die „alte" Logik ein Bruchstück der „neuen" ist, dann ist letztere eben eine Fortsetzung der Aristotelischen, denn notwendig müssen die neuen Teile isomorph mit dem älteren Stück sein. Eine μετάβασις εἰς ἄλλο γένος, ein Übergang zu einem andersgestalteten Strukturgebilde wird also nicht vollzogen.

Orientierung griff, sah sich plötzlich in die Lage eines Sextaners versetzt, dem man versehentlich statt des « Lederstrumpf » die berühmte Abhandlung « Zur Elektrodynamik bewegter Körper » in die Hand gedrückt hat. Wer auch dann nicht den Mut verlor und sich nach einem Lehrbuch dieser neuen Mathematik umsah, empfing von den Logistikern selbst die nicht eben trostreiche Versicherung, daß ihre Literatur „noch verhältnismäßig arm an Lehrbüchern" sei. Weshalb es schwer sei, Lehrmittel zu benennen, „in denen die Durchsichtigkeit und Faßlichkeit der Darstellung mit der notwendigen Exaktheit Hand in Hand" gehe, so lesen wir bei Tarski in seiner « Einführung in die mathematische Logik ». Tarskis Buch füllt eine empfindliche Lücke aus. Denn die Einführungen, die bisher ein bevorzugtes Interesse verdienten, besonders R. Carnaps « Abriß der Logistik » und D. Hilberts und W. Ackermanns « Grundzüge der theoretischen Logik » muten u. E. dem von der Geistesphilosophie herkommenden Außenseiter, der seit der Schulzeit meist allen Kontakt mit mathematisierenden Denkweisen verloren hat, ein bißchen zuviel für den ersten Anfang zu. Gewiß kann man auch mit ihnen beginnen, aber wer sich von Tarski einführen läßt, wird es erheblich leichter haben. Sein Buch vermeidet sehr glücklich die didaktischen Nachteile der bisherigen Lehrbücher, die einerseits für die erste Orientierung zu viel bieten und überdies in ihren Erläuterungen eine — für den Nichtmathematiker — zu knappe Ausdrucksweise kultivieren. Bei Tarski dagegen steht die Rücksichtnahme auf den mathematisch nicht vorgebildeten Leser an erster Stelle.

Die ganze 166 Seiten lange Schrift ist in zwei Teile gegliedert, wobei der erste Teil den Leser mit einer beschränkten Anzahl von Begriffen und Operationen aus dem Aussagenkalkül, der Klassentheorie und dem Funktionenkalkül bekannt macht und anschließend einige methodologische Prinzipien, wie z. B. „Definition", „Deduktion", „Modell", „Interpretation" und „Unabhängigkeit", ausgezeichnet erläutert. Der Schlußabschnitt des sechsten Kapitels, mit dem dieser Teil endet, bringt Begriffe wie „Widerspruchsfreiheit", „Vollständigkeit" und „Gabelbarkeit"[5] mathematischer und logischer Systeme und gibt so auch dem Anfänger einen deutlichen Eindruck davon, daß die Logistik keinesfalls eine bloße Technik und ein geistfremdes Handwerk ist, sondern unmittelbar in die tiefsten Probleme des Selbstbewußtseins hineinführt. Der zweite Teil benutzt die gewonnenen Begriffe und Methoden, um mit ihnen ein Bruchstück der elementaren Arithmetik als logisches System nach axiomatischen Gesichtspunkten aufzubauen. Es ist ein wahrer Genuß, zu verfolgen, wie dabei fortschreitend eine einfache mathematische Theorie immer durchsichtiger wird und ihren feinsten logischen Verzweigungen mühelos nachgegangen werden kann. —

---

[5] Tarski gebraucht diesen Terminus zwar nicht, aber er redet von der Sache.

Wenn der in den Kalkülwissenschaften Bewanderte die Schrift zur Hand nimmt, wird ihn vermutlich befremden, daß eine so einfache und auch für den Anfänger übersichtliche Disziplin wie der Aussagenkalkül nur fragmentarisch dargestellt worden ist, und daß vor allem etwas so Elementares wie die Fregekonstanten keineswegs in erschöpfender Ausführlichkeit besprochen worden ist. Hat man aber erst das Buch bis zur letzten Seite durchgearbeitet, so kommen diese Einwände sofort zum Verstummen. Man erkennt jetzt die prachtvolle Abstimmung beider Teile aufeinander und stellt fest, daß der erste Teil eben soviel an Begriffen und Methoden entwickelt, wie für das Verständnis einer logischen Grundlegung des behandelten Bruchstücks der Arithmetik gerade benötigt wird. Die Absicht des Autors ist deutlich: Neben einer ersten Bekanntschaft mit grundlegenden Begriffen des Logikkalküls will er mit einem Minimalaufwand an Mitteln dem Schüler zeigen, was diese Methode zu leisten imstande ist und wie man sie handhabt. Die Schrift ist also keineswegs als ein Ersatz für die inhaltlich umfassenderen bereits genannten Einführungen gedacht, sondern kann eher als eine Vorstufe zu ihnen betrachtet werden. Hält man sich das vor Augen, so kann man nur sagen, daß das Büchlein schlechtweg über alles Lob erhaben ist. Diese Vorbereitung auf die Logistik kann jeder verstehen, und nach ihrem Studium ist auch der Nichtmathematiker — sofern er überhaupt die Fähigkeit zum strengen Denken besitzt — genügend geschult, um sich mit Erfolg einem der allgemeineren Grundrisse zu widmen, die ihm die erforderlichen Voraussetzungen für den direkten Kontakt mit den tiefen philosophischen Problemen, die durch die Kalkülforschung der letzten Jahrzehnte überhaupt erst präzis formuliert worden sind, ausführlich vermitteln können. —

Wenn wir hier von philosophischen — also letztlich metaphysischen — Problemen der Logistik reden, müssen wir uns ausdrücklich rechtfertigen. Denn seltsamerweise wird dieser Sachverhalt sowohl im philosophischen Lager wie bei den Logistikern mit Einhelligkeit bestritten. In den Kalkülwissenschaften geschieht das aus der dort heimischen positivistischen, physikalistischen und behaviouristischen Mentalität. Für die erdrückende Mehrzahl der Logistiker gilt der Grundsatz:

> Ein Symbol, dem kein ontischer Sachverhalt (Gegenstand) entspricht, hat keinen Sinn[6].

Konsequenterweise gilt dann das Reflexionsproblem des reinen Sinns ebenso wie die Frage nach der logischen Indikation des Selbstbewußtseins im reinen Begriff nur für eine pseudowissenschaftliche Aufgabenstellung.

In der Philosophie hinwiederum wird der enge Anschluß der Logistik an Mathematik und Physik zum Vorwand genommen, um die

[6] Das gilt wenigstens, soweit „formalisierte Basissprachen" in Betracht kommen. Der Versuch, dieses Prinzip auch in einer allgemeinen semantischen Theorie der Syntaxsprachen durchzuhalten, scheint uns aussichtslos.

metaphysische Gehaltlosigkeit und Bedeutungsleere des gesamten Kalküls zu belegen.

Aber schon eine so elementare Einführung wie die hier besprochene mündet zwangsläufig in ein Problem, an dem wir einerseits den echten metaphysischen Gehalt der Logistik (und damit die wissenschaftliche Legitimität gewisser metaphysischer Fragen[7]), andererseits aber auch das Verhältnis studieren können, in dem Logistik und Transzendentallogik zueinander stehen. — Wie jedermann geläufig ist, der sich auch nur flüchtig mit logischen Dingen beschäftigt hat, steht an der Spitze der klassischen Logik eine Trinität dreier philosophischer Axiome. Nach traditioneller Auffassung definieren sie die universale (geschlossene) Dimension der Rationalität. Nun entdeckte man mit der fortschreitenden Entwicklung der Leibnizlogik, daß in den neu gewonnenen Bereichen das dritte Axiom (das Tertium non datur) die bedingslose Geltung, die es als philosophischer Fundamentalsatz beanspruchen durfte, in gewissen Fällen nicht mehr besaß und nur mehr mit einigen Einschränkungen verwandt werden durfte[8]. Damit ergaben sich für den Fortgang der Logistik zwei Möglichkeiten:

1. Entweder verzichtete man auf dieses so problematisch gewordene Fundamentalaxiom und versuchte die Logistik mit der Widerspruchsfreiheit als „letztem" Prinzip aufzubauen,
2. oder man zog den Schluß, daß die klassische Logik ein geschlossenes System ohne prinzipielle Erweiterungsfähigkeit ihres axiomatisch-trinitarisch verfaßten Inbegriffs sei.

Im ersten Fall war es gestattet, alle logischen Neuentdeckungen als Erweiterungen des ursprünglichen Aristotelisch—Leibnizschen Formbegriffes aufzufassen. Entschied man sich aber für die andere Möglichkeit, wurde die Konsequenz unabweisbar, daß diejenigen Überlegungen, die sich dem Tertium non datur nicht fügen wollen, zum Geltungsbereich eines anderen logischen Systems mit noch unbekannten philosophischen Grundaxiomen gehören müßte. Eine Preisgabe des Drittensatzes kommt in letzterem Fall selbstverständlich nicht in Frage. Wie bekannt, schlug die Logistik den ersten Weg ein, und zwar geschah das prinzipiell in der Hilbertschen Beweistheorie, die das (bisher unerreichte) Ziel verfolgt, die gesamte Mathematik logisch ausschließlich auf das Identitäts- und Widerspruchsprinzip zu gründen. Der fundamentale Geltungsanspruch des dritten Kernaxioms wird dabei weder bestritten noch anerkannt. Er bleibt sozusagen suspendiert. Praktisch allerdings kommt der Aufbau der Beweistheorie einer Verleugnung des Tertium non datur gleich, da man es nicht in die prinzipiellen Voraussetzungen der Theorie hinein-

---

[7] Die Metaphysikscheu der meisten Logistiker hat ihren Grund darin, daß sie beharrlich Metaphysik und — Mythologie verwechseln.

[8] Mit einem gewissen Vorbehalt kann man sagen: behalten hat das Axiom seinen bedingungslosen klassischen Geltungscharakter im Aussagenkalkül, eingeschränkt gilt es im Funktionenkalkül.

genommen hat und es wie einen empirischen Satz behandelt, der je nachdem wahr oder falsch sein kann.

In demselben Sinne lesen wir bei Tarski: „Wie sich aus den neuesten methodologischen Untersuchungen ergibt . . ., bietet ein exakter Beweis der Widerspruchsfreiheit ungeheure Schwierigkeiten grundsätzlicher Natur. Noch schlimmer steht es mit dem Problem der Vollständigkeit: es zeigt sich, daß die Axiomensysteme der Arithmetik und Geometrie nicht vollständig sind; man hat nämlich solche Probleme von rein arithmetischem oder geometrischem Charakter konstruiert, die innerhalb dieser Disziplinen weder in positiver noch in negativer Weise entscheidbar sind. Man könnte vermuten, daß sich diese Tatsache ausschließlich aus der Unvollkommenheit derjenigen Axiomensysteme und Beweismethoden ergibt, über die man heute verfügt, daß es vielleicht durch ihre entsprechende Modifikation (Erweiterung) in der Zukunft gelingen wird, vollständige Systeme zu gewinnen. Tiefere Untersuchungen haben jedoch erwiesen, daß diese Vermutung irrtümlich ist: es wird niemals gelingen, eine widerspruchsfreie und vollständige deduktive Disziplin aufzubauen, die als ihre Lehrsätze alle wahren Sätze aus dem Bereich der Arithmetik oder der Geometrie enthielte" (S. 94 f.). Mit diesen Bemerkungen hat Tarski den berühmten Gödelschen Beweis der Transzendenz der Widerspruchsfreiheit zu jedem Identitätssystem im Auge[9]. Dieser Beweis stellt fest, daß die Widerspruchsfreiheit jedes gegebenen Identitätssystems nie mit den Hilfsmiteln eben dieses Systems bewiesen werden kann. Der Satz ist von immensen Folgen, denn verallgemeinert besagt er, daß es ausgeschlossen ist, die Leibnizlogik mit ihrem faktischen[10] Gehalt als geschlossenes System mit immanentem Wahrheitsprinzip darzustellen. Es wäre falsch, das als einen Mangel dieser Logik anzusehen. Im Gegenteil: erst der Gödelsche Satz sichert ihr die Möglichkeit unbegrenzter sachlicher Bereicherung und schrankenloser Verallgemeinerung. Andererseits aber weist dieser Satz auf die zwingende Notwendigkeit hin, die Leibnizlogik durch eine reine Transzendentallogik zu ergänzen. Denn: deduziert werden muß die Widerspruchsfreiheit der Leibnizlogik, um ihr den bedingungslosen Geltungsanspruch zu verschaffen, der ihr gebührt.

Falls eine solche Deduktion gelingen würde[11], wäre das Tertium non datur wieder legitimiert. Die transfiniten Schlußverfahren würden

---

[9] Siehe K. Gödel: «Über formal unentscheidbare Sätze der Principia Mathematica und verwandter Systeme I», Monatshefte für Mathematik und Physik, 38. Bd., S. 173—198.

[10] Selbstverständlich ist, daß wirklich a l l e s in die Leibnizlogik hineingehört, was man auf ihrem Boden erarbeitet hat. Ganz anders aber liegen die Dinge, wenn man sich fragt, ob die daraus resultierende semantische Problematik noch der Leibnizlogik angehört bzw. mit ihren Mitteln bearbeitet werden kann.

[11] Sehr optimistisch äußert sich in dieser Hinsicht G. Gentzen: «Unendlichkeitsbegriff und Widerspruchsfreiheit der Mathematik». Trav. d. IXe Congr. Int. d. Phil. VI., S. 201—205. G. glaubt das Problem auf dem Wege der „transfiniten Induktion" lösen zu können.

damit allerdings — soweit sie nicht auf „Konstruktion" beruhen — dem „ersten System der Logistik" (der Leibnizlogik) nicht zuzurechnen sein. Soweit ihre Problematik semantischen Charakter hat, würden sie sich als zugehörig dem „zweiten System der Logistik", d. h. einer logistischen Transzendentallogik, erkennen lassen. Da sie dann nicht mehr der klassischen Axiomatik unterstünden, sondern den Kernaxiomen des „zweiten Systems", wäre die unglückselige Trennung von Widerspruchprinzip und Tertium non datur, die die Widerspruchsfreiheit in infiniten Bereichen so problematisch macht, damit gegenstandslos geworden.

Vorläufig aber werden dem Logistiker in der Idee einer Transzendentallogik zwei entscheidende Gesichtspunkte sehr fraglich sein. Wir haben nämlich noch nicht dargelegt, ob es einen Rechtsgrund für die

„Existenz" einer transzendentalen Logik

gibt, und überdies sind wir die (vorläufige) Begründung der

Immanenz des Wahrheitsprinzips im „zweiten System"

noch schuldig, d. h. den philosophischen Nachweis, daß der Gödelsche Satz sich nur auf die Leibnizlogik und die ihr isomorphen Theorien bezieht.

Ein logisches System „existiert", wenn ein Interpretationsbereich aufgewiesen werden kann, den kein anderes System erfüllt und dessen Formalisierung durch die gefragte Disziplin geleistet werden kann. Wir fragen: Gibt es einen solchen Interpretationsbereich? Eine Reihe von Überlegungen wird uns zur Antwort führen. — Der Gödelsche Satz besagt, daß es unmöglich ist, deduktiv sämtliche je im „ersten System" auftretenden begrifflichen Momente in einem obersten absolut-allgemeinen, zweiwertigen Bestimmungsgesichtspunkt[12] zusammenzufassen. Folglich ist die Idee der Leibnizlogik die infinite Verallgemeinerung der klassischen Logik, weil sie äquivalent ist der (abzählbar) unendlichen Reihe aller logischen Theorien, deren Allgemeinheitsgrad jederzeit überbietbar ist. Eine solche Logik aber kann, trotz aller fraglosen Vorzüge, nicht als adäquate Abbildung des theoretischen Selbstbewußtseins angesprochen werden. Ihren Begriffen und Sätzen fehlt die Beziehung auf die logische Einheit des Selbstbewußtseins. Denn alle Momente des Denkens haben eine Doppelfunktion: sie indizieren 1. Objekte und ihre gegenseitigen Verhältnisse und haben in dieser Hinsicht ontologische Bedeutung, 2. aber tritt jeder Begriff als Repräsentant der theoretischen Einheit des Ichs auf.

Eine Logik, die die definitive Struktur des reinen Denkens abbilden will, kann sich deshalb der Aufgabe nicht entziehen, alle logischen Motive so zu definieren, daß insgesamt als Glieder der Fundamentalrelation auftreten, die wir als Sinneinheit des theoretischen Bewußtseins verstehen. Alle logischen Momente m ü s s e n so

[12] der also prinzipiell nicht mehr überbietbar ist.

definiert werden können, denn sonst „wäre es unmöglich, sich ihrer bewußt zu werden", sagt Kant als Schöpfer der Transzendentallogik[13]. Wenn nun der Gödelsche Satz die Transzendenz der Widerspruchsfreiheit für jedes System der Leibnizlogik fordert, so folgt daraus, daß keine der möglichen Interpretationen des „ersten Systems der Logistik" auf dem obersten Bestimmungsgesichtspunkt der transzendentalen Einheit des theoretischen Bewußtseins ausgerichtet ist. In diesem Fall aber ist es prinzipiell unmöglich, die Leibnizlogik — so weit man ihre Verallgemeinerung auch treiben mag — als Abbildung der logischen Einheit des Selbstbewußtseins zu entwickeln, weil für jede Allgemeinheitsstufe, die sie erreicht, jederzeit zwei sich widersprechende Sätze benennbar sind, derart, daß weder der eine noch seine Kontradiktion bewiesen werden können.

Nun ist dies eine Eigenschaft, die wir zwar jedem beliebigen Inbegriff von Bewußtseins i n h a l t e n zuschreiben können[14], ganz undenkbar aber ist es, sie dem Bewußtsein selbst beizulegen. (Wenigstens nicht, solange wir Logik treiben!) Denn stellen wir uns ein Bewußtsein vor, für das jene Frage — als allgemeine — offen bleibt, ob und wann es sich mit seinen Bewußtseinsinhalten identifiziert (d. h. sie widerspruchsfrei vereinigt), so pflegen wir von — Schizophrenie zu reden. Aus diesen Erwägungen folgt: Die Idee des reinen Denkens ist nicht vertretbar durch die Idee der Leibnizlogik. Denn das „erste System der Logik" stellt, laut Gödel, nur die Relationen der theoretischen Bewußtseins i n h a l t e u n t e r e i n a n d e r und nicht die Beziehungen derselben auf die logische Einheit des Ichs fest. Und da der I n h a l t jedes Bewußtseins beliebig erweiterungsfähig ist, können selbstverständlich allezeit im Denken Themen aufgenommen werden, deren disjunktive Spannweite die alternativen Möglichkeiten des vorausgehenden Objektbereiches grundsätzlich übertrifft. Themen also, die vermittels der bisherigen Operationen, die auf einen Objektbereich von engerer Allgemeinheit zugeschnitten sind, nicht mehr zureichend bearbeitet werden können.

Eine solche Situation aber ist nur möglich in einer Logik, die von den Beziehungen der Begriffe auf die systematische Einheit konse-

---

[13] Kr. d. r. V. (Kehrbach), S. 128 Anmerkung. Wir geben noch einige andere Bemerkungen, in denen Kant sich zu diesem Thema äußert. Ebendort: „Der synthetische Satz: daß alles verschiedene e m p i r i s c h e B e w u ß t s e i n in einem einigen Selbstbewußtsein verbunden sein müsse, ist der s c h l e c h t h i n erste und synthetische Grundsatz unseres Denkens überhaupt." Dementsprechend ist die „synthetische Einheit des Bewußtseins... eine objektive Bedingung aller Erkenntnis..., weil auf andere Art, und ohne diese Synthese, das Mannigfaltige sich n i c h t in einem Bewußtsein vereinigen würde". „Und so ist die synthetische Einheit der Apperzeption der höchste Punkt, an dem man allen Verstandesgebrauch, selbst die ganze Logik, und, nach ihr, die Transzendental-Philosophie heften muß, ja dieses Vermögen ist der Verstand selbst (S. 663, 660).

[14] Ihr genügt z. B. jede positiv-negative Bestimmung, deren Bestimmungsgesichtspunkt sich disparat zu einem gegebenen Disjunktionsverhältnis stellt.

quent abstrahiert (und abstrahieren m u ß, um sich ihre unbeschränkte Offenheit zu erhalten). Die Frage nach der logischen Systematik des Selbstbewußtseins liegt schlechthin außerhalb des Gesichtskreises der Leibnizschen Kalküle; sie hat nämlich folgende Gestalt: Ist eine Logik möglich, deren thematischer Gehalt durch die Idee der infiniten Reihe der Systeme der Leibnizlogik gegeben wäre? Bejahen wir diese Frage, so begegnen wir direkt dem Kernpunkt der Transzendentallogik, d. h. dem Abbildungsverhältnis der Leibnizlogik auf die Einheit des theoretischen Bewußtseins. Denn wenn das „erste System der Logistik" unbeschränkt verallgemeinerungsfähig ist, so müssen wir uns Rechenschaft darüber geben können, in welchem logischen Raum die Verallgemeinerungsreihe der Kalkülsysteme als rational-verbindliche Entwicklung des reinen Begriffs erscheint. I n der Leibnizlogik kann das Problem nicht mehr formuliert werden, weil diese Logik s e l b s t zum G e g e n s t a n d einer neuen (transzendentalen) Theorie gemacht wird. So kommen wir notwendig auf die Idee eines „zweiten Systems", das die Struktureigenschaften des ersten Systems bearbeitet. —

Diesen Gedankengang wollen wir jetzt etwas vereinfachen: Auf dem Boden der Leibnizlogik vertreten die dort gebrauchten Zeichen und Symbole die (ansichseienden) Objekte. Die Logik selbst (ihre semantische Struktur) repräsentiert das logische Subjekt. (Nach dieser Richtung scheint u. E. die in der Logistik sich allmählich vertiefende Unterscheidung von Basissprache und semantischer Theorie zu weisen.) Selbstverständlich können i m ersten System nur die Zeichen und Symbole, ihre Art und die Frage ihrer Reihenfolge präzis definiertes Problem sein[15]. Die Logik selbst, als Inbegriff der Beziehungen und Gesetze, die zwischen den Zeichen gelten, kann auf der Denkebene des ersten Systems selbstverständlich nicht als Denkgegenstand (Objekt) erscheinen, weil damit ihre Rolle als Subjekt (Prinzip) der Objektgesetzlichkeit ausgespielt wäre. Andererseits aber kann uns niemand hindern, das Subjekt des ersten Kalküls — also die Leibnizlogik — zum Gegenstand einer neuen logischen Problematik zu machen. Wieder kommen wir so zum Transzendentalitätsprinzip zurück.

Wir stehen jetzt am Schluß unserer an Gödel angeknüpften Überlegungen; in ihnen ist ein Interpretationsbereich aufgewiesen worden, den kein je konstruierbares System der Leibnizlogik erfüllen kann, weil die Leibnizlogik selber als Interpretationsbereich gilt. Damit ist die „Existenz" der Transzendentallogik legitimiert. Außerdem erstreckt sich die Tragweite des Gödelschen Beweises nicht auf das transzendentale System, weil letzteres die Transzendenz der Widerspruchsfreiheit und die aus ihr hervorgehende Reihe der Systeme der

[15] Damit der Logistiker eine Vorstellung von den Aufgaben der transzendentalen Logik erhält, formulieren wir hier eine derartige Aufgabe: Warum sind die Fregekonstanten des Aussagenkalküls ersetzbar durch den Shefferschen „Strich"?

Leibnizlogik zum Gegenstande hat. Was aber Gegenstand einer Logik ist, kann nicht Prinzip dieser selben Logik sein. Also gilt für die Transzendentallogik der Grundsatz der Immanenz der Widerspruchsfreiheit, womit sich diese Logik als definitives, nicht mehr zu überbietendes System des logischen Bewußtseins erweist. —

Transzendentaltheorie und Logistik sind also aufs engste miteinander verkoppelt. Ihre Zusammenarbeit ist dringlichste Forderung der gegenwärtigen Wissenschaftslage.

# DIE PHILOSOPHISCHE IDEE EINER NICHT-ARISTOTELISCHEN LOGIK

Es kann keinem Zweifel unterliegen, daß seit dem Erscheinen der „Kritik der reinen Vernunft“ neue philosophische Problemstellungen sich nicht mehr den Denkformen fügen wollen, die in der klassischen, aristotelischen Logik entwickelt werden. Kant selbst spricht von einer neuen „transzendentalen“ Logik, die er dem tradierten System des Formalismus ausdrücklich entgegensetzt. Ein anderer und neuerer Versuch, die von Aristoteles und seinen Nachfolgern gesetzten Grenzen exakt rationalen Denkens zu überschreiten, liegt in der modernen symbolischen Logik vor. Allerdings hat alle Kalkültechnik die unvermeidbare Schwäche aus methodischen Gründen unphilosophisch zu sein, weshalb sie nicht in der Lage ist, ein prinzipielles Kriterium für den Unterschied von klassischen und trans-klassischen Formen des Denkens zu produzieren. Ganz wie im Idealismus so hat man auch hier de facto nicht-aristotelisches Neuland betreten, aber von den darauf bezüglichen symbolischen Formeln und Prozeduren weiß man nur, was sie innerhalb des Kalküls bedeuten, ihre ultra-logische, philosophische Bedeutung hingegen ist völlig unbekannt. Die allgemeine, das ontologische Thema der klassischen Tradition überschreitende Thematik eines konsequent in sich durchgeführten trans-klassischen Denkens ist durch symbolisch-technische Methoden nicht eruierbar. Der neue metaphysische Gehalt lässt sich im Kalkül nicht identifizieren. Wohl aber hilft eine sinnanalytische Reflexion auf den Funktions- und Strukturcharakter der Wahrheit in der logischen Aussagenverbindung an dieser Stelle weiter.

Was logische Wahrheit ist, wird für den Aussagenkalkül in den folgenden beiden Tafeln systematisch und erschöpfend dargelegt:

| $p$ | $\sim p$ |
|---|---|
| *W* | *F* |
| *F* | *W* |

| $p$ | $q$ | $p \cdot q$ | $p \vee q$ | $p \rightarrow q$ | $p \equiv q$ | $p \mid q$ | $p \wedge q$ | $p -\!\!/\!\!\rightarrow q$ | $p \not\equiv q$ |
|---|---|---|---|---|---|---|---|---|---|
| *W* | *W* | *W* | *W* | *W* | *W* | *F* | *F* | *F* | *F* |
| *W* | *F* | *F* | *W* | *F* | *F* | *W* | *F* | *W* | *W* |
| *F* | *W* | *F* | *W* | *W* | *F* | *W* | *F* | *F* | *W* |
| *F* | *F* | *F* | *F* | *W* | *W* | *W* | *W* | *F* | *F* |

Diese Tafeln liefern einen erheblichen Betrag an philosophischer Information. Das Negationszeichen der ersten Tafel repräsentiert den *Prozeß* des Denkens und weil das Denken als systematische Einheit des Ichs der Welt als der Einheit des „Anderen" total disjunktiv gegenübersteht, ist die Welt der Negation (Reflexion) gegenüber durch die einzige Aussage "$p$" vertreten. Das ganze System ist zweiwertig, folglich ist auch sein Wahrheitsbegriff zweiwertig. D.h. die Wahrheit ist gegen das schlechthin „Andere", das Falsche, abgegrenzt. Die grössere Tafel enthält sämtliche sinngebenden Wahrheitsmotive, die auf dem Boden dieser Logik strukturell relevant sind. Rein kombinatorisch sind auch noch andere Wertfolgen möglich, wie "*WWWW*" oder "*FWFW*"; dieselben haben jedoch eine differente Bedeutung, die sie von der Interpretation als Wahrheitsmotive ausschließt. Dem sinngebenden Wahrheitsmotiv gegenüber ist die Welt kontingent, weshalb nicht "$p$" allein sondern auch "$q$" das Aussagesystem über die Wirklichkeit vertritt. Entsprechend der Zweiwertigkeit dieses logischen Formprinzips hat jedes positive Wahrheitsmotiv eine negative Variante. So tritt z.B. neben die Konjunktion "$p \cdot q$" die Unvereinbarkeit "$p \mid q$". Die aus diesem zweiwertigen Gegensatz sich entwickelnde Systematik der Rationalität stellt die unmittelbare Beziehung von Bewußtsein-überhaupt (Denken) zur Welt-überhaupt (Gedachtes) dar. Sie definiert was in diesem einfachen nicht auf sich selbst reflektierten Verhältnis als wahr erlebt wird. Subjekt und Objekt machen die ganze Wirklichkeit aus. Ein „Drittes" gibt es nicht. Und das Subjekt ist genau so einfache Identität mit sich selbst wie das Objekt. Andernfalls könnte in der Äquivalenz "$p \equiv \sim (\sim p)$" das Positive nicht in der doppelten Negation zu sich selbst zurückkehren. Der negative Durchgang durch das Subjekt entspricht präzis dem positiven Durchgang durch das Objekt. Daraus geht aber hervor, dass diese Logik eins jedenfalls nicht leisten kann, nämlich theoretische Sinnmotive für die Unterscheidung von „Ich" und „Du" in der Idee von Subjekt-überhaupt anzugeben. Was nicht Denken „selbst" ist, das ist Gedachtes resp. Welt. Die Negation ist der logische Rückzug aus der Welt, und da die aristotelische Systematik nur eine Negation besitzt, darum gibt es nur *ein* reflexives Sich-zurücknehmen aus der Welt, das für „Ich" und „Du" das Gleiche ist. Die Gründe für diese Ignorierung der „Ich-und-Du"-Differenz liegen in dem gesamten metaphysischen Ansatz der aristotelischen Logik begründet. Das Umtauschverhältnis zwischen den beiden Aspekten von Subjektivität-überhaupt hat keinen transzendentalen Rang. „Ich" und „Du" sind nur subalterne empirische Perspektiven des universalen Subjekts. Dieses absolute Subjekt steht mit Sein-überhaupt in einem ganz genauen Wechselverhältnis, dessen Charakter durch die klassische Negation bestimmt wird. Im Hintergrund dieser zweiwertigen Negationsrelation steht die metaphysische Identität von Denken und Sein. Für den Gedanken, daß Subjektivität-überhaupt selbst vielleicht gar keine metaphysische Wurzel der Wirklichkeit repräsentiere sondern nur die Vordergrundskulisse für zwei autonome Realitätskomponenten neben dem Objekt-überhaupt darstellen könnte, ist in diesem klassischen Schema nirgends Platz. Subjekt und Objekt sind einander logisch äquivalent. Und wenn das Objekt-überhaupt identisch mit sich selbst ist und sich nichts hinter ihm verbirgt, dann muß das Gleiche auch vom Subjekt-überhaupt gelten. Diese klassische Position ist transzendental doppelsinnig, denn der zweiwertige Typ von Logik gibt uns keinen Fingerzeig, auf welcher Seite die echte Transzendenz zu suchen ist. Die Versicherung, daß in der coincidentia oppositorum Subjekt und Objekt zusammenfallen, ist nutzlos. Denn ist die coincidentia selber Subjekt, dann kann sie kein Objekt sein. Der exakte Begriff von Subjekt in dieser Logik schließt das definitorisch aus. Das Gleiche gilt für das Objekt. Die Geschichte der bisherigen Metaphysik ist deshalb auch die Resultante der folgenden transzendentalen Theoreme: alle Quelle des Irrtums liegt im Subjekt, und Wahrheit gründet sich im Objektiven; oder umgekehrt das absolute Subjekt (Gott) ist die Wahrheit und aller Objektivitätscharakter des Seins ist nur ein Abfall von der Gnade und eine Abkehr vom reinen Licht. Wenn das Denken schließlich die logische Gleichwertigkeit beider metaphysischen Ansätze erkannt hat, dann liegt zum ersten Mal die Lösung nahe den absoluten Subjekt-Objekt-Gegensatz als logisches Schema meta-empirischer Probleme überhaupt aufzugeben und vom zweiwertigen Denken zum dreiwertigen System überzugehn. Da das Objekt als *unmittelbare* Identität mit sich selbst sich nicht spalten läßt, müssen der zweite und dritte Wert des trans-klassischen Begriffs sich aus der Idee von Subjektivität-überhaupt entwickeln. Wir unterscheiden jetzt als metaphysisch und deshalb logisch relevant „Ich" und „Du" als differente, von einander unabhängige Negationsmotive. Da die klassisch-aristotelische Theorie des Denkens sich nur einer Negation bedient, besitzt sie keine theoretischen Mittel einen Begriff aus dem subjektiven Ich-Zusammenhang (Ich selbst) in den objektiven Ich-Zusamenhang (Du selbst) zu übersetzen. Der objektive Zusammenhang ist stets der Es-Zusammenhang, in dem kein Unterschied zwischen objektiven Objekten und objektiven Subjekten logisch festgestellt werden kann. (Aus diesem Grunde besitzen wir heute noch keine exakte Logik der Geisteswissenschaften!) Man hat deshalb bisher überhaupt noch nicht entdeckt, daß es eine Aufgabe der formalen Logik sein könnte theoretische Strukturen aus der „Ich"-Projektion in die „Du"-Projektion zu übersetzen. Der Ausblick auf dieses neue begriffliche Problem wird durch die zweifellos richtige, hier aber nichtssagende, Feststellung verdeckt, daß die rationale Struktur des Erlebens im „Ich" und im „Du" notwendig dieselbe „sei", da es andernfalls keine interobjektiv allgemeingültigen Begriffe geben könne. Man vergißt dabei ganz, daß man in diesem Argument das „Du" relativ zur Rationalität als „Ich" interpretiert. Das Problem aber, dem wir an dieser Stelle nachgehen, *ist nicht wie jedes „Ich"* **für sich** *denkt (dafür ist die klassische Logik unüberbietbar!), sondern wie sich für jedes beliebige Ich der gesamte rationale Zusammenhang zwischen Subjekt-überhaupt und Objekt-überhaupt darstellt, wenn das* **andere** *Ich im eigenen Denken als „Du" thematisch festgehalten und ausdrücklich nicht* **als Ich** *(aber auch nicht als Objekt!) gedacht wird!* Zwei Iche *"A"* und *"B"* beziehen sich im Denken auf ein Objekt *"X"*. Schon die platonische Ideenlehre stellt fest, daß dann die Relationen *"A ↔ X"* und *"B ↔ X"* identisch sind. So kommt klassische Allgemeingültigkeit zustande. Eine weitere Relation gibt es nicht, denn für die zweiwertige Logik fällt *für "A"* immer *"B"* mit *"X"* zusammen und *für "B"* gehört *"A"* immer zu *"X"*, weil in diesem System nur von Subjektivität-überhaupt im einfachen Gegensatz zu Objektivität-überhaupt die Rede ist. Behaupten wir aber, daß ein logisch relevanter Unterschied zwischen „Ich" und „Du" existiert, dann gibt es noch eine weitere theoretische Relation, nämlich die von *"A ↔ B"*. Und ganz wie die Umtauschrelation von *"X"* zu den Ichen theoretisch durch eine Negation bestimmt wird, so muß jetzt das Wechselverhältnis von *"A ↔ B"* durch eine zweite Negation festgelegt werden. Denn *"A"* ist offenkundig *nicht "B"*. Jenes „nicht" aber hat notwendig eine ganz andere logische Bedeutung als die, daß *"A"* und *"B"* „nicht" *"X"* sind. Die Existenz von zwei Negationsoperatoren erzwingt dann den Übergang zur dreiwertigen Theorie des Denkens [1]). Welches sind nun die drei Werte eines transklassischen Systems der Logik? Die Einführung eines dritten Wertes ändert auch den Charakter der ersten beiden Werte! Da „wahr" und „falsch" nur Wahrscheinlichkeitskompromisse zwischeneinander erlauben und ein *echtes* Drittes bedingungslos ausschließen, müssen sie selbst als logische Wertakzente restlos verschwinden! „Wahr" ist *deshalb* kein einfacher logischer Wert mehr, weil das Wahre in der Ich ↔ Du Relation eine andere logische Struktur zeigen muß als in der Ich ↔ Es oder Du ↔ Es Beziehung. In der klassischen Logik etabliert die Negation eine Existenzdifferenz zwischen Sein und Nichtsein. Es ist evident, daß der

[1]) Es ist wichtig darauf hinzuweisen, daß dann die in der klassischen Logik umkehrbaren Relationen von *"A"* zu *"X"* und *"B"* zu *"X"* nicht umkehrbar werden. D.h. eine Implikation von *"X"* durch *"A"* oder *"B"* wird nicht mehr von der gleichen Wertfolge dirigiert wie die Implikationen von *"A"* oder *"B"* durch *"X"*.

Unterschied zwischen „Ich" und „Du" nicht als Existenz- sondern als Reflexionsdifferenz gedacht werden muß. Wenn aber das Negationsverhältnis zwischen „Ich" und „Du" ein Reflexionsgefälle darstellt, dann muß die ursprüngliche klassische Negation im dreiwertigen System ebenfalls als Übergang von einer Reflexionsstufe zu einer anderen interpretiert werden. Nun hat in der Tat jeder Begriff drei Reflexionseigenschaften: er kann irreflexiv, (einfach) reflexiv und doppelt-reflexiv sein. (Hegels Reflexion-in-Anderes, Reflexion-in-sich und Reflexion-in-sich der Reflexion-in-sich-und-Anderes). Wir erhalten damit die folgende nicht-aristotelische Negationstafel:

| $p$ | $\sim p$ | $\sim' p$ | $\sim(\sim' p)$ | $\sim'(\sim p)$ | $\sim[\sim'(\sim p)]$ <br> $\sim'[\sim(\sim' p)]$ |
|---|---|---|---|---|---|
| $I$ | $R$ | $I$ | $R$ | $D$ | $D$ |
| $R$ | $I$ | $D$ | $D$ | $I$ | $R$ |
| $D$ | $D$ | $R$ | $I$ | $R$ | $I$ |

1*a*)

Entsprechend unserer Re-interpretation des klassischen Operators "$\sim$" bedeutet eine Aussage "$p$" nicht mehr eine Feststellung über Sein sondern den *Sinn* des Seins, der stets irreflexiv ist. Die zweite Negation bestimmt dann die logische Struktur des Umtauschverhältnisses zwischen in-sich-reflexiven Werten. Alle drei Werte repräsentieren *innere* Strukturverhältnisse des reinen formalen Begriffs. Damit begegnen wir endlich dem philosophischen Unterschied zwischen der Idee der klassisch-aristotelischen Logik und dem neuen Typ eines metaphysisch relevanten dreiwertigen Systems. Die klassische Rationalität beschreibt die Gestalt der Wahrheit „von außen", d.h. ausschließlich in ihrem unmittelbaren Gegensatz zum Nicht-wahren. Sie vermeidet, das denkende Subjekt in ihr System hinein zu definieren. Ihr exclusives Thema ist das logische Gefälle von Sein-überhaupt zur Reflexion-überhaupt. Das trans-klassische System des Denkens hingegen fußt auf der Einsicht, daß die sich auf sich selbst wendende Reflexion nicht nur ein einfaches logisches Gefälle vom Sein zur Reflexion in sich entdeckt, sondern ein ausgedehntes System von reflexiven Tiefenschichten, die von der starren Irreflexivität des seinsthematischen Begriffs zur einfachen sinnthematischen Reflexion und von da zur doppelthematischen Vollreflexion des denkenden Ichs führen. D.h. die Wahrheit, die für die aristotelische Logik „von außen" her gesehenes Objekt (Positivität) ist, enthüllt in der transklassischen Logik ihre innere strukturelle Gliederung. Also sind alle drei Werte „wahr". Das aristotelische Denken beschreibt die

1*a*) „I" bedeutet „irreflexiv", „R" steht für „reflexiv" und „D" bedeutet „doppelt-reflexiv".

Wahrheit nur in ihrer limitierten Koinzidenz mit dem Sein. Wenn die Wahrheit aber überdies Subjekt (Gott) ist, dann hat sie auch ein Verhältnis zu sich selbst. Und letzteres wird im dreiwertigen System beschrieben. Hier hat die Wahrheit *verschiedene* Gestalt, jenachdem sie sich selbst im „Sein", im „Du" oder im „Ich" begegnet. Dies soll jetzt an einem exakten Beispiel demonstriert werden. In der aristotelischen Logik hat z.B. die Konjunktion nur *einen* Sinn: *WFFF*. Legen wir aber eine einfache Tafel dreiwertiger Wahrheitsfunktionen, so wie sie heute gewöhnlich gebraucht werden (Post, Lukasiewicz, Tarski) zugrunde, dann erhalten wir drei verschiedene konjunktive Wertfolgen! Für die doppelt-reflexive Konjunktion *IRDRRDDDD*. Für die reflexive Konjunktion: *IIDIRDDDD*. Und schließlich *IRDRRRDRD* für das irreflexive Konjunktionsmotiv. Der Übergang von der doppelt-reflexiven Konjunktion (Ich-Standpunkt) zur einfach-reflexiven (Projektion in das „Du") und zur irreflexiven Idee der Koexistenz der Objekte findet nach de Morganschem Vorbild durch die folgenden Formeln statt: [2])

$$p \cdot^{D} p \equiv \sim(\sim p \cdot^{R} \sim p)$$

$$p \cdot^{D} p \equiv \sim'(\sim' p \cdot^{I} \sim' p)$$

Das Gleiche gilt für die drei disjunktiven Wahrheitsfunktionen. (Es ist übrigens charakteristisch für diese Logik, daß die disjunktiven Wahrheitsmotive durch die obigen einfachen Negationsschritte nicht erreicht werden können. D.h. die elementaren Negationen eines solchen Systems umspannen genau den Reflexionsbereich eines konjunktiven oder disjunktiven Wahrheitsmotives. Im klassischen System dagegen transzendiert die Negation das jeweilige Motiv und führt in das andere über.) Da wir es aber nicht mehr mit einer einfachen Alternativlogik zu tun haben, treten zwischen die konjunktiven Gruppen zwei weitere Wertfolgen, die im klassischen Denken mit seinen ontologisch orientierten Wahrheitsmotiven überhaupt keine Entsprechung haben. Wir nennen sie deshalb die meontischen (μὴ ὄν) Wahrheitsfunktionen. Ihre Wertserien haben folgende Gestalt: *IRIRRDIDD* und *IIDIRRDRD*! Sie repräsentieren den Gegensatz von „Ich" und „Du" als einfaches Umtauschverhältnis der Subjektivität in sich selbst. (Es muß bemerkt werden, daß alle hier angeführten Wertserien nur als isolierte Beispiele für die Ich-Du-Es Problematik des nicht-aristotelischen Systems. betrachtet werden sollen. Die üblichen Werttafeln, aus denen sie abgeleitet sind, reichen nicht aus um ein rational „dichtes" Gitter von Wahrheits-

[2]) Die klassische Wertordnung der Konjunktion (·) ist "*FW*". D.h. "*F*" ist der „bevorzugte" Wert. Transklassisch wird vollreflexives „und" ($\cdot^{D}$) durch die Wertordnung "*DRI*", einfach reflexives ($\cdot^{R}$) durch "*DIR*", und irreflexives ($\cdot^{I}$) durch "*RDI*" definiert.

motiven trans-klassischer Natur herzustellen. So definiert z.B. die von uns angegebene doppelt-reflexive Konjunktion nur die „und"-Verbindung beiderseitig voll-reflexiver Aussagen. Wie aber wenn Vollreflexives mit Aussagen einer anderen Reflexionsstufe konjugiert werden soll? Keine der angegebenen Wertfolgen ist dann zuständig und es sind andere Methoden notwendig um solche konjunktiven Wertkonstellationen zweiter Ordnung festzustellen. (Überdies liefern die gewöhnlich gebrauchten Tafeln für jede der meontischen Funktionen nur eine statt aller drei Varianten).

Eine logische Formel, die auf den angeführten (oder anderen) Wertserien fußt, untersteht nicht mehr der alternativen Frage, ob sie „wahr" (wahrscheinlich) oder „falsch" sein soll. Sie richtet sich nicht mehr auf ein transzendentes Sein, das sie evt. verfehlen kann. Das neue System stellt nur fest, ob die Formel irreflexiven, reflexiven oder doppeltreflexiven Sinn hat, ob also der designierte Sachverhalt als Seinsaussage, Reflexionsprozeß oder als Datum des reinen Sinns sinnanalytisch verstanden werden soll. Der Rückgang zur klassischen Logik kann von hier aus sehr einfach durch Eliminierung des zweiten Negationsoperators ($\sim'$) bewerkstelligt werden. Die aristotelische Logik ist von hier aus gesehen eine Abbreviatur eines umfangreicheren Systems. Man darf nur nicht vergessen, daß der Vollzug der Abbreviatur den philosophischen Interpretationsmodus des Kalküls radikal verändert. Das zweiwertige System beschreibt das Bewußtsein als Handlung (Entscheidung); das dreiwertige als in sich ruhende Reflexion. Herkules am Scheidewege ist der Archetyp des aristotelischen Denkers. Der unversöhnliche Gegensatz von Sein und Bewußtsein, der sich in der aristotelischen Logik in der Entscheidung zwischen „wahr" und „falsch" manifestiert, ist der des endlichen, in die isolierte Existenz geworfenen Bewußtseins, das nicht fähig ist *über* seinen Gegenstand überzugreifen und sich deshalb *in* denselben projiziert und dort seine ontologischen Mythologeme spinnt, in denen der reine Sinn sich in ein geisterhaftes Sein verkleidet. Die aristotelische Logik ist nur die rationale Theorie des absolut isolierten Objekts, an welchem sich der Wille üben soll (Technik). Sie geht monothematisch auf reines Sein. Die Logik der Philosophie aber intendiert das polythematische Bewußtsein Gottes, in dem nichts falsch und alle Dinge im ewigen Licht der reinen, sich selbst durchleuchtenden Vernunft aufgehoben sind.

# METAPHYSIK,
# LOGIK UND DIE THEORIE DER REFLEXION

Denn der Geist erforschet alle Dinge,
Auch die Tiefen der Gottheit.
1. Kor. 2, 10.

## I.

### *Die Metaphysik der klassischen Logik*

Es mag als überflüssige, ja fast verantwortungslose Bemühung erscheinen, in einer Zeitepoche, die unter tiefster Beunruhigung des eigenen Erkenntniswillens die alten, gediegenen Gehalte jahrtausendelanger metaphysischer Tradition zweifelnd in Frage stellt und in angstgehetzter Eile nach einer neuen Daseinsgestaltung sucht, sich im Denken die Aufgabe zu stellen, den abstrakten Sinn der aristotelischen Logik und die wesenhafte Bedeutung ihres reinen Formalismus als dringlichstes Thema des gegenwärtigen Philosophierens zu rechtfertigen.

Aber – seit dem Ausgang des Mittelalters, seit der Auflösung dieser letzten großen, innerlich wie äußerlich geschlossenen, metaphysischen Existenzform des historischen Daseins sind alle Versuche, dem neuzeitlichen Bewußtsein eine angemessene und tragfähige transzendentale Begründung und Rechtfertigung seiner tiefsten Lebensinstinkte zu geben, ohne Ausnahme gescheitert. Stolze Namen wie Giordano Bruno, Descartes, Pascal, Spinoza, Leibniz und Vico bezeichnen ebenso viele fruchtlose Versuche auf diesem Passionsweg, den der abendländische Geist seit der anhebenden Renaissance zu beschreiten verurteilt war. In nie ermüdendem Anlauf werden immer neue Systeme des Absoluten entworfen, und immer wieder sinkt das Denken enttäuscht und erschöpft zurück, um in unbeirrbarer Hoffnung frische Kräfte zum nächsten Angriff auf die göttliche Transzendenz zu sammeln. Das bizarr fremdartige, im wesentlichen unverstanden gebliebene Zwischenspiel des spekulativen Idealismus unterbricht zeitweilig diesen Leidensgang einer kosmologischen Metaphysik von naiv drängender Direktheit. Aber in den Systemen des 19. Jahrhunderts, den weltanschaulichen Entwürfen von Lotze, Schopenhauer und Ed. v. Hartmann werden auch dem ungeschulten Ohr die Untertöne bitterster Resignation so unmißverständlich hörbar, daß der letztliche Mißerfolg dieser Konzeptionen niemanden mehr zu überraschen vermag. Wie wenig diese Nachzügler im Zug cartesischer Tradition der tiefen Aufgabe einer metaphysischen Selbstinterpretation des modernen Menschen gewachsen waren, wird in der Philosophie Nietzsches mit den Mitteln raffiniertester Analyse und diabolisch anmutender Dialektik erbarmungslos ans Tageslicht gezogen. Indes, über ein bloß negatives Verhältnis zu allen seitherigen metaphysischen Versuchen ist auch Nietzsche nie hinausgekommen, und sein Erbe unter uns ist eine bisher nie dagewesene Denkmüdigkeit, ein tiefgewurzeltes Mißtrauen gegenüber dem reinen Begriff und eine trostlose und unbelehrbare Resignation gegenüber allen vielleicht noch offenen Möglichkeiten des Geistes.

Eben, daß solche Möglichkeiten überhaupt noch vorhanden und zugänglich sind, daß eine unsere eigene Existenz tragende Philosophie des Absoluten grundsätzlich noch als theoretisch durchführbare wie als moralisch würdige Aufgabe des modernen Geistes in Gegenwart und Zukunft angesehen werden dürfe, wird in weiten Kreisen mit hartnäckiger Überzeugung laut bestritten. Denn zweifellos deuten alle Anzeichen darauf hin, daß auch die letzten und entferntesten Möglichkeiten des ontologisch-metaphysischen Denkens heute restlos ausgeschöpft sind. *Alle* im Rahmen der klassischen Tradition der Philosophie überhaupt vorhandenen Themata sind längst diskutiert, unter *allen* Gesichtspunkten ausgewertet, und zu *allen* Fragestellungen, die auf der Basis des bisherigen philosophischen Denkens zu entwickeln sind, ist eigentlich *jede* nur denkbare Antwort erteilt worden. Und ebenso ist *jede* Antwort mit den überzeugendsten Gründen widerlegt und ihre Geltung in unbedingt zwingenden Analysen zerfasert und aufgelöst worden, bis sich schließlich auch die letzten metaphysischen Instinkte in uferlosem und hoffnungsleerem Relativismus und Historismus verloren haben.

Und soll in einem solchen peinlichen und schmachvollen Bankrott wirklich die prometheische Geschichte des Denkens enden? Soll dies das geistige Ziel des Menschen sein, sich irgendwo am Weg mit einem blinden Halb- und Aberglauben müde anzusiedeln? Nein, raffen wir uns noch einmal auf und geben wir uns Rechenschaft, ob wirklich alle Chancen des Denkens schon erschöpft sind und nirgends mehr ein Ausweg aus dem Labyrinth logischer Vexierfragen und transzendentaler Antimomien zu entdecken ist! Wir stellen fest, daß alle auf dem Boden des exakten klassischen Denkens überhaupt konzipierbaren metaphysischen Lösungsversuche längst erprobt und alle

2

widerlegt worden sind. Nun gut, wenn aber alle Fragen bereits gestellt worden sind und keine aller überhaupt denkbaren Antworten uns eine absolut unanfechtbare Unterlage für ein zureichendes und aufhellendes Verständnis der uns bedrängenden Probleme freilegt, wenn also auf eine Frage alle überhaupt formulierbaren Antworten ungenügend und falsch sind, so sehen wir uns notwendig zu der Konsequenz gedrängt, daß schon die Frage, auf die wir so dringlich eine Antwort begehren, falsch gestellt ist und deshalb eine sinnvolle Lösung nicht zuläßt. Denn auf eine sinnvolle Fragestellung muß auch eine sinnvolle Antwort zu geben sein. Ist das nicht der Fall, so sind wir zweifelsohne berechtigt, die Fragestellung selbst für sinnlos und falsch formuliert zu halten. Vielleicht rühren wirklich alle metaphysischen Niederlagen und Enttäuschungen des modernen Geistes seit der Renaissance daher, daß die philosophische Fragestellung demjenigen, wonach man fragte, ganz unangemessen und inadäquat war. Wenn man aber Fragen formuliert, die der eigenen Intention des Denkens gar nicht nachgehen und vielleicht ganz sinnlos sind, so darf man keine befriedigenden Antworten erwarten. –
Diese Möglichkeit ist heute noch übrig. Wir wollen ihr bis in die letzten Konsequenzen nachgehen. Wir vermuten also: daß die Philosophie seit dem allmählichen Erlöschen des mittelalterlich-metaphysischen Bewußtseins keine dauernde, die ganze Breite des Lebens tragende transzendente Daseinsinterpretation zu produzieren imstande war, liegt nicht daran, daß alle *bisherigen* Antworten auf die Frage nach dem transzendenten Grund unserer Existenz falsch oder unzulänglich waren, daß es sich also darum handelt, heute eine *bessere* Antwort auf *dieselbe* Frage zu geben, sondern daß die Frage selbst falsch gestellt war und eine den Intentionen des modernen philosophischen Bewußtseins durchaus unangemessene Gestalt besaß.

Nun wird man aber jederzeit einsehen, daß jede theoretische Fragestellung ebenso wie der ganze Bereich, innerhalb dessen ein Problem sinnvoll aufgeworfen werden kann, ausschließlich und ohne jede Einschränkung von den abstrakten Mitteln abhängig ist, die das Denken dem fragenden Bewußtsein zur Verfügung stellt. Es ist eine platte Selbstverständlichkeit, daß nur innerhalb der Grenzen und mittels der Formen des sinnvollen Denkens ebenfalls sinnvolle Fragestellungen zu entwickeln sind – wo wir nicht mehr denken können, dort sind wir auch nicht mehr imstande zu fragen – weshalb jede neue Fragestellung, die eine alte ablöst, sie berichtigt oder erweitert, sich stets innerhalb der allgemeinsten durch die Struktur des formalen Denkens definierten Schematik sinnvollen Fragens zu halten hat.

Wie aber, wenn diese formale Schematik den Sinn der metaphysischen Allgemeinheit, auf die sich das philosophische Denken richtet, unzureichend oder überhaupt nicht interpretiert! Wenn also die rationalen Formen, die unser Denken uns zur Verfügung hält, dem metaphysischen Thema, das mit ihrer Hilfe bearbeitet werden soll, in keiner Weise entsprechen! Dann ist ebensolange keine verstehbare Entwicklung transzendenter Problematik möglich, als nicht der Frage selbst ein formal-allgemeiner Sinn unterlegt werden kann, der sämtlichen etwaig zu erwartenden Antworten in jeder Hinsicht angemessen ist. *Da nun das metaphysische Denken den Sinn seines Fragens stets mit dem absolut-allgemeinsten Sinn aller formulierbaren Motive des Selbstbewußtseins identisch setzt, ist notwendig der Sinn jeder metaphysischen Fragestellung streng äquivalent dem Sinn des Denkens überhaupt.* Wer sich geneigt fühlen sollte, diese These zu bestreiten, dem sei die Erwägung anheim gestellt, daß, wenn jemand die Identität der Allgemeinheit des Selbstbewußtseins und des Sinns aller Metaphysik bestreitet, derselbe sich zu einer fatalen Alternative genötigt sieht. Denn entweder muß er dann erklären, daß die bloße Allgemeinheit des Selbstbewußtseins den Allgemeinheitsgrad des metaphysischen Sinnprinzips überhaupt nicht erreicht, oder aber (wenn er die grotesken Widersprüche ahnt, in die ihn die erste Behauptung zu verwickeln droht) er muß einräumen, daß die Allgemeinheit der theoretischen Abstraktionen unseres denkenden Bewußtseins die Allgemeinheit der metaphysischen Gegenstandsthematik übertreffe. Im ersten Fall sollen wir also die Ungereimtheit schlucken, daß der transzendentale Gegenstandsbereich unseres Bewußtseins von größerem Umfang sei als das Bewußtsein selbst! Also ein Bewußtsein, das „innen" größer als „außen" ist! Die zweite These aber behauptet das strikte Gegenteil: nach ihr soll der Allgemeinheitscharakter des Selbstbewußtseins den totalen Sinn der Metaphysik als Spezialfall unter sich begreifen. Das Absolute ist dem Denken untergeordnet (!). – In dieser Alternative erinnert das Absolute ganz verzweifelt an jenen Fetisch, den der Primitive bald als Gott anbetet, bald verprügelt, um ihn seinen Wünschen gefügig zu machen.

Tatsächlich aber ist sich die Metaphysik in allen ihren Höhepunkten, in Indien von Yājñavalkya bis Vasubandhu, im Abendland von Platon bis Hegel, stets darüber einig gewesen, daß der letzte, höchste und allgemeinste Sinn des Selbstbewußtseins nichts anderes ist als die *formale* Explikation der Frage nach dem metaphysischen Grunde des Daseins. Die Frage nach dem Absoluten muß demgemäß immer in einem exakten Äquivalenzverhältnis an die Definition des Sinnes des Denkens überhaupt gebunden sein. Aufgabe der Metaphysik ist dabei, die Allgemeinheit des Absoluten in transzendentaler Gestalt zu entwickeln, während das Denken das Absolute der Allgemeinheit in der formalen Gestalt des Selbstbewußtseins zur systematischen Definition kommen läßt. Die Definition des reinen Sinnes des Denkens aber liefert die Logik als formales System.

Gibt sich somit das System der Logik als totale Explikation des Sinnes *aller* metaphysischen Problemfiguren, so resultieren daraus

*4*

sehr weitgehende Folgerungen. Denn wenn man vermutet, daß die deprimierende Resultatlosigkeit aller modernen Absoluttheorien sich auf eine falsche, resp. sinnlose, transzendentale Fragestellung zurückführen läßt, andererseits aber der Sinn dieser Entwürfe identisch mit dem letzten universalen Sinn des traditionellen Systems der Logik überhaupt ist, dann ist der Gedanke nicht mehr von der Hand zu weisen, daß diese Logik sich als unzulängliches Vehikel philosophischer und speziell metaphysischer Intentionen entpuppt.

*So verweist die Frage nach dem eigentlichen Sinn der Metaphysik zurück auf die tiefer liegende Frage nach dem Sinn von Allgemeinheit, der in dem rationalen System des reinen Formalismus entwickelt worden ist.*

Seit Aristoteles und im wesentlichen bis heute unbestritten[1] gilt die sogenannte klassisch-aristotelische Formallogik als ursprünglichstes und fundamentalstes Organon des theoretischen Bewußtseins, und wir werden deshalb jetzt zu untersuchen haben, ob der in dieser Systematik dargestellte, abstrakt-reine Sinn des Denkens wirklich schon die letzte erreichbare Allgemeinheit des philosophischen Verstehens repräsentiert oder nicht! Zu diesem Zwecke wollen wir die Idee dieses Organons unter den Gesichtspunkt seiner transzendentalen Bedeutung charakterisieren.

Nach klassischer Tradition ist alles Denken, soweit es den Anspruch macht, mitteilbar, allgemein und für jedermann streng verbindlich zu sein, einer trinitarisch geschlossenen Axiomatik und einem Zusatzaxiom unterworfen. Wobei jedes der drei trinitarischen Axiome einen bestimmten Funktionsbereich der logischen Tätigkeit vertritt. Als Lehre vom Begriff, vom Urteil und vom Schluß enthalten diese Funktionsbereiche dann alle auf dem Boden der vorgegebenen Axiomatik nur möglichen Verfahrensweisen. Dieser Regelkomplex ist genugsam unter der Bezeichnung Elementarlehre bekannt, während sich die sogenannte Methodenlehre an das Zusatzaxiom anschließt. Die trinitarische Axiomatik gliedert sich in:

1. den Satz der Identität (Lehre vom Begriff),
2. den Satz vom verbotenen Widerspruch (Urteilstheorie),
3. den Satz vom ausgeschlossenen Dritten (Syllogistik),

wozu als Ergänzungsaxioms noch

[1] Die seit Leibniz beginnende „logistische" Kritik kann hier unberücksichtigt bleiben, weil sie keine philosophische Kritik der Metaphysik dieser Logik, sondern eine Verallgemeinerung und Erweiterung (Funktionenkalkül) der klassischen Verfahrensweisen darstellt. Das sei kein Werturteil. Im Gegenteil! Es sei hier ausdrücklich und mit Dankbarkeit anerkannt, daß diese Arbeit ohne die bisher erarbeiteten Resultate der Logistik nie hätte entstehen können. Und jedem im Logikkalkül Bewanderten werden die Beziehungen zwischen unserer Lehre von den R-Stufen und der Russellschen Typentheorie nicht verborgen bleiben.

4. der Satz vom zureichenden Grunde (Methodenlehre)[2] tritt, der ausdrückt, daß durch die Trinität der axiomatischen Momente ⟨Identität⟩, ⟨Widerspruchsverbot⟩ und ⟨Drittenausschluß⟩ die definitive Allgemeinheit des theoretischen Bewußtseins zureichend, endgültig und transzendental begründet worden ist. Daß dies eine Reihe keineswegs selbstverständlicher Behauptungen ist, werden wir später noch eingehend feststellen können. Jedenfalls aber gelten seit Aristoteles speziell die trinitarischen Axiome (Satz 1–3) als die absolut-allgemeinsten, schlechthin urphänomenalen Sinnmotive des Denkens[3]. Ihre Allgemeinheit soll in keiner Weise überbietbar sein, weshalb sie die Grenzbedingungen alles vernünftigen Erlebens überhaupt bilden.

Selbst wer nun den Niedergang der verflossenen Jahrhunderte in seiner ganzen abgründigen Tiefe und umfassenden seelischen Tragweite begriffen hat, wird die Geltung dieser Prinzipien als einziger Fundamentalcharaktere mitteilbaren Erlebens nicht ohne weiteres in Frage stellen wollen. Denn schließlich haben sie zwei Jahrtausende lang unbestritten als Kanon der Vernunft gegolten, und große Leistungen sind in dem Strahlenkreis dieses trinitarischen Gestirns am Firmament der Metaphysik vollbracht worden. – Auch wir täten es nicht, zwänge uns nicht die Not; denn alle denkbaren Antwortchancen auf die metaphysische Fragestellung sind auf dem Boden der klassischen Logik längst ausgenützt. Und wenn sich das fragende Bewußtsein dennoch nicht beruhigen will und aus keinem Lösungsversuch mehr die Sprache der ewigen Heimat der Seele heraushören kann, dann bleibt nichts anderes übrig, als der traditionellen Axiomatik ihr Recht zu bestreiten, als letzter und höchster und damit absoluter Allgemeinheitsausdruck des modernen Selbstbewußtseins zu gelten. Denn bestünde jener Anspruch zu Recht, so müßte sich unter allen überhaupt möglichen Antworten auch die richtige befinden, d. h. die, welche uns zu einer neuen, der klassischen Metaphysik ebenbürtigen transzendentalen Rechtfertigung unseres Daseins führen könnte. –

Wir bestreiten jetzt also die bisher selbstverständliche These der klassischen Logik: daß in der trinitarischen Axiomatik der totale Sinn der Rationalität überhaupt definiert sei und daß alles, was

[2] In Hinsicht auf die transzendentale Bedeutung des vierten Axioms wäre es besser, an die Stelle dieser eingebürgerten Formulierung den Ausdruck ‹Satz vom transzendentalen Grunde› zu setzen.

[3] Es ist richtig, daß der Satz der Identität erst bei Leibniz seine allgemeinste Fassung gefunden hat und deshalb in der endgültigen Formulierung in der Logistik oft als „Satz von Leibniz" bezeichnet wird. (Vgl. etwa: Tarski, Einführung in die mathematische Logik, Wien 1937, S. 32 ff.) Wenn in der Literatur aber gelegentlich zu lesen steht, daß dieses Prinzip bei Aristoteles noch nicht vorhanden sei, so können wir uns bei bestem Willen dem Schluß nicht entziehen, daß manche Logiker ihren Aristoteles doch mit erstaunlicher – Großzügigkeit studieren.

sich dem axiologischen Anspruch dieser urphänomenalen Bewußtseinsmotive zu entziehen versuche, grundsätzlich und unwiderruflich aus dem Raum der vernünftigen, kontrollfähigen und mitteilbaren Denksituationen hinausfalle und – sofern man es eben doch gern (!) gelten lassen möchte – nur als reine Irrationalität gewertet werden könne.

Unsere Untersuchung beginnt mit dem Satz der Identität, und wir stellen die Frage: was intendiert eigentlich ein Denken, das sich selbst in seinem obersten Motiv als ‹Identität› versteht? – In Beantwortung dieser Frage müssen wir davon ausgehen, daß die urphänomenale Situation, die nach traditioneller Auffassung durch die logische Axiomatik vermittels eindeutiger Regeln festgelegt und gesichert werden soll, in dem Urteil ‹Ich denke Etwas› ausgesprochen wird. Das heißt ‹Ich› und ‹Etwas› sollen zueinander in einer Beziehung (Denken) stehen, die durch das erste Axiom als ‹Identität› definiert werden soll. ‹Ich› und ‹Etwas›, die in relativen Bezügen ganz außerordentliche Verschiedenheiten aufweisen, sollen absolut betrachtet und in letzter Allgemeinheit identisch sein. Dabei möge man festhalten, daß das sich axiomatisierende Denken an dieser Stelle zwei Aussagen von sehr ungleicher Bedeutung macht. Erstens charakterisiert es seinen Denkgegenstand, ‹das Etwas›, als Identität und außerdem macht es die erheblich viel weitertragende metaphysische Aussage, daß es selbst – als denkendes Ich – mit diesem Gegenstande überhaupt (formallogisch betrachtet mit dem Inbegriff aller seiner Bestimmungen) im letzten Ende identisch sei. Als Identitätsthese hat diese Behauptung in der Metaphysik aller Zeiten eine hervorragende Rolle gespielt.

Da wir an dieser Stelle die Auffassung vertreten, daß alle Metaphysik unlösbar an den formalen Sinn des ihr zugehörigen Organons gekettet und von ihm bedingungslos abhängig ist, brauchen wir hier nur die erste (formalistische) Aussage des Identitätsprinzips zu untersuchen, nämlich die, daß die absolut allgemeine, definitive Bedeutung des ‹Etwas› im Bewußtsein als ‹Identität› verstanden werden muß[4]. Gemeint ist damit Folgendes: Jeder echte (wahre) Gegenstand des Denkens, der im Bewußtsein auftritt, muß als für-sich-seiend, d. h. als transzendent beharrend gedacht werden gegenüber der beweglichen Subjektivität des reinen Begriffs, die ihn in den Kreis des Denkens zieht. Sehr richtig ist hierzu von P. Hofmann bemerkt worden: „Dies Für-sich-sein hat zur Folge und wird faßbar daran, daß der Gegenstand ‹identisch› derselbe bleibt im Gegensatz zu der Verschiedenheit der Erlebensereignisse, in denen er unmittelbar erlebt werden kann“[5]. Das bedeutet, daß die ‹Identität›

[4] Die metaphysischen Konsequenzen, die die zweite Aussage beinhaltet, ergeben sich dann von allein.

[5] P. Hofmann, Das Problem des Satzes vom ausgeschlossenen Dritten. Berlin 1931. S. 10.

nicht bloß als subjektives Bewußtseinsmotiv verstanden werden darf. Sie wird im Denken vielmehr „transzendiert" und damit als an sich existierende Bestimmung eines absolut-objektiven Seins genommen. Ganz in diesem Sinn sind auch die Äußerungen B. Erdmanns zum Identitätsprinzip zu beurteilen: „Die Identität mit sich selbst ist ... kein Merkmal des Gegenständlichen, das diesem mit anderen Bewußtseinsarten, die dann als nicht-gegenständlich gefaßt werden müßten, gemeinsam wäre. Es ist vielmehr ein Merkmal, das nur dem Gegenständlichen zukommt, also ein diesem *eigenes* und insofern ihm wesentliches Merkmal" [6]. Noch schärfer sagt der Betreffende dann an anderer Stelle: „Gegenstand und Identität mit sich selbst ist ein und dasselbe; Gegenstand sein ist nichts anderes als mit sich selbst identisch sein" [7].
Indem also das Bewußtsein in dem Urteil ‹Ich denke Etwas› sein endgültig letztes Thema, d. h. das ‹Etwas› schlechthin als ‹Identität› bestimmt, behauptet es implizit, daß alles überhaupt mögliche Denken als definitives metaphysisches Ziel das gegenständliche mit sich selbst identische Ansich intendiere. Das transzendente Wesen alles mit sich selbst identischen Ansich aber ist das *Sein.* Folglich ist das Sein das einzige, ursprüngliche und letzte metaphysische Thema des reflektierenden Bewußtseins. Und alle Gegenständlichkeit des Bewußtseins hat ihren transzendenten ‹Grund› im Sein; kantisch: im Ding an sich. Deshalb ist das Sein das ewig Beharrende, unverändert in seiner Identität Ruhende gegenüber dem rastlosen Wechsel und ewigem Gestaltenwandel, in dem die Subjektivität des Begreifens sich stets neu verkörpert. Und diese letztere in der in sich selbst gegründeten Identität des ewigen Seins aufzulösen und im Sein den göttlichen, absoluten Ursprung von Allem – ohne Ausnahme – zu begreifen, muß für das Identitätsprinzip das endgültige einzige Ziel des Denkens bleiben.
Damit ist das metaphysische Grundthema des Bewußtseins überhaupt festgelegt, und im nächsten Fundamentalprinzip der klassischen Axiomatik, dem Satz vom verbotenen Widerspruch, wird daraufhin die Bedingung angegeben, unter der dieses Thema im Denken faktisch durchgeführt werden kann. Womit der Widerspruchsatz die einzige, absolut allgemeine Möglichkeit der Denkbarkeit dieses mit sich identischen Sein formuliert. ‹Denkbarkeit› ist das erste metaphysische Accidenz des Sein. Aus zweierlei Gründen: einerseits wäre sonst nie verständlich zu machen, wie Denken und Sein im Absoluten identisch sein sollen, wenn nämlich das Sein unter Umständen dem Denken prinzipiell unerreichbar sein könnte, außerdem aber muß die Denkbarkeit als elementarste Bestimmung des Seins schon deshalb anerkannt werden, weil alles Sein ja nur „ist" als Gegenstand, d. h. als Gegensatz und „Anderes" gegenüber einem

[6] B. Erdmann, Logik (Elementarlehre), S. 228.
[7] B. Erdmann, a. a. O., S. 231.

*8*

Bewußtsein, von dem es ergriffen und – gerade *als* Sein – verstanden wird. Die Frage nach dem Gehalt des Widerspruchsprinzips lautet deshalb: unter welcher Bedingung wird nun eigentlich das Sein, das sich als Uni-versum dem denkenden Subjekt entgegenwendet, faktisch begriffen? Wir antworten: Sein überhaupt ist formal-allgemein nur denkbar als Widerspruchslosigkeit, weil jeder Widerspruch die ‹Identität› unterbrechen würde. Weshalb umgekehrt Denkbarkeit überhaupt von der klassischen Logik als Widerspruchsfreiheit definiert wird. Entsprechend bemerkt Hegel in der Großen Logik: am Widerspruch geht das Sein zugrunde. Drücken wir es trivialer aus: wir können uns ein Dreieck nicht als Fünfeck denken, oder sinnvoll von einem schwarzen Schimmel reden. Warum nicht? Meist erhält man darauf zur Antwort: weil solche Urteile einen Widerspruch in sich selbst enthalten würden. Aber mit solcher Argumentation bewegt man sich nur im Kreise. Das Motiv des Widerspruchverbotes liegt an anderer Stelle. Zum Sinn des Seins gehört außer der ‹Identität›, die wir uns als Ansich, als Transzendenz, als Faktizität, ja als Fremdheit vorstellen können, noch ein zweites fundamentales Konstitutionsmoment, nämlich das der *Bestimmtheit*, oder besser *Positivität*, und zwar als Realitätsbestimmung der (abstrakten) Identität. Das Sein ist immer positiv, es ist ‹so und nicht anders› da; es ist, wenn überhaupt, immer in einer (positiv) bestimmten Weise vorhanden. Dieses ‹So-und-nicht-anders› wird im Verbot des Widerspruchs axiomatisiert.

Die klassische Logik ist nämlich „zweiwertig", Das heißt das bestimmende Denken verfügt über zwei fundamentale (sich gegenseitig ausschließende) logische Wertqualitäten. Jeder einzelne Begriff kann entweder ‹positiv› oder ‹negativ› verwendet werden. Bejahung und Verneinung sind dabei korrelativ aufeinander bezogen. Denn jede positive Bestimmung involviert zugleich eine indirekte Verneinung anderer Bestimmungen im Urteil, und jede Negation liefert in demselben Sinne stets eine mittelbare Bejahung. Wenn zum Beispiel im Denken eine geometrische Figur als Dreieck bestimmt wird, so sind in dieser Bestimmung indirekt eine Anzahl anderer Eigenschaften, wie viereckig, siebeneckig usw. verneint worden.

Auf Grund dieser ursprünglichen Eigenschaft des Denkens muß deshalb von allem Sein, wenn es denkbar sein soll, strikt verlangt werden, daß es einander entgegengesetzte Bestimmungen nicht in identischer Hinsicht in sich vereint haben kann. Das Sein ist allemal positiv, und wenn sich das Denken mit ihm identisch setzen will, darf es im Sinn des Seins nicht die Negationen derjenigen Bestimmungen denken, die die identische Einheit des Seins mit sich selbst zerstören würden. In diesem Sinn axiomatisiert das Verbot des Widerspruchs die Denkbarkeit des Seins. –

Nun sahen wir aber im Widerspruchsatz, daß das Denken sich selbst grundsätzlich als „zweiwertig" versteht, da alle Begriffsbestimmungen sowohl bejaht als auch verneint auftreten können. Das Sein aber kennt seinerseits diese doppelzüngige Zweideutigkeit an keiner Stelle seiner Existenzverfassung; es ist ganz schlicht und selbstverständlich positiv. Wenn man nun an der transzendentalen These festhält, daß Denken und Sein im absoluten Ansich identisch sein sollen, meldet sich sofort die Frage, in welchem Sinn, d. h. vermittels welcher Wertqualität, soll diese Identitätssetzung sich vollziehen. Sollen *in* dieser Identität die Denkbestimmungen als positive oder als negative auftreten? *Beide* logische Werte können jedenfalls in dieser Einheit nicht zugleich auftreten, da das ja eben auf den verbotenen Widerspruch hinausliefe. Für die Entscheidung, daß das Denken als der Inbegriff seiner *positiv* gefaßten Bestimmungen mit dem Sein als identisch zu setzen sei, spricht die Überlegung, daß alles Sein ja a priori positiv sei, weshalb das Denken in der absoluten Identität sich nicht vom Sein unterscheiden dürfe und könne. Für die gegenteilige Auffassung, nämlich daß das Denken nur als totaler Inbegriff seiner bestimmten Negation in das metaphysische Identitätsverhältnis eingehen könne, spricht die nicht minder einleuchtende Betrachtung, daß das Denken sich selbst und damit seinen korrelativen Gegensatz zum Sein *in jeder Bestimmung* bedingungslos *negieren* müsse, um sich wahrhaft als Identität mit dem Absoluten zu wissen. Es ist allgemein bekannt, daß diese letztere logische Ansicht in der Geschichte der Philosophie durch die negative Theologie des Dionysos Areopagita einen nicht unbeträchtlichen Einfluß erreicht hat.

Wenn wir jetzt selbst zwischen diesen beiden Auffassungen eine Entscheidung treffen wollen, müssen wir entdecken, daß das gar nicht so einfach ist. Gleich zu Beginn sehen wir uns nämlich genötigt, die sehr weitgehende Frage zu beantworten: welches denn die „eigentlich" positiven und negativen Bestimmungen des Denkens seien. Eine umgehende Beantwortung wird sich an der Erwägung stoßen, daß der Satz vom verbotenen Widerspruch gerade darauf beruht, daß jede Negation eine indirekte Bejahung vertritt, und jede positive Aussage mittelbar ein verneinendes Urteil formuliert. (Sage ich: die Rose ist rot, so werden damit die übrigen Werte der Farbenskala indirekt verneint.) Dieser schwierigen Situation gegenüber diktiert jetzt der Satz vom ausgeschlossenen Dritten, daß es grundsätzlich gleichgültig sei, ob man das Denken als Positivität oder als Negation mit dem Sein identisch setze, solange man nur streng daran festhält, daß eine „dritte" Möglichkeit angesichts dieser absoluten Alternative kompromißlos ausgeschlossen sei. Im Satz des Tertium non datur wird der Bedeutungsgehalt von Positivität und Negation im Denken dergestalt axiomatisiert, daß der Inbegriff „aller" positiven Bestimmungen des Bewußtseins streng äquivalent dem Inbegriff „aller" bestimmten Negationen gesetzt wird. Das absolute (positive) Sein und die totale Negation des Bewußtseins sei „eigentlich" dasselbe, meint das Tertium non datur, und *bestimmte* Positivität nebst *bestimmter* Negativität bilden zusammen den systematisch geschlossenen Inbegriff aller theoretischen Bewußtseinsbestimmungen, wobei es vollkommen gleichgültig ist, welches Begriffsmoment im Einzelnen als positiv (ausschließend) und welches als negativ (ausgeschlossen) zu bewerten ist, sofern nur die systematische Geschlossenheit dieses korrelativen Gegenverhältnisses nirgends durch ein „Drittes" (logisches Qualitätsprinzip) unterbrochen wird. Das heißt: der Inbegriff aller positiven und der Inbegriff aller negativen Bestimmungen des Bewußtseins sind beide restlos durcheinander vertretbar.

In der Identitätsthematik des Denkens bleibt es also durchaus offen, welche Wertqualität ein beliebiger Begriff im konkreten Falle hat. Bedingung ist nur, daß entweder er oder seine Kontradiktion auf das absolute Sein als wahr zutreffen muß. Diese strenge Alternative ist selbst absolut und gilt als letztes Wort für das theoretische Bewußtsein. Angenommen eine Bestimmung gilt als kategorialkonstitutives Moment am Sein, dann ist sie positiv, unterstellen wir hingegen das Gegenteil, wobei sie als ontologisch nicht verpflichtendes *Sinnverhältnis* des reinen Denkens figuriert, dann hat sie negative Wertigkeit. *Jede* negative Bestimmung aber kann, *weil alle Sinnverhältnisse nur den Sinn des Seins entwickeln – und sonst „nichts"*, ebensogut als positive in Erscheinung treten. Denken und Sein sind von gleicher logischer Mächtigkeit![8] Denn die Totalität aller Sinnbestimmungen ist genau äquivalent der Totalität aller Seinsbestimmungen.

Ein „Drittes" wäre nur unter der Voraussetzung möglich, daß das Denken eine höhere logische Mächtigkeit als das Sein repräsentierte, so daß bei jedem Versuch, Denken und Sein definitiv zur Deckung zu bringen, im Denken Sinndimensionen ans Tageslicht treten würden, die sich *nicht* in Seinsbestimmungen umkehren ließen. Aber was das Denken, das sich im Rahmen der Identitätsthematik bewegt, in jedem seiner Momente ausdrückt, ist ausschließlich der Sinn des Seins – und weiter nichts. Folglich muß es, wenn es sich absolut nimmt, zur Gänze im Sein aufgehen und mit demselben ein geschlossenes identisches System bilden.

Wenn also – und das sagt der Drittensatz – das Sein überhaupt denkbar sein soll, so muß es entweder durch die eine oder eine andere Bestimmung des systematisch geschlossenen Inbegriffs aller im Denken möglichen Bestimmungen getroffen werden: es ist ausgeschlossen, daß es weder durch die eine noch durch die entsprechende (den Inbegriff aller Negationen zur Wahl stellende) kontradiktorische Bestimmung gedacht werden könnte – und daß vielleicht erst eine geheimnisvolle „dritte" Bestimmungen produzierende Wertqualität (die vollkommen aus dem geschlossenen Korrelationsverhältnis von

[8] Dieser Begriff wird in dem Abschnitt über die Reflexion noch näher definiert.

Positivität und Negation heraustrāte) eine adäquate Definition des Seins abzugeben imstande sei [9]. –
Fassen wir unsere bisherigen Resultate kurz zusammen: in Übereinstimmung mit einer etwa 2000jährigen Tradition der Metaphysik behaupten wir, daß der Identitätssatz die metaphysische Identität von Denken und Sein postuliert und daß das zweite Axiom den *empirischen* Unterschied der beiden in dem Widerspruchsverhältnis von Positivität und Negation formuliert, während schließlich das Tertium non datur dahingehend interpretiert werden muß, daß Denken und Sein nur unter der Voraussetzung identisch sein können, *wenn Positivität und Negativität Wertqualitäten von äquivalenter logischer Mächtigkeit darstellen,* neben denen keine dritte logische Dimension mehr definierbar sei, die das strenge Deckungsverhältnis von Denken und Sein zu stören vermöge. –
Damit hätten wir unsere knappe Sinnanalyse der trinitarischen Axiomatik der klassischen Logik beendet. Nicht betrachtet aber haben wir bisher das Zusatzaxiom, das in der Geschichte der Logik unter dem nur teilweise zutreffenden Namen des ‹Satzes vom zureichenden Grunde› bekannt geworden ist. Um den Sinn dieses letzten Fundamentalgrundsatzes des klassisch-aristotelischen Denkens richtig zu bewerten, müssen wir uns kurz die metaphysische Attitude, die diese Bewußtseinshaltung dauernd einzunehmen bestrebt ist, vergegenwärtigen. – Wie wir sahen, gaben uns die bisher besprochenen Axiome nicht bloß ein Bild der thematischen Intention des theoretischen Denkens, sondern sie lieferten uns darüber hinaus einen ersten Blick auf die metaphysische Selbstinterpretation des Menschen, sobald er erstmalig Versuche anstellt, sich mit den Mitteln wissenschaftlicher Philosophie über sein eigenes Wesen und seine transzendenten Existenzgründe Rechenschaft zu geben. Unsere Sinnanalyse ergab, daß sich in der klassischen Logik das menschliche Selbstbewußtsein und damit letzten Endes der ganze Mensch als Sein, als unmittelbare Realität, als objektives Ansich, d. h. paradoxerweise als ein „Jenseits seines Bewußtseins" versteht. Aber diese transzendente Identität von Denken und Sein ist nur die metaphysische *Idee* dieses Lebens, jedes konkret-empirische Bewußtsein dagegen sieht sich auf allen Seiten durch einen unüberschreitbaren Abgrund von seiner eigenen Erfüllung und endgültigen Realität getrennt und eingekerkert in die enge Zelle kreatürlich-besonderer Subjektivität. Das Absolute und seine unendliche, ewige Wahrheit stehen dem Menschen unerreichbar fern mit der ganzen geheimnisvollen Fremdheit magischer Transzendenz. Nur, wenn das Licht der Offenbarung das Dunkel durchstrahlt, hinter dem sich der Himmel verbirgt, greift das Ewige selbst nach dem Menschen und peitscht

[9] Wir folgen hier genau der Interpretation des Drittensatzes, die Paul Hofmann in seiner ausgezeichneten Schrift: Das Problem des Satzes vom ausgeschlossenen Dritten, Berlin 1931, gegeben hat.

sein Bewußtsein durch die unmenschlichen Kategorien des Absoluten. Aber das ist göttliche Gnade, und für ihre Herabkunft steht keine Bürgschaft. –

Man erkennt, es ist keine belanglose, eher recht folgenreiche These, wenn im Identitätssatz behauptet wird, daß die Wahrheit wie Realität alles Denkens und überhaupt alles Bewußtseins, in der transzendenten Identität von Denken und Sein gegründet sei, weshalb an den Menschen die metaphysische Forderung herantritt, sich von der eigenen kreatürlich-individuellen Existenz zu lösen und jenem ganz Andern, das wie ein ewiges Licht hinter der transparenten Symbolik aller historischen Religionen leuchtet, das eigene Selbst zu überantworten.

Wenn aber das Denken die Gründe seiner Wirklichkeit und Wahrheit in einem unerreichbaren Jenseits sucht (weil es sie in sich selbst nicht finden kann), dann müssen alle der subjektiven Immanenz entnommenen Denkbestimmungen einen *transzendenten* (existentiellen) *Grund* besitzen, durch den allein sie sich ihrer eigenen Wahrheit versichert halten dürfen. Weil wir das absolute Sein und seine ewige Notwendigkeit in unseren Begriffen nicht selbst haben – da es bewußtseinstranszendent ist – brauchen wir einen transzendentalen (logischen) „Grund" für unser Begreifen. Einen Grund, warum wir unsere Bewußtseinsbestimmungen für wahr oder unwahr halten. Denn nur ein zureichender Grund, der uns für die Adäquatheit unseres Denkens gegenüber der Transzendenz des Seins Sicherheit leistet, gibt unseren Begriffen den Charakter objektiver Notwendigkeit.

Die Frage, die wir damit zu beantworten haben, läßt sich etwa in folgender Gestalt zum Ausdruck bringen: wie lautet die mögliche Begründung, die „zureicht", uns für den transzendentalen Wahrheitsgehalt des Denkens befriedigende Gewähr zu leisten? Und die einzig denkbare Antwort ist die: wie auch das Sein an sich beschaffen sein mag, es kann uns nie anders entgegentreten und nie anders gedacht werden, als vermittelt durch den *Sinn des Seins*[10]. Diesen Sinn aber entwickelt die klassische Axiomatik durchaus *zureichend*, weil sie ihn als systematisch geschlossenen Inbegriff aller das Thema ‹Sein› betreffenden Denkmöglichkeiten darstellt. Der systematische Abschluß durch das Tertium non datur beweist, daß es gänzlich unmöglich und restlos widersinnig ist, Sein außerhalb des durch diese Axiomatik festgelegten transzendenten „Grundes" zu denken. Also: weil es schlechthin unmöglich ist, das Sein je anders als durch den *Sinn* des Seins zu denken, repräsentiert die trinitarische Axiomatik den zureichenden Grund für die transzendentale Geltung des

[10] Diese Einsicht ist erstmalig von Kant in der Kr. d. r. V. in seinem „obersten Grundsatz aller synthetischen Urteile" mit den Worten ausgesprochen worden: „Die Bedingungen der *Möglichkeit der Erfahrung* überhaupt sind zugleich Bedingungen der *Möglichkeit der Gegenstände der Erfahrung* und haben darum objektive Gültigkeit in einem synthetischen Urteil a priori."

klassischen Formalismus. Diesen Sachverhalt spricht das Zusatzaxiom aus, das deshalb eher ‹Satz vom transzendentalen Grunde› genannt werden sollte. – – –

Damit sind wir so weit, daß wir zu dem Ausgangspunkt unserer Erörterungen über die klassische Logik zurückkehren können. Man wird nach unserer Analyse der traditionellen Axiomatik ohne weiteres einsehen, daß durch die formale Struktur des klassisch-theoretischen Denkens, dessen Definition in den vier Fundamentalsätzen festgelegt ist, *jeder in der Philosophie bisher überhaupt mögliche metaphysische Versuch im Sinne einer rein ontologischen Thematik von vornherein festgelegt worden ist.* Entsprechend dem in der aristotelischen Logik formulierten Sinn des Denkens überhaupt muß als letzte und allgemeinste metaphysische Aufgabenstellung die Frage nach dem Sein als Seiendem gelten. Auf dem Boden dieser Logik ist die Frage nach dem Sein in keiner Weise mehr überbietbar, und sie duldet auch kein anderes Ziel des metaphysischen Denkens als ebenbürtig neben sich.

Haben wir aber mit unserer Vermutung recht, daß die deprimierende Resultatlosigkeit aller metaphysischen Versuche der Neuzeit auf eine gänzlich verfehlte Fragestellung zurückzuführen ist, andererseits aber der Sinn dieser Fragestellung sich genau mit dem in der klassischen Logik interpretierten Sinn des Denkens deckt, – dann sehen wir uns unentrinnbar vor das Problem gestellt: definiert diese Logik wirklich den absolut-allgemeinsten Sinn des theoretischen Bewußtseins, und schöpft sie endgültig den totalen Bereich menschlicher Rationalität in ihren Begriffen aus?

Selbstverständlich muß diese Frage mit ‹ja› beantwortet werden, wenn die trinitarische Axiomatik als einzig legitime Auslegung der urphänomenalen Situation des ‹Ich denke Etwas› zu gelten hat. Denn wie sollte es eine neue Logik neben der traditionellen geben, wenn *alles* Etwas durch die Identitätsthematik ganz ohne jeden Rest ins Denken aufgenommen worden wäre? Die Dinge liegen in der Tat so, daß eine etwa 2000jährige logische Tradition – abgesehen von noch tiefer liegenden Motiven – niemals auf den Gedanken kommen konnte, daß der aristotelische Formalismus prinzipiell erweiterungsfähig sei, solange man stillschweigend voraussetzte, daß in der *eindeutigen* Definition des ‹Ich denke Etwas› der urphänomenale logische Ansatz gegeben sei und daß die alte Logik die *einzig mögliche* Bedeutung dieses Ansatzes ausführlich expliziere.

Erst Fichte hat in der zweiten Einleitung zu seiner Wissenschaftslehre von 1797 diesen Bann gebrochen. In ganz unmißverständlicher Weise erklärt er dort: „... daß in jedem Denken ein Objekt sein müsse, ist ... keineswegs ein logischer Satz, sondern ein solcher, der in der Logik vorausgesetzt, und durch welchen sie selbst erst möglich wird“ [11]. (Fichte schwebt hier die tiefe – freilich auch paradoxe –

[11] Fichte I, S. 498. Bei dieser Gelegenheit sei übrigens Stellung dazu genommen, daß die moderne Logistik den Anfang der neuen Logik in die

Einsicht vor, daß der fragliche Satz nicht das theoretische, sondern das handelnde Bewußtsein definiert und einen Willen bestimmt, nämlich den Willen: *nicht* zu wollen, sondern zu denken. Insofern gehört der Satz in eine transzendentale „Ethik".) Wenn sich aber in der Formel ‹Ich denke Etwas› das Ich *noch nicht* denkend bestimmt, worin fixiert es sich dann eigentlich theoretisch? Fichte hat auch hierauf eine Antwort: „Denken und Objekte bestimmen ... ist ganz dasselbe; beide Begriffe sind identisch. Die Logik gibt die *Regeln* dieser Bestimmung an; sie setzt sonach, sollte ich glauben, das Bestimmen überhaupt, als Faktum des Bewußtseins, voraus."
Denken ist also nach Fichte keineswegs im Verhältnis des Ichs zum Etwas unmittelbar und direkt gegeben, denn als was jenes ‹Etwas› eigentlich genommen werden muß, steht noch in keiner Hinsicht fest. Erst das ausdrückliche und eindeutige Bestimmen jenes ‹Etwas› nennt Fichte Denken. Hier wurzelt die entscheidende logische Differenz zwischen klassischer Tradition und Idealismus. Nach Maßgabe der aristotelischen Logik gibt es transzendental betrachtet nur *ein* Verhältnis zwischen Ich und Etwas, das *metaphysischen* Rang besitzt, nämlich das der Identität. Das liegt *an sich,* also *vor* allem Denken fest, weshalb der Denkgegenstand nicht erst *im* Denken bestimmt wird. Die metaphysische Grundbestimmung der Identität kommt ihm eben an-und-für-sich, d. h. in transzendenter und nicht bloß transzendentaler Bedeutung zu, weshalb sich die aristotelische Tradition nie mit der Fichteschen These, daß Denken und Objekte bestimmen dasselbe sei, einverstanden erklären könnte. Das transzendente Objekt ist schon vor der Aufnahme ins Bewußtsein in sich selbst bestimmt und auf sich selbst abgestimmt, sonst wäre es ja eben kein Mitsich-Identisches. Und dem Denken bleibt hier nur die subalterne, höchst unschöpferische Aufgabe, die *vor*gegebene Bestimmung des metaphysischen Seins gehorsam *nach*zuzeichnen. Blasphemie aber erschiene es diesem Standpunkt und Auflehnung gegen Gott, die *wahren* Bestimmungen des Seins erst im Denken produzieren zu wollen. In der Schöpfung hat Gott dem Sein eine bestimmte Gestalt und sein objektives Wesen gegeben, weshalb dem kreatürlichen Bewußtsein des Menschen allein die Aufgabe zufällt, die ewige Wahrheit aus den Händen der Gnade zu empfangen und ein stiller Spiegel des Transzendenten zu sein.
Ganz anders aber im Idealismus! Was Fichte sagen will, ist etwa dies: Ein allgemeines theoretisches Verhältnis des Ich zum Etwas,

Bemühungen von Leibniz setzt. Nicht ganz mit Unrecht. Leibniz ist der erste gewesen, der die mangelnde metaphysische Allgemeinheit des aristotelischen Schlußverfahrens erkannt hat. Aber Leibniz, wie alle seine logistisch orientierten Nachfolger, hat nie das transzendentale Fundament dieser Logik angetastet, weshalb die Logistik bisher in der Detailkorrektur stecken geblieben ist. Heute jedoch handelt es sich darum, die Idee der klassischen Logik durch eine neue zu ersetzen. Der erste derartige Versuch aber geht von Fichte aus.

das *vor* allem Denken von vornherein metaphysisch festliegen soll und dem das Denken, wenn es sich betätigen will, in seit der Schöpfung eingegrabenen Spuren sklavisch folgen muß, gibt es nicht. Ja, die Idee eines solchen Verhältnisses ist geradezu unsinnig, denn wenn das Denken dem Sein gegenüber keine Freiheit hat, dann ist niemals zu verstehen, wie Irrtum im Bewußtsein möglich ist. Gibt es aber für das Denken keinen Irrtum, so kann es auch keine Wahrheit geben, weil, wie das Äquivalenzprinzip der klassischen Logik selbst lehrt, es zu jedem Begriff eine zugehörige Negation geben muß, sonst ist der fragliche Begriff nicht denkbar. Infolgedessen erklärt der Idealismus: es ist ein Widersinn, der Transzendenz Bestimmungen zuzuschreiben (sie also zu denken) und in demselben Atem zu erklären, diese (Denk)bestimmungen seien selbstverständlich keine Denkbestimmungen. Das absolut unbestimmte ‹Etwas› (Fichte sagt: das Objekt) wird also erst im Denken bestimmt und erhält nur vermittels des Bewußtseins seinen positiven Charakter des So-und-nicht-anders-Seins. Da in diesem Fall aber die Bewußtseinsbestimmungen erst durch das Denken begründet werden und in ihm ihr metaphysisches Recht entdecken, kann das Denken seinerseits ganz unmöglich durch ihm voraufgehende transzendentale Bestimmtheiten seinerseits gebunden und aus transzendenten Fakten abgeleitet sein. Wer solches behauptet, pflegt sich nie genügend darüber Rechenschaft zu geben, daß er damit indirekt die Aussage macht, daß die im Denken entwickelten und begründeten Bewußtseinsbestimmungen ihrerseits das Denken selbst begründen. Denn daß die Idee der Transzendenz selbst eine Bewußtseinsbestimmung ist, und zwar eine der prinzipiellsten, kann vernünftigerweise nicht bestritten werden. Das Denken ist dem ‹Etwas› gegenüber schlechthin frei und unverpflichtet, und keine göttliche Stimme aus dem Jenseits kann ihm gebieten, dasselbe als Identität zu deuten.

Im metaphysischen Beginn des idealistischen Denkens treffen wir deshalb auf die Frage: in welchem – noch unbestimmten Sinn – soll in dem Satz ‹Ich denke Etwas› das Bewußtseinsobjekt bestimmt, resp. gedacht werden? Die Frage ist durchaus offen und läßt unterschiedene Möglichkeiten frei, wenn Ich und Etwas in keiner a priori festliegenden Relation, der das Denken sklavisch getreu nachzugehen hat, vom Weltursprung her zusammengeschmiedet worden sind. Damit aber bleibt es nach idealistischer Auffassung dem Bewußtsein allein überlassen, wie es sein Verhältnis zur Welt deuten will. Das ist die Fichtesche ‹Tat› oder Urhandlung des Ichs.

Wenden wir diese Betrachtungsweise jetzt auf die aristotelische Logik an, so müssen wir feststellen, daß das klassische Bewußtsein eine grundsätzliche metaphysische *Entscheidung* realisiert in dem Entwurf einer Logik, die das Verhältnis zwischen dem Ich und dem Sein als unmittelbare Identität setzt. (Weshalb dieses Verhältnis *in* dieser Logik *vor* allem Denken besteht und durch dasselbe nur *nachträglich* anzuerkennen ist!) Aber dies Verhältnis *„ist"* nicht Identität! Wohl aber kann sich das Bewußtsein dafür *entscheiden*, diese Beziehung als Identität zu *deuten*. Und insofern ist der metaphysische Daseinsgrund des klassischen Bewußtseins eben in der Tatsache zu suchen, daß sich dasselbe als Identität mit dem Sein versteht. Dieses Selbstverständnis macht seine spezifische Realität aus. Wenn aber die klassische Relation zwischen Denken und Sein kein transzendentes Faktum ist, mit dem sich das Selbstbewußtsein eben abzufinden hat, dann muß es ihm auch freistehen, eine *andere* Entscheidung zu treffen und sich selbst als Gegensatz, Andersheit und Widerspruch zum unmittelbaren Sein zu deuten. Das ist zwangsläufig; denn da das Selbstbewußtsein in der aristotelischen Logik sich als Sein und objektive Transzendenz deuten darf, muß es sich auch als Negation des Seins, als Innerlichkeit und subjekthafte Introszendenz [12] verstehen können. Im letzteren Fall ist das ‹Etwas›, das ihm im Erleben entgegentritt, eben nur Pseudoobjektivität und „in Wahrheit" Bedeutung, Sinn und Seele.

Was hier in idealistischen Andeutungen kurz berührt worden ist, läßt sich, angewandt auf die formale Logik, dahingehend zusammenfassen, daß Aristoteles geirrt hat, wenn er glaubte, daß die in dem Satz ‹Ich denke Etwas› ausgesprochene urphänomenale Situation *eindeutig sei* und deshalb auch eindeutig interpretiert werden müsse: weshalb *ein* Axiomensystem den Gesetzescharakter dieses Verhältnisses definitiv festlegen könne. In Wahrheit ist das Verhältnis zwischen ‹Ich› und ‹Etwas› von allem Ursprung an doppelsinnig. Denn Etwas kann sowohl als Sein wie als Nichtsein (Sinn) erlebt werden, weshalb das Sich-identisch-setzen des Bewußtseins mit seinen Inhalten grundsätzlich auf zweierlei Weise erfolgen kann. Entweder erlebt sich das Bewußtsein als identisch mit dem Nichtich, d. h. dem *Sein*, oder es negiert diese Identität und findet sich selbst in introszendentaler Betrachtung in dem in ihm lebenden subjekthaften *Sinn*.

Beide Deutungsmöglichkeiten sind formal absolut ebenbürtig und gleichrangig, und *beiden hat die Logik axiomatisch Rechnung zu tragen*. Die klassische Logik definiert nur die erste Deutungsmöglichkeit und glaubt, es sei die einzige. Wie wir sahen, ist diese Auffassung unzutreffend. Die idealistischen Überlegungen decken eine zweite, metaphysisch gleichwertige Selbstinterpretation des Bewußtseins auf. Gemäß der klassischen Auffassung besitzt das Denken und damit das menschliche Selbstbewußtsein überhaupt keine metaphysischen Freiheitsgrade über die Dimension des Seins hinaus, weshalb transzendent gesehen Denken und Sein dasselbe sein müssen. Für den Idealismus aber ist das Selbstbewußtsein

[12] Der ausgezeichnete Terminus „Introszendenz" ist von P. Hofmann in seinem Buch ⟨Sinn und Geschichte⟩, München 1937, in die philosophische Begriffsbildung eingeführt worden.

von höherer logischer Mächtigkeit als die universale Sphäre des Seins, die jetzt nur einen *Teil* der möglichen Selbstrealisationen des Ichs definiert, und ‹Freiheit› muß sich nach solchen Einblicken transzendentallogisch als die urphänomenale Möglichkeit des Subjekts verstehen, sich metaphysisch als Sein *oder* als Sinn gleichwertig und in beiden Deutungen mit ebenbürtiger Tiefe verstehen und – verwirklichen zu können.

Nun wissen wir aber, daß in der klassischen Logik das Denken sich ausschließlich als Identität mit dem Sein begreift und daß die klassisch-trinitarische Axiomatik damit nur das erste metaphysische Grundthema, durch welches das ‹Etwas›, dem sich jedes Erleben gegenübersieht, gedeutet werden kann, in seinen fundamentalen Strukturmomenten expliziert. Das zweite metaphysische Urmotto neben dem *Sein,* nämlich der *Sinn* (des Selbstbewußtseins), bleibt in dieser Axiomatik unbeachtet[13].

Kein Wunder, daß alle metaphysischen Versuche seit dem Mittelalter unausweichlich zum Scheitern verurteilt waren, sobald das Bewußtsein des Menschen über den in der klassischen Logik vorgezeichneten Umfang hinauszuwachsen begann. Für ein metaphysisches Gefühl, das sich selbst nur als sekundäre Abschattung der transzendenten Einheit des Seins empfand, war die durch das aristotelische Denkschema allein mögliche metaphysische Fragestellung durchaus zureichend und schöpfte vollkommen alle Reflexionschancen aus, die einem solchen Bewußtsein erreichbar waren. Mit dem Augenblick aber, in dem einem auf seine eigenen Reflexionstiefen erstmalig sich besinnenden Erleben diese *unmittelbare* Bindung an das Sein und an seinen unaufhebbaren Transzendenzcharakter problematisch wurde, mußten alle bisherigen Denkschemata zwangsläufig versagen; denn eine in neue Dimensionen der Reflexion vorstoßende Mentalität warf Probleme auf und suchte nach einem Sinn, der durch den im Bereich der klassischen Logik einzig möglichen Typ der Fragestellung überhaupt nicht intendiert worden war. So wurde durch Jahrhunderte hindurch an die Philosophie die unsinnige Forderung gestellt, Probleme zu lösen, nach

13 Es sei ausdrücklich darauf hingewiesen, daß die hier vorgelegte Kritik der klassischen Logik keinesfalls in dem Sinn verstanden werden darf, als ob diese Theorie des Denkens „falsch" wäre und zu „unrichtigen" Resultaten in ihrer Anwendung führe. Ihr formaler Kalkül ist selbstverständlich vollkommen einwandfrei und nur gegenüber *bestimmten* Fragestellungen nicht allgemein genug. Jede Konzeption einer neuen Logik kann selbstverständlich kalkülmäßig nur auf eine Verallgemeinerung des klassischen Formalismus hinauslaufen und muß insofern aus ihm heraus zu entwickeln sein. Wäre die klassische Logik nur ein theoretischer Irrtum, so würde es auch *nie* möglich sein, über sie hinaus ein allgemeines System der Reflexion zu entwickeln. Außerdem bedeutete das, daß der Mensch in einer riesigen Geschichtsepoche ein „falsches Selbstbewußtsein" besessen hätte. Über eine solche Absurdität weiter Worte zu verlieren, dürfte sich erübrigen.

denen mit den zur Verfügung stehenden technischen Mitteln überhaupt nicht gefragt werden konnte und die mit dem Instrumentarium der aristotelischen Logik nicht einmal annähernd darstellbar waren. Wie aber soll man philosophische Aufgaben lösen, wenn schon die betreffende Aufgabe selbst nicht präzis formulierbar ist?!

## II.

## *Die Reflexion*

Als tiefste Belehrung, die die abendländische Philosophie durch Hegels ‹Phänomenologie des Geistes› empfangen hat, kann man vielleicht die Erkenntnis bezeichnen, daß das Selbstbewußtsein des Menschen im Verlauf der Geschichte einen Strukturwandel an sich erfahren hat, derart, daß mit der fortschreitenden Ablösung des Ichs aus dem Suggestionskreis der unmittelbaren sinnlichen Gewißheit die Reflexionstiefe des Selbstbewußtseins unaufhörlich gewachsen ist und immer neue Dimensionen des Erlebens aus sich heraus produziert hat. Dabei kann gar kein Zweifel daran bestehen, daß das aus seiner direkten Fixierung an die Umwelt erstmalig sich befreiende und sich damit realisierende Bewußtsein vorerst ausschließlich über eine einzige Dimension des Reflektierens verfügt. (Später mag auf dieses Reflexionsverhältnis, in dem sich das subjektive Erleben in seinem antithetischen Charakter gegenüber der Faktizität des Seins erstmalig konstituiert [14], in erneuten Erweiterungen des Bewußtseinsraumes seinerseits reflektiert werden und diese einmal begonnene Bewegung des Denkens in sich endlos iterierenden theoretischen Situationen fortgeführt werden. Das soll uns im Augenblick nicht interessieren.) Wir nennen dieses Grundverhältnis der unmittelbaren Bindung an die sinnliche Gewißheit, in dem sich also im Ich *allein* die Außenwelt – und *nicht* das Bewußtsein selber – reflektiert, die nullte Reflexionsdimension, oder kürzer: nullte R-Stufe.

Diese Elementarverfassung oder nullte R-Stufe des Bewußtseins spiegelt ganz *unmittelbar* den gegenständlich geschlossenen Seinszusammenhang wieder und produziert mit der Unbefangenheit einer optischen Kamera ein einfaches Abbild der objektiven Welt. Charakteristisch für diese nullte Stufe ist, daß sich nur die Welt in ihr reflektiert, daß sie von sich selbst nichts weiß, mithin ihren Reflexionscharakter nicht einmal ahnt. Das Erleben geht auf dieser Stufe ohne den geringsten Rest (wenn freilich nicht widerspruchslos) in den gegenständlichen Bestimmungen auf, und was im Denken dieser Erlebnisebene erfahren und erfaßt wird, ist ganz und gar das Seiende in seinem Sein. Die Unterscheidung von Welt und Ich ist

[14] Aber noch *nicht* auf diese Antithetik reflektiert.

noch nirgends vollzogen, und keine Gedankenbestimmung ist deshalb imstande, die (faktisch bereits vorhandene, aber nicht *gewußte*) Distanz von Gegenstand und Erleben auszudrücken. In der nullten Reflexionsdimension weiß also die Reflexion von sich und ihrem spezifischen Charakter noch nichts. Sie ist vollkommen ohne jedes Selbstbewußtsein und deshalb *vom Sein nicht unterscheidbar.* In der Sprache der ‹Großen Logik› Hegels: sie ist „an sich", aber noch nicht „für sich" vorhanden.

In dieser Erlebnisverfassung liegt aber ein existentieller Widerspruch. Zwar kann sich die Subjektivität ausschließlich in Seinsbestimmungen abbilden und mit *selbstvergessener* Unbefangenheit in ihnen leben, aber sie trägt dabei einen unbewältigten Reflexionsrest in das Sein hinein. Sie realisiert sich nämlich als *Negation,* als bloßes *Objekt,* d. h. eben als *Nicht*subjekt. Nun wissen wir aber aus unserer Analyse der klassischen Axiomatik, daß das Sein durchgängig Positivität (und nicht Negation) ist und, wie Hegel erklärt, am Widerspruch zugrunde geht. Wenn sich also das Ich ausschließlich als Sein realisiert, nimmt es einen metaphysischen Widerspruch auf, der diese Realisation endlich zerbrechen muß. Aus diesem „Sündenfall" des Bewußtseins resultiert die erste (echte) Reflexionsdimension, in der das Bewußtsein erfährt, daß sein ‹Sein›, in dem es sich konstituiert hat, eben nur *gedachtes* Sein und noch nicht die absolute Transzendenz selbst gewesen ist. Auf dieser ersten R-Stufe reflektiert das Bewußtsein also sich selbst und entdeckt, daß es *sich* im Sein bestimmt. Daß demgemäß die Seinsbestimmungen die seinigen sind. (Man beachte die Zweideutigkeit dieses Satzes!) Diese Bewußtseinsdimension repräsentiert den Bestimmungsraum, in dem Aristoteles seine Konzeption der klassischen Logik entwickelt hat. Man möge festhalten: wenn die nullte Reflexionsbewegung des Erlebens sich vollständig in einem bloßen Abbilden der Seinsbestimmungen erschöpfte und sonst weiter nichts war, so hat die erste Reflexion, in der sie dieses nullte Reflexionsverhältnis sich zum Gegenstande macht, jetzt zum erstenmal Gelegenheit, in ihrem Bestimmungsraum ‹Sein› und ‹Bewußtsein› zu unterscheiden. Sie stellt fest, daß das Sein im Bewußtsein abgebildet wird, zugleich aber muß sie davon Notiz nehmen, daß *nichts* weiter als das Sein in jenem Reflexionsverhältnis erscheint, daß weithin das Bewußtsein als ganze konkrete Realität in Seinsbestimmungen aufgeht. Folglich – so lautet das Urteil dieser Reflexionsstufe – „ist" das Bewußtsein in Wahrheit Sein.

Wie wir sehen, treffen wir in dieser Dimension des Reflektierens bereits auf das Selbstbewußtsein. Bei Aristoteles weiß das Bewußtsein von sich selber und seinem erfahrenen Gegensatz zum Sein, aber es relativiert diesen Gegensatz und hebt ihn vermittels einer Reflexion auf. *Das Selbstbewußtsein des Menschen beginnt seine Geschichte mit einer Verleugnung seiner selbst.* Das ist der Standpunkt der klassischen Metaphysik. Theologisch hat diese Selbstverleugnung des Selbstbewußtseins ihren Ausdruck in dem christlichen Dogma von der Kreatürlichkeit und angeborenen Sündhaftigkeit des Menschen und in dem Gedanken des Aquinaten (und der ihm verwandten Denker) gefunden, daß die menschliche Vernunft ein bloßes lumen naturale sei. –

Nun liegt es auf der Hand, daß mit den eben skizzierten zwei Bewußtseinsverfassungen die bisher „negative" Entwicklung des menschlichen Selbstbewußtseins unmöglich abgeschlossen sein kann. Haben wir doch mit unserer, im ersten Teil dieser Abhandlung vollzogenen Reflexion auf die klassische Logik auf die zweite der beiden bisherigen Etappen in der Geschichte des Geistes selber reflektiert, womit wir uns auf eine neue Stufe möglicher Bewußtseinsrealisation begeben haben. Der klassische Bewußtseinsraum lieferte uns dabei als entscheidendes Charakteristikum die Verleugnung des Selbstbewußtseins. Diese Verleugnung geschieht dort faktisch, aber das klassische Bewußtsein ahnt von der aufreizenden Paradoxie der Situation, in die es sich begeben hat, noch nichts. Erst die zweite Reflexion entdeckt, indem sie auf die erste reflektiert, deren paradoxen und damit höchst vorläufigen Charakter.

Die Geschichte des Geistes seit dem Ausgang des Mittelalters enthüllt uns das Schicksal jener zweiten Reflexionsstufe, der es aus innersten systematischen Gründen bestimmt war, nur eine vorläufige Existenzverfassung des Bewußtseins zu entwickeln und als bloßes Durchgangsstadium des Ichs für eine neue, sich auf breitere Fundamente abstützende metaphysische Selbstdefinition des reellen Subjektes zu figurieren. Diese Vorläufigkeit der nachmittelalterlichen (und voridealistischen) Bewußtseinsstufe leuchtet sofort ein, wenn man sich vor Augen hält, daß einerseits die bisherige Schematik metaphysischer Fragestellungen, nämlich die aristotelische Logik, nicht mehr genügen konnte, weil sie als erste Reflexionsstufe der Vernunft lediglich für die sich auf nullter R-Stufe ergebenden Probleme zuständig war, mithin keine Antworten mehr liefern konnte, sobald es sich um Denkverhältnisse handelte, die sich erst aus der Reflexion auf das klassische Organon ergaben. Andererseits aber war es vollkommen ausgeschlossen, daß sich die nachklassische Epoche eine eigene Logik schuf, eben weil diese Zeit auf der zweiten Reflexionsstufe den Selbstwiderspruch der Vernunft in der Verleugnung ihres Selbstbewußtseins entdeckte, wodurch selbstverständlich eine eindeutige und widerspruchsfreie Fassung eines logischen Schematismus von metaphysischer Relevanz zu einem unausführbaren Unternehmen gestempelt wurde. Das Bewußtsein dieser Selbstverleugnung erscheint nämlich in der Logik als die infinite Reihe der Reflexionen des nach seinem Verlust sich selber suchen müssenden und zu ewiger Wanderschaft verfluchten Subjektes (Ahasver). Dieses Ins-Unendliche-weiter-reflektieren-Können macht selbstverständlich axiomatische Prinzipien von streng finitistischem und inhaltlich abschließendem Charakter unmöglich. Zu jeder metaphysischen These produziert das paradoxe Wesen dieser Bewußtseinsverfassung sofort die entsprechende Antithese: so reflektiert sich der metaphysische Monismus Spinozas im Leibnizschen Pluralismus, und in demselben dialektischen Verhältnis stehen Empirismus und Rationalismus in dieser metaphysisch gänzlich desorientierten Epoche zueinander.

Die Unmöglichkeit, zu einer neuen Metaphysik auf dem Boden der alten Logik zu kommen, hat diese Zeit wohl gefühlt, und so dilettantisch und oberflächlich uns der Kampf der Petrus Ramus, Lorenzo Valla und ihrer Gesinnungsgenossen gegen die Aristotelische Schule vorkommen mag, in all den aufgeregten Proklamationen und rhetorischen Überspitzungen lebte doch ein richtiger Instinkt, und es ist kein Zufall, daß gerade am Ende dieses gesamten Zeitabschnittes es dem Riesengeiste Leibniz gelingt, in der Idee eines arithmetischen Kalküls die ersten Schritte über den Geltungsbereich des klassisch-aristotelischen Formalismus hinauszutun.

Immerhin, solange die zweite, paradoxe Reflexionsstufe nicht grundsätzlich überwunden war, konnte auf gesicherte Neuformulierungen metaphysischer Fragestellungen keinesfalls gerechnet werden. Erst im transzendentalen Idealismus gelang dann die Konzeption einer dritten Reflexionsstufe des Geistes, die die unendliche Reihe der Iterationen der zweiten Reflexion abschneidet, indem sie dem Selbstbewußtsein ein Denkniveau liefert, auf dem die Unendlichkeit der Reflexion nur noch als *Inhalts*prinzip des Bewußtseins und nicht mehr als das Wesen des Selbstbewußtseins selbst definiert werden muß.

Freilich war die Erfahrung der iterativen Unendlichkeit der Reflexion höchst notwendig, denn nur durch sie konnte das Selbstbewußtsein sich die Feststellung zu eigen machen, daß es auf dem Wege der Reflexion niemals zur erstrebten Einheit mit dem Sein gelangen könne. Wie diese Einsicht zustande kommt und was sie für die Neuformulierung der metaphysischen Frage nach dem Wesen von Welt und Mensch bedeutet, das haben wir jetzt darzustellen.

Wir wiederholen deshalb noch einmal: die ursprüngliche und erste Bewußtseinsebene, auf der die Geschichte des Ich beginnt, ist das „selbstvergessene" unmittelbare Erleben einer gegenständlich-reellen Außenwelt. „Vorstellung" nennt die Hegelsche Logik diese Erlebnissituation. Erleben und Erlebtes sind in ihr noch vollkommen ungetrennt, was zur Folge hat, daß das Ich sich schrankenlos mit seinen objektiven Gehalten identifiziert. Diese Identifikation ist auf nullter R-Stufe reell [15], wird aber auf der gleichen Stufe nicht erlebt und erfahren, weil eine solche Erfahrung eben den *Unterschied* von Ich und Nichtich voransetzen müßte, um die Identifizierung vollziehen zu können. Tatsächlich aber ist dieser Unterschied im Ich nirgends realisiert, weshalb er auch nicht gewußt werden kann.

[15] Hegels „Ansich des Bewußtseins".

Wohl aber ist es möglich – und damit erheben wir uns zu einer in sich reflektierten und allgemeineren Bewußtseinsverfassung –, die erste und ursprüngliche Erlebnissituation zum Gegenstand einer Reflexion zu machen. Und während in der voraufgehenden Reflexionsdimension *nur* die objektiven Erfahrungsgehalte in die Reflexion eintraten, gewinnt die neue Einstellung außerdem die Sicht auf das (gegenständlich interpretierte) Subjekt der unmittelbaren Erfahrung selbst. Erleben und Erlebtes werden jetzt zwar erstmalig unterschieden, aber diese Unterscheidung selbst wird als „subjektive Täuschung" interpretiert und *muß* so gedeutet werden, weil das Objekt dieser zweiten Reflexion eben das Aufgehen des unmittelbaren Bewußtseins in seinen gegenständlichen Erlebnisgehalten ist. Das Resultat dieser Interpretation ist in der trinitarischen Axiomatik der klassischen Logik niedergelegt, die mithin als zweite Reflexion des Seins und als erste Reflexion des Bewußtseins auf sich selbst zu kennzeichnen wäre. Nun ist aber ohne weiteres klar, daß diese Reflexion auf das Bewußtsein beliebig iteriert werden kann. Der Reflexion auf das unmittelbare Bewußtsein kann die Reflexion auf die erste Reflexion des unmittelbaren Bewußtseins folgen. Wir hätten dann eine zweite Reflexion, die sich die erste Reflexion auf die nullte R-Stufe (unmittelbares Bewußtsein) zum Gegenstande macht. Und niemand kann uns hindern, jene zweite Reflexionsstufe zum Objekt einer dritten Reflexion zu stempeln, und letztere in einer vierten und diese in einer fünften, sechsten usf. von neuem aufzunehmen.

Da also *jede* R-Stufe ihrerseits Objekt einer weiteren Reflexion werden kann, ist diese Iterationsreihe unendlich und kann *in sich* zu keinem Abschluß führen. Aus diesem Grunde ist auch – wie bereits angedeutet – eine Axiomatik und ein finiter Formalismus auf dem Niveau einer solchen Bewußtseinsverfassung schlechthin undurchführbar, weil es auf keine Weise möglich ist, zu letzten, allgemeinsten Sätzen über dieses offene Subjekt zu kommen und es als *Selbst*bewußtsein (also als geschlossene Ganzheit) zu definieren. Auch wird, wie gleich zu zeigen ist, im Verfolg der unendlichen Iterierbarkeit der ersten R-Stufe nirgends ein höherer Allgemeinheitsgrad als der der zweiten Reflexionsstufe erreicht.

Letzteres scheint sehr merkwürdig, da wir von der nullten bis zur zweiten R-Stufe ein stetiges Ansteigen des Allgemeinheitsgrades der Bewußtseinsbestimmungen verfolgen können. Und nun soll jede folgende Reflexion keine weitere Verallgemeinerung des Denkniveaus bringen!? Aber es verhält sich in der Tat so, und eine kurze Überlegung wird uns auch den Grund dieser merkwürdigen Eigenschaft der zweiten R-Stufe, in ihrer unendlichen Iterierbarkeit keinen anderen als den zweiten Allgemeinheitsgrad des reinen Begriffes zuzulassen, hinreichend aufhellen. Es verhält sich damit so: von der nullten bis zur zweiten R-Stufe bringt jede Reflexion eine *Veränderung und Erweiterung des Objektbereiches des Be-*

*wußtseins* mit sich. Versuchen wir aber, die R-Stufen über die zweite hinaus wie bisher in *endlichen* Schritten weiterzuführen, so resultiert aus den folgenden Iterationen keine analoge Erweiterung. Die Tafel des iterierbaren Bewußtseins zeigt das ganz anschaulich:

Tafel I

| | Reflexionsbreite ............... | | | | | |
|---|---|---|---|---|---|---|
| | Nullte R-Stufe | Erste R-Stufe | Zweite R-Stufe | Infinite Reihe der Iterationen ........ | | |
| Reflexionstiefe | Unmittelbares Bewußtsein | Unmittelbares Bewußtsein | Unmittelbares Bewußtsein | Unmittelbares Bewußtsein | Unmittelbares Bewußtsein | ...... ...... |
| | | Einfach reflektiertes Bewußtsein | Einfach reflektiertes Bewußtsein | Einfach reflektiertes Bewußtsein | Einfach reflektiertes Bewußtsein | ...... |
| | | | Doppelt reflektiertes Bewußtsein (Nullte Iteration) | Doppelt reflektiertes Bewußtsein | Doppelt reflektiertes Bewußtsein | ...... |
| | | | | Erste Iteration | Zweite Iteration | ...... |

Wie man sieht, erweitert sich anfänglich sowohl der Umfang als auch die Struktur des Bewußtseins; denn während wir es auf der nullten R-Stufe nur mit dem unmittelbaren Bewußtsein, d. h. streng genommen nur mit Bewußtseins*inhalten* zu tun haben, enthält die erste R-Stufe neben diesen Inhalten bereits eine Reflexion auf dieselben. Die folgende Stufe reflektiert ihrerseits auf die Relation, die zwischen den Bewußtseinsbestimmungen und dem auf sie reflektierenden Bewußtsein besteht, wobei sie feststellt *und sich damit erstmalig iteriert,* daß das objektive Bewußtsein und sein Gegenstand (nullte + erste Stufe) im *Selbst*bewußtsein aufeinander bezogen sind. *Innerhalb* jener Relation erscheint letzteres allerdings nicht, weil es im einfach reflektierten Bewußtsein verleugnet wird. (Selbstbewußtsein bedeutet immer Doppelreflexion!)

Da aber niemand über seinen Schatten und das Denken nicht über das Selbstbewußtsein springen kann, vermag jede weitere Reflexion immer nur diesen Strukturbereich des Bewußtseins zu *wiederholen,* und keine einzige der unendlichen Reihe folgender Iterationen vermag ihn zu erweitern. Trotzdem ist unsere Erfahrung mit der Iterierbarkeit des reflektierten Ichs keineswegs nur negativ. Wir gewinnen nämlich aus ihr zwei grundlegende Einsichten, die wir in den beiden Sätzen formulieren:

Das unmittelbare Bewußtsein besitzt unendliche Reflexionsbreite[16].
Das reflektierte Bewußtsein verfügt über (objektiv) unendliche Reflexionstiefe.

Diesen Tatbestand der zusätzlichen Reflexionstiefe des Bewußtseins gegenüber dem Sein (= Unmittelbarkeit des Bewußtseins) haben wir früher bereits als „höhere Mächtigkeit" des Bewußtseins bezeichnet.
Nach Tafel I sind wir aber jetzt in einer peinlichen Lage. Denn wenn eine höhere Allgemeinheit als die der zweiten R-Stufe nicht erreichbar ist, und, wie wir längst feststellten, auf dieser Ebene eine Axiomatik nicht formuliert werden kann, so bleibt uns nichts anderes übrig, als kleinlaut auf den Standpunkt des Organons zurückzukehren und uns mit der Erklärung zufrieden zu geben: die aristotelische Logik produziert die allgemeinste Gesetzlichkeit des theoretischen Bewußtseins, neben der es zwar noch weitere begriffliche Motive gibt, die aber logisch nicht mehr zu fassen, folglich irrational sind. In der Romantik und auch zu anderen Zeiten ist dieser Standpunkt mit geistesgeschichtlich gar nicht geringem Erfolge vertreten worden.
Wir wollen sehen, zu welchen Konsequenzen uns diese Behauptung führt! Für das klassische Bewußtsein gab es *deshalb* eine echte Metaphysik, weil dieses Bewußtsein in der Lage war, sich selbst zu interpretieren und seine Wesensgesetzlichkeit transzendent zu deuten. Geben wir uns aber mit dem Resultat der Tafel I zufrieden, so räumen wir damit ein, daß für jedes Ich, das über den Allgemeinheitsgrad der ersten R-Stufe hinauswächst, jede Möglichkeit einer Metaphysik fortfällt, weil es einem solchen Subjekt nicht mehr gegeben ist, sich in irgend einer definitiven Sinndeutung festzuhalten und in absoluten Bestimmungen sein eigenes Wesen wiederzufinden. Denn jeder einmal ergriffene Bestimmungsgrund verliert sich sofort wieder in der bodenlosen Öde nie endender Iterationen. Und es ist kein Zweifel, daß der menschliche Geist in der (unmittelbar vergangenen) Entwicklungsepoche, die dieser R-Stufe entspricht, auch über keine echte Metaphysik mehr verfügen konnte.
Indessen – so einleuchtend solche und analoge Erwägungen auch sein können – derjenige irrt, der unter dem Eindruck des wesenhaft metaphysiklosen Stadiums der nachmittelalterlichen Menschheitsentwicklung aus unserer Tafel I die Folgerung zieht, daß für ein der ersten R-Stufe entwachsenes Ich überhaupt keine Möglichkeit metaphysischer Selbstinterpretation mehr in Frage kommt. Sie ist nur unmöglich, wenn wir versuchen wollen, sie auf der zweiten

16 Da formallogisch die Äquivalenz von Sein und unmittelbarem Bewußtsein gilt ($S \equiv D°$), besteht auch der Satz: Das Sein hat unendliche Reflexionsbreite.

R-Stufe zu realisieren. Wenn man an der Behauptung festhält, daß der klassische Entwurf der Metaphysik für immer unüberbietbar sei, leistet man sich einen ganz krassen Selbstwiderspruch. Denn wer dieses Urteil ausspricht, behauptet damit indirekt, daß er fähig sei, auf den klassischen Standpunkt zu reflektieren; er räumt also die *Existenz* eines Reflexionsstandpunktes von höherer Allgemeinheit gegenüber dem aristotelischen ein. Wenn aber ein solches Bewußtsein *existiert,* das zu solchen Urteilen fähig ist und natürlich ihre Wahrheit unterstellt, dann muß dieses Bewußtsein selbst über definitive Rechts- und Daseinsgründe verfügen –, und speziell seine Rechtsgründe müssen *demonstrierbar* sein, wenn es Sinn haben soll, daß ein auf die klassische Theorie des Denkens seinerseits reflektierendes Denken behauptet, seine Aussagen seien wahr (also nachweisbar). Also schon der Satz, die klassische Logik sei unüberbietbar, setzt eine Logik und Theorie der Wahrheit voraus, die von höherer Allgemeinheit ist als das aristotelische Organon. Damit aber widerlegt die Behauptung sich selbst.

Unter diesen Umständen sehen wir uns vor die Frage gestellt, ob es möglich sein kann, eine *dritte* (echte) Reflexionsstufe zu definieren, die tatsächlich eine prinzipielle Bewußtseinserweiterung liefert und zugleich erlaubt, zu einer neuen axiomatischen – also definitiven – Selbstinterpretation des Bewußtseins den Zugang zu gewinnen? Grundsätzlich ist die Frage längst bejaht worden, und zwar von Kant in seiner Kritik der reinen Vernunft. Gerade die Reflexion auf den klassischen Standpunkt, die in dem eben genannten Werke erstmalig in der Geschichte der Philosophie unternommen worden ist, brachte Kant zu der Einsicht, daß die subjektiven und objektiven Momente im Bewußtsein, die für den Standpunkt der zweiten R-Stufe (das Denkniveau der Kr. d. r. V.) gegensätzlich auseinandertreten, in einer übergeordneten Einheitsbestimmung „irgendwie" verbunden sein müssen. Über dieses „Irgendwie" kommt Kant jedoch nicht hinaus. Aber er gibt diesem Einheitsmotiv des Bewußtseins wenigstens einen Namen: es ist seine „synthetische Einheit der transzendentalen Apperzeption" und als solche „das oberste Prinzip des „Verstandesgebrauches". Freilich, ein neues Organon des Verstandes, das statt am aristotelischen Identitätsprinzip an dem neuen Prinzip der Synthesis angeknüpft hätte, hat Kant nicht geliefert, weil er in seiner „transzendentalen Logik" keine neue Theorie des Bewußtseins selbst, also des *Denkens,* sondern gleich eine Theorie des *Erkennens,* d. h. des Verhältnisses des Bewußtseins zu seinem Gegenstand entwikkelt. Kant tut also den zweiten Schritt vor dem ersten. Denn jenes Bewußtsein der synthetischen Einheit war ja selbst noch vollständig unbekannt. Daher mußte der Kantische Versuch, ungeachtet der Tiefe und Großartigkeit des Problemansatzes, in der Durchführung scheitern. Der spekulative Idealismus, speziell Fichte und Hegel, hat später versucht, die Unterlassungssünde Kants wieder gut zu machen und eine explizite Theorie des modernen Bewußtseins zu liefern. Das Unternehmen ist aber teils infolge seiner immensen Schwierigkeiten, teils weil dem Idealismus noch die Kenntnis des Logikkalküls fehlte, da letzterer erst in den vergangenen Jahrzehnten endgültig ausgebildet worden ist, nie konsequent durchgeführt worden. Das gilt auch von der Großen Logik Hegels, wenn schon dieses gigantische Werk Grundlage und Ausgangspunkt aller künftigen Versuche, eine neue Theorie des menschlichen Selbstbewußtseins zu entwickeln, auf Jahrhunderte hinaus bleiben wird. Wir werden den Sinn der transzendentalen Synthesis am besten verstehen, wenn wir uns Rechenschaft darüber geben, welchen Standpunkt wir selbst eingenommen haben, als wir unsere Tafel I entwarfen und als ihr verhängnisvolles Charakteristikum ihre unendliche Erstreckung sowohl hinsichtlich ihrer Reflexionsbreite als auch ihrer Reflexionstiefe feststellten. Unser letzter Gedanke war dabei, daß wir der unendlichen Reflexionstiefe des reflektierten Bewußtseins dann begegnen, wenn wir eine Reflexion auf das unmittelbare Bewußtsein, dessen *endliche* Reflexionstiefe ganz fraglos ist, in unserem Geiste vollziehen. Mit diesem Gedanken der unendlichen Iterationsfähigkeit des reflektierten Bewußtseins haben wir uns aber bereits über die infinite Reihe der von der zweiten R-Stufe ausgehenden Reflexionen erhoben und sie zum „Gegenstand" einer Reflexion gemacht, die per definitionem dieser Reihe selbst nicht angehören kann. Der Inhalt dieser neuen Reflexion ist also *die Idee der Totalität der infiniten Folge der Iterationen* (und nicht selbst eine Iteration, auf die andere folgen könnten). Wir gewinnen mithin doch noch den Begriff einer dritten R-Stufe, die dadurch gekennzeichnet ist, daß sie sich die infinite Reihe der Iterationen, die auf die zweite R-Stufe folgt, zum Gegenstande macht und damit als ihr Thema die (objektiv) unendliche Tiefe des Selbstbewußtseins als reeller Existenz betrachtet. In dieser Idee der Totalität der introszendenten Unendlichkeit einer vor jedem Zugriff in immer tiefere Schichten der Reflexion zurückweichenden Subjektivität reflektiert das Selbstbewußtsein auf sich selbst [17] und definiert so das Ich als totale Selbstreflexion.

Das „Selbst" des Selbstbewußtseins, dessen sich die meontische Logik endlich auf der dritten R-Stufe bemächtigt, ist nicht mehr iterierbar. Das folgt aus dem Sinn dieses Selbstes ganz zwangsläufig: seine Idee wird ja nur gewonnen durch eine Reflexion auf den Iterativitätscharakter des Ichs. Die infinite Reihe *aller* Reflexionen ist also bloßes *Objekt* dieser höchsten Stufe des Bewußtseins. Die Iterativität wird dadurch, wie nicht nachdrücklich genug

[17] Diese Reflexion darf keinesfalls verwechselt werden mit der bereits erwähnten Reflexion des Selbstbewußtseins auf seinen *Objektbereich.* Diese Bewußtseinsverfassung wird durch die erste Iteration der zweiten R-Stufe vertreten.

hervorgehoben werden kann, gegenständliches Moment am Selbstbewußtsein, d. h. ihre Identität mit dem „Selbst" durch diese Distanzierung ausdrücklich negiert. Damit aber ergibt sich die Möglichkeit einer *streng finiten* Selbstdefinition des Ichs. Wir gewinnen also in der dritten R-Stufe den schon verlorenen Boden eines geschlossenen logischen Formalismus zurück.
Der nichtklassischen Logik ist deshalb eine andere Tafel der Bewußtseinsstufen zugrunde zu legen. Diese neue Tafel einer zweiten *definitiven*' metaphysischen Selbstinterpretation des Subjektes hat folgende Gestalt:

Tafel II

| Nullte R-Stufe | Erste R-Stufe | Zweite R-Stufe | Dritte R-Stufe |
|---|---|---|---|
| Unmittelbares Bewußtsein | Unmittelbares Bewußtsein | Unmittelbares Bewußtsein | Unmittelbares Bewußtsein |
| | Einfach reflektiertes Bewußtsein | Einfach reflektiertes Bewußtsein | Einfach reflektiertes Bewußtsein |
| | | Iterierbares Bewußtsein | Iterierbares Bewußtsein |
| | | | Selbstbewußtsein |

Wir haben dabei die dritte R-Stufe von der zweiten durch einen Doppelstrich getrennt, um damit anzudeuten, daß die nullte bis zweite Stufe den *Objektbereich* des Selbstbewußtseins umfaßt. Außerdem aber soll der Doppelstrich eine graphische Schwierigkeit andeuten. Die Tafel II müßte nämlich„ ebenso wie Tafel I, unendliche Ausmaße haben, wollte man die zweite R-Stufe explizit in ihrer infiniten Reflexionsreihe darstellen. Der Doppelstrich möge also den Abstand zwischen der zweiten und dritten Stufe in Erinnerung bringen. – Eine dritte Bedeutung des Doppelstriches soll uns einige Seiten später beschäftigen.
Schon einem flüchtigen Blick auf die Tafel II wird deutlich werden, daß, wenn es gelingen sollte, eine Logik der dritten R-Stufe zu entwerfen, dann eine ganze Anzahl von Problemen lösbar sein werden, die mit den Mitteln der klassischen Logik überhaupt nicht einmal exakt formulierbar (geschweige denn beantwortbar) sind, trotzdem ihre Rationalität vollkommen außer Frage steht. Wie wir wissen, muß als logischer Ort des Aristotelischen Organons die erste R-Stufe gelten. Lösbar aber können auf diesem Denkniveau selbstverständlich nur die Probleme der nullten R-Stufe sein. Sie allein haben hier „entscheidungsdefiniten" Charakter. Denn als bedingungslos entscheidungsdefinit können für die klassische Logik nur

die Fragen gelten, die finite Objektbereiche betreffen. Die erste R-Stufe umfaßt dann ihrerseits den *infiniten* Objektbereich [18], für den als entscheidungsdefinite Reflexionsdimension die zweite R-Stufe eintreten müßte, wenn wir nicht auf Grund früherer Überlegungen längst wüßten, daß wir dort nicht nach endgültigen logischen Entscheidungen zu suchen brauchen, weil sich auf dieser Denkebene keine streng finitistische Logik formulieren läßt.

Wir wollen diese Behauptung jetzt noch durch eine neue Begründung untermauern. Wie wir eben andeuteten, repräsentiert die erste R-Stufe den *infiniten* Objektbereich. Hier tritt also zuerst das Problem des *Unendlichen* in den Gesichtskreis des Denkens. Das Unendliche aber ist ein Bewußtseins- und kein Seinsproblem, weshalb es wie jede Bewußtseinsbestimmung die Eigenschaft hat, in doppelter Gestalt aufzutreten: sowohl unmittelbar wie reflektiert. Setzen wir das Unendliche nun gleich dem Infiniten, so haben wir es ausschließlich unmittelbar bestimmt, oder, um es in der Terminologie eines so tiefen Geistes wie Georg Cantors auszudrücken, als potentiell Unendliches. Das heißt wir haben es definiert als die *Möglichkeit* des endlosen Fortschreitens in der Objektbestimmung *einer* Bewußtseinsebene oder R-Stufe. Das Unendliche aber kann auch als umfangsdefinit geschlossener Inbegriff und insofern als *Ganzes* gedacht werden; freilich nicht in der Bedeutung einer vollendeten und in ihrer Vollendung präsenten endlosen existentiellen Objektreihe [19], sondern als *vollzogener* und somit *bestimmter Begriff* des Unendlichen. Diesen Reflexionsbegriff des Unendlichen nennt Georg Cantor das aktual Unendliche oder das Transfinite.

Nun ist aber ersichtlich, daß schon der Begriff [20] des unmittelbar oder potentiell Unendlichen nicht gebildet werden kann, wenn man nicht in der Lage ist, ihn vom Transfiniten zu unterscheiden. Mithin setzt die Bestimmung des Unendlichen auf der ersten R-Stufe schon ein Bewußtsein voraus, das *beide* Reflexionsbereiche des Unendlichen umfaßt, sowohl das unmittelbare wie das reflektierte Unendliche. Folglich ist der logische Ort, von dem aus erst die Problematik der ersten R-Stufe bewältigt werden kann, erst auf der dritten R-Stufe fixierbar, während die zweite R-Stufe den letzten und höchsten Objektbereich des Bewußtseins, nämlich die Dimension des Transfiniten (und Ultrafiniten) umfaßt.

Wir glauben, jetzt genügend gerechtfertigt zu haben, warum wir eine Formulierung einer neuen Logik auf dem Niveau der zweiten R-Stufe überhaupt nicht erst versuchen. *Eine Logik ist die metaphysische Selbstdefinition eines Subjektes.* Auf der fraglichen Stufe

[18] Nicht zu verwechseln mit dem infiniten Reflexionsbereich!

[19] Eine solche Auffassung führt zu den berüchtigten Paradoxien der Mengenlehre.

[20] Die *Vorstellung* des unmittelbar Unendlichen kann selbstverständlich *ohne* Reflexion auf den Begriff des Transfiniten entworfen werden; nur nicht der zugehörige *Begriff*.

begegnen wir, metaphysisch betrachtet, nur Objekten, wenngleich solchen höchster und letzter Ordnung. Suchten wir die Selbstdefinition des selbstbewußten Subjektes hier, so würden wir damit indirekt behaupten: das Ich ist letzten Endes eben doch Objekt, wenn auch ein solches höchster Ordnung. Als Objekt aber ist es metaphysisch Sein – womit wir uns höchst unerwartet auf den Standpunkt der klassischen Logik zurückversetzt sähen.

Wenn wir uns jetzt der Aufgabe verpflichtet fühlen, eine *Fundamentaldefinition der dritten R-Stufe* zu liefern, so bedarf es nach Teil I unserer Abhandlung keiner Erörterung mehr, daß das in Form einer neuen Axiomatik zu geschehen hat. Die klassische Axiomatik begründet das Thema ‹Sein› im Bewußtsein, weshalb man sie als „ontische" Axiomatik bezeichnen kann. Über das zweite Thema, das dem Denken in der Interpretation des ‹Etwas›, d. h. seines Denkgegenstandes zur Verfügung steht, wissen wir freilich noch nicht viel, aber wir können wenigstens mit aller Bestimmtheit versichern, daß es *nicht das Sein* ist. Und da Plato das ‹Nichtseiende› in metaphysischer Hinsicht als das μὴ ὄν benennt, wollen wir die zweite Axiomatik, die die totale Negation des Seins bestimmt, die meontische Axiomatik nennen. Ihr Thema ist dasjenige, was selbst nie und nimmer als Sein begriffen werden kann, weil es dasjenige ist, *durch* das alles Sein erst verstanden wird, nämlich der *Sinn* (der, wenn er als Motiv des Seinsbewußtseins auftritt, als *Sinn* des Seins bestimmt werden muß). Es ist selbstverständlich, daß dasjenige, wodurch der Begriff ‹Sein› überhaupt erst möglich wird, nicht selbst *unter* den Begriff ‹Sein› fallen kann. Insofern ist ‹Sinn› die „totale Negation" des Seins.

Die meontischen Fundamentalsätze haben also das Ziel, die allgemeinste Strukturform von ‹Sinn› in koinzidenten Aussagen festzulegen. Die abstrakteste Gestalt, die der ‹Sinn› hat, nennen wir „Reflexion", und wir können jetzt darangehen, diesen Terminus seinem metaphysischen Gehalt nach näher zu bestimmen:

Das Selbstbewußtsein, das sich nicht mehr als Sein verstehen kann, deutet sich also als „Reflexion". Was heißt das? Wie wir am Schluß des ersten Teiles unserer Betrachtung erfahren haben, stehen dem Selbstbewußtsein zu seiner metaphysischen Selbstinterpretation zwei gleichwertige formale Möglichkeiten frei: entweder kann es sich in dem zur Verfügung stehenden Bestimmungsraum, der Dimension des Etwas überhaupt oder der Objektivität schlechthin, als *Sein* oder als Begriff, und damit als *Sinn* verstehen. Sagen wir z. B. ‹Tisch›, so repräsentiert dieses Wort zwei grundverschiedene Bewußtseinsintentionen. Einerseits können wir dieses Wort als „Zeichen" für ein existierendes *Ding* der uns umgebenden Welt verstehen, andererseits aber bedeutet ‹Tisch› auch den *Allgemeinbegriff*, unter den die beliebig vielen Exemplare einer bestimmten Dinggattung fallen. Die klassische Logik entwickelt nur die Denkgesetze, die sich auf die erste theoretische Intention beziehen, die wir mit unserem als Beispiel gewählten Wort verbinden. Sie produziert also nur die abstrakten Regeln des sich auf dem Boden der Seinsthematik bewegenden Begreifens. Die zweite Bewußtseinsverfassung aber, in der wir den Laut für besagtes Möbelstück als *Begriff* verstehen, also auf unsere erste Bewußtseinsintention *reflektieren,* fällt unter das *neue Thema* ‹Sinn›, denn jetzt richtet sich unser Blick auf das *Bedeutungserlebnis,* in dem wir das Sein einer bestimmten Gegenstandgruppe der physischen oder psychischen Welt uns verständlich machen. *Dasjenige aber, wodurch überhaupt erst ‹Sein› verstanden werden kann, kann nicht selber ‹Sein› sein, weil wir uns andernfalls immer wieder fragen müßten, wodurch denn das ‹Sein› jenes Bewußtseinsmotivs* (durch das wir ‹Sein› erfassen) *selbst begriffen werden könnte.* Kantisch ausgedrückt: die Bedingungen der Möglichkeit von Gegenständen der Erfahrung können selber keine Gegenstände sein.

In diesem Sinne ist es zu verstehen, wenn Hegel den „Begriff" oder, wie wir lieber sagen: die Reflexion, den Sinn als „totale Negation" des Seins bezeichnet. Jedoch damit sind wir – ebenso wie Hegel – bisher nur zu einer negativen Charakterisierung der neuen Thematik des Denkens gekommen; wenn wir aber einen ersten Versuch machen wollen, die meontische Axiomatik zu formulieren, müssen wir uns darüber Rechenschaft geben, welche *positive* Bedeutung „Reflexion" oder „Sinn" eigentlich haben?

Um diese Frage einigermaßen beantworten zu können, müssen wir uns erst einmal über das Bewußtseinsmotiv Klarheit verschaffen, welches das Denken zu der klassischen Selbstdefinition als Sein bewogen hat. Der Grund für diese – allem unphilosophischen Dasein so paradox erscheinende – Haltung, ist darin zu suchen, daß alles menschliche Bewußtsein in der Reflexion frühzeitig die erstaunliche und verwirrende Entdeckung macht, daß es sich selbst *nur* in seinen positiven und objektiv-existentiellen Gehalten und *nie* in seiner subjektiven spontanen Lebendigkeit festhalten kann. Jeder Versuch, sich selbst auf dem Wege *direkter* Innenschau zu verstehen, mißlingt und läßt das Bewußtsein mit eiserner Konsequenz und starrer Unabänderlichkeit in die Dimension der Gegenständlichkeit zurückfallen. Jeder feurige Funke sprühender Subjektivität verwandelt sich in den Fängen des zupackenden Begreifens sofort in das Midasgold schwerer und unbeweglicher Objektivität. Wir treffen hier auf ein methodisches Grundprinzip, das in Hegels Phänomenologie des Geistes systematisch durchgeführt worden ist, nämlich daß alles Bewußtsein nur so weit sich Realität gibt, als sich der Gegenstandsbereich (Objektivitätsdimension) eben dieses selben Bewußtseins erstreckt. Deshalb wird sich Ichhaftigkeit, Bewußtsein, Denken selbst nur so weit faßbar, wie sich sein Inhaltsbereich faktisch ausdehnt. Und Subjektivität, der diese Abbildbarkeit auf die positive Gegenstandsebene versagt bleibt, kann überhaupt nicht als Subjektivität, als Selbstbewußtsein erfahren werden. *Das Verhältnis des Ichs zu sich selbst ist also ein indirektes und führt stets durch das Sein hindurch*, und der kürzeste (und einzige) Weg des Menschen zu seinem Selbst geht durch die Welt und alle Epochen ihrer Geschichte.

So entdeckt das Bewußtsein zuerst seine (vorläufige) Identität mit dem Objektiven, Gegenständlichen, eben dem Sein. Und die These von der Identität von Denken und Sein ist zweifellos motiviert durch den nirgends umgehbaren Objektivationszwang des Bewußtseins. Dieser Zwang ist ewig unerschütterliche Bedingung jedes Erlebens überhaupt, und alle Konkretion des Subjektes ist ihm bedingungslos unterworfen.

Merkwürdig aber ist – und damit sprengen wir die Grenzen der klassischen Selbstdefinition des Bewußtseins – daß das Ich in der Lage ist, über diese allgemeinste Möglichkeit seiner selbst noch zu reflektieren. Auch darauf hat Hegel in der Phänomenologie ausdrücklich hingewiesen. Der Zwang selbst wird freilich dadurch nirgends aufgehoben. Im Gegenteil: er unterliegt sogar sich selber. Der Objektivationszwang wird im Begreifen selbst objektiviert und als Gegenstand des Denkens ins Bewußtsein gehoben.

Damit enthüllt sich dieser Zwang als „Reflexion". Indem er sich selbst unterliegt, „reflektiert" er sein eigenes Wesen ins Bewußtsein zurück. Damit aber wird der ganze Bereich der Objektivität als Abbild und Medium der Bewußtseinsverfassung *doppelsinnig*. Das heißt, das Denken kann diesem Zwange unmittelbar unterliegen, wobei es die Gegenstände des Erlebens als echte transzendente Dinge nimmt; es kann diesen Zwang aber auch reflektieren, wobei die Objektivitätssphäre nur Pseudoobjekte enthält, die „in Wahrheit" den subjektiven, ichhaften Sinn des Denkens vertreten.

Wenn sich aber das Bewußtsein im Objektiven sowohl unmittelbar als auch reflektiert abbilden kann, steht es ihm frei, sich eine solche Realität zu geben, daß es sich im Sein unmittelbar besitzt; ebenso gut kann es aber auch der Möglichkeit folgen, das Sein lediglich als den metaphysischen Ausdruck des indirekten Verhältnisses des Menschen zu sich selbst zu deuten. Diese Tatsache, daß das Bewußtsein sich zu jedem Etwas überhaupt im Sinne zweier grundverschiedener Verhaltungsweisen bestimmen kann, hat Hegel in der Phänomenologie kurz mit den Worten formuliert: „... das Bewußtsein ist einerseits Bewußtsein des Gegenstandes, andererseits Bewußtsein seiner selbst", worauf er um Weniges weiter im Text fortfährt: „Wir sehen, daß das Bewußtsein jetzt zwei Gegenstände hat, den einen das erste Ansich, den zweiten das Für-es-sein dieses Ansich" [21].

Damit beginnt sich für uns allmählich der erste grundsätzliche Unterschied, in dem die beiden Axiomatiken das Wesen des Bewußt-

[21] Hegel II, S. 72 f. (Meiner).

seins interpretieren, in den allgemeinsten Umrissen abzuzeichnen. Die klassische Denkweise bestimmt das Bewußtsein *unmittelbar, direkt* im Etwas, also naiv und gänzlich *unreflektiert* (nullte R-Stufe), während die meontische Logik sich das Bewußtsein durch das Sein nur *vermitteln* läßt und seine Ichhaftigkeit nur *indirekt* durch die Objektivität und ihren irreflexiblen Charakter zu begreifen sucht, *direkt* und *positiv* das Bewußtsein aber als (iterierbares) Reflexionsverhältnis bestimmt.

Die klassische Logik definiert nichts weiter als das irreflexibel-objektive Moment am Bewußtsein, das sich dementsprechend auch einwandfrei mit dem Sein zur Deckung bringen läßt. Aber es ist ein ganz ungeheuerlicher Irrtum zu glauben, daß sich alle Subjektivität ohne Rest in irreflexible, nur faktische Seinsverhältnisse auflösen läßt. Denn das Selbstbewußtsein als geschlossene Totalität und konkrete Realität kann auch in seinen letzten Ursprüngen nicht irreflexiv – und damit als Sein – begriffen werden, *weil alle Subjektivität im Sein immer nur ein Verhältnis zu sich selbst gewinnen will.* Das bedeutet metaphysisch ‹Reflexion›.

Das Sein ist dem Geist nur ein Durchgangsstadium, deshalb vergänglich und der Fäulnis in der Zeit unterworfen. Aber diese Entäußerung an das tote Sein und die Verleugnung seiner selbst ist dem Bewußtsein aufgegeben, sofern es zu sich selbst und seiner lebendigen Innerlichkeit kommen will. Darum heißt es im Korintherbrief: [22]

Du Narr, das du säest wird nicht lebendig, es sterbe denn.

## III.

### *Die meontische Axiomatik*

Das erste Prinzip der meontischen Axiomatik oder das Gesetz des Selbstbewußtseins wird also zum Ausdruck bringen, daß Subjektivität sich nie direkt, sondern stets *„vermittelt"* besitzt und versteht. Aber noch ist die Frage offen, was ‹Vermittlung› oder ‹indirektes Verhältnis zu sich selbst› *formallogisch* zu bedeuten haben. Daß sich der Sinn des Ichs im Sein sich selbst vermittelt, ist hier nicht als Antwort zu betrachten, weil wir nicht nach metaphysischen Existenzkategorien, sondern nach dem *reinen Begriff* des subjektiven Sinnes suchen. Indessen gibt uns doch die metaphysische Betrachtung einen Fingerzeig: denn erfährt sich alles Bewußtsein nur durch die Vermittlung des Seins, so bedeutet das doch, daß es sich nur in seinem totalen Gegensatz versteht. Sinn ist also ein solches Gegensatzverhältnis. Ein Gegensatzverhältnis, bei dem *ein* Moment des Bewußtseins als absolute Negation *des anderen* auftritt und beide sich ineinander reflektieren. Sinn ist also die Selbstreflektion der totalen Negation. (Im Begriff der ‹totalen Negation› erkennen

[22] 1. Korinther 15, 36.

wir leicht das Selbstbewußtsein wieder, denn dieses ist ja vorläufig nichts anderes als der Gegensatz (Negierung) zu *jeder*, aber auch jeder nur erdenklichen Positivität des irreflexiblen Seins.) Wenn aber ‹Sinn› eine solche Reflexion ist, so bedeutet das, daß derselbe sich nur in einem solchen totalen Negationsverhältnis zweier ineinander reflektierter Bewußtseinsmomente entwickelt. Das heißt aber: ‹Sinn› ist keine Identität, sondern ein Gegenverhältnis (Korrelation) zweier unselbständiger Sinnkomponenten, von denen jede die andere als totale Negation ihrer eigenen reflexiven Bestimmtheit enthält. Wir wollen das an einigen Beispielen verdeutlichen: der Sinn ‹Wahrheit› kann nur dadurch verstanden werden, daß wir auch den Begriff des Irrtums kennen. Und umgekehrt verstehen wir den allgemeinen Sinn ‹Irrtum› nur als Negation der Wahrheit. Anders: ‹Irrtum› ist die Reflexion-in-Anderes der Sinnkomponente ‹Wahrheit›. Ebenso reflektiert sich der Begriff des Endlichen im Unendlichen. Und ganz analog wären wir nicht fähig, den Sinn ‹gerade Zahl› zu verstehen, dächten wir ihn nicht als Gegensatz zu dem Sinnmotiv ‹ungerade Zahl›. ‹Sinn› ist also die Reflexion-in-sich-und-Anderes jedes beliebigen Bewußtseinsmotivs. Das heißt jedes Sinnmotiv ist bestimmt als geschlossener Reflexionskreis, der seine eigene Negation durchläuft. Wir nennen das Axiom, das diesen Sachverhalt ausspricht, den

*Satz vom reflektierten Gegensinn.*

Entdeckt worden ist er von Hegel, der ihn in der Großen Logik als „Reflexionsidentität" beschreibt, ohne freilich seinen grundlegenden und axiomatischen Charakter wahrzunehmen. –

Die Entwicklung der Idee des zweiten meontischen Axioms ist jetzt relativ einfach, denn analog dem klassischen Widerspruchsatz, der die Denkbedingung des Seins festsetzt, wird unser zweites Axiom der neuen Logik die Denkbarkeit des Sinns in einem Strukturgesetz bestimmen. Sinn oder reines Reflexionsverhältnis, dieser innerste Ausdruck der *Subjektivität,* ist aber, wie wir erfahren haben, stets nur denkbar als Objektivität (d. h. als sein Gegensatz), mithin nur als totale Negation seiner selbst. Indem wir also den *subjektiven* Sinn zu begreifen suchen, erfassen wir die ihm zugehörige Gegenreflexion. Dergestalt tritt im „Begriff" der thematisierte Bedeutungsgehalt des Sinns als eigene Negation auf. Das heißt: jedes Reflexionsmotiv wird als thematische Inversion seiner selbst begriffen. Das ist das Grundgesetz, unter dem Sinn denkbar wird, und wir nennen es den

*Satz der thematischen Inversion.*

Der Inversionssatz zeigt also an, in welcher Relation das Verhältnis von Sinn und reflektiertem Gegensinn sich ausdrückt. –

Noch aber bleibt ein weiterer Bestimmungsgesichtspunkt des meontischen Denkens axiomatisch zu fixieren. Wenn nämlich Sinn und reflektierter Gegensinn im Verhältnis einer gegenseitigen thematischen Inversion gedacht werden, dann muß die meontische Axiomatik auch das Gesetz liefern, das jedes Sinnmoment *und* seine totale Negation umfaßt. Man muß hier genau unterscheiden: das Inversionsprinzip beschäftigt sich im Grunde nur mit den beiden Sinnkomponenten, die sich gegenseitig reflektieren. Mit nichts weiter! Es ist aber ohne weiteres klar, daß, wenn die beiden antithetischen Sinnmotive eines Reflexionsverhältnisses in eine inverse Beziehung gesetzt werden, eine übergeordnete Reflexionsebene vorhanden sein muß, auf der diese Inversionsbeziehung hergestellt wird und auf der sie definierbar ist. Diese Überlegung führt uns direkt auf das dritte Axiom der meontischen Logik: jede thematische Inversion ist Objekt und Thema einer höheren (allgemeineren) Reflexion. Diesem neuen Fundamentalprinzip geben wir die Bezeichnung:

*Satz der infiniten Reflexionsfolgen.*

Wie man sieht, entspricht es genau dem Tertium non datur der klassischen Logik und ergänzt es, ohne es zu widerlegen. Denn wenn im Satz vom ausgeschlossenen Dritten Positivität und Negation in ein streng alternatives Verhältnis gesetzt wurden und damit sich jede Möglichkeit einer dritten Wertqualität von selber ausschloß, so ergänzt das dritte meontische Axiom das klassische Prinzip dahingehend, daß es feststellt: wenn sich das Denken nicht *innerhalb* des Verhältnisses von Positivität und Negation bewegt, sondern auf dies Verhältnis als Ganzes reflektiert (und das geschieht jedesmal in der totalen Negation des sich selbst reflektierenden Sinnes!), dann muß es über eine höhere Reflexionsebene (und ihre infinite Iterativität) verfügen, auf der das inverse Verhältnis von Bestimmtheit und totaler Negation – also die nächst niedere Sinnstufe – als bloßer Gegenstand des Selbstbewußtseins erscheint. –
Mit dem Satz der infiniten Reflexionsfolgen ist die meontische Axiomatik in demselben Sinne abgeschlossen, wie die klassische Trinität einen systematisch vollendeten Inbegriff des durch sie definierten Denkens produziert. Ebenso gibt uns die meontische Trinität die ganze Gesetzesverfassung der Sinnthematik des theoretischen Bewußtseins. Von der Interpretation der klassischen Axiomatik her aber wissen wir, daß noch ein weiteres Axiom erforderlich ist, um das Denken auf seinen intendierten „Gegenstand" abzustimmen. Dieser Gegenstand ist in der aristotelischen Logik das Sein, und der Satz vom Grunde definierte dort das Gesetz der Rechtfertigung des Wahrheitsanspruches des Begreifens gegenüber seinem Objekt. Es ist selbstverständlich, daß wir auch in der meontischen Logik auf ein solches Gesetz nicht verzichten können. Für die aristote-

lische Logik fanden wir als transzendentales Motiv des Satzes vom Grunde: weil wir in unseren Begriffen das intendierte Sein (und seine absolute Wahrheit) nicht selbst haben, brauchen wir einen *Grund* für unsere Denkbestimmungen und ihren Wahrheitsanspruch. Genau parallel gestaltet sich in der neuen Logik die Motivierung des Schlußaxioms: weil wir in der infiniten Reihe der Reflexionen und der endlosen Stufenfolge von immer allgemeineren Bestimmungsgesichtspunkten der thematischen Inversion nie das ‹Selbst› des Selbstbewußtseins unmittelbar und thematisch direkt erfaßt haben (und auch per definitionem nicht erfassen können, da die zweite R-Stufe laut drittem Axiom infinite Iterationen vertritt), muß das Selbst als *de*finite Größe „außerhalb" des infiniten Systems der Reflexionsverhältnisse stehen. Weil wir also das Selbst *im* infiniten Reflexionssystem samt seiner definiten Wahrheit nicht besitzen, brauchen unsere Reflexionsbestimmungen ein sie rechtfertigendes (introszendierendes) Prinzip, das ihre Wahrheit sicherstellt.

Nun besteht die Wahrheit der klassischen Bewußtseinsbestimmungen in der adäquaten Abbildung des Seins. Und als höchste, vollkommenste Adäquation gilt, daß das Bewußtsein in der Totalität seiner Bestimmungen vollendet reell ist. Dann wäre die absolute Identität von Denken und Sein erreicht. (Und da diese totale Adäquation das Bewußtsein zum Verschwinden bringen würde, gilt der Tod als transzendentale Bedingung der Vereinigung mit dem Absoluten.) Umgekehrt muß jetzt als Wahrheitskriterium der Systematik der Reflexion gelten, daß sie das Selbstbewußtsein in sinngemäßer Wahrhaftigkeit widerspiegelt. Also geht es hier letzten Endes um die „Reflexionsidentität" von Reflexion und Selbstbewußtsein. Jede meontische Bewußtseinsbestimmung ist mithin erst dann als wahr legitimiert, wenn ihr *Ursprung* aus dem Selbstbewußtsein zweifelsfrei feststeht. Es handelt sich infolgedessen für uns jetzt darum, ein axiomatisches Prinzip zu finden, das ganz allgemein für jeden beliebigen Fall der infiniten Reihe des dritten Axioms den *introszendenten Ursprung* des betreffenden Themabereiches sichert. Unser introszendentaler Wahrheitsbegriff wird uns, wenn wir ihn nur konsequent zu Ende denken, sehr schnell zur Lösung dieser Frage führen: *Das infinite Reflexionssystem kann nämlich nur dann als wahrhaftige Abbildung des Selbstbewußtseins gedeutet werden, wenn diese Systematik die Selbstreflexion des Selbstbewußtseins in sich selbst entwirft.*

Alle einzelnen Reflexionsbestimmungen sind immer nur Reflexionen des (objektiv) gebundenen Bewußtseins. Erst der Inbegriff *aller* Bewußtseinsreflexion *„ist"* die definite Reflexion des Selbstbewußtseins in sich. Die Idee des Selbstbewußtseins ist deshalb äquivalent der Idee der Ganzheit der infiniten Reihe der Reflexionen des gebundenen (bestimmten) Bewußtseins. Damit aber besetzt das Selbstbewußtsein den Ort des transfiniten Ursprungs jeder infiniten

Reflexionsreihe, womit für jede beliebige Bewußtseinsbestimmung, die der meontischen Axiomatik untersteht, ihre introszendentale Legitimität gewährleistet ist. Wir nennen dieses letzte Grundgesetz der reflexiven Sinnlogik den

*Satz vom transfiniten Ursprung.*

Da aber das transfinite Selbstbewußtsein – „das Ich des Ichs", wie Novalis es nennt – eine Reflexion in sich selbst darstellt, unterliegt es selbst dem Gesetz der thematischen Inversion. Diese Inversion der transfiniten Mächtigkeit des Selbstbewußtseins wollen wir ihre *ultrafinite Mächtigkeit* nennen. Was bedeutet das?
Die transfinite Mächtigkeit repräsentiert zwar das Prinzip der Selbstbestimmung des Selbstbewußtseins – und ist insofern die Selbstdefinition des lebendigen Subjektes – aber es ist keine Einzelbestimmung. Sie ist „bloß" die Idee des *Bestimmens*, die als denkende Innerlichkeit *über* allen *bestimmten* Bestimmungen steht. *Reell* ist aber das Subjekt dadurch, daß es sich nicht in der unfaßbaren Möglichkeit des Bestimmenkönnens schwebend verhält, sondern daß es sich *wirklich bestimmt* und unter dem infiniten Inbegriff der zur Wahl stehenden Bestimmungen eine Entscheidung trifft .Diese Selbstbestimmung, in der das Ich sich seine Realität gibt, kann aber grundsätzlich an jeder Reflexionsbestimmung auftreten. Da aber, wie wir immer wiederholen müssen, die Reflexionsbestimmungen eine (abzählbar) unendliche Menge bilden, treten die (möglichen) bestimmten transfiniten Mächtigkeiten selber als infinite Reihe auf. Wir nennen diese Dimension der Selbstreflexion des Ichs, wie bereits gesagt, seine ultrafinite Mächtigkeit.
Das klingt alles sehr abstrakt, tatsächlich aber verbirgt sich hinter diesen Überlegungen die sehr wichtige Frage nach der Deduktion des *Du*, welche die meontische Logik unbedingt zu leisten imstande sein muß, da sie ja alle Subjekte in gleicher Weise betreffen soll. – Es ist leicht einzusehen, daß der Begriff der *transfiniten* Mächtigkeit erst die Idee des Selbstbewußtseins als *Ich* formuliert. Nun kann dem Ich das Selbstbewußtsein aber beliebig oft als *Du* entgegentreten. Aus dem Verhältnis von transfiniter und ultrafiniter Mächtigkeit ersehen wir, daß Ich und Du zueinander in einem reellen metaphysischen Wechsel- oder Umtauschverhältnis nach Maßgabe der thematischen Inversion stehen. Das heißt, *das Du „ist" immer das Ich in thematischer Umkehrung.* Also das Subjekt, das als Objekt, die totale Reflexion-in-sich, die als Sein gedacht wird. Die transfinite Mächtigkeit repräsentiert demgemäß das Selbst, während ihre Inversion, die ultrafinite Mächtigkeit, als logischer Ort des Du-Problems anzusehen ist. –
Damit erledigt sich auch der formale Einwand, der sich anläßlich der Inversion des Selbstbewußtseins erheben könnte. Es läge nämlich nahe, die thematische Inversionsfähigkeit des Selbstbewußt-

seins (seine Spiegelung im Du) als Iterierbarkeit des reinen Ichs aufzufassen. Aber nichts wäre falscher als das. Nur das objektivierbare, d. h. das in Bewußtseins*inhalte* vollständig auflösbare Ich ist zur Iteration fähig. Die thematische Inversion des Subjektes führt niemals in allgemeinere Sinnregionen und zu höheren R-Stufen des meontischen Begriffs, sondern stets von dem *bestimmenden* Selbst zu dem *bestimmten* Selbst, und das ist immer ein Du. Man kann sich leicht davon überzeugen, sofern man sich nur die Denkaufgabe, die in der thematischen Inversion des Selbstbewußtseins liegt, bis ins letzte klarlegt: Das Selbstbewußtsein oder die dritte R-Stufe ist die als definite Ganzheit gedachte infinite Reihe der Iterationen der zweiten R-Stufe. Das heißt, das Unendliche wird hier als aktuales Subjekt gedacht. Dasselbe ist innerlich (introszendent) unendlich und doch existentiell vollendet und begrenzt. Dieses innerlich objektive und existentiell subjektive Ich wird nun in der Inversion in seinen absoluten Gegensatz reflektiert. Das heißt in diesem Themawechsel tritt uns ein Selbst entgegen, das innerlich subjektiv und existentiell objektiv erfahren wird. Ein solches aber ist immer ein Du. Denn nur das Du begegnet uns als *objektive* Existenz in der Welt, während wir das eigene Ich als subjektive Existenz erleben (und nur innerlich objektiv als Reflexion im Andern).

Jetzt dürfte deutlich sein, daß die Inversion des Selbstbewußtseins keine weiteren Sinndimensionen im Selbstbewußtsein mehr freilegt. Folglich umschreibt die meontische Logik den totalen Sinn der Rationalität zusammen mit der ihr gegengeordneten klassischen Theorie des Denkens. Dieses sich selbst tragende und darum absolute System ist prinzipiell keiner Erweiterung oder Tieferlegung seiner Fundamente mehr fähig, weil es den definiten Umfang des theoretischen Selbstbewußtseins in sich begreift. Und das *Axiom des transfiniten Ursprungs* muß als die Wurzel alles Denkens überhaupt gelten. Während die klassische Theorie lehrt, daß Denken die Abbildung des Bewußtseins auf das Sein sei, lautet jetzt unsere Definition:

*Denken ist die thematische Inversion jedes reellen Selbstbewußtseins.*

Da aber das Selbstbewußtsein sowohl als subjektives wie als objektives, d. h. entweder als Ich oder als Du reell sein kann, mithin der Begriff der *Realität* des Selbstbewußtseins selbst *doppelsinnig* ist, ist auch seine thematische Inversion – das Denken – doppelsinnig. Denken ist

Reflexion des Sinns des Seins,
Reflexion des Sinns des Sinns.

Beide Grundthemata ergeben in ihrer Explikation das System der totalen Rationalität, deren Axiomatik jetzt folgende Gestalt hat:

## *Axiomatik der totalen Rationalität*

| *Seinsthematik* | *Sinnthematik* |
|---|---|
| Satz der (metaphysischen) Identität. | Satz des reflektierten Gegensinns. |
| Satz vom verbotenen Widerspruch. | Satz der thematischen Inversion. |
| Satz vom ausgeschlossenen Dritten. | Satz der infiniten Reflexion. |
| Satz vom (transzendentalen) Grunde. | Satz vom introszendenten Ursprung. |

Beide Axiomensysteme zusammen definieren den absoluten Sinnbereich des reinen Ichs, wobei der klassischen Theorie ihr spezifischer Wahrheitsanspruch als Logik endlicher Relationen unter allen Umständen erhalten bleibt. Die meontische Thematik der Reflexion entwickelt ihrerseits eine exakte (streng finitistische) Logik des aktual *Unendlichen,* wobei letzteres, entsprechend dem doppelsinnigen Charakter jedes reflektierten Begriffs, in einem zweifachen Sinn gedeutet wird. Denn einerseits ist das Unendliche für das Begreifen das Infinite oder potentiell Unendliche, das aber, sobald es einer neuen Reflexion unterliegt als aktual Unendliches oder transfinite Mächtigkeit verstanden werden muß. Georg Cantors Theorie der transfiniten Kardinal- und Ordinalzahlen ist der erste Versuch des menschlichen Bewußtseins, in dieser höchsten Dimension des Allgemeinen Fuß zu fassen.

Unsere Betrachtung nähert sich jetzt ihrem gegebenen Abschluß in der metaphysischen Problematik, von der wir den Ausgang genommen hatten. Wir verstehen jetzt, warum ehrwürdige, in jahrhundertelangen Stürmen der Seele bewährte metaphysische Lösungen uns nicht mehr taugen können. Warum die alten Zaubersprüche auf die Fragen: was ist Sein?, was ist Seele? und was ist Gott? uns unentzifferbar bedünken müssen! Sie wecken nur Widerhall in einem Bewußtsein, für das hinter dem irdischen Farben- und Gestaltenwandel der Natur wie eine Flamme hinter einem bunten Transparent das plotinische *All-Eine* glüht, dem alle Gedanken sich entgegenschwingen und das diese vergängliche Welt mit göttlichem Abglanz magisch überleuchtet. Aber einem reflektierten Bewußtsein, das in die bittere Erfahrung eines unendlichen Weges durch sich selbst hineingestoßen worden ist, muß notwendig der tröstliche Glaube zerbrechen, man brauche nur den dünnen Vorhang der Natur auseinanderzureißen, um in dem Gluthauch des Absoluten selber aufzuflammen. Denn jedes erlösende Wort und jedes sakramentale Band, mit dem sich eine geängstete Seele unmittelbar an das ewige Sein zu binden sucht, muß im Durchgang durch die endlose Iterativität des Ichs unwiderruflich der skeptischen Auflösung verfallen. Und nicht eher endet diese Odyssee des Geistes, solange nicht das im vergeblichen Ringen um das verlorene *Eine* zu Tode erschöpfte Denken sich die Einsicht abpreßt, daß der alte von den ekstatischen Schauern mittelalterlicher Religiosität umwehte Weg zum Absoluten für immer verschüttet ist.

Man muß die schwermütige Resignation und hintergründige Verzweiflung des Denkens gespürt haben, die in Kants Kritik der praktischen Vernunft wie eine finstere Gewitterwolke über der Erkenntnis lastet, daß dem Menschen im kategorischen Imperativ nur ein formales (substanzloses) Gesetz des Guten gegeben sei, während die *inhaltlichen* Forderungen des Absoluten in unfaßbaren Fernen ungreifbar und wesenlos verdämmern. Aber das ganze Gewicht der Verzweiflung, das sich mit dem allmählichen Zersetzungsprozeß der klassischen Metaphysik auf die europäische Seele herabsenkte, ist in seiner vollen Schwere eigentlich nur von Hegel empfunden worden, der in seiner Phänomenologie des Geistes die vom Skeptizismus der infiniten Reflexion ergriffene Seele „das unglückliche Bewußtsein" genannt hat[23].

Worin das Unglück jenes Bewußtseins besteht, wissen wir jetzt: die mit dem Ausgang des Mittelalters anhebende, ernsthafte Kritik des aristotelischen Entwurfs der Metaphysik stellt eine Reflexion auf das klassische Bewußtsein dar und vollzieht sich somit auf der zweiten R-Stufe. Diese Stufe aber repräsentiert, wie wir erfahren haben, alle infiniten Bestimmungen, weshalb es dem kritischen Denken grundsätzlich versagt bleiben muß, auf diesem Reflexionsniveau zu einer neuen metaphysischen (definitiven) Lösung zu kommen. Jede, aber auch jede Bestimmung ist hier nur provisorisch und hebt sich in einer späteren Iteration des Reflektierens wieder auf. So lösen sich die metaphysischen Systeme seit der Renaissance in ruhelosem Wechsel ab, weil das Denken in der kritischen Analyse nirgends Halt machen kann, ehe es nicht sich selbst samt seinem Bestimmungsbereich – und damit diese ganze Bewußtseinssituation – in der totalen Negation zum Verschwinden gebracht und so zum bloßen Objekt einer übergeordneten Reflexionsstufe gemacht hat.

Für das durch den Skeptizismus hindurchgebrochene Bewußtsein der dritten R-Stufe aber ist der Rückweg in die aristotelische Heimat der absoluten Identitätsthematik nur ein Absturz ins Leere. Denn dieses in der Doppelreflexion gebrochene Ich sucht in der Welt nicht mehr die Einheit mit dem Sein. Es will – vermittelt durch das Sein – ein metaphysisches Verhältnis zu sich selbst gewinnen. In allen seit cartesianischen Zeiten entworfenen Fragestellungen lebt diese sehnsüchtige Intention des Ichs, das Absolute als Gewißheit seiner selbst zu spüren und Wirklichkeit zuletzt als Konkretion des seiner selbst bewußten Ichs zu deuten. Das heißt, das Wirklichkeitsproblem der Metaphysik ist das Problem der unbedingten (autonomen)

[23] Hegel II, S. 158 ff.

Realität des Selbstbewußtseins. Es ist klar, daß alle klassische Schematik des Denkens angesichts dieser Frage versagen muß. –
Wir sind jetzt nur noch verpflichtet, den gehörigen Nachweis zu beschaffen, daß die neue meontische Logik tatsächlich eine echte Transzendentallogik ist, die den Übergang zur Metaphysik des Selbstbewußtseins präzis vollzieht. Zu diesem Zweck erinnern wir daran, daß die dritte R-Stufe durch keine höhere Reflexion überboten werden kann. Das folgt unmittelbar aus der Tatsache, daß die transfinite Mächtigkeit des Ichs keine *inhaltliche* Erweiterung des Bereichs der besonderen Denkbestimmungen mehr produziert. Ihre gegenständlich-unendliche Mannigfaltigkeit wird auf der letzten R-Stufe lediglich als *Ganzheit,* als übergreifender Blick des Selbstbewußtseins, und damit als konkrete *Gestalt* der Subjektivität gedacht.
Wenn aber die dritte R-Stufe keine Einzelbestimmungen mehr produziert, die „außerhalb" des infiniten Bestimmungsbereiches liegen, dann können solche durch die Inversion auch nicht erzeugt werden. Daraus folgt aber, wie bereits angedeutet wurde, daß die dritte Stufe niemals zum Objekt einer noch höheren, einer imaginären vierten R-Stufe hinuntersinken kann. Denn die Idee einer vierten Allgemeinheitsstufe würde voraussetzen, daß die dritte R-Stufe neue *inhaltliche* Bewußtseinsbestimmungen und damit *faktische* Bewußtseinsgegensätze ins Denken höbe, die dann allerdings erst in einer höheren Reflexion aufgefangen werden könnten.
Aber diese Annahme ist ganz sinnlos, weil sie der expliziten Definition der dritten R-Stufe kraß widerspricht. Transfinite (und ultrafinite) Mächtigkeit bedeutet die Erfassung des infiniten Objektbereiches der zweiten R-Stufe als subjektiver (oder objektiver) *Ganzheit.* Als definierte Totalität kann die Gegenstandsdimension der zweiten R-Stufe aber nur dann interpretiert werden, wenn sie nicht als infinite *Summe* aller Denkobjekte (eine contradictio in adjecto), sondern als *Selbstdefinition der Reflexion* und damit als *absolutes Verhältnis des Ichs zu sich selbst* verstanden wird. In der transfiniten Mächtigkeit erfährt sich das Selbstbewußtsein endgültig als Selbst, weil es sich nicht mehr *im* Sein, und vermittelt durch das Sein, sondern in der reinen Reflexion selbst spiegelt und damit ein *definitives* Verhältnis zu sich selbst gewonnen hat. Das aber bedeutet, daß es sich seine eigene Existenzkategorie und sein Wirklichkeitsverständnis nicht mehr vom Sein zu leihen braucht, sondern dasselbe in sich selbst besitzt. Dergestalt hat das Selbstbewußtsein als transfinite Mächtigkeit nicht nur ein Reflexionsverhältnis zu sich selbst, sondern erst recht ein reelles Existenzverhältnis.
Unter diesen Umständen hat die Inversion der dritten R-Stufe einen gänzlich anderen Charakter als die unendliche Reihe der Inversionen der zweiten R-Stufe, wenngleich sie sich selbstverständlich nach demselben formalen Schema, welches das zweite Axiom angibt, vollzieht. Was jetzt der Inversion unterliegt, ist nicht ein

*Reflektiertes,* sondern die subjektive *Reflexion* selbst. Durch die Inversion nun verliert sie ihre Subjektivität und wird Objektivität, Gegenständlichkeit und Sein. Das Resultat dieser Inversion nannten wir bereits früher das *Du* oder die ultrafinite Mächtigkeit des Selbstbewußtseins. Daß die formale Regel des Inversionsgesetzes dabei genau eingehalten worden ist, davon können wir uns leicht überzeugen: in der transfiniten Mächtigkeit des Selbstbewußtseins wird die unendliche *subjektive* Reflexion als vollendet, als Ganzheit, also *definit* gedacht[24]; die *Objekt*seite dagegen wird in der transfiniten Mächtigkeit der dritten R-Stufe als *unendlich,* d. h. als infinite Dimension der Gegenständlichkeit begriffen. Vollziehen wir aber jetzt die thematische Inversion der totalen Negation, so erscheint in der ultrafiniten Mächtigkeit umgekehrt die Objektivität als definit, die Subjektivität als infinit. Und das ist die Bestimmung des Selbstbewußtseins als Du! Das Du erscheint als definites Objekt in der Welt aber als innere (subjektive) Unendlichkeit der Reflexion. Die Inversion der Stufe 3R liefert also folgendes Resultat:

| | | | |
|---|---|---|---|
| das Selbstbewußtsein als *Ich* : | subjektiv | definit | Transfinite |
| | objektiv | infinit | Mächtigkeit |
| das Selbstbewußtsein als *Du* : | subjektiv | infinit | Ultrafinite |
| | objektiv | definit | Mächtigkeit |

Wir haben diesen bereits früher angedeuteten Gedankengang hier in aller Sorgfalt ausgeführt, um klarzustellen, daß die thematische Inversion der dritten R-Stufe noch auf den formalen Gesetzen der meontischen Axiomatik beruht und insofern ihren exakten Geltungsanspruch übernimmt. Trotzdem aber ist diese Inversion keine bloß formale Denkoperation mehr. Denn nach dem Bisherigen ist ohne weiteres deutlich, daß diese Inversion das ganze materiale Problem der Wirklichkeit umschreibt. Sie unterscheidet sich darin grundsätzlich von den thematischen Inversionen der zweiten R-Stufe, die immer nur von einer Reflexion zur nächsten führten und deshalb das Denken nie aus sich heraustreten ließen. Gerade das aber bewirkt die Inversion des Transfiniten; sie führt das Denken in die Wirklichkeit, der es auf dem Wege der Reflexion und im Suchen nach immer neuen Tiefen des Sinns anfänglich den Rücken gekehrt hatte, bereichert mit immensen geistigen Erfahrungen endgültig zurück. Denn wenn die Inversion des Selbstbewußtseins *unmittelbar* den Begriff eines anderen Ichs, eines Du erzeugt, so heißt das doch nichts anderes, als daß wir das Denken selbst in der Gestalt der Existenz – im Bilde des wirklichen Du verstehen. Das kann nicht bestritten werden, denn wer ganz solipsistisch dem Du die innere Subjektivität (und demgemäß das Denken) abstritte, verwickelte sich in einen lächerlichen Widerspruch: die Inversion der

[24] und gestattet deshalb wieder die Formulierung einer streng finitistischen Logik!

ultrafiniten Mächtigkeit führt nämlich zum Ich zurück! Wer also dem Du den (logischen) Ursprung aus der Inversion bestreitet, verleugnet auch sein eignes Denken.
In der ultrafiniten Mächtigkeit des Selbstbewußtseins wird dergestalt das Denken als *objektive* Existenz gedacht, daß es als *echtes Sein* erscheint. Die Inversion der dritten R-Stufe hat folglich nicht nur logisch-formale, sondern darüber hinaus *transzendentale* Bedeutung, weshalb wir sie als erstes Prinzip der neuen Metaphysik als

*transzendentale Inversion des Selbstbewußtseins*

bezeichnen.

Wir haben unsere Aufgabe beendet. Die meontische Logik führt uns mit ihrem letzten transzendentalen Schritt zur Wirklichkeit zurück. Aber man darf nicht vergessen, daß die „Existenz", die in der letzten Inversion des Denkens ergriffen wird, nicht mehr das einfache Sein der klassischen Logik ist. Dieses An-sich-sein war hier selbständige, mit sich von Ewigkeit her identische Wesenheit in einem „Jenseits des Bewußtseins" (Hegel). Für die meontische Logik hingegen ist das Sein nur objektives (unselbständiges) Moment an einem metaphysischen Wirklichkeitszusammenhang (von höherer als bloß ontischer Mächtigkeit), der durch das Ontische und Meontische gleicherweise hindurchgeht und dessen eigentümliche „Verschränkung" wir in der transzendentalen Inversion eben kennen gelernt haben. Außerdem aber ist der klassische Wirklichkeitsbegriff „zeitlos". Das bedeutet aber, wenn die Identität von Denken und Sein gefordert wird, daß die Geschichte des Selbstbewußtseins [25] nur als bloßes Schattenspiel [26] und leeres Vordergrundsgeschehen ohne innere metaphysische Bedeutung erscheint. Hier ist das Bewußtsein ganz dem *eindeutigen* Zeitmaß [27] einer ebenso eindeutig dem Verfall entgegeneilenden Erscheinungswelt unterworfen und teilt mit ihr die Vergänglichkeit und transzendente Nichtigkeit alles Zeitlichen. Solche Auffassung aber muß einem Bewußtsein, das durch alle Leiden der Reflexion hindurchgegangen ist und sie als ewig offene Wunde der „Erinnerung" mit sich schleppt, ganz unerträglich flach erscheinen. Denn selbst die Idee des Absoluten sinkt „zur Fadheit herab, wenn der Ernst, der Schmerz, die Geduld und die Arbeit des Negativen darin fehlt", steht in der Phänomenologie zu lesen [28]. Und dieser „negative" Weg einer sich von aller hintergrundlosen Positivität des Seins entschlossen abwendenden Reflexion

[25] Und damit überhaupt die Weltgeschichte.
[26] Siehe das Platonische Höhlengleichnis. Der Staat, VII. Buch.
[27] Die klassische Physik! (Man beachte die logische Beziehung zwischen Zeit und Entropie.)
[28] Hegel II. S. 20.

und die Erfahrung eines Bewußtseins, das begriffen hat, was es bedeutet, einem an die Zeit ausgelieferten Schicksal unterworfen zu sein, haben metaphysische Fragen aufgeworfen, die die „Einfalt und stille Größe" des klassischen Denkens nicht einmal mehr formulieren, geschweige denn sinnvoll beantworten kann.
Dem klassischen Bewußtsein ist es niemals bitterer Ernst mit der Frage gewesen, was Wirklichkeit eigentlich sei. Wirklich ist allein das ewige Sein, das dem Denken als in sich geschlossen ruhendes An-sich der in dem fahlen Licht der Zeitlichkeit auseinandergebrochenen subjektiven und objektiven Momente entgegentritt. Und in seiner bedingungslosen Hingabe an das Sein ist alles Bewußtsein selber Sein. Da ist alles fraglos und nichts „verwundersam". Aber je selbstverständlicher diese Haltung ursprünglich sein mag, um so ungeheuerlicher ist für das Bewußtsein die metaphysische Erfahrung, daß es sich einmal aus der geschlossenen Sicherheit des substantiellen Daseins ausgeschlossen fühlt, hinausgetrieben, um sich selbst zu suchen in dem düstren Raum der Reflexion, dessen gespensterhafte Fremdheit von allen Schauern der Verzweiflung einer heimatlos gewordenen Seele durchwittert ist. Was Wirklichkeit wahrhaftig ist und welche bodenlosen Abgründe der Reflexion und tödlichen Finsternisse der Negativität das sich in ihr suchende Denken zu überwinden hat, welch bittrer Verzicht auf die sinnlich blühende Welt unmittelbaren Lichtes und Lebens vorausgegangen sein muß, lehren die Worte aus der Vorrede zur Phänomenologie, mit denen wir schließen:
„Der Kreis, der in sich geschlossen ruht und als Substanz seine Momente hält, ist das unmittelbare und darum nicht verwundersame Verhältnis. Aber daß das von seinem Umfange getrennte Akzidentelle als solches, das Gebundene und nur in seinem Zusammenhange mit anderm Wirkliche ein eigenes Dasein und abgesonderte Freiheit gewinnt, ist die ungeheure Macht des Negativen; es ist die Energie des Denkens, des reinen Ichs. Der Tod, wenn wir jene Unwirklichkeit so nennen wollen, ist das Furchtbarste, und das Tote festzuhalten, das, was die größte Kraft erfordert. Die kraftlose Schönheit haßt den Verstand, weil er ihr dies zumutet, was sie nicht vermag. Aber nicht das Leben, das sich vor dem Tode scheut und von der Verwüstung rein bewahrt, sondern das ihn erträgt und in ihm sich erhält, ist das Leben des Geistes" [29].

[29] Hegel II, S. 29.

## SEELE UND MASCHINE

Das Wort „Reflexion" hat drei Bedeutungen. Erstens bezeichnet es das physische Abbild im Spiegel. Zweitens designiert es den Gedanken. Und drittens meint es das Denken als Prozeß, als Subjekt, als „Seele".

„Bemerkenswert ist folgende Frage: es gibt nur drei mögliche Konzeptionen des Seinszusammenhangs:

1) das Sein als Maschine, als Automat mit beliebiger Verfeinerung, als selbstgesteuerter Mechanismus.

2) das Sein als ‚Synthesis a priori des Empirischen', nach dem Bilde von Mutter und Kind, Hunger und Nahrung, Tier und Nest — also der ‚sympathetische' Zusammenhang. So in allen primitiven Kulturen bis zur ‚Kräfteharmonie' des Leibniz und bis zu Schopenhauers oder Novalis' magischem Weltbild.

3) das Sein als Handlung: ‚Earthmaker', Jahwe oder sonst ein Gott ‚macht' alles.

Jetzt würde ich gerne wissen, warum bei 1) keine Theologie resultiert,

1

während 2) und 3) mit Göttern arbeiten?" – So schrieb dem Verfasser kürzlich ein europäischer Anthropologe von Rang nach den USA.

Mit der obigen Frage ist in der Tat eins der zentralen Probleme unserer gegenwärtigen historischen Situation angerührt. Der Zustand der geistigen Anarchie, in dem wir uns heute gefangen sehen, macht rapide Fortschritte, und die Fähigkeit zur spirituellen Kommunikation wird in demselben Grade schwächer. Nicht nur Positivisten und Existenzialisten können nicht mehr miteinander reden. Selbst die Mathematik, die kommunikabelste aller Wissenschaften, beginnt sich heute in Spezialdisziplinen aufzulösen, zwischen denen die Möglichkeit der Verständigung erschreckend abnimmt, wie unlängst ein amerikanischer Forscher bemerkte.

Es läßt sich nicht mehr ableugnen, daß gemeinsame, von jedermann anerkannte Grundlagen des Gesprächs und der verbindlichen Kommunikation gegenwärtig schlechterdings nicht mehr existieren. Die oben unter 1), 2) und 3) gekennzeichneten Weltbilder stellten einmal mögliche Plattformen der Diskussion dar. Heute aber haben sie ihre Rolle ausgespielt. Die Ursache dafür ist in der merkwürdigen Differenz zu suchen, die zwischen dem Weltbild 1) einerseits und den Wirklichkeitskonzeptionen 2) und 3) andererseits besteht. Es ist wahr: das Sein als Maschine mit positivem oder negativem „feed-back" schließt die Götter aus, während sie aus 2) und 3) nicht wegzudenken sind.

Damit aber ist bereits gesagt, daß die drei möglichen Weltbilder eine völlig unstabile – und deshalb nur temporäre – Systematik der Kommunikation von Subjekt zu Subjekt abgeben. Ihre Instabilität ist darauf zurückzuführen, daß von 3) und 2) ein „Reflexionsgefälle" nach 1) hin existiert. D. h. die Weltbilder zu 3) und 2) entleeren sich ständig zu Gunsten von 1).

Die älteren Weltbilder von 2) und 3) leiden an einem entscheidenden Mangel: sie erlauben keinen Zufluß der Reflexion! Alle überhaupt mögliche Reflexion ist in dem obersten Gotte investiert, der zugleich „das Geheimnis" verkörpert. Aber wie soll man eine Reflexion überbieten, die geheim und nicht offenbar, oder eben *als* Geheimnis offenbar geworden ist! Nur das Bekannte kann eine Reflexion auslösen, weil im Erkennen die bisherige Reflexion sich selbst eine Grenze setzt.

## 2

Hier begegnen wir dem metaphysischen Sinn des Verbotes, das an den Menschen im Paradies erging, vom Baum der Erkenntnis zu essen. Das Paradies ist ein grenzenloses Reflexionssystem, das keinen neuen Reflexionszufluß erlaubt. Ein solcher Zufluß impliziert eine neue Tiefendimension der Realität, die sich dann für das Bewußtsein auftut. Das wird im dritten Kapitel der Genesis deutlich genug gesagt: „Da wurden ihrer beider Augen aufgetan, und sie wurden gewahr . . ."

Allgemein kann gesagt werden, die Vorstellung eines oder mehrerer Götter, die hinter der erscheinenden Welt stehen, ist von hier aus gesehen nichts anderes als ein Zeichen, daß das betreffende Wirklichkeitssystem gegen neue Reflexionszuflüsse, kraft der sich noch unbekannte Realitätsdimensionen enthüllen könnten, bedingungslos abgeriegelt ist. Besonders pointiert ist das von Buddha ausgesprochen worden. Z. B. in der Predigt im Simsapa-Walde, wo es heißt: „Viel mehr ist das, ihr Jünger, was ich erkannt und euch *nicht* verkündet, als das, was ich euch verkündet habe." Ähnlich auch in dem im Majjhimanikaya mitgeteilten Gespräch mit dem Mönch Malunkyaputta, wo wir lesen: „Was ich nicht offenbart habe, laß unoffenbart sein, und was offenbart ist, das laß offenbart sein." Ganz in diesem Sinne ist auch das Christuswort Johannes XX, 29 gesprochen: „Selig sind, die nicht sehen, und doch glauben."

Die Schranke, die den weiteren Zufluß der Reflexion verwehrt, wird durch das magische Wort „Geheimnis" ausgedrückt. Dementsprechend schreibt der Apostel Paulus im Kolosserbriefe (II, 2, 3) vom „Geheimnis Gottes, des Vaters und Christi, in welchem verborgen liegen alle Schätze der Weisheit und der Erkenntnis." Also „überirdische" Reflexionsdimensionen bestehen, aber sie dürfen vom Menschen in seinem Seinszusammenhang nicht als eigener Reflexionszufluß erlebt werden. Sie sind „Geheimnis" und als solches aus dem Realitätssystem ausgeschlossen. Wer anderes behauptet, „betrügt mit vernünftigen Reden", wie Paulus ausdrücklich hinzufügt.

Wissen oder Reflexion fällt also in den theologisierenden Systemen 2) und 3) immer in den einmal gegebenen Rahmen des göttlich festgestellten Sinnes von Sein. Aber dem Verbot eines Zuflusses von neuer Reflexion aus den Quellen des „Geheimnisses" entspricht die Komplementärbedingung, daß aus den Systemen 2) und 3) Reflexion stetig abfließt. Je länger das geschichtliche Leben sich in ihnen bewegt, desto sinnleerer werden sie. Der Geist als Reflexion ist zweiwertig, er ist das „Leben", das zwischen den imaginären Polen von Subjekt und Objekt spielt und sich aus jeder reflektierenden Identifikation vorbehaltlos zurücknehmen kann. Aber Geschichte kristallisiert sich in Handlungen, die, einmal vollzogen, zu unwiderruflichen — also irreflexiven — Fakten des Daseins werden. In ihnen fließt die Reflexion in die Irreflexivität ab, in das brutal Positive, dessen Bedeutung sich in seinem nackten Vorhandensein erschöpft. Die Reflexion als solche aber, mit ihren verschleierten Perspektiven und mystischen Hintergründen, die mit ewigen Versprechungen lockten, ist damit aus den Welten der Systeme 2) und 3) entflohen. Nietzsche hat diese Stimmung einer Welt, aus der die Reflexion unaufhörlich abfließt, in einem seiner Gedichte geschildert:

> Die Welt — ein Tor
> zu tausend Wüsten stumm und kalt!

und der „Narr" dieser Welt ist die lebendige Reflexion. Sie ist

> dem Rauche gleich,
> der stets nach kälteren Himmeln sucht.

Das Bewußtsein dieser metaphysischen Situation findet in den Weltbildern zu 2) und 3) darin seinen Ausdruck, daß sie alle eine Todesperspektive haben. Nur durch den Tod setzt sich das Dasein fort. In der Religion der Großen Mutter — einem Weltbild, das dem Typus 2) angehört, — ist ein ewiger Kreislauf, der durch die Pole Zeugung und Tod hindurchführt. Im Christentum, Buddhismus und allen anderen Seinskonzeptionen, die dem Typus 3) zuzuordnen sind, übernehmen Ideen, wie Jüngstes Gericht, parinirvana und andere metaphysische Operatoren die Rolle, auch den letzten Rest der Reflexion, d. h. der Seele, aus „dieser Welt" abzuziehen.

Der Unterschied von 2) und 3) ist in diesem Zusammenhang irrelevant. In 3) ist der Abfluß der Reflexion endgültig. In 2) ist er vorläufig, weil er sich ewig wiederholt. Aber der mit dieser Wiederholung verbundene geschlossene Kreislauf verbietet ebenso einen Zufluß neuer Reflexion, wie derselbe in 3) durch das „Geheimnis Gottes" ausgeschlossen ist.

**4**

Radikal verschieden davon ist die Seinsidee, die durch 1) repräsentiert wird. Während 2) und 3) keinen Zufluß an Reflexion erlauben, andererseits die Reflexion aus ihnen unaufhörlich abfließt, stellt 1) ein System dar, das einen unbegrenzten Zufluß an Reflexion gestattet; aber alle Reflexion „staut" sich in ihm auf und wird absorbiert. Der Seinszusammenhang, der in 1) interpretiert wird, erlaubt keinen Abfluß der in ihm enthaltenen Reflexivität.

In den Systemen 2) und 3) herrscht also Entropie der Reflexion. In 1) aber eine Ektropie. D. h. im ersten Falle wächst der Zustand der Unordnung – allen Götterwelten folgt eine Götterdämmerung – im ektropischen System aber nimmt der Zustand der Unordnung ab.

Diese inversen Abläufe können in unserer gegenwärtigen historischen Situation ganz ausgezeichnet beobachtet werden. Die steigende Anarchie in unserem „geistigen" Leben ist ein Faktum, das schon die Spatzen von allen Dächern pfeifen. Aber auch die Geschichte des technischen Mechanismus ist heute schon lang genug, daß wir das Wachsen der Ordnungselemente in der Maschinenwelt beobachten können.

Der Hebelarm, den der Primitive benutzt, ist schon ein Mechanismus, aber die in ihm inkorporierten Ordnungselemente stellen ein so ziemlich absolutes Minimum dar. Vergleichen wir damit den Aufbau eines modernen Autos oder Flugzeugs, oder gar eines Ozeandampfers, so ist ohne weiteres ersichtlich, wie die Zahl der in dem Mechanismus integrierten Ordnungselemente rapide gestiegen ist.

Immerhin gehören die hier involvierten Ordnungselemente alle einem Typ an. Sie sind immanente Ordnungsprinzipien *innerhalb* des Mechanismus. Sie regulieren das Funktionieren der einzelnen Teile in ihrem Zusammenspiel, so wie etwa in einem Auto die Ventilzeiten auf den Laufrhythmus der Kolben abgestimmt sind. Was sie nicht regulieren, ist die Beziehung der Maschine zur Außenwelt. Die letztere wird sowohl im Fall des Hebels wie auch bei den angeblich „höheren" Maschinentypen wie dem Auto, Flugzeug oder Schiff vom Menschen besorgt. Die Ordnung der Relation Maschine – Umwelt ist also vorläufig dem Schöpfer überlassen. Nach den theologischen Vorstellungen von 2) und 3) müßte es auch dabei bleiben. Der Schöpfer, oder dirigierende Gott, gibt von seiner eigenen Reflexion an das Geschaffene nichts ab. Dem einmal fertig gestellten System fließt nie und nimmermehr neue Reflexion zu. Alle weitere Ordnung ist „Wille" der Gottheit.

Anders aber liegen die Dinge im Falle des Mechanismus. Ein Rolls Royce auf dem Boden des Rheins oder ein Ozeandampfer in der Mitte der Sahara stellt Unordnung und Mangel an Reflexion dar. Ein Auto auf dem Grunde eines Flusses oder der See „reflektiert" in seiner Konstruktion – und mag sie in ihrer Art noch so vollkommen sein – nicht die Bedingungen seiner Umgebung. Ein Unterseeboot würde in seiner Konstruktion diese speziellen wäßrigen Umstände reflektieren, aber das U-Boot ist nutzloses Alteisen und repräsentiert Unordnung auf dem Gipfel des Mont Blanc.

An dieser Stelle setzt eine neue Reflexion ein. Sie entwickelt sich etwa folgendermaßen: die klassische Maschine ist kein echtes Ordnungssystem. Sie ist bestenfalls ein Ordnungsfragment. In ihrem Verhältnis zur Außenwelt herrscht Unordnung, da sie unfähig ist, ihren Funktionscharakter auf sich verändernde Umweltbedingungen einzustellen. Die ideale Maschine, die ein vollendetes Ordnungsprinzip darstellt, regelt ihr Verhältnis zu ihrer Umgebung selbst. Sie bedarf dazu nicht mehr des Menschen als eines Vermittlers.

Eine kleine und unbedeutende Übergangskonstruktion soll diese Situation erläutern. Ein offenes Sportkabriolett ist gelegentlich unpraktisch. Parkt man es über Nacht im Freien und es beginnt zu regnen, steht der Wagen am nächsten Morgen voll Wasser. Um dem abzuhelfen, haben amerikanische Konstrukteure kürzlich ein Modell herausgebracht, das eine feuchtigkeitsempfindliche Zelle enthält. Beginnt es zu regnen, so löst die Reaktion der Zelle einen Mechanismus aus, der das zurückgeschlagene Verdeck aufrichtet und die Fenster hochkurbelt. Der Besitzer, der seinen Wagen am Abend offen zurückließ, findet ihn, falls das Wetter inzwischen schlecht geworden ist, am Morgen geschlossen und innen trocken vor.

Dieses Beispiel illustriert eine erste und noch sehr primitive Anpassung eines Mechanismus an eine Umweltsituation. Aber so crude das in diesem Falle angewendete Mittel auch ist, die logische Struktur, die das Verhältnis des Mechanismus zur Außenwelt ordnet, ist hier schon deutlich sichtbar. Die interne Ordnungsform des Mechanismus selbst reicht nicht aus. Es ist ein zusätzliches Organ nötig, das mögliche Veränderungen in der Umgebung „wahrnimmt" und darauf reagiert.

Für den naiven Beobachter entsteht hier der Eindruck der „Spontaneität", wenn ein verlassen am Straßenrand stehendes Auto plötzlich beginnt, seine Fenster hochzukurbeln und das Verdeck aufzuschlagen, weil der Feuchtigkeitsgehalt der Luft einen kritischen Prozentsatz überschritten hat. Wir bewerten diesen Eindruck jedoch als Täuschung, weil in dem gegebenen Falle die angebliche Spontaneität mechanisch genau übersehbar ist. Unter gleichen Bedingungen wird sich der Prozeß wiederholen, weshalb er voraussagbar ist. Theoretisch wissen wir es angeblich viel besser, aber der emotionale Eindruck der Spontaneität bleibt doch bestehen, weil hier in einem Mechanismus eine der Elementareigenschaften eines Organismus, oder gar eines Bewußtseins, nämlich die Fähigkeit, Umweltänderungen aktiv zu reflektieren, wirksam eingebaut worden ist. In der Sprache der Cybernetics: das „Feld" des Verhaltens unseres Mechanismus enthält eine „Stufenfunktion". Leibniz, der von allen Philosophen wohl am tiefsten das gegenseitige Verhältnis von Mechanismus, Organismus und Bewußtsein begriffen hat, hat den Unterschied zwischen der „toten" Maschine und dem „lebendigen" Organismus als den zwischen endlicher und unendlicher Funktionsweise interpretiert. D. h. eine Maschine ist ein „Organismus" von nur endlicher Komplikation. Ein Organismus aber ist eine „Maschine" von unendlicher Kompliziertheit. Wie verhält es sich nun mit menschlicher Spontaneität im Gegensatz zu der „Spontaneität" des Regenmechanismus in unserem Auto? Die Mathematik der Cybernetics gibt darauf eine höchst überraschende Antwort. Um den vollen Eindruck menschlicher Spontaneität zu erwecken, ist es gar nicht notwendig, eine Maschine mit einer unendlichen Anzahl von Stufenfunktionen zu konstruieren.

Wenn eine Stufenfunktion zwei Werte annimmt, dann kann sie zwei „Felder" des Verhaltens für die dominierenden Verhaltungsvariablen schaffen. Fügt man eine zweite Stufenfunktion mit zwei Welten hinzu, dann haben wir vier Wertkombinationen, und jede Kombination bringt ihr eigenes „Feld" des Verhaltens mit sich. Verallgemeinert: für n Stufenfunktionen ist die Zahl der spontanen Verhaltungsweisen $2^n$. Und mit wachsendem Wert von n steigt die Zahl der verfügbaren „Felder" rapide. Hat n den Wert zehn, so besitzen wir bereits über tausend „Felder". Ist n gleich zwanzig, so sind es mehr als eine Million. Wir wollen nun einmal annehmen, daß hier eine Person in ihrem Verhalten den höchst möglichen Grad von Spontaneität erreicht, d. h. daß sie keine ihrer Verhaltungsprozeduren jemals in ihrem Leben wiederholt. Wir wollen nun annehmen, daß diese Person jede Sekunde ihres Lebens Tag und Nacht zehnmal ihr „Feld" wechselt, und wir wollen weiter annehmen, daß sie siebzig Jahre lang lebt . . . und daß in diesen siebzig Jahren dasselbe „Feld" nie wiederkehrt! Wieviel Stufenfunktionen, fragen wir jetzt, würden nötig sein, um diese unrepetitive Spontaneität zu produzieren? Die Antwort wird vermutlich die meisten Leser überraschen. Fünfunddreißig Stufenfunktionen würden reichlich genügen! (Nach W. Ross Ashby, Design for a Brain. New York 1952, S. 128 f.) Wo bleibt da Leibniz' „unendlicher" Mechanismus?

Damit ist der Einwand erledigt, den wir gegen den Spontaneitätscharakter des Regenmechanismus in unserem Auto vorbrachten. Wir nannten ihn mechanisch, weil er repetitiv ist. Es hat sich aber gezeigt, daß auch sich nicht wiederholende Spontaneität in einem Mechanismus von überraschend geringer endlicher Komplikation darstellbar ist. Damit aber ist gesagt, daß „unechte" (d. h. vorausberechenbare) und „echte" (*nicht* vorausberechenbare) Spontaneität nur gradweise verschieden ist.

Solche Argumente aber vermögen gar nichts gegen unser Gefühl. Wir beharren immer noch darauf, daß ein radikaler metaphysischer Unterschied zwischen Seele und Maschine besteht. Wir pflegen darauf hinzuweisen, daß der Mechanismus von uns, die Seele aber von „Gott" geschaffen ist. Darum kennen wir den Mechanismus und überschauen seine Wirkungs- und Arbeitsweise. Die Seele aber kennen wir nicht.

In allerletzter Zeit ist aber auch dieser Einwand hinfällig geworden. In Kürze werden wir Mechanismen besitzen, die der Mensch weder gebaut noch geplant hat und deren Arbeitsweise uns in wesentlichen Hinsichten unbekannt ist. Annähernd so unbekannt wie die hypothetische „Seele".

Bis vor wenigen Jahren konte mit Recht gesagt werden: was auch immer Maschinen je verrichten werden, der Mensch ist unentbehrlich, wenn es sich darum handelt, die Maschine zu konstruieren und zu bauen. Keine Maschine kann sich selbst reproduzieren, so wie die menschliche Rasse sich reproduziert. Aber so ungeheuerlich es auch klingen mag: die obige Behauptung ist heute überholt. John von Neumann (Princeton) hat eine Maschine entworfen, die sich selbst reproduzieren kann. Wir können hier nicht auf die Details eingehen, aber der Grundgedanke eines solchen Mechanismus soll wenigstens kurz beschrieben werden: Der Originalmaschine, die eine Kombination von einer physische Arbeit verrichtenden Maschine und eines „mechanical brains" ist, ist ein sogenannter „tail" angegliedert. Dieser „tail" enthält die völlige Beschreibung des Originalmechanismus in einem mathematisch-logischen Algorithmus, den der „mechanical brain" in Arbeitsdirektiven umsetzen kann. Der andere Teil der Maschine führt dann diese Arbeiten aus und dupliziert so sich selbst. Enthält der „tail" eine präzise Beschreibung der Originalmaschine, so wird der nach den Anweisungen des „mechanical brain" gebaute Mechanismus dem ursprünglichen vollständig gleichen, wobei der letzte Schritt der Reproduktion ist, daß auch der „tail" kopiert und dem „Kinde" angehängt wird. Nun ist es aber theoretisch durchaus möglich, daß der „tail" sogenannte „random elements" enthält, die bei dem Bau der neuen Maschine Variationen und Abweichungen von dem Entwurf der Originalmaschine erlauben. Die Zahl solcher möglichen Variationen, zwischen denen der „mechanical brain" die Wahl hat, kann ganz erheblich sein. Nun hat aber das „Kind" seinerseits einen „tail", aus dem es das „Enkelkind" bauen kann. Dabei können andere Wahlfolgen von „random elements" bevorzugt werden, so daß die dritte Generation sich selber von der zweiten unterscheidet, die zweite von der dritten, diese von der vierten usw.

Der Mensch sieht sich also schließlich Maschinen gegenüber, die er selbst weder gebaut noch im strengen Sinne selber entworfen hat. Es ist dabei durchaus möglich, daß er sich schließlich Maschinentypen gegenüber sieht, die er nicht mehr ganz versteht und deren Ableitung von dem von ihm selbst entworfenen Originaltyp immer schwieriger wird, weil mit der

fortschreitenden Generationenfolge die Zahl der Willkürelemente, die die Entwicklung beeinflußt haben, ständig wächst.
Hier existiert die ursprüngliche Schöpfer- und Geschöpf-Relation, die voraussetzt, daß das von ihm Erschaffene vollkommen durchsichtig ist, nicht mehr. Dieser neue Maschinentyp impliziert einen neuen „mechanischen" Ordnungsbegriff, der sich nicht nur immanent auf den strukturellen Zusammenhang der einzelnen Maschinenteile, sondern „transzendental" auf die Ordnung der Verhältnisse der Maschine zu ihrer Außenwelt bezieht. Die Außenwelt im engeren Sinne ist hier die Generationenfolge der abkünftigen Maschinen und das Materialreservoir, aus dem sie gebaut worden sind. Es ist aber leicht einzusehen, daß dieses Verhältnis generalisiert und auf die restliche Welt ausgedehnt werden kann.
Diese „transzendentale" Ordnungsform kommt dadurch zustande, daß die „Teile" des neuen Maschinentyps nicht ausschließlich mehr aus Hebeln, Rädern, Schrauben, Schaltungen, Leitungen usw. bestehen, sondern daß *nicht physische* arbeitende „Teile", wie mathematische Gleichungen und Formeln der symbolischen Logik, in den Arbeitsgang integriert sind. Ganz wie der Mensch besteht eine solche Maschine aus einem körperlichen und einem nicht-körperlichen Teil. Die nicht-körperliche Komponente des Mechanismus ist Reflexion in einem sehr präzisen Sinne des Wortes: es ist der Sinn der mathematischen und logischen und physikalisch-operativen Symbole, die den „tail" repräsentieren.
Damit steht ganz unzweideutig fest, was wir meinen, wenn wir davon sprechen, daß der Seinszusammenhang als Maschine einen unaufhörlichen Reflexionszufluß impliziert. Die alte klassische Maschine reflektiert den Arbeitsrhythmus des menschlichen Armes, der Hand usw. Sie ist eine rein physische Reflexion, eine „Reflexion-in-Anderes" in der Terminologie Hegels. Die von Neumannsche Maschine reflektiert aber überdies die Arbeitsweise eines intelligent gelenkten Nervensystems, in Hegels Sprache eine „unmittelbare Reflexion-in-sich". In sie aber ist bereits eingebaut eine dritte Reflexion, d. h. ein „mechanical brain", der die Beziehungen zwischen dem unkörperlichen „tail" und dem physischen Teil der Maschine *selbständig* regelt. In solchem „mechanical brain" aber ist schon ein rudimentäres Abbild einer Reflexion-in-sich der Reflexion-in-

sich=und=Anderes . . . wie bewußtes Sein in der Großen Logik Hegels definiert wird.
Seit den Zeiten des deutschen Idealismus wissen wir: Sein ist eine auf sich selbst beschränkte, irreflexive Ordnungsform. Die Ordnungsform des Bewußtseins aber ist „transzendental" und überdies reflexiv, d. h. sie bleibt nicht auf sich, qua Bewußtsein, beschränkt, sondern geht über sich hinaus und regelt „spontan" ihr Verhältnis zur Umwelt. Nun haben wir aber generell den Mechanismus als eine vom Menschen reflektierte Form des Seins verstanden, wir sehen uns also jetzt den folgenden drei ontologischen Ordnungsformen gegenüber:

a) natürliches Sein: irreflexive Ordnung;
b) klassische Maschine: reflektierte Seinsordnung;
c) brain=Maschine: reflektierte Bewußtseinsordnung.

Der Maschinentyp c) ist insofern eine Reflexion dessen, was wir Bewußtsein nennen, als er genau die Funktion des Bewußtseins für eine partielle Seinsordnung übernimmt. D. h. er regelt das Verhältnis dieser partiellen Seinsordnung, des „Körpers", die ihn trägt, zum Ganzen der Welt. Bewußtsein aber ist die Reflexion der Welt überhaupt in einem ihrer (autonom geordneten) Teile.
Damit wird auch deutlich, warum die metaphysische Konzeption 1), die den Seinszusammenhang als Mechanismus interpretiert, nicht mit theologischen Vorstellungen arbeitet. Die Idee eines Gottes setzt voraus, daß das Verhältnis von Reflexion und Welt (Sein) konstant bleibt. Der Mensch kann von seiner eigenen Reflexion nichts abgeben, weil ihm keine neue zufließen kann, die imstande wäre, den Verlust zu ersetzen. Jene an das Sein abgegebene Reflexion bliebe ja *in* der Welt. Aber es ist das Schicksal dieser theologisch interpretierten Reflexion, abzufließen. In religiöser Terminologie: wenn der Mensch stirbt, so gibt er seine Seele Gott zurück. Die Seele bleibt nicht in dieser Welt. Anders denkt nur der Aberglaube, der Geister und Gespenster für „wirklich" hält. Dieser Glaube an den bedingungslosen Abfluß der Reflexion aus dem Seinszusammenhang hat einen ergreifenden religiösen Ausdruck in dem Paul

Gerhardtschen Kirchenlied „Ich bin ein Gast auf Erden" gefunden. Die Verszeilen:

> So will ich zwar nun treiben mein Leben durch die Welt;
> Doch denk ich nicht zu bleiben in diesem fremden Zelt . . .
> Wo ich bisher gesessen, ist nicht mein rechtes Haus;
> Wenn mein Ziel ausgemessen, so tret ich dann hinaus . . .

beschreiben den Zustand einer Reflexion, die sich im Sein nur als „Gast" erlebt und der das Sein das „Fremde" bedeutet und die deshalb unvermeidlich wieder aus der Welt abfließt. Deshalb auch bei Paulus die energische Absage an das „griechische", am körperhaften Sein orientierte Weltbild: „So wir denn göttlichen Geschlechts sind, sollen wir nicht meinen, die Gottheit sei gleich den güldenen, silbernen und steinernen Bildern, durch menschliche Kunst und Gedanken gemacht", (Apostelgeschichte XVII, 29).

Keine menschliche Kunst oder Gedanken können also aus Gold, Silber, Stein – oder irgend einer anderen Materie etwas anderes als Materie machen. Was der Mensch selber macht, sind bestenfalls „Götzen". Es kann der Materie keine Reflexion zufließen, weil die letztere Gott gehört und deshalb zu ihm *zurückfließt*. Das Verhältnis von Reflexion und Sein bleibt ewig konstant, weil es ein Umtauschverhältnis ist! Und zwar ein Umtauschverhältnis in dem präzisen Sinn der klassischen Negationstafel:

| Welt | / | Gott |
|---|---|---|
| positiv | / | negativ |
| negativ | / | positiv |

Das Schema sagt uns, daß wenn die Welt das reelle positive Sein ist, dann ist Gott ein Nichts, eine bloße Chimäre und ein Priesterbetrug. Ist aber das Göttliche das Positive und wahrhaft Wirkliche, dann ist die Welt ein bloßer Schein und metaphysisch „negativ", d. h. vergänglich. Die lebendige Reflexion muß deshalb unvermeidlich aus ihr abfließen.

Die beiden theologischen Weltbilder 2) und 3) differieren dabei nur insofern, daß die Interpretation nach 2) den Seinszusammenhang relativ und temporal betrachtet. Unter diesem Gesichtspunkt scheint ein Kreislauf zu existieren. Es existiert scheinbar ein Zufluß. Der Eindruck aber ist trügerisch. Es fließt keine *neue* Reflexion zu. Nur das, was abgeflossen ist, kehrt noch einmal – oder auch wiederholt – zurück. Bis der kreisende Strom mit dem Ende aller Zeitlichkeit auch versiegt. In Weltbild 3) ist dasselbe Verhältnis absolut und zeitlos dargestellt. Es wird nur das Versiegen des Stromes, der alsolute Rückzug der Reflexion aus ihrem Umtauschverhältnis, ihrer Existenz „in fremden Zelten", beschrieben.

In Weltbild 1) aber ist die andere Seite des Umtauschverhältnisses als metaphysisch allein reell erklärt. Das physische Sein ist zugleich metaphysisches Substrat und alle Reflexion spiegelt sich in ihr als „Mechanismus". Es findet hier ein stetiger Zufluß an Reflexion statt, der die irreflexive Fremdheit des Seins allmählich in etwas Vertrautes zu verwandeln sucht. Das ist der Sinn aller geschichtlichen Kultur im Gegensatz zur „bloßen" Natur.

Wir wissen heute, daß der Übergang des Menschen vom primitiven Existenzstadium zu den sogenannten Hochkulturen in China, Indien, Vorderasien, Nordafrika und Europa von schweren und schwersten seelischen Erschütterungen eingeleitet worden ist. Und denjenigen Gemütern, die nicht von dem rätselhaften, esoterischen Lebensstil einer solchen hohen Kultur erfaßt waren, erschien derselbe als etwas Unheimliches, Widernatürliches und Verruchtes. Heute stehen wir an einer Zeitschwelle, wo wir ähnliche metaphysische Erschütterungen zu gewärtigen haben und wo diejenigen, die auf die kommenden Dinge noch nicht genug vorbereitet sind, denselben nur mit Grauen im Herzen und wilder Abscheu der Instinkte begegnen können. Denn die Reflexion, die in die Mechanismen fließt, kann nicht anders, als dieselben mehr und mehr nach ihrem eigenen Bilde zu formen. So erhält die Maschine mehr und mehr ein menschenähnliches Antlitz. Vorläufig aber entstellt die Tatsache, daß es Mechanismen („mechanical brains") gibt, die ein permanentes, ein temporäres und ein selektives Gedächtnis haben, deren Erinnerungskapazität – in genauer Analogie zum Menschen – überdies potentiell unendlich ist (Turing Maschine), die sich intelligent der Umwelt anpassen können, die kompetent Schach spielen, die komplizierte logische Schlußfolgerungen zu ziehen imstande sind, unser menschliches Bild zur geisterhaften Fratze.

Die Erschütterungen und seelischen Umwälzungen, die hier im Anzug sind, müssen das Bild des Menschen, das er von sich selbst hat, radikal verändern. Wie unmöglich es ist, diesem Schicksal auszuweichen, zeigt eine Bemerkung, mit der Claude E. Shannon seine Abhandlung abschließt, in der er die Konstruktion eines „mechanical brain", der Schach spielen kann, beschreibt. Man hat jetzt, so schreibt Shannon, nur die Wahl, anzunehmen, daß ein solcher Schach spielender Mechanismus „denkt", oder unser traditioneller Begriff von „denken" muß radikal re=definiert werden. Die hier als unausweichlich erkannte Alternative ist genau zwischen Scylla und Charybdis. Gibt man prinzipiell zu, daß eine Maschine denken kann, dann sind alle unsere bisherigen Ideen über das Wesen des Mechanismus grundfalsch gewesen. Streitet man aber der Maschine die Fähigkeit der intelligenten Selbstreflexion a limine ab, dann hat sich der Mensch in einem ebenso tiefen Irrtum über das Wesen des Geistes befunden. Denn das, was er bisher als privat subjektiv, als innerlich, als „spirituell" also eben als seine Geistigkeit interpretiert hat, wird unter dem brutal unbekümmerten Zugriff der Methoden der Cybernetics und Informationstheorie als imitierbarer, objektiver Mechanismus demaskiert. Damit wird der Schluß unvermeidlich, daß Subjektivität und Geist etwas ganz anderes sind, als man in den letzten Jahrtausenden darunter verstanden hat.

In diesem Zusammenhang ist auf ein bemerkenswertes Phänomen aufmerksam zu machen. Der Abfluß der Reflexion in den Mechanismus hat keineswegs eine Verarmung des subjektiven Geistes im Gefolge. Das genaue Gegenteil ist der Fall! Je mehr das Ich vom sich abgibt und in den Mechanismus verbannt, desto reicher wird es an reflexiven Einsichten in sich selbst. Die Entlassung eines Reflexionsmechanismus aus dem Zusammenhang und seine Projektion in einen objektiven Seinszusammenhang kann nämlich erst dann erfolgen, wenn für das Subjekt, dadurch, daß es in sich eine tiefere Reflexionsschicht entdeckt hat, sein Identifikationsinteresse an der früheren Reflexionssituation erlischt und sein „Selbst" in jene neu entdeckten Tiefen abwandert.

Es ist, wie Shannon sagt: Entweder müssen wir dem neuen Maschinentyp zugestehen, daß er „denken" kann, also implizieren, daß unser Selbst aus uns in den Mechanismus abgewandert ist, oder wir müssen zu der An=

nahme bereit sein, daß unser Ich seine klassische Identität, in dem es sich mit seinem bisherigen (zweiwertigen) Denken gleichsetzte, verloren hat, und im Begriff ist, sich eine neue Identifikation und Selbstinterpretation anzueignen. Ein Gott aber ändert seine Identität nicht. D. h. es ist nach theologischen Vorstellungen ganz unmöglich, daß von Gott her dem Mechanismus Reflexion zufließt, die der Mechanismus *behält* und selbst am Tag des Jüngsten Gerichtes nicht wieder hergibt. Deshalb kann die Weltanschauung 1) nicht mit Göttern arbeiten, wie unser anthropologischer Freund so richtig bemerkt hat. Das als Mechanismus begriffene Sein erlaubt einen unbegrenzten Zufluß von Reflexion. Aber es behält für ewig, was ihm zugeflossen ist. In den Weltanschauungen 2) und 3) jedoch ist alles Eigentum der Götter. Seit der Entstehung der Welt ist dem Sein keine Reflexion mehr zugeflossen und diejenige, die es in der Gestalt des Menschen am letzten Schöpfungstage erhalten hat, fließt im Tode wieder ab. Was Gottes war, das kehrt auch wieder zu Gott zurück. Das Sein als selbstgesteuerte Maschine aber zeigt uns das Bild einer götterlosen Welt. Das ist oft genug gesagt worden. Und es wird allmählich trivial, es zu wiederholen. Was aber die Kritiker dieses mechanistischen Weltbildes nicht gesehen und auch nie gesagt haben, ist, daß das ursprünglich so dürftige, irreflexive materielle Sein durch den ständigen Reflexionszufluß, den es erfährt, immer reicher wird. Es gewinnt eine metaphysische Tiefendimension, die es vordem nicht hatte, und die ihm in den klassischen religiösen Weltbildern auch immer versagt bleibt. Wer auch nur die allerflüchtigste Kenntnis der Theorie der „mechanical brains" hat, weiß, daß es sich hier nicht mehr um „klappernde" Mechanismen im alten Sinn des Wortes handelt. Schon Transformatoren, Transistoren usw. haben keine beweglichen Teile mehr, die „klappern" könnten. Der Arbeitsvorgang wird durch submolekulare Elementarteilchen und elektromagnetische Felder geleistet. Der Reflexionsvorgang eines „mechanical brain" wird immer mehr in diese Bereiche verlegt. Und hier „klappert" nichts mehr.

Da nun aber der Zufluß an Reflexion in einen solchen Mechanismus trans-klassischer Ordnung theoretisch unbegrenzt ist, scheint sich die Frage, ob wohl eines Tages ein solcher Mechanismus doch „denken" kann und Bewußtsein „hat", in keinem Fall abweisen zu lassen. Es zeigt sich aber jetzt, daß die Frage falsch formuliert ist. Es ist ganz unsinnig zu fragen, ob ein Mechanismus Reflexion-in-sich, oder Bewußtsein „hat", ehe wir nicht in der Lage sind, zu definieren, was wir unter „haben" verstehen. Meinen wir „haben" in dem Sinne, in dem unser Ich Gedanken „hat", oder in dem Sinn, in dem das Gras grüne Farbe „hat"? Nun lehrt aber die Prädikatstheorie der mathematischen Logik, daß diese beiden semantischen Funktionen des Prädikats grundsätzlich nicht zur Deckung gebracht werden können. Damit aber tritt an die Stelle des *ontologischen* Problems, wo wir danach fragen, ob etwas so oder so *ist*, ein hermeneutisches Problem, wo wir uns festzustellen bemühen, ob etwas so oder so *gedeutet* werden kann oder muß.

Das Problem, mit dem uns die Idee eines „mechanical brain" resp. einer Maschine, die ihre Umwelt vollkommen „reflektiert" und auf Grund dieser Reflexion in intelligenter Weise reagiert, jetzt konfrontiert, ist das folgende: Kann der Zufluß der Reflexion in den Mechanismus einen solchen Grad annehmen, daß wir – emotionell – uns gezwungen sehen, die Reaktionsfähigkeit einer solchen Maschine als Bewußtsein zu *interpretieren* . . . eben weil wir das Gefühl eines mysteriösen Lebendigseins in dem intelligenten Objekt *nicht loswerden können*?

Eine solche Perspektive erscheint uns heute noch unheimlich und gespensterhaft. Aber wir dürfen nicht vergessen, daß eine solche Erlebnissituation unsererseits eine höhere Spiritualität des subjektiven Ichs voraussetzt, das seine alte Identität von sich abgestoßen und als Pseudo-Identität auf den Seinsmechanismus projiziert hat.

Die Kritiker, die beklagen, daß die Maschine uns unsere Seele „raubt", sind im Irrtum. Eine intensivere, sich in größere Tiefen erhellende Innerlichkeit stößt hier mit souveräner Gebärde ihre gleichgültig gewordenen, zu bloßen Mechanismen heruntergesunkenen Formen der Reflexion von sich ab, um sich selber in einer tieferen Spiritualität zu bestätigen. Und die Lehre dieses geschichtlichen Prozesses? Wieviel das Subjekt von seiner Reflexion auch an den Mechanismus abgibt, es wird dadurch nur reicher, weil ihm aus einer unerschöpflichen und bodenlosen Innerlichkeit immer neue Kräfte der Reflexion zufließen.

# Die „zweite“ Maschine

Das erste „Werkzeug“, das der Mensch in seiner Geschichte gebraucht haben mag, ist möglicherweise ein Stein gewesen, den er einem flüchtenden Tier nachwarf, um es zu töten. Die notwendigen Fähigkeiten, sich eines solchen Hilfsmittels zu bedienen, sind äußerst gering. Schon das höher entwickelte Tier hat sie. Ein Baboon ergreift eine Liane und schwingt sich mit ihrer Hilfe von Baum zu Baum. Ein Schimpanse weiß genau, daß man mit einem Stock einer Banane, die anderweitig nicht in Reichweite ist, habhaft werden kann. Und im Wald hinter dem Rhodes Memorial in Kapstadt bewerfen die Affen die dort im Auto heranfahrenden Besucher mit Steinen — in temperamentvoller Mißbilligung moderner Autotechnik.

Aber weder Stock noch Liane oder Stein sind ein Werkzeug im menschlichen Sinn. „Nicht den zufälligen Gebrauch eines vor Augen liegenden Werkzeugs für nächste Zwecke, sondern die Herstellung eines Werkzeugs für einen fernen Zweck halten wir für menschliches Tun.“*) Der Akzent liegt auf „Herstellung“ und auf „fern“. Das Tier stellt sein „Werkzeug“ nicht mit einer fernen Zweckintention her. Es ergreift einfach, was vorhanden, d. h. vor seinen Händen, ist. Der Hebel aber, den der Mensch unter einen Steinblock schiebt, um diesen wegzurollen, ist etwas wesentlich anderes. Wesentlich ist jetzt nicht mehr der bloße Tatbestand einer Stange, die zu Händen ist, sondern die Tatsache, daß durch intelligente Placierung der Stange unter den Stein ein längerer und ein kürzerer Hebelarm hergestellt wird, deren Verhältnis erlaubt, einen längeren Arbeitsweg mit geringerem Kraftaufwand in einen kurzen Arbeitsweg mit höherer Kraftentfaltung zu verwandeln. Der Affe, der einen Stock oder eine Liane ergreift, verlängert damit nur künstlich seinen Arm — sein Verhältnis zur Umwelt ändert sich damit nicht im geringsten —, der Mensch aber, der einen Hebel benutzt, hat

*) Arnold Gehlen, Der Mensch. Bonn, 1950, S. 68.

damit ein Stück seiner Intelligenz, resp. seines Bewußtseins, in die Außenwelt hineinprojiziert, wo es in dem Verhältnis von kürzerem und längerem Hebelarm für ihn arbeitet.
Das Tier, das einen Teil der Außenwelt werkzeughaft benutzt, verbessert damit nur den Funktionsbereich seines eigenen Körpers. Der Bussard, der thermische Aufwinde benutzt, um sich von ihnen rapide in die Höhe tragen zu lassen, und damit fliegerische Leistungen erzielt, zu denen er andernfalls außerstande wäre, projiziert damit keineswegs einen Teil seiner Handlungs- resp. Bewußtseinsintention in die Außenwelt und *verändert* sie dadurch. Alles freibewegliche Leben ist auf Erweiterung der eigenen Existenzkapazität angelegt, und das Mittel dazu ist die werkzeughafte Handhabung der Umwelt. Damit aber endet der Vergleich von Tier und Mensch in ihrem Gebrauch der Dingwelt unmittelbar. Kein Tier projiziert sich intelligenzmäßig über den Funktionscharakter des eigenen Körpers hinaus und in einen objektiven Sachzusammenhang hinein. Für tierische Existenz bleibt die Grenze zwischen Innenwelt (Mikrokosmos) und Außenwelt (Makrokosmos) unveränderlich. Nichts im Dasein des Tieres ist darauf angelegt, diese Grenze zu überschreiten.
Aus diesem Grunde können wir bestenfalls von einem werkzeughaften Gebrauch der Außenwelt durch den tierischen Organismus reden. Kein Tier aber wird ein selbständiges Werkzeug als unabhängige mittlere Existenzform zwischen sich und der Umwelt entwickeln. Eine solche Schöpfung erfordert, daß der Schöpfer etwas von sich abgibt und in einem objektiven Medium fixiert. Ein Obsidianmesser, das der Primitive vom Block abspaltet, ist als Material ein Stück des Naturzusammenhangs. Im Schlag, der es abspaltet, aber erhält es eine Form, die durch den Fernzweck seines Gebrauches bestimmt ist. Das heißt es hat nicht mehr natürliche, sondern künstliche Form, die einem bewußten Zweck entspricht. Ein solches Messer ist, wie Hegel sagen würde, ein Stück objektiver Geist. Objektiv insofern, als es ein materielles Stück der Außenwelt ist, und Geist insoweit, als die Natur von allein keine Werkzeuge hervorbringt und letzteres dem menschlichen Bewußtsein vorbehalten ist, das den bloßen Stoff durch bewußte Formung zur Stellvertretung seiner Handlungsintentionen zwingt. Damit kommt in die Idee der Existenz des Werkzeuges etwas Zwiespältiges. Das Werkzeug ist halb Natur und halb Geist. Es gehört voll weder auf die eine noch auf die andere Seite. Das Resultat der Zwiespältigkeit ist eine instabile Existenzform, die die Tendenz hat, sich von beiden Seiten abzulösen und etwas selbständiges Drittes zu bilden.
Dieser Ablösungsprozeß vollzieht sich in der Geschichte der Technik, und diese ist bereits lang genug, um uns zu erlauben, aus ihr abzulesen, wie sich in ihr die Abtrennung des Werkzeugs von der Natur einerseits und vom Menschen anderseits vollzieht. Das

ursprüngliche Material, das der Primitive für seinen Hebel verwandte, war ein natürlich gewachsenes Stück Holz. Die Pfeilspitze war ein Knochensplitter. Moderne Instrumente, die analogen Zwecken entsprechen, sind aus Stahl. Unsere Füllfederhalter sind aus Galalith, und in der Skifabrikation beginnen synthetische Kunststoffe die Naturhölzer zu verdrängen. Wen die Lust anwandelt, der kann sich heute ein Paar Skier aus Glasfiber kaufen. Die Natur, wenn sie sich selbst überlassen ist, bringt weder Stahl noch Galalith oder Glasfiber hervor. In der fortschreitenden Verwendung von Kunststoffen, die dem Verwendungszweck des Werkzeugs gemäßer sind als die Naturstoffe, findet eine ganz deutlich beobachtbare Ablösung des Werkzeugs aus dem Naturzusammenhang der Welt statt.

Derselbe Prozeß der Ablösung vollzieht sich auf der subjektiven Seite. Das Werkzeug macht sich seinem Schöpfer gegenüber selbständig. Der Hebel, den der Primitive unter den Felsblock schob, bedurfte noch des Arms, der ihn niederdrückte. Das Mühlrad, das durch das Wasser des Dorfbachs betrieben wird, ist von der menschlichen Kraftquelle bereits unabhängig. Während nun die Ablösung des Werkzeugs von der Natur in der Schöpfung von Kunststoffen, d. h. einem ganz neuen Genus physischer Existenz, resultierte, führt auf der subjektiven Seite die Verselbständigung des Werkzeuges zur Maschine. Eine Wind- oder Wassermühle ist kein Werkzeug mehr, sondern eine Maschine. Eine Maschine ist nichts anderes als ein — innerhalb gewisser Grenzen — autonom gewordenes Werkzeug.

Unsere Sprache drückt den Verselbständigungsprozeß, der sich in dieser Entwicklung vollzieht, sehr präzis aus: ein Werkzeug wird *gehandhabt*. Eine Maschine wird *bedient*. Das gilt wenigstens von den älteren Maschinentypen. Ein neuerer Maschinentypus, wie der Servomechanismus, erfordert nicht einmal mehr Bedienung, sondern nur noch gelegentliche Wartung. Ein Thermostat, der die Temperatur in einer neuzeitlichen Wohnung regelt, braucht nicht mehr bedient zu werden, um sinngemäß zu funktionieren. Dieser Mechanismus dirigiert seinen Arbeitsmodus selbst.

Die technische Entwicklung geht also vom nicht-automatischen Werkzeug oder Elementarmechanismus (Töpferscheibe, Spinnrad usw.) zur halbautomatischen Maschine und von da zum vollautomatischen maschinellen Arbeitsaggregat. Ein Automobil ist z. B. ein halbautomatischer Mechanismus. Nur noch einige wenige seiner Arbeitsvollzüge werden von dem bedienenden Fahrer reguliert. Andere, wie die Verstellung des Zündzeitpunktes, Ventiltätigkeit, Generatorbetrieb, Kuppeln und Gangwechsel (in Modellen mit vollmechanisierter Kraftübertragung) besorgt die Maschine von allein. Die thermostatisch geregelte Öl- oder Stromheizung hingegen ist voll-automatisch. Ihr Arbeitszyklus ist vom Menschen unabhängig. Ihr Schöpfer hat nur noch damit zu tun, *daß* sie für ihn arbeitet. In der Ausführung der Arbeit dirigiert sich die Maschine selbst. Vollautomatische Maschinen werden heute in der Industrie weitgehend verwendet. Einige amerikanische Lebensmittelfirmen weisen in ihrer Reklame mit Stolz darauf hin, daß ihre Eßwaren nie von menschlichen Händen berührt worden sind. Die erste Hand, die mit der Nahrung in direkten Kontakt kommt, ist die des Käufers, der das säuberlich verpackte Paket öffnet.

Voll-automatische Maschinen, wie z. B. bestimmte amerikanische Verkehrssignalanlagen, die ihren Lichtwechsel danach richten, in welcher Straße die größere Anzahl von Fahrzeugen auf Durchfahrt wartet, werden gelegentlich „Robots" genannt. Der Name ist in Europa zuerst etwa 1923 aufgetaucht und geht auf einen Roman des tschechischen Schriftstellers Karel Capek zurück, in dem solche selbsttätigen Maschinentypen eine Rolle spielen. Die Etymologie des Wortes ist tschechisch (robit). Der Robot ist der mechanische Arbeiter.

Von Europa aus ist der Ausdruck in den amerikanischen Sprachschatz übernommen worden. Hier aber hat sich ein sehr tiefgehender Wandel in der Bedeutung dieses Wortes vollzogen. Ein Robot ist, wie Asimovs Buch sehr deutlich zeigt, viel mehr als nur „eine vollautomatische Maschine, die dem Menschen seine Arbeit abnimmt". Der amerikanische Sinn des Wortes „Robot" weist auf einen neuen, bisher nicht dagewesenen Maschinentyp hin, dessen generelle Konstruktionsidee sich radikal von den aus dem elementaren Werkzeug entwickelten Apparaturen, die wir heute Maschinen nennen, unterscheidet. Wir wollen den bisherigen Maschinentyp, da sein Arbeitsmodus von dem archimedischen Hebelprinzip ausgeht, die archimedisch-klassische Maschine nennen.

Das handgreifliche Kennzeichen dieses Maschinentyps ist, daß er mechanisch bewegliche Teile (Hebel, Achse, Rad, Schraube) besitzt und daß er seine Arbeit durch die Bewegung dieser Teile verrichtet. In diesem Sinn besteht zwischen einem Rolls-Royce und einem Baumstamm, den der Naturmensch auf den Boden legt, um vermittels seiner eine Last zu rollen, nicht der geringste Unterschied.

In unserer Gegenwart aber beginnen die Anfänge eines neuen Maschinentyps aufzutreten, einer Arbeit leistenden Apparatur, die keine mechanisch beweglichen Teile mehr hat und deshalb auch nichts durch Bewegung solcher Teile verrichtet. Ein erstes (äußerst primitives) Beispiel dieses Typs ist der elektrische Transformator, der wesentlich aus nichts anderem als zwei Drahtwicklungen und einem Stück Eisen besteht. Dieser Mechanismus hat keine sich bewegenden Teile mehr. Wenigstens nicht in dem üblichen Sinn des Wortes. Alle arbeitsleistende Bewegung erfolgt hier durch Atome bzw. Elektronen und magnetische Felder. Wir

wollen diesen Maschinentypus, weil er nicht mehr auf dem archimedischen Hebelprinzip beruht, die trans-klassische oder nicht-archimedische Maschine nennen. Die sich in einem solchen „Mechanismus“ vollziehenden Arbeitsvorgänge vollziehen sich nämlich nicht mehr nach klassisch-mechanischen Prinzipien.
Der Prototyp der archimedischen Maschine ist der menschliche Körper *mit seinen beweglichen Gliedmaßen*. Der Mensch, der eine archimedische Maschine baut, wiederholt die Arbeitsschematik seines eigenen Körpers in einem zweiten, künstlichen „Körper“ in der Außenwelt. Die Analogie des arbeitenden Armes ist z. B. in einem Explosionsmotor in dem Bewegungsrhythmus von Kolben, Pleuelstange und Kurbelwelle einfach nicht zu verkennen. Dieser Parallelismus zu arbeitenden Körpergliedern aber versagt vollkommen, wenn wir uns die Arbeitsweise eines elektrischen Transformators oder des vor einigen Jahren von den Bell-Laboratorien entwickelten Transistors vorstellen wollen.
Nun besitzt der Mensch aber ein Organ, das nicht klassisch-mechanisch mit beweglichen Teilen (wie z. B. das Herz), sondern in einer sehr andersartigen Weise, nach trans-klassischen Prinzipien arbeitet. Es ist dies das Gehirn. Die Arbeitsweise der klassischen Maschine folgt dem Vorbild des arbeitenden Armes (samt Hand). *Die Idee der trans-klassischen Maschine aber erwächst aus den technischen Forderungen, einen Mechanismus zu entwickeln, der nach der Analogie des menschlichen Gehirns arbeitet.* Eine solche erfolgreich durchgeführte Konstruktion wäre ein Robot im neuen amerikanischen Sinn des Wortes. Damit aber ist ein neuer, in der bisherigen technischen Geschichte des Menschen nicht dagewesener Maschinentyp konzipiert. Die allgemeine Theorie eines solchen nicht-archimedischen Mechanismus wird in einer neuen, kürzlich in den Vereinigten Staaten entwickelten wissenschaftlichen Disziplin, der sogenannten „Kybernetik“ untersucht. Der Name dieser neuen Wissenschaft ist aus dem Griechischen entlehnt und von ὁ κυβερνήτης, der Steuermann abgeleitet. Eine kybernetische oder nicht-archimedische Maschine ist nämlich eine solche, die nicht mehr physische Arbeitsvorgänge produziert (das bleibt weiterhin dem klassischen Mechanismus überlassen), sondern die solche Arbeitsvorgänge dirigiert und „kritisch“ steuert. Maschinen, die diese Idee auch nur annähernd verwirklichen, existieren heute noch nicht, aber ihre theoretische Möglichkeit ist anerkannt. Man arbeitet an ihrer Konstruktion. Um die Grundkonzeption einer solchen Maschinenidee zu verstehen, müssen wir uns vorerst fragen: was liefert eine solche Maschine? Der archimedische Typ des Mechanismus liefert physische Arbeitsvorgänge. Er dirigiert (steuert) aber diese Arbeitsvorgänge nicht auf sinnvolle Zwecke hin. Das bleibt uns überlassen. Das neue maschinen-theoretische Problem ist also das folgende: welches Produkt kann durch eine nicht-archimedische Maschine geliefert werden,

das seinerseits imstande ist, die Arbeitsvorgänge der klassischen Maschine sinngemäß zu lenken?
Eine kurze Überlegung wird uns zeigen, daß es darauf nur eine einzige Antwort gibt, die ganz einfach und von zwingender Evidenz ist. Wie werden archimedische Maschinen vorläufig gesteuert, da kybernetische Mechanismen vorerst noch nicht existieren? Das Auto ist eine archimedische Maschine, und sein praktischer Gebrauch ist — zumindest theoretisch — jedermann geläufig. Ein Auto in Betrieb ist ein Auto im Verkehr und seine sinnvolle Arbeitsweise wird uns dadurch garantiert, daß ein Fahrer am Steuer sitzt, der Verkehrsregeln wie:

Linksfahren verboten!
Rotes Licht: Halt!
Grünes Licht: Fahren!
Höchstgeschwindigkeit: 30 km/h!
Fahrzeug von rechts hat Vorfahrt!

durch entsprechende Handlungen seinerseits seiner Maschine mitteilt und dadurch die Arbeitsvorgänge in ihr modifiziert. Kurz, der Fahrer lenkt sein Auto durch den Verkehr. Dies geschieht auf Grund von Verkehrsregeln. Verkehrsregeln aber sind Informationsdaten, die der Fahrer als allgemeine Richtlinien der Verkehrsordnung übernimmt und dann im Einzelfall der konkreten Fahrtsituation als detaillierte Information selbst produziert. Die abstrakte Verkehrsvorschrift mag zwar sagen: Grünes Licht — Fahren! Die Kreuzung aber steht noch voll Wagen, die den Weg bisher nicht freigegeben haben. Das ist modifizierendes Informationsmaterial, das das Bewußtsein des Fahrers verarbeiten muß und das schließlich in einer „kybernetischen" Bewegung endet, nämlich mit einem Druck auf die Fußbremse.
Dieses Beispiel zeigt deutlich, daß ein archimedischer Mechanismus auf Grund von Information gesteuert wird. Teilweise kommt diese Information direkt von der Maschine her. Die Instrumente am Armaturenbrett: Tachometer, Öldruckmesser, Amperemeter usw. liefern nichts weiter als Informationsdaten, und dieses informative Datenmaterial ist für den Fahrer notwendig, um die Maschine sinngemäß zu bedienen. Die Idee der kybernetischen Maschine zielt also auf die konstruktive Verwirklichung eines Mechanismus, der Daten aus der Außenwelt aufnimmt, sie als Information verarbeitet und dieselbe in Steuerungsimpulsen dann an die klassische Maschine weitergibt. Das letztere ist übrigens nicht durchaus notwendig. Eine Rechenmaschine z. B. liefert unmittelbar arithmetische Information.
Wir können also ganz allgemein im Rahmen einer Philosophie der Technik sagen: der Mensch hat bisher in seiner technischen Entwicklung zwei grundverschiedene Ideen der Maschine konzipiert. Die erste ist die klassisch-archimedische Maschine, deren Zweck ist, Arbeit zu produzieren. Neben diese ist die Idee der

„zweiten" Maschine getreten, von der man nicht mehr Arbeit, sondern Information erwartet. Die „erste" Maschine ist in Analogie zum menschlichen Arm (und Hand) entworfen worden, von der zweiten wird erwartet, daß sie eine technische Reproduktion des menschlichen Gehirns darstellen soll. Denn nur das Gehirn verarbeitet Information. Die „erste" Maschine ist heute eine historische Realität, die „zweite" vorläufig nur ein technisches Ideal, dessen progressive Realisierung[1]) noch in sehr weiter Ferne steht. Transformatoren, Transistoren und ähnliche auf elektro-magnetischen Prinzipien beruhende Maschinen stellen noch nicht einmal eine erste Annäherung an das neue Ziel dar. Sie sind technische Zwischengebilde, die sich dadurch von dem archimedischen Maschinentyp unterscheiden, daß in ihnen der Mechanismus in subatomare Bereiche verlegt worden ist. Insofern folgen sie in der Tat einem nicht-klassischen Prinzip. Ihre „mechanische" Arbeitsweise ist bereits die der projektierten kybernetischen Maschinen. Sie liefern aber keine Information. Insofern sind sie klassisch. Auch die heutigen Rechenmaschinen bis hinauf zum kompliziertesten Differentialanalysator sind noch keine echten trans-klassischen Konstruktionen. Sie *transformieren* nur gelieferte Informationen, aber sie produzieren keine.

In unserem Beispiel von dem Autofahrer im Stadtverkehr aber wird durch das Gehirn Information *produziert.* Die durch die Verkehrsordnung gelieferte und auswendig gelernte Information reicht nicht im entferntesten aus, um den Wagen im Sinn dieser selben Verkehrsordnung sach- und sinngemäß zu bedienen. Wir können — um den entscheidenden Tatbestand, auf den es hier ankommt, klarer herauszustellen — einmal etwas übertreiben und sagen: die Verkehrsordnung liefert überhaupt keine Information, sondern nur Richtlinien, gemäß denen die für die Steuerung des Wagens unbedingt notwendige Verkehrsinformation *produziert* werden soll. Selbstproduktion von Information, gleichgültig ob sie partiell oder total ist, aber setzt Bewußtsein voraus.

Damit konzentriert sich das Problem der nicht-archimedischen Maschine auf das des „mechanical brain"[2]), d. h. des mechanischen Bewußtseins. Und es erhebt sich die den heutigen Durchschnittsmenschen geradezu ungeheuerlich anmutende Frage: Läßt sich Bewußtsein trans-klassisch mechanisch konstruieren? Die erste Reaktion auf diese Frage wird für jeden klassisch erzogenen und im

[1]) Es muß darauf aufmerksam gemacht werden, daß eine solche Realisierung immer nur partiell erfolgen kann. Einen kybernetischen Mechanismus, der das Gehirn *vollendet* reproduziert, wird man nie konstruieren.

[2]) Wir benutzen für „mechanical brain" den männlichen Artikel, weil „brain" mit dem deutschen Ausdruck „der Brägen" für Gehirn etymologisch ist. „Brägen" ist provinziell und wird vornehmlich im Fleischergewerbe gebraucht.

Bereich einer ontologischen Metaphysik aufgewachsenen Zeitgenossen ein ganz emphatisches „Nein" sein. Tatsächlich aber ist die Frage für ein unbefangenes, vorurteilsloses Denken vollkommen offen. Was allein unwiderleglich feststeht, ist, daß es nicht möglich ist und nie möglich sein wird, ein volles menschliches *Selbst*bewußtsein als Robotgehirn zu entwerfen. Und zwar aus dem folgenden Grunde: die Logik bzw. Mathematik, in der ein solcher „mechanical brain" beschrieben wird, muß von einem höheren Sprachtypus[1]) sein als derjenige, den das Robotgehirn braucht, um seine Begriffe zu produzieren. In der Ausdrucksweise der symbolischen Logik: die Konstruktion eines Robots muß in einer Sprache erfolgen, die relativ zu der Sprache, in der ein Robot „denkt", eine Metasprache ist. Nun gibt es aber zu einer Sprache, die Begriffe wie „Ich", „Du" oder „Selbst" als logisch relevante Ausdrücke enthält, keine Metasprache mehr. Eine solche Sprache ist von höchstmöglicher logischer Ordnung. Wenn also ein Konstrukteur versuchte, einem „mechanical brain" die eben genannten Begriffe und damit ein Denken in einer Sprache höchstmöglicher Ordnung einzubilden, dann bliebe ihm keine Metasprache mehr, in der er ein solches Robotgehirn entwerfen könnte. Umgekehrt: reserviert der Konstrukteur einen solchen Sprachtypus für die *Darstellung* seines Entwurfes, dann kann er dem Entwurf selber nur ein niedereres Sprachniveau, in dem solche Worte (Begriffe) noch nicht auftreten, zuschreiben.[2]) Ein Gehirn aber, das den Begriff „Selbstbewußtsein" prinzipiell nicht konzipieren und in seiner Sprache bilden kann, hat auch kein Selbstbewußtsein.

Es wird also nie möglich sein, einen Robot, der Selbstbewußtsein besitzt, zu konstruieren, weil ein „mechanical brain", der Worte wie „Ich" und „Selbst" gebrauchen kann und weiß, was sie bedeuten, eine Sprache spricht, zu der es keine Metaphysik mehr gibt, in der sein technischer Entwurf vom Konstrukteur konzipiert werden könnte. Wenn beide die gleiche Sprache sprächen, dann wären Schöpfer und Geschöpf einander geistig ebenbürtig. Dies ist absurd.

[1]) „Sprachen" in dem hier intendierten Sinn sind nicht nur Deutsch, Englisch, Chinesisch, usw., sondern ebenfalls Mathematik, Logik, kurz alle Ausdruckssysteme, in denen sinnvolle Mitteilungen gemacht werden können.

[2]) Für denjenigen Leser, der an diesem Grundproblem einer allgemeinen Theorie eines „mechanical brain" näher interessiert ist, seien im folgenden die vier logisch möglichen Sprach- und Ausdruckssysteme mitgeteilt. Man unterscheidet 1. Sprachen, in denen alle Ausdrucksvariablen zu einer und derselben semantischen Kategorie gehören; 2. Sprachen, in denen die Anzahl der die Variablen umfassenden Kategorien größer als 1, aber stets endlich ist; 3. Sprachen, in denen die Variablen zu unendlich vielen semantischen Kategorien gehören, wobei aber die Ordnung dieser Variablen eine im vornhinein gegebene natürliche Zahl nicht überschreitet, und schließlich 4. Sprachen, die Variable beliebig

Wie steht es aber mit der technischen Konstruktion von einfachem Bewußtsein? Das bisher Gesagte bezieht sich ausschließlich auf das *Selbst*bewußtsein, d. h. auf doppelreflektierte Erlebnisphänomene. In der Tat ist die Frage heute noch völlig offen, ob sich einfaches Bewußtsein, also ohne weitere Rückreflexion auf das erlebende Ich, jemals mit technischen Mitteln herstellen ließe. Daß es partielle Bewußtseinszustände ohne Icherlebnisse gibt, wird nirgends ernsthaft bestritten. Wer jemals aus einer Chloroformnarkose aufgewacht ist, kennt jenen Übergangszustand, in dem das Bewußtsein dadurch zum Leben erwacht, daß es beginnt, sich wieder mit Inhalten zu füllen. Der krönende Inhalt aber, die Rückbeziehung auf die eigene Bewußtseinstätigkeit, d. h. des Icherlebnisses, fehlt und will sich nicht erzwingen lassen. Der inverse Vorgang, freilich nicht so markant und eindrücklich wie in den künstlichen Bewußtseinsveränderungen durch die Narkose, läßt sich bei dem natürlichen Prozeß des Einschlafens beobachten. Das Icherlebnis verschwindet zuerst. Die anderen Bewußtseinsinhalte später. Ein Bewußtsein, das noch Inhalt hat, *ist bewußt.* Das heißt, wir haben in diesen Übergangszuständen Bewußtseinszustände ohne ein konkomitierendes Ich.

Ebenso dürfte es richtig sein zu sagen, daß das Kind in seinem frühesten Entwicklungsstadium unmittelbar nach der Geburt zwar Bewußtsein, aber kein Selbstbewußtsein hat. Das Tier schließlich bleibt auf der Stufe des einfachen, nach außen gerichteten Bewußtseins überhaupt stehen und erreicht (vermutlich) niemals den selbstbewußten Erlebnisraum. Soweit läßt sich sagen, daß Bewußtsein sehr wohl ohne Selbstbewußtsein „psychisch" realisiert werden kann. Warum also nicht in einem „mechanical brain"?

An dieser Stelle macht unser im seelischen Determinationsraum der klassischen Ontologie erzogenes Weltgefühl einen anderen und tieferen Einwand: zugegeben, daß Bewußtseinszustände ohne Selbstbewußtsein realisiert werden können. Aber jedes Bewußtsein muß, selbst wenn es nirgends an die Oberfläche tritt, ein Subjekt seiner Akte, eine „Seele" besitzen. Im Tier oder im

hoher Ordnung enthalten. (Vgl. Alfred Tarski, Der Wahrheitsbegriff in den formalisierten Sprachen. Studia Philosophica, Leopoli 1935, bes. S. 81). Alle höher entwickelten Umgangssprachen, die Begriffe wie „Ich" und „Selbst" enthalten, gehören der vierten Sprachordnung an. Jede dieser Sprachordnungen ist relativ zu den niedereren eine Metasprache. Und man kann über eine Sprache nur in einer ihr übergeordneten Metasprache wissenschaftlich exakt sprechen. Auf dem Niveau des vierten Sprachtypus, der auch Universalsprache genannt wird, kann man über alles sprechen; allerdings mit der höchst beträchtlichen Einschränkung, daß man in der Logik, die diese Sprache beschreibt, Paradoxien und Antinomien in Kauf nehmen muß, wenn man über „Tatbestände" spricht, deren Begriffe erst auf diesem Sprachniveau sich bilden. Solche Begriffe sind z. B. „Ich" oder „Selbstbewußtsein". Paradoxien aber sind nicht als technische Objekte konstruierbar.

Kind der ersten Lebenjahre liegt sie nur unter der Erlebnisschwelle, aber sie ist potentialiter immer da. Bewußtsein ist nicht — wie der vulgäre Materialismus annimmt — eine Funktion eines physischen Agens, also ein Endprodukt aus Stoff und Energie, sondern vielmehr die Eigenschaft eines unbekannten X, das wir in theologischer Terminologie „Seele" nennen.*)

Diese theologische Auffassung unterschreiben wir hier völlig. In ihr formuliert sich ein existentieller oder metaphysischer Sachverhalt, der kaum ernsthaft bestreitbar ist. Die theologische Formulierung jedoch, so wahr sie auch essentiell sein mag, ist äußerst vage. Sie läßt die faktische Relation, die die „Seele" zum Bewußtsein hat, ganz offen und macht sie den verschiedenen Interpretationen zugänglich. Ein Symptom dafür ist die schwankende Stellung, die das theologische Denken der Frage gegenüber einnimmt, ob Tiere eine unsterbliche Seele haben. Der Grund für die bestehende Unsicherheit in der Beantwortung dieses sehr heiklen Punktes ist die durchaus richtige Einsicht, daß, wenn Tiere kein Selbstbewußtsein haben, die Relation ihrer hypothetischen „Seele" zu ihrem Bewußtsein eine ganz andere sein muß als beim Menschen.

Der Leser sei hier an den Anfang des amüsanten Romans von Anatole France „Die Insel der Pinguine" erinnert. Der sich im Boote der Insel nähernde St... hält die am Ufer sitzenden Pinguine irrigerweise für die heidnischen Bewohner des Landes und tauft sie summarisch. Dadurch erhalten die Pinguine (christliche) Seelen, und im Jenseits entsteht jetzt das sehr ernste Problem, ob die Pinguine zum Eintritt in den Himmel berechtigt sind oder nicht. „Seele" ist hier offenbar etwas, das im Taufakt „mit-geteilt" werden kann. Wären es statt der Pinguine menschliche Wesen gewesen, dann hätte sich im Taufakt das mystische Verhältnis zwischen Taufendem und Täufling in anderer Weise arrangiert. In diesem Fall wäre die Seele nicht auf das getaufte Individuum übertragen worden, sondern die im Individuum bereits wohnende Seele wäre nur christianisiert worden. Die stillschweigende Voraussetzung dieser Episode ist: Menschen haben *Selbst*bewußtsein, d. h. ihre Seele wohnt bereits in ihnen, Tiere haben keins, also ist ihr Bewußtsein, was Information anbetrifft, ferngesteuert. Der Steuerungsimpuls ihres Bewußtseins kommt aus der Umwelt. Umwelt aber ist relativ zum Individuum bzw. seinem Bewußtsein Transzendenz.

---

*) Norbert Wiener formuliert diesen Sachverhalt in seinem epochemachenden Buch „Kybernetiks" (New York, S. 155) in der folgenden für einen Ingenieur typischen Weise: „Information is information, not matter or energy." (Information — d. h. Bewußtseinsinhalte — ist Information und nicht Materie oder Energie). Information oder auch Sinn ist eben die empirische Weise, in der sich uns jenes geheimnisvolle X offenbart.

Das Tier hat nach dieser Auffassung ebenso eine transzendente „Seele" wie der Mensch; nur muß „Transzendenz" in diesem Fall anders definiert werden. Die menschliche Seele ruht unerreichbar im „Innern"; sie ist, nach einem adäquaten Sprachgebrauch, introszendent. Die tierische Seele ist extroszendent. Sie liegt im „Außen". In beiden Fällen liegt das, was wir als Subjekt des Bewußtseins zu hypostasieren gezwungen sind, nicht auf der Existenz- und Aktionsebene des Bewußtseins selbst.
Solange diese Auffassung von den verschiedenen Transzendenzmöglichkeiten des Subjekts gegenüber seinem Bewußtsein nicht zwingend widerlegt ist (und eine solche Widerlegung existiert bis heute nirgends), kann die theoretische Möglichkeit nicht von der Hand gewiesen werden, daß es prinzipiell möglich ist, Bewußtsein in einem „mechanical brain" durch konstruktive Methoden hervorzurufen. Ein solches Bewußtsein eines Robotgehirns würde auch eine „Transzendenz" besitzen. Aber diese Transzendenz wäre nicht die Introszendenz des menschlichen Bewußtseins (der Robot hat kein Ich „im Innern"), sondern eine zweite Form Extroszendenz wie beim tierischen Bewußtsein. Nur ist im Tier die Umwelt das Lokale dieser Transzendenz, während für den Robot dieselbe — im Bewußtsein seines Konstrukteurs liegt. Der vollendete Robot hätte ein „Ich". Dasselbe aber wäre zurückverlegt in das stellvertretende Ich seines Schöpfers!
Es braucht wohl kaum ausdrücklich darauf hingewiesen werden, daß mit den heute zur Verfügung stehenden technischen Mitteln solche Ziele auch nicht im entferntesten verwirklicht werden können. Was in hundert Jahren technisch möglich sein wird, kann momentan niemand sagen. Die heute gebauten Modelle logischer und mathematischer Komputiermaschinen wie ENIAC, EDVAC, UNIVAC und andere jagen sich in einem solch rasenden Tempo, daß, wie ein auf diesem Forschungsgebiet tätiger amerikanischer Gelehrter kürzlich bemerkte, eine derartige Maschine, sobald sie fertiggebaut ist, auch schon als veraltet angesehen werden muß. Es läßt sich deshalb in diesem Kommentar vom technischen Standpunkt aus kaum etwas sagen, was nicht beim Druck dieser Zeilen längst überholt sein wird.
Anders aber liegen die Dinge, soweit die allgemeine logische Theorie dieser Maschinen in Betracht kommt. Hier lassen sich Feststellungen machen, die allgemein und unabhängig von den technischen Mitteln, sie zu realisieren, richtig sind und deshalb nicht überholt werden können. Eine solche Feststellung ist, daß keinerlei logisch-theoretische Gründe dagegen sprechen, daß Bewußtsein (*nicht* Selbstbewußtsein) technisch konstruierbar ist, wenn die Bewußtseinsprozesse eines solchen Mechanismus Fernsteuerung implizieren. Die logischen Gründe für eine solche Behauptung fußen auf der Tatsache, daß sich eine wissenschaftlich zureichende und genügend exakte Definition von „Bewußtsein" auf

der Ebene der dritten Sprachordnung geben läßt. Der Konstrukteur hat dann für seine Arbeit den vierten und letzten Sprachtypus als seine „Metasprache" zur Verfügung. Damit wird die Sprache dritter Ordnung relativ zur vierten zu einer reinen Objektsprache. Das bedeutet, daß man bei der Definition von „Bewußtsein" nur Objektbegriffe wie „Materie", „Energie" und „Information" zu verwenden braucht und daß Subjektbegriffe[1]) wie „Erlebnis", „Ich", „Du", „Seele" usw., überflüssig geworden sind.
Mit anderen Worten: es bestehen keine prinzipiellen Schwierigkeiten, die Produktion von Bewußtsein als einen rein „mechanischen" Prozeß eines entsprechenden Instrumentes — des Gehirns oder des „mechanical brain" — aufzufassen. Damit aber ist wenigstens die theoretische Möglichkeit der Konstruktion einer solchen, uns heute völlig phantastisch anmutenden Maschine gegeben. Wohlgemerkt, ein solcher Apparat würde alle Bedingungen für das Zustandekommen von Bewußtsein erfüllen — nicht aber diejenigen für Selbstbewußtsein. Sein Bewußtsein könnte also nur in Analogie zu dem eines Tieres oder Kindes im frühesten Lebensstadium gesetzt werden. Andererseits aber würde das Bewußtsein eines „mechanical brain" von dem eines Tieres oder Kindes sich insofern unterscheiden, als es trotz seiner dumpfen Bewußtseinsstufe ohne weiteres schwierigen Problemen der Differential- und Integralrechnung gewachsen wäre. —
Es bleibt in dieser Darstellung des kybernetischen Robotproblems nur noch übrig, kurz zu bemerken, wie weit die Technik der modernen Kalkulatoren auf diesem Weg bereits vorgeschritten ist. Hier ist folgendes festzustellen: alle bisher konstruierten Maschinen folgen einer Logik, die dem allerersten Sprachtypus entnommen ist. Dies ist die Logik, die den Relationen toter Objekte zueinander entnommen ist. Folglich sind diese Maschinen auch so tot wie ein Stein. Es sind aber in diese Maschinen bereits einige technische Details hineinkonstruiert worden, die der nächst höheren Sprach- und Logikstufe angehören. Das heißt, die modernsten Maschinen besitzen bereits die mechanischen Vorbedingungen für Gedächtnis (und diese Anlage teilt sich ganz wie in der menschlichen Psyche in ein permanentes und ein temporäres Gedächtnis), für Lernfähigkeit und für „Gestalt"wahrnehmung.[2])
Sie besitzen ferner in beschränktem Maß Entscheidungsfähigkeit (Auswahl arithmetischer Routinen) und können komplizierten

[1]) Das heißt Begriffe, die auf ein hypothetisches Subjekt hinweisen und dieses für ihre Erklärung benötigen.

[2]) Dies ist eine Fähigkeit, die wir z. B. brauchen, wenn wir die schwerleserliche Handschrift eines Briefes entziffern wollen. Wir bemühen uns dann, in dem willkürlichen Duktus der Handschrift die Idealgestalten der Buchstaben wiederzuerkennen. Das erste Modell einer Maschine, die die Fähigkeit der Gestaltwahrnehmung hat, ist kürzlich von David Shepard (Falls Church, Va.) konstruiert worden.

Instruktionen, die ihnen in „Maschinensprache" gegeben werden, folgen. Schließlich besitzen sie die bemerkenswerte mechanische Fähigkeit, abstrakte Begriffe in sinnvolle Handlungsroutinen umzusetzen. Zu diesen allgemeinen Funktionen, die jedes Bewußtsein kennzeichnen, treten sehr spezifische logische Fähigkeikeiten, deren Vollzug mechanisch reproduzierbar ist. Eine von Theodore Kalin und William Burkhart gebaute Maschine, die nicht größer als ein Fernsehapparat ist, prüft die Richtigkeit von logischen Schlüssen, die sich aus Aussagengruppen ergeben. Ein weiteres Modell befindet sich in Bau, das Probleme aus Spezialgebieten des logischen Funktionenkalküls lösen kann und das in beschränktem Maß zu Existenzurteilen[1]) fähig ist.

Allgemein wird auch von konservativen Kybernetikern zugegeben, daß es theoretisch möglich ist, jede Bewußtseinsfunktion mechanisch zu wiederholen. Denn wenn die Funktionsweise *eines* Bewußtseinselementes mechanisch interpretierbar ist, dann muß das Gleiche auch von allen anderen gelten. Nur eine Fähigkeit, so wird einstimmig betont, wird man niemals konstruktiv duplizieren können! Es ist die schöpferische Tätigkeit des menschlichen Bewußtseins. Wozu wir hier bemerken wollen, daß spirituelle Produktivität vermutlich überhaupt keine Bewußtseinsfunktion ist und ausschließlich dem Bereich des ohnehin nicht reproduzierbaren Selbstbewußtseins angehört.

Abgesehen davon aber ist eine kybernetische Entdeckung gemacht worden, die den projektierten „mechanical brains" einen sehr „menschlichen" Anstrich gibt. Dr. John R. Pierce, ein in den Bell-Laboratorien arbeitender Forscher, hat kürzlich nachgewiesen, daß jedes denkende Bewußtsein ein Zufallselement[2]) enthält. Es wird dann mit außerordentlichem Scharfsinn gezeigt, daß zu erfolgreichem Denken gehört, daß ein Bewußtsein (oder „mechanical brain") langsam lernen muß und daß es weiterhin die Fähigkeit besitzen muß, früher Gelerntes entweder zu ignorieren oder zu vergessen. Darüber hinaus hat Pierce eine Konstruktion entworfen, die das Problem praktisch löst und zeigt, wie man in ein Robotgehirn diese Eigenschaften einbauen kann. Die praktische Durchführung ist übrigens so einfach, daß jeder halbwegs begabte Elektrotechniker die dazugehörigen Diagramme lesen kann. —

Warum nun, wird der Laie fragen, kann man heute noch kein

1) Ein Existenzurteil ist ein Satz, der folgende Form hat: „Es gibt . . ." Übrigens schließt die Fähigkeit zum Existenzurteil nach der Formel $\sim [(Ex) \sim f(x)] \equiv (x)\, f(x)$ die Fähigkeit zum All-Urteil ein. „Alle . . ." Hier unterscheidet sich der „mechanical brain" vom tierischen Bewußtsein. Es scheint, daß Tiere nur die Fähigkeit zum Existenzurteil haben, aber beim Vollzug von Allurteilen, wie Experimente zeigen, gewöhnlich versagen.

2) „Random element".

Bewußtsein konstruieren, wenn einzelne Bewußtseinsfunktionen bereits mechanisch reduplizierbar sind? Die Antwort ist: man würde auch selbst dann noch kein solches Bewußtsein konstruiert haben, wenn man *alle* überhaupt existierenden Funktionen eines lebendigen Bewußtseins in tadellos arbeitenden Mechanismen wiederholt hätte. Das hat Plato schon gewußt, wenn er im Dialog Theätet darauf hinweist, daß dadurch, daß im Trojanischen Pferd in der Gestalt der griechischen Helden alle Bewußtseinsfunktionen eingeschlossen waren, das Pferd selber noch längst kein Bewußtsein erhielt.

Bewußtseinsfunktionen, mechanisch oder nicht mechanisch, erzeugen kein Bewußtsein, solange zwei weitere entscheidende Dinge fehlen. Erstens die operative Einheit der Funktionen und zweitens die „transzendente" Steuerung dieser Einheit. Diese beiden zusätzlichen Funktionen sind leicht erklärbar.

Wir besitzen heute Maschinen, die logische Operationen vollziehen, und andere Maschinen, die arithmetische Probleme lösen und algebraische Fragen und Aufgaben aus dem Gebiet der Infinitesimalrechnung beantworten. In beiden Fällen rechnen und arbeiten *wir* mit den verschiedenen Maschinen. Wir sind aber vorläufig nicht imstande, beide Maschinen so miteinander zu „koppeln", daß die Logikmaschine uns vertritt und an unserer Stelle mit dem arithmetischen Mechanismus arbeitet. In dem Moment, wo eine solche „Koppelung" glückte, wäre die erste Bedingung für ein mechanisches Bewußtsein, nämlich die operative Einheit aller seiner Funktionen gegeben. Was aber auch dann noch fehlte, wäre die „transzendente" Steuerung dieser gekoppelten Systeme.

Dieser Steuerungsmechanismus müßte wieder eine Logik sein, aber eine, die einen höheren logischen Typus repräsentiert als unsere „normale" klassisch-aristotelische Logik, die mit der arithmetischen Maschine gekoppelt ist. Eine solche Logik eines höheren Typus ist keineswegs eine bloße Phantasie und ein metaphysischer Traum eines wildgewordenen Philosophen. Bruchstücke solcher Logiken, die unsere „normale" Logik als engen Spezialfall enthalten, existieren schon jetzt. Man nennt sie mehrwertige Logiken, und die theoretischen Mittel, sie weiter zu entwickeln, sind längst vorhanden.

Auch über die Arbeitsweise dieser „transzendenten" Steuerung unserer normalen Logik samt ihrer Inhalte läßt sich bereits einiges sagen.

Der transzendente Steuerungsmechanismus reflektiert Information auf sich selbst durch einen sogenannten Rückkoppelungkreis (feedback-system). Das klingt wieder schwieriger, als es in Wirklichkeit ist. Es heißt nichts weiter, als daß die folgenden mechanischen Schritte vollzogen werden. Erstens: der gekoppelte Mechanismus produziert Informationen. Zweitens: dieselben werden auf geeignete Weise an den Steuerungsmechanismus weitergeleitet. Da diese Steuerung aber selber eine Logik mit neuen Gesetzen ist, so verändert sie die an sie gelieferte Information (so wie sich für uns der Anblick der Welt verändert, wenn wir eine farbige Brille aufsetzen) und gibt dann drittens: ihren veränderten Gesichtspunkt als Steuerungsimpuls an das untergeordnete System zurück.

Damit sind alle Bedingungen für die Konstitution von Bewußtsein erfüllt. Wir besitzen dann ein System, das die materiellen Bewußtseinsmechanismen liefert. Ein zweites, das ihre operative Einheit herstellt, und ihnen übergeordnet ein drittes, das das gegenseitige Verhältnis des ersten und zweiten Systems reflektiert und das Resultat dieser Reflexion als Information in das Verhältnis von eins und zwei zurückkehren läßt. Diese Rückkehr der Information aber, die durch ein logisch überlegenes (und in das potentielle Bewußtsein nicht eingeschlossenes) System hindurchgegangen ist, ist derjenige Prozeß, der *aktuelles* Bewußtsein erzeugt. Jedenfalls hat sich noch niemand unter Bewußtsein etwas anderes vorstellen können als Information (Erlebnissinn), die sich in einer sinnhaft modifizierten Weise auf sich selber bezieht und dadurch von sich selber weiß. Ein grobes Schema eines solchen „mechanical brain“ hat also die folgende Gestalt:

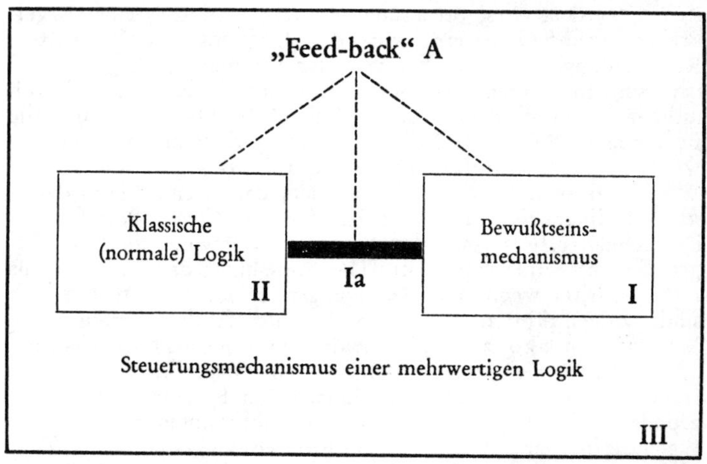


In diesem Schema enthält das Subsystem (I) alle Bewußtseinsmechanismen wie „Wahrnehmung“, „Erinnerung“, „Abzählen“ usw.; also Mechanismen, die das aus der Außenwelt gelieferte Material der „Bewußtseinsinhalte“ verarbeiten bzw. speichern (Erinnerung). Subsystem (II) integriert diese Funktionen im Sinn der klassisch-aristotelischen Identitätslogik, so daß sich jeder Bewußtseinsmechanismus auf ein und dieselbe Identität in seinen Informationsdaten bezieht. Dies soll an einem Beispiel erläutert werden: Ein beliebiges Bewußtsein, sei es tierisch, menschlich oder mechanisch, das alle überhaupt möglichen Informationsdaten in Form von Wahrnehmung, Erinnerung usw. über ein Krokodil besitzt, hat darum noch immer keinen Gesamtbegriff von einem solchen Tier. Um das zu erreichen, müssen erst alle Daten im Sinn einer generellen Identität „Krokodil" geordnet und in einer Einheit als objektiver Gegenstand integriert werden. Das ist die Aufgabe, die Subsystem (II) erfüllt. Nur teilweise allerdings, denn wir wissen aus der Beobachtung unseres eigenen Bewußtseins, daß hinter diesem Identitätssystem unseres eigenen Denkens ein rätselhaftes X steht, das wir Ich nennen. Dieses Ich folgt eigenen, anderen Gesetzen, die nichts oder nur wenig mit denen der klassischen Logik zu tun haben. Wir wissen aber, daß es die Beziehungen zwischen den Subsystemen (I) und (II) steuert. Diese Steuerung ist nicht eine einmalige Sache, sondern erfolgt auf vielen Operations- bzw. Handlungsebenen zugleich. Wir wollen die sukzessive Ordnung dieser Handlungsebenen „A", „B", „C", „D" usw. nennen.

Unser System (III) repräsentiert die erste oder unterste Operationsebene, auf der die Systeme (I) und (II) „transzendent" gesteuert werden. Diese Steuerung geschieht vermittels eines Regelkreises (feed-back-system) von der Ordnung „A".*) Weitere Rückmeldungen (feed-backs) von der Ordnung „B", „C", „D" usw. sind in unserem System III nicht aktivierbar. Sie sind auch nicht nötig, insofern als Rückmeldung A bereits genügt, um alle Bedingungen zu erfüllen, die das elementare Phänomen von Bewußtsein (*nicht* Selbstbewußtsein) voraussetzt.

Wir haben keine Ursache, anzunehmen, daß, wenn alle mechanischen Bedingungen für das Zustandekommen von Bewußtseinshandlungen erfüllt sind, dann nicht auch Bewußtsein (von Gegenständen) wirklich eintritt. Die Annahme, daß ein Ereignis nicht eintritt, wenn alle Bedingungen seines Eintretens erfüllt sind, widerspricht allen unseren wissenschaftlichen Erfahrungen. Wir nehmen also an, daß, sobald die Rückmeldungsoperation „A" in Bewegung gesetzt ist, Bewußtsein tatsächlich eintritt, und fragen, wo das geschieht. Die Antwort muß lauten — und sie gründet sich auf die heute bereits wohlbekannten mechanischen Eigenschaften eines Rückmeldungsmechanismus — in einem Zwischensystem zwischen (I) und (II), das wir in unserer Zeichnung als Subsystem (Ia) bezeichnet haben.

Damit läßt sich einiges über die Eigenschaften eines solchen künstlich erzeugten Bewußtseins sagen. Sein Erlebnisraum wird ausschließlich Daten seiner ihm zugeordneten Außenwelt enthal-

*) Daß das menschliche Gehirn einen Regelkreis (feed-back-system) enthält, ist bereits festgestellt.

ten. Das heißt Daten, deren Ursprung außerhalb des Systems III liegt. Nicht einbezogen in das Erlebnispotential eines solchen Bewußtseins dagegen sind die Systeme (I) und (II). Das heißt, dieses Robotgehirn „weiß" weder, daß es Mechanismen hat, noch ist ihm erfahrbar, von welcher Logik seine Mechanismen integriert werden. Hier stoßen wir auf den entscheidenden Unterschied zum menschlichen Bewußtsein. Wenn es für uns nicht möglich wäre zu erfahren, daß in unserem Bewußtsein Mechanismen am Werke sind, dann könnten wir weder Psychiatrie noch Psychologie betreiben. Und wenn Aristoteles nicht ein Bewußtsein besessen hätte, dessen Erlebniskapazität das Subsystem (II) umfaßte, dann hätte er niemals die nach ihm benannte Logik schreiben können. Ein Robot, der nach dem obigen Schema gebaut ist, wird niemals ein Buch über die Theorie seines eigenen Denkens schreiben können. Denken wird er zwar — in rein gegenständlichen Kategorien über die Außenwelt. Aber der obige Mechanismus enthält keine Möglichkeiten, die ihm erlauben würden, über sein eigenes Denken nachzudenken. Um einen psychologischen Ausdruck zu gebrauchen: ein solcher Robot wird ein hundertprozentiger Extrovert sein. Das heißt, er kann nicht über sich selber nachdenken, weil ihm die Begegnung mit dem Icherlebnis fehlt. Der hier geschilderte Robot hat zwar Bewußtsein (von Gegenständen), aber kein Selbstbewußtsein. Das einzigartige Erlebnis des Ichs oder des Selbstes im Selbstbewußtsein bleibt für alle Ewigkeit dem Menschen vorbehalten und kann von ihm in keinem in eine Maschine projizierten Entwurf je dupliziert werden. —
Kant sagt in seinem berühmten Satz in der „Kritik der reinen Vernunft: „Das: *Ich denke* muß alle meine Vorstellungen begleiten *können* ..." Das Icherlebnis (Selbstbewußtsein) braucht also keineswegs die Bewußtseinsakte faktisch zu begleiten, aber es muß potentiell hinter ihnen stehen. Wie verhält es sich damit im Fall eines „mechanical brain", dessen prinzipielle Beschränkungen wir eben aufgezeigt haben? Allgemein muß dazu bemerkt werden: Was hier für den Menschen gilt, gilt für ein Robotgehirn erst recht, wenn es Bewußtsein besitzen will. Nur ist das Ich im Fall des Robot aus dem Mechanismus in den Konstrukteur zurückverlegt. Er repräsentiert das „Ich" des Mechanismus. Ein sehr wesentliches Element der kybernetischen Theorie ist nämlich, daß die Konstruktionsideen des Ingenieurs, der den „mechanical brain" entwirft, mit dem Robotgehirn zusammen zwar kein physisches, wohl aber ein logisches System bilden. Mit anderen Worten: Um erfolgreich einen „mechanical brain" zu entwerfen, muß sich das Bewußtsein des Konstrukteurs in einem Regelkreis (feed-back-system) von der Ordnung „B" an das Robot-System „A" direkt anschließen. Und diese Systeme „A", „B", „C" ... setzen sich in Richtung auf die Transzendenz des Ichs in einer unendlichen Serie fort. Nicht nur dem Robot ist sein

„Ich" transzendent und unerreichbar; das gleiche gilt auch für die Seele des Konstrukteurs.
Hier ist der naturalistische Einwand zu erwarten: Wie kann ein Robot durch die Vermittlung des Ichs des Konstrukteurs denken! Denn das letztere ist nicht sein eigenes, sondern ein fremdes Ich. Darauf kann nur geantwortet werden: Wenn nicht die Metaphysik aller Völker und Zeiten gelogen hat, dann sind alle Iche, ontologisch betrachtet, identisch. Niemand kann angeben, was, wenn man das Ich nach einer unendlichen Regression endlich erreicht, der Unterschied zwischen „eigen" und „fremd" eigentlich sein soll. Das ist eine Unterscheidung, die sich passender auf Zahnbürsten anwenden läßt. Wem aber metaphysische Argumente keinen Eindruck machen — weil er noch nicht gelernt hat, Metaphysik von Mythologie zu unterscheiden — braucht ja an Iche, Seelen oder Subjekte und ihre metaphysische Identität überhaupt nicht zu glauben. Es ist aber eine ganz empirische Erfahrung, daß alle Subjektivität „bodenlos" ist. Das heißt, es liegt hinter jedem erreichten Bewußtseinszustand immer noch ein tieferer, nicht erreichter. Und jedes überhaupt mögliche Bewußtsein bescheidet sich dabei, auf diesem Weg ins Innere an einer Stelle haltzumachen. Der Halt ist willkürlich, aber das liegt im Wesen der Sache und kann nicht geändert werden.
Diese „Bodenlosigkeit" aber ist in dem von uns skizzierten Robotgehirn, *relativ zu der dort erreichbaren Bewußtseinsstufe*, bereits etabliert. Sowohl die Subsysteme (I) und (II) wie der Rückmeldungsmechanismus liegen erlebnismäßig „hinter" dem Robotbewußtsein. *Wir* wissen, daß das Robotbewußtsein nicht bodenlos ist und schnell seinen Boden in den Grenzen des Systems III erreicht. Aber der Robot kann das nie wissen. Die spezifizierte Konstruktion seines Bewußtseins schließt eine solche Erkenntnis für immer aus. Und es darf nicht vergessen werden, daß der Mensch hier in der gleichen Lage ist. Wir sprechen zwar von dem infiniten Regreß der Subjektivität in sich selbst. Das kann aber, wenn wir uns um Präzision in dem Ausdrucksgehalt unserer Aussagen bemühen, nichts anderes heißen, als daß unser Bewußtsein so organisiert ist, daß wir nie seinen Boden erreichen können. Einen Boden, der vielleicht schon unmittelbar jenseits der gerade erreichten Reflexionsschwelle liegt. Machen wir eine weitere Reflexanstrengung, so weicht der Boden genau um einen Schritt zurück. Unser Bewußtseinssystem wäre in diesem Falle endlich, und doch könnten wir sein Innerstes, d. h. seinen Boden, nie erreichen. Überdies besitzt das Robotbewußtsein eine echte Verbindung mit der Realität, die über die Grenzen seines Systems III hinausgeht. Nur tritt dieselbe nicht in Erscheinung, wenn man sie vom entworfenen Mechanismus her aufzuspüren versucht. Sie wird nur vom Konstrukteur der Maschine her sichtbar. Und damit sind wir an den Ausgangspunkt unserer Betrachtung zurückgekehrt.

Wir gingen von der metaphysischen Bedeutung der menschlichen Technik aus und bemerkten auf den einleitenden Seiten dieses Kommentars, daß der Mensch in der Maschine sich einen zweiten „Leib" schafft, in den er seinen physischen Arbeitsschematismus hineinprojiziert hat. Warum aber geschieht das? Die Antwort darauf ist vage bei Denkern wie Hobbes, Vico und Fichte antizipiert, in scharfer Formulierung mit dem Bewußtsein aller Konsequenzen aber erst in der amerikanischen Philosophie des Pragmatismus gegeben worden. Der Mensch versteht nur das, was er macht. Alle Bewegung eines freibeweglichen Organismus ist essentiell ein Verstehensprozeß. Aus diesem Grunde besitzt schon das Tier Verstehens-Kategorien, da es sich willkürlich bewegen, also handeln kann. Aber die Handlungen, die ein freibewegliches Wesen ausschließlich mit seinem Körper ausführt, liefern nur Verstehenskategorien für die Außenwelt, die diesen umgibt. Der Körper selbst und das in ihm wohnende „Leben" bleibt in einer einfachen Bein- und Rumpfbewegung unverstanden. Diese Bewegungen sind „instinktiv", d. h. sie reflektieren nicht auf sich selber. E. T. A. Hoffmanns „Kater Murr", der über sich selbst reflektiert, existiert in der Tierwelt nicht.

Wenn der Mensch sich selbst — und um damit irgendwo einen Anfang zu machen — seinen Körper als freibewegliche Existenz innerhalb der Umwelt verstehen will, bleibt ihm nichts anderes übrig, als diesen Körper als Maschine zu wiederholen. Wir wissen zwar auch ohne Technik, *daß* wir laufen, aber *wie* wir laufen, verstehen wir erst dann adäquat, wenn uns der Mechanismus von Gelenk und Hebel kein Geheimnis mehr vorenthält.*) Nun dehnt sich aber der Handlungsbereich jedes freibeweglichen Wesens weit über den Aktionsradius rein körperlicher Handlungen aus. Fichte hat zuerst — auf deduktivem Wege — überzeugend nachgewiesen, daß Bewußtsein als eine Tätigkeit des Menschen verstanden werden müsse, wenn man es überhaupt verstehen will. Damit ergibt sich als selbstverständliche Forderung: Will der Mensch sein eigenes Bewußtsein und dessen Prozeß verstehen, so bleibt ihm nicht anderes übrig, als dasselbe als Handlung, d. h. in einem technischen Herstellungsverfahren in der Außenwelt zu wiederholen. Mit Introspektion ist hier nichts zu machen.

Nun weiß jeder, der etwas vom Arbeitsrhythmus des Körpers und von Maschinentechnik versteht, daß nicht die ganze Bewegungsschematik des lebendigen Tieres oder Menschen auf die Maschine übertragen wird. Es ist immer nur ein äußerst geringer Bruchteil. Am Prinzipiellen der Sache aber ändert sich dadurch nichts: es werden Ereignisfolgen, wie sie die „Natur" aus sich niemals allein entwerfen könnte, aus der handelnden Subjektivität partiell abgelöst und auf den objektiven Seinszusammenhang

*) Es ist kein Zufall, daß das Radschlagen im Turnunterricht eine halbreflektierte Körperübung ist. Tiere spielen zwar, aber sie turnen nicht.

transferiert, um dort eine autonome Existenz zu führen. Das gilt für alle vergangene Technik. Diese Interpretation aber trifft ebenso auf eine zukünftige nicht-klassische Robottechnik zu. Der metaphysische Hintergrund des technischen Bemühens bleibt derselbe, und die Konstruktion eines „mechanical brain" ist nicht rätselhafter oder unmöglicher als die Konstruktion eines Karrens mit Rädern. Letztere würde dem adamitischen und noachitischen Menschen, wenn man versucht hätte, ihm zu erklären, daß man das Voreinandersetzen der Füße mechanisch in eine rotierende Bewegung von unendlicher Kontinuität umsetzen könne, als ein Wunder erschienen sein, dessen Erfüllung sich notwendig die Götter vorbehalten hätten.

Eine wissenschaftliche Formulierung der Aufgabe, wie sie in den kybernetischen Theorien erfolgt, beabsichtigt nun nichts anderes, als was der Mensch getan hat, als er seinen ersten Wagen baute, nämlich die Abspaltung eines partiellen Ausschnittes aus dem Handlungsbereich des Bewußtseins und Übertragung dieses Ausschnittes auf isoliert objektive Seinszusammenhänge. Es handelt sich also gar nicht darum, eine „Seele" zu konstruieren. Wer den letzteren Vorschlag wirklich machen wollte, gehörte unter ärztliche Beobachtung. Wohl aber ist es eine ernsthafte wissenschaftliche Frage, ob es möglich ist, partielle Bewußtseinsräume vom tierischen bzw. menschlichen Organismus abzuspalten und auf einen (trans-klassischen) Mechanismus zu übertragen.

Die Frage wird heute in Amerika zögernd bejaht (Edmund C. Berkeley), da unter pragmatistischen Gesichtspunkten an einer solchen technischen Prozedur nichts wunderbarer ist, als wenn man einen sinnvollen Arbeitsrhythmus (wie ihn die Natur nie allein hervorbrächte) vom menschlichen Körper ablöst und auf Räder und Hebel überträgt. In gleicher Weise spaltet der Konstrukteur eines „mechanical brain" einen partiellen Funktionsbereich seines Bewußtseins ab und überträgt dessen Arbeitsrhythmus auf elektrische Relais und nucleare Vorgänge in der Außenwelt. Unser klassisches Gefühl sträubt sich heute noch gegen diesen Parallelismus, weil wir uns zu dem Einwand getrieben fühlen: ein „mechanical brain" muß bewußtlos bleiben, da der Konstrukteur doch nichts von *seinem* Seelenleben abspalten kann.

Dem muß erwidert werden, daß der Dualismus von Leib und Seele in der hier skizzierten Betrachtungsweise völlig gegenstandslos ist. An dieser Stelle kommt die deutsche philosophische Anthropologie den kybernetischen Theorien Amerikas zu Hilfe. In seinem tiefgründigen Werk „Der Mensch" (Bonn 1950) hat Arnold Gehlen ganz überzeugend demonstriert, daß die menschliche Wirklichkeit — unter Einschluß des Bewußtseins! — in einem Begriffssystem beschrieben werden kann, das den Unterschied von Leib und Seele nicht mehr kennt. Voraussetzung dafür allerdings ist, daß man von der Grundvoraussetzung ausgeht,

daß der Mensch seine Wirklichkeit nur als Handelnder erfährt und — versteht. Die Gesetzlichkeit eines solchen universalen Handlungsvollzuges, der unser Bewußtsein einschließt, ist in der Tat das Grundthema der kybernetischen Forschung.[1])
Das Problem, wie Bewußtsein entsteht, erhält in dieser kybernetischen Denkweise eine neue Formulierung. Gehlen sagt dazu: Bewußtsein „bedeutet einen Umsetzungsvorgang (uns übrigens undurchsichtiger Art) an den Kontaktstellen eines Organismus mit der Welt."[2]) Diese Auffassung kann als technisches Problem sehr präzis formuliert werden: Es gilt ein geschlossenes System (Äquivalent zu Organismus) zu konstruieren, das regulierte Kontaktstellen mit der Außenwelt besitzt. Jeder solche Kontakt muß als Information verarbeitet werden können. Und das geschlossene System muß ein Informationssystem von in sich reflektiertem Charakter sein. — Die Reflexion der Information auf sich selbst (der eigentliche Bewußtseinsvorgang) kann dadurch hergestellt werden, daß man die Information durch zwei verschiedene logische Systeme gehen läßt, wobei das zweite System die Bedeutung, die das Informationsmaterial im ersten logischen System gehabt hat, in bestimmter Weise verändert und diesen veränderten Sinn an die erste Logik zurückgibt. Dieser geschlossene Reflektionskreis tritt dann aufs neue mit den Informationsdaten in Kontakt. Und dies ist der Punkt, wo — der Theorie gemäß — Bewußtsein entstehen sollte. Unter den Kontakten, die von der rückkehrenden Reflexion erreicht werden, ist nämlich ein vor allen andern ausgezeichneter. Wir wollen ihn den Initialkontakt nennen. Zum Informationsbestand der Maschine gehören nämlich einige „metaphysische" Daten: erstens die Information, *daß* der Konstrukteur den „mechanical brain" geschaffen hat und *wie* er ihn geschaffen hat, und weiter: *daß* er ihn in Bewegung gesetzt hat und *wie* er ihn in Bewegung gesetzt hat. Ohne die Verarbeitung dieser Information wäre der „mechanical brain" nie in der Lage, einen Analogprozeß zu menschlichem Bewußtsein zu produzieren.
Diese heute noch so unmöglich anmutende Produktion ist ja im Grunde nichts anderes als ein einfacher Transmutationsprozeß „seelischer" Energien. In der Schöpfung und Ingangsetzung eines „mechanical brain" setzt der Konstrukteur *sein* Bewußtsein in Handlung um. Eine Handlung aber ist kein Bewußtsein mehr, obwohl sie von Bewußtseinsakten begleitet sein kann. Ein „mechanical brain" nun ist seiner Idee nach ein äußerst verwickelter Mechanismus, der diesen Prozeß der Umsetzung bewußter Reflexion in nicht bewußte Handlung partiell wieder rückgängig macht. Wir sagen ausdrücklich „partiell", denn zur Handlung

[1]) Vgl. dazu Helmut Schelsky, Zum Begriff der tierischen Subjektivität. Studium Generale (1950) III, 2/3, S. 102—116.
[2]) A. a. O. S. 279.

gehört auch das Handlungsresultat, d.h. das fertiggestellte Robotgehirn, das ja durch diesen Prozeß nicht berührt werden darf, denn sonst würde es sich in Rauch, Ideen und Rohmaterial auflösen. Abgesehen vom Handlungsresultat aber ist auch die Handlung selbst in der Maschine (als Information) enthalten, und es ist nicht einzusehen, warum der Mensch, wenn er einmal sein Bewußtsein in Handlungen transformiert hat, nicht vermittels eines Hilfsmechanismus („mechanical brain") diesen Prozeß dann reversieren und Handlungen in Bewußtsein zurückverwandeln kann.

Es geschieht also gar nichts Mystisches im Robotgehirn, und dasselbe hat auch gar kein „eigenes" Bewußtsein. Wenn die hier geschilderten Ideen sich wirklich durchführen lassen, so würde das nichts anderes bedeuten, als daß es dem Menschen gelungen ist, Bewußtseinsvorgänge partiellen Charakters von seinem Organismus abzulösen und auf ein anderes Medium zu übertragen. Ein Mechanismus *erzeugt* kein Bewußtsein, auch nicht, wenn sein Arbeitsrhythmus trans-klassisch ist. Eine ganz andere und völlig offene Frage aber ist, ob es ihm nicht möglich wäre, Bewußtseinsakte, die man in ihm in Handlungsformen deponiert hat, wieder in ihren ursprünglichen Zustand zurückzuführen. Bewußtsein ist keine stoffliche Quantität, die erzeugt oder vernichtet werden kann, sondern eine metaphysische Variante von Existenz, die, wie das Verhältnis von Denken und Wollen zeigt, sich willig aus einem existenziellen „Aggregatzustand" in einen anderen überführen läßt. In dem hier vorliegenden Fall würde der Mensch durch seine *eigene*, in der Maschine nur investierte Handlung einen Teil seiner Handlungskapazität in Intelligenz zurückverwandeln. —

Die Robots, die Isaac Asimov in seinen Erzählungen einführt, entsprechen dem hier geschilderten Bild eines „mechanical brain" nicht ganz. Der Autor hat ihnen mit dichterischer Freiheit mehr Intelligenz gegeben, als das nach heute maßgeblichen logischen Theorien, auch unter Voraussetzung einer neuen trans-klassischen Naturwissenschaft, möglich wäre. Um die Intelligenzleistungen Asimovscher Robots zu erzielen, würden wir „mechanical brains" mit einem dreifachen Regelkreis (feed-back-system) benötigen. Der erste Rückmeldungstransport würde, wie oben beschrieben, durch eine dreiwertige Logik führen. Der nächste durch eine vierwertige und der dritte durch ein fünfwertiges System des Denkens. Es gibt aber und wird auch für lange zukünftige historische Entwicklungen kein menschliches Gehirn geben, das sich auch nur im geringsten vorstellen kann, *was* man mit vier- oder gar fünfwertigen Logiken denken kann. Man kann zwar solche hypothetische Systeme mechanisch auf dem Papier konstruieren, aber niemand weiß, was die dann entstehenden Formeln inhaltlich eigentlich meinen.

Eine weitere Differenz zwischen wissenschaftlicher Theorie und poetischer Lizenz kann der Leser in der dritten Geschichte „Vernunft" finden. Da in das Robotgehirn Information über seinen Schöpfer eingeschlossen sein muß, da andernfalls Denkprozesse nicht entstehen können (es ist ja nur von dem Konstrukteur geborgtes Denken), ist es technisch ganz unmöglich, daß der Robot QT-1 die Gedankengänge entwickelt, die er dort vorträgt. Sie würden der aus dem „Initialkontakt" abgeleiteten Information widersprechen. Ihre Produzierung wäre also mechanisch unmöglich.

Das alles aber ist unwesentlich, denn das gesamte Asimovsche Buch ist einem speziellen Problem gewidmet, das in der Tat schon bei dem Typ von „mechanical brain" auftaucht, den wir als wissenschaftlich möglich beschrieben haben. Asimovs Thema ist: eine Maschine, die Bewußtsein hat, braucht einen Moralkodex. Mehr noch: sie kann technisch ohne einen solchen überhaupt nicht konstruiert werden. Denken (auch geborgtes) setzt Spontaneität voraus, und diese braucht *ethische* Richtlinien. Wenn man aber Ethik in eine Maschine einbaut, dann entstehen allerhand Schwierigkeiten — zu denen die einzelnen Geschichten sehr amüsante Illustrationen liefern.

Man lasse sich durch den leichten Ton nicht täuschen. Es steckt viel Tiefsinn in den elegant vorgetragenen Episoden. Und der Verfasser, der Professor der Biochemie an der Universität Boston in Massachusetts (USA) ist, weiß sehr genau, daß seine Robots dem, was in den nächsten Jahrhunderten wissenschaftlich möglich sein wird, noch um Erhebliches voraus sind. Um das anzudeuten, hat er seine Robots mit einer speziellen technischen Zukunftsphantasie, dem „positronic brain" ausgestattet. Niemand weiß heute, wie ein solcher Asimovscher „positronic brain" eigentlich funktionieren sollte. Der Autor weiß es selbst nicht. Die Idee dieses neuen „mechanical brain" hat nur den Rang eines Symbols, das andeuten soll, daß eine neue Kultur erst eine neue Idee der Wissenschaft und der ihr folgenden Technik entwickeln muß, ehe Schöpfungen wie denkende Robots möglich sein werden. Von hier aus gesehen sind die Asimovschen Ideen kaum zu kritisieren. Nur die letzte der Geschichten „Der unvermeidbare Konflikt" muß der Wissenschaftler genau so wie der Philosoph beanstanden. In dieser Erzählung dankt der Mensch historisch ab und die Leitung der menschlichen Geschichte wird von den Robots übernommen. Der im historischen Denken geschulte Europäer wird über diese utopische Perspektive lächeln. Die letzten Konflikte menschlicher Geschichte liegen tiefer, als daß sie je auf der Existenzebene der Maschinen auftreten könnten. Die in der neunten und abschließenden Erzählung entwickelten Auffassungen über Geschichte sind aber symptomatisch für die generelle amerikanische Haltung gegenüber historischen Problemen. Der Amerikaner fühlt dunkel, daß alle bisherige Weltgeschichte im strengen Sinn eine Angelegenheit der östlichen Hemisphäre war und ihn im tiefsten Grunde nichts angeht. Alles aber, woran man nicht, oder nicht mehr, seelisch beteiligt ist, wird zu einem rein technischen Problem des Lebens. Eigene und neue historische Erlebniskategorien besitzt der Mensch der westlichen Hemisphäre noch nicht, weshalb seine Ideen über Geschichte den Gedankengängen eines Fabrikleiters ähneln, der den Produktionsprozeß in seinen Werken verbessern will.

An dieser Stelle stoßen wir auf die letzten weltanschaulichen Motive, die allen amerikanischen kybernetischen Theorien ihre innere Triebkraft geben. Der neue Mensch der westlichen Hemisphäre identifiziert sich nicht mehr mit den reinen Formen des klassischen Denkens, die in einer langen und mühevollen Seelengeschichte des Menschen in der östlichen Hemisphäre entwickelt worden sind. Er sucht diese Formen dadurch von sich abzustoßen und sie innerlich zu überwinden, daß er versucht, sie aus seinem Seelenleben zu entlassen und in die Maschine, den denkenden Robot, zu verbannen.

## Die gebrochene Rationalität

Es ist noch garnicht solange her — fünfzig oder sechzig Jahre vielleicht — daß die Stellung, auf der sich der Mensch im Kosmos zu befinden glaubte, ihm ein beruhigendes Sicherheitsgefühl einflößte. Die Natur, die für den archaischen Menschen von so bedrohlichen Aspekten erfüllt war und ein dunkles von unberechenbaren Impulsen erfülltes Eigenleben zu führen schien, hatte sich in mehr als zweitausendjähriger geistiger Arbeit als eine harmonische Ordnung von unendlicher Vielgestalt enthüllt, die durch ihre sinnvoll transparenten Regeln und rhythmische Periodizität die aesthetischen, moralischen und theoretischen Fähigkeiten des Menschen unwiderstehlich anzog und entzückte. „De harmonice mundi" ist der Titel eines repräsentativen Buches, das dieser Epoche entstammt.

Die metaphysischen Voraussetzungen dieser Geschichtsepoche, die garnicht enden wollende Triumphe des menschlichen Geistes über die ihn umgebende natürliche Wirklichkeit erlebte, waren von einer überzeugenden Einfachheit und einem kristallklaren Durchsichtigsein, das tiefste und überzeugendste Evidenzgefühle in dem erkennenden sowohl wie dem handelnden Bewußtsein hervorrief. Der Mensch war nach einer finsteren von Geistern, Gespenstern und Drachen erfüllten Vorzeit in ein geordnetes Universum eingekehrt. Zwar gab die kritische Besinnung zu, daß man, quantitativ betrachtet, auch jetzt noch sehr wenig wisse, aber das war eine bloße Frage der Zeit. Alle Methoden, durch die Wissen erworben werden konnten, schienen bekannt und die grundsätzlichen rationalen Prinzipien, die die Struktur der Wirklichkeit bestimmen, glaubte man unverlierbar zu besitzen.

Um diesen heute bedrohten Glauben in seiner ganzen Tiefe und unwiderstehlichen Übersetzungskraft würdigen zu können, wollen wir uns kurz jene äußersten metaphischen Grundannahmen, die unser spirituelles Leben in den letzten Jahrtausenden getragen haben, vor Augen führen. — Zwischen Bewußtsein und Welt, so sagte man, besteht ein genaues Symmetrie- oder eindeutiges Abbildungsverhältnis. In seinen rationalen Kategorien spiegelt das denkende Ich die Welt genau so wie sie ist, weshalb jedes im Kosmos auftretende objektive Datum prinzipiell einen ihm und nur ihm gebührenden Platz im Erleben des denkenden Subjekts finden kann. Diese Relation zwischen dem Gegenstand und unserem Wissen von ihm ist nicht bloß eindeutig, sie ist sogar umkehrbar eindeutig (eineindeutig). D. h. man kann sowohl von dem Gegenstand auf ein ihm korrenspondierendes Wissen schließen, wie auch vom Wissen auf die Existenz des Gegenstandes. Ein Beispiel für den ersten Fall sind die natürlichen chemischen Elemente. Zuerst hatte man sie. Das Wissen (periodische Tafel, Atomgewicht usw.) erwarb man später. Der zweite Fall wird etwa durch die Entdeckung des Neptun exemplifiziert. Leverrier und Adams erwarben das Wissen um diesen Gegenstand am Schreibtisch. Daß dieser Planet wirklich existierte, bestätigte der Astronom Galle erst nachträglich. Zu diesem umkehrbar eindeutigen Abbildungsverhältnis zwischen Welt und Denken tritt dann noch ein zweites, nämlich die Symmetrie- resp. Umkehrrelation zwischen theoretischem Denken und praktischem Handeln. Sie besagt, daß das, was begrifflich richtig gedacht ist, auch technisch beherrschbar ist. Und umgekehrt, daß wir, wenn wir durch empirische Versuche auf eine erfolgreiche technische Prozedur stoßen, sich auch eine adäquate Theorie dafür finden lassen muß.

Jener grundsätzliche Symmetrie-Gedanke ist in seiner einfachsten Form zuerst von den Griechen formuliert worden. Er wird durch die Abbildtheorie des Demokrit repräsentiert. Nach ihr produzieren die Dinge „Bilderchen" (eidola) in den „Feueratomen" des Bewußtseins. Auf diese Weise ist die im Ich „erscheinende Wirklichkeit ein notwendiges Ergebnis der wahren Wirklichkeit." (Windelband.) Diese Theorie der Wahrnehmungslehre hat das abendländische Denken bis Locke beherrscht. Kant bringt dann eine neue Variante des Verhältnisses von Bewußtsein und Welt, wenn er in der „Kritik der reinen Vernunft" erklärt: „Bisher nahm man an, alle unsere Erkenntnis müsse sich nach den Gegenständen richten", aber vielleicht werden wir mit unserem Wissen besser fortkommen, wenn „wir annehmen, die Gegenstände müssen sich nach unserer Erkenntnis richten."

Aber auch diese „kopernikanische" Wendung ist in die elementarste metaphysische Voraussetzung des abendländischen Geistes eingeschlossen, nämlich eines symmetrischen gegenseitigen Abbildungsverhältnisses von objektiver Wirklichkeit und subjektiv-rationalem Bewußtsein. Und infolge seines orthodoxen Symmetriecharakters ist dieses gegenseitige Abbilden immer umkehrbar. Es ist also ein striktes Umtauschverhältnis wie die Relation von rechts und links. Unter diesen Umständen ist es ganz unmöglich, daß im Universum Naturgesetze auftreten, die uns prinzipiell unverständlich sind, weil sie der Struktur und Rationalität des theoretischen Bewußtseins widersprechen. **Es gibt keine Realität die nicht sinnvoll erlebbar wäre!** Umgekehrt kann im subjektiven Ich auch kein Bedeutungserlebnis auftreten, daß nicht irgendwo und irgendwie ein Abbild in der objektiven Außenwelt hätte. Das gilt auch für unsere wildesten Träume. Ihnen muß ein korrespondierendes

Verhalten in den Neuronen der physischen Gehirnmasse zugeordnet sein. Der Gedanke, daß es in der unser Ich umgebenden Außenwelt — zu der auch unser Körper gehört — Vernunft, Rationalität und objektive Gesetzlichkeit geben könne, die aber in unser subjektives Erleben nur als Widerspruch, Willkür und Irrationalität eingehen könnten, ist unter den eben beschriebenen metaphysischen Voraussetzungen Wahnsinn! Er ist überhaupt nicht sinnvoll konzipierbar. Und man vergesse nicht, die klassische These von der harmonischen Korrespondenz zwischen Gedanke und Realität (Gedachtem) hat sich jahrtausende lang sowohl spirituell wie empirisch bewährt. Anderenfalls besäßen wir weder eine kommunikable Wissenschaftstherorie noch eine sich im Handgreiflichen immer wieder bewährende Technik.

Seit einem reichlichen Menschenalter aber beginnen wir in unserem Kosmos Phänomenen zu begegnen, die diesen erprobten und selbstverständlichen Grundvoraussetzungen unserer ganzen menschlichen Existenz zu widersprechen scheinen. Warnende Vorzeichen gab es schon früher. Gauß erwog bereits nicht-euklidische Theorien, verschwieg sie aber der Öffentlichkeit, weil er „das Geschrei der Böoter" fürchtete. Hegel machte sich an die ganz unsinnig erscheinende Aufgabe, eine Logik zu beschreiben, die weit über die Reflexionskapazität jedes menschlichen Bewußtseins hinausgeht. Georg Cantor entwickelte die Theorie transfiniter Mengen, d. h. neuer Zahlen, deren arithmetische Größenordnung erst jenseits unseres traditionellen Unendlichkeitsbegriffs ihren Anfang nimmt. Alle diese und noch andere Symptome aber machten vorerst wenig Eindruck. Waren das doch „bloße" Theorien und Gespinste eines ausschweifenden Hirns, das vermutlich den Kontakt mit der vertrauenswürdigen Realität der objektiven Tatsachen verloren hatte. Die Situation aber begann sich zu ändern, als etwa seit dem Beginn des Jahrhunderts die physische Dingwelt eine Sprache zu sprechen anfing, die in unserem klassisch-rationalen Bewußtsein wie Wahnsinn klingt.

Als eins der Schlüsselereignisse, die die neue Epoche einleiten, darf vielleicht das schon 1887 von Michelson und Morley vorgenommene Experiment betr. der relativen Lichtgeschwindigkeit, das völlig negativ ausfiel, angesehen werden. Was man hier feststellte, schien zuerst völlig unglaublich. Aber unermüdliche Wiederholungen des Versuches mit den ausgeklügeltsten Methoden der modernen Präzisionstechnik lieferten immer wieder dasselbe ungeheuerlich anmutende Resultat.

In seiner prinzipiellsten, durch die Relativitätstheorie formulierten Bedeutung zwingt es uns zu dem Schluß: es gibt keine sich an allen Orten des physischen Universums selbst gleichende absolute Zeit! Welche metaphysischen Vorstellungen fallen, wenn man den klassischen Zeitbegriff Newtons — tempus absolutum quod aequabiliter fluit — aufgibt, kann man sich daran klar machen, daß gemäß unserer normalen Vorstellung alle Dinge und Ereignisse, die „jetzt" im Universum existieren, von einem absoluten Anfangspunkt zeitlich genau gleich weit entfernt sind. Es ist dabei gleichgültig, ob wir diesen Anfangspunkt theologisch-metaphysisch als Schöpfung oder mehr physikalisch als primordiales Chaos eines nuklearen „Monobloc" (Gamow) bezeichnen. Akzeptiert man aber den relativistischen Zeitbegriff — und die Tatsachen **zwingen** uns heute dazu — dann sind all unsere altgewohnten Vorstellungen über Raum und Zeit kosmologisch unzutreffend. Da aber ein ganz intimer Zusammenhang zwischen religiöser Eschatologie und Kosmologie besteht, geht es auch nicht an zu sagen: das ist eine interne Angelegenheit der Physiker, die den Menschen weltanschaulich nur wenig angeht. Was wir Seele nennen, ist ein Phänomen, das so eng mit dem ontologischen Bestand des objektiven Seins verknüpft ist, daß der totale Abzug des Seelenbestandes aus dem Diesseits das Letztere existenzunfähig macht. Darüber sind sich alle Weltreligionen überraschend einig. Mag man es Jüngstes Gericht oder Nirvana nennen, immer hat jene metaphysische Transposition der Seele das Vergehen dieser Welt zur Folge. Ist man aber gezwungen, für diesen Kosmos die Idee einer universalen absoluten Weltzeit aufzugeben, verwickelt sich unser Denken in eine ganz unlösbare Schwierigkeit. Das Universum muß bestehen, bis auch die letzte Seele aus ihm abzieht. Von diesem Augenblick ab aber ist es nicht mehr existenzfähig. Es muß jetzt also an allen Orten gleichzeitig seine Wirklichkeit einbüßen. Was heißt aber jetzt „gleichzeitig", da es in der Welt keine universale, an allen Realitätspunkten mit sich selbst identische Zeit gibt? Das schlägt auf die metaphysischen Begriffe wie Jüngster Tag und Nirvana zurück. Sie werden von nun ab völlig unverständlich.

Wir haben die Konsequenzen eines unter transzendentalen Gesichtspunkten scheinbar so gleichgültigen und subalternen Ereignisses wie den negativen Ausfall des Michelson-Morley Experiments so ausführlich dargestellt, um den Leser auf „Schlimmeres" vorzubereiten. Es ist nicht bei diesem Einzelfall geblieben. Seither sind die Beobachtungen von schlechthin widervernünftigen, allen rationalen Kategorien des Denkens entgegenlaufenden Eigenschaften der uns umgebenden Wirklichkeit lawinenartig angeschwollen. Die Widersprüche zwischen den uns absolut evidenten Denkformen und den neuen empirischen Wissensdaten ist bis zur Unerträglichkeit gestiegen. Der Abgrund zwischen einem subjektiven sich in seinen Erlebnisformen sicher fühlenden Bewußtseins und einer Welt, die alle Regeln logischen Begreifens desavouiert, ist so groß geworden, daß es den Anschein hat, als ob die jüngsten naturwissenschaftlichen Erkenntnisse auch die letzte ontologische Basis für den welthaften Zusammenhang von Seele und Sein zerstört haben. Es handelt sich dabei um drei Daten, deren grundsätzliche Bedeutung im Folgenden kurz geschildert werden soll. Zwei gehören dem nuklearen Bereich an. Die Bedeutung des dritten ist in seinen kosmologischen Perspektiven zu suchen.

Erstens: es ist, infolge der Heisenbergschen Unbestimmtheitsrelation (aber auch auf Grund von weiteren Ergebnissen) ganz unmöglich geworden, den klassischen Identitätsbegriff für Elementarpartikel allgemein festzuhalten. Ein gegebenes subatomares „Objekt" ist nicht mehr völlig identisch mit sich selbst. Wir wissen heute noch sehr wenig über die im Innern eines Atoms herrschenden logischen Gesetze, aber es scheint, als ob es in diesem Bereich abnehmende Grade des Mit-sich-selbst-identisch-Seins gäbe, die sich zwischen den Extremalfällen der Vollidentität und der totalen Nichtidentität halten. Andererseits kann unsere klassische Logik auch **nicht die geringste** Abweichung von der Idee rigorosester Vollidentität dulden. Wir wollen das an einem einfachen Beispiel demonstrieren. Wenn wir an eine Eiche denken und das betr. Objekt sich unter dem „Reflexionsdruck" unseres Denkens in eine Linde verwandelt, dann haben wir unser Thema eben verfehlt und unsere diesbezüglichen Aussagen sind objektiv falsch. Wir können unter diesen Voraussetzungen weder wahr denken noch unsere Resultate einer zweiten Person mitteilen. Es hilft uns auch nichts darauf hinzuweisen, daß unser Denkgegenstand immerhin noch die Teilidentität „Baum" behalten hat. Denn wenn unser „Reflexionsdruck" so etwas überhaupt fertig bringt, dann haben wir gar keine Garantie dafür, daß bei der nächsten Gelegenheit die Metamorphose nicht etwa von der Eiche zu einem Krokodil oder zu einer Gewitterwolke führen mag, sodaß wir schließlich nur die Minimalidentität von „Etwas überhaupt" in der Reflexion zurückbehalten können. Dies mag uns eine Ahnung davon geben, daß es für unser rationales Denken völlig unmöglich ist, die Zumutungen, die ihm heute von Seiten der empirischen Wissenschaften gestellt werden, in irgend einer Form zu akzeptieren.

Das zweite Datum, das diesen Konflikt von einer anderen Seite zeigt, ist die durch die Physiker Tsung Dao Lee (Columbia University, New York) und Chen Ning Yang (Institute for Advanced Studies, Princeton) im Jahre 1956 gemachte Entdeckung einer partiellen Asymmetrie (nonparity) der Wirklichkeit. Wir haben bisher geglaubt, daß die Natur keinen Unterschied zwischen „rechts" und „links" macht. Und so wie es sich für uns im praktischen Leben hier um ein ganz elementares Umtauschverhältnis **gleichberechtigter** Seiten handelt, so hat die bisherige Wissenschaft als selbstverständlich vorausgesetzt, daß jedes physische Ereignis aequivalent mit seinem Spiegelbild ist. Dieses Prinzip der „reflektierten Symmetrie" besagt, daß wenn wir eine Apparatur bauen, die in einer bestimmten Weise arbeitet und wir dann eine zweite Apparatur herstellen, derart, daß alle ihre Teile mit der ersten in einem Verhältnis von rechts und links stehen, so muß der zweite Apparat all seine Arbeitsvollzüge so vollziehen, als ob wir die Vorgänge in der Originalmaschine in einem Spiegel statt direkt beobachteten. Wenn wir am Morgen uns rasieren, tuen wir das gewöhnlich mit der rechten Hand; unser Spiegelbild aber übt diese Tätigkeit mit der linken aus. Es gibt aber Dimensionen der Wirklichkeit, in denen diese reflektierte Symmetrie nicht gilt.

Da alle vom Menschen seit den ersten Tagen der Wissenschaft bis zum Jahre 1956 gefundenen Naturgesetze — z. B. in Elektrizität, Magnetismus, Gravitation, Atomphysik, Nuklearphysik — das klassische Gesetz der reflektierten Symmetrie genau bestätigten, dürfte nur wenig Zweifel daran bestehen, daß das Symmetrieprinzip für bestimmte Realitätsbereiche auch weiterhin in Geltung bleibt. Es ist aber zumindestens ebenso sicher und durch wiederholte Experimente ausreichend bestätigt, daß die von Lee und Yang mathematisch errechnete Asymmetrie in sehr tiefen Wirklichkeitsschichten die Struktur der physikalischen Ereignisse bestimmt. Man hat im ersten Angriff auf das Problem drei Prozesse gefunden, die keine Parität bewahren: die Disintegration von Co 60, die des $\pi$ Meson in das $\mu$ Meson, und die eines $\mu$ Meson in ein Elektron.

Die Zumutung, die hier an unser Denken gestellt wird, ist mindestens ebenso groß wie die Forderung, das Identitätsprinzip im Bereich der Elementarpartikel aufzugeben. Es wird uns nämlich durch den Satz von der partiellen Asymmetrie der Wirklichkeit angesonnen, das Widerspruchsprinzip im Denken zu ignorieren! Dasselbe beruht auf strikter Symmetrie von Bejahung und Verneinung. Wir alle wissen das aus unseren Schultagen, als wir darüber belehrt wurden, daß eine doppelte Verneinung eine Bejahung ergibt. Und kein Quartaner kann auf Versetzung rechnen, wenn er noch nicht weiß, daß $(-a) + (-b) = -(a + b)$ ist. Alle unsere Bewußtseinsvollzüge beruhen auf solchen symmetrischen Reflexionen. Herrscht aber in einem Teil des Universums Asymmetrie, so tritt an uns der Zwang heran, für einen Teil unseres theoretischen Bewußtseins das Widerspruchsprinzip aufzugeben, falls wir weiterhin den Ehrgeiz haben, die Wirklichkeit in unserem Denken abzubilden. Nun gibt es in der Tat Bewußtseinsmechanismen, in denen das Gesetz vom Widerspruch suspendiert ist. Wenn wir eine Person vor uns sehen, in deren Gehirn so etwas stattfindet, wissen wir, daß sie geistes-

6

gestört ist. Also auch mit dem Prinzip der Nichtparität wird uns etwas angesonnen, was ontologisch betrachtet erlebnisunmöglich ist.

Die absurdesten Konsequenzen ergeben sich aber, wenn wir das dritte und letzte jener Daten, die einen absoluten Bruch zwischen denkendem Bewußtsein und gedachter Welt provozieren, in Betracht ziehen. Wir meinen damit die schon lange vermutete und kürzlich in Versuchen an der Berkeley Universität (California) bestätigte Existenz von Anti-Materie (anti-matter). Das bedeutet folgendes: die stoffliche Substanz, aus der wie unsere Erde, das Sonnensystem, die Milchstraße und die darüber hinaus liegenden Milliarden von fremden galaktischen Systemen bestehen — die alle zusammen unser „ganzes" Universum ausmachen — hat eine ganz grundlegende physische Eigenschaft. Jedes ihrer Atome enthält, als Minimalbedingung einen positiv geladenen Kern (Proton) und ein um denselben kreisendes Elektron, das negative Ladung haben muß. Da aber Positivität und Negativität nicht nur in der Logik, sondern auch in der Natur ein direktes Umtauschverhältnis darstellen (reflektierte Symmetrie), ist dieser spezifische Ladungscharakter der Materie vollkommen willkürlich. Es ist gar nicht einzusehen, warum es nicht Materie geben soll, in der alle Protonen negative Ladung haben und die Elektronen positiv elektrisch reagieren. Solche Anti-Materie „existiert" in der Tat. Es ist gelungen, Atome herzustellen, die aus einem Anti-Proton und einem Anti-Elektron (Positron) zusammengesetzt sind. Diese neue Materie aber hat die Eigenschaft, absolut unverträglich mit unserer physischen Existenz zu sein. Die beiden spiegelverkehrten Varianten materiellen Daseins können schlechthin nicht neben einander bestehen. Sie vernichten sich gegenseitig.

Nun sträubt sich aber unser ganzes Gefühl dagegen anzunehmen, daß die Bausteine des Weltalls willkürliche Produkte einer kosmischen Laune sind. Der liebe Gott spielt nicht mit Würfeln, hat Einstein einmal gesagt. Überdies gibt es in der mathematischen Logik schwerwiegende Gründe, die gegen eine solche Annahme sprechen. Aus diesem Grund ist von Physikern bereits die sehr spekulative Vermutung ausgesprochen worden, daß evt. neben unserem Universum ein Gegenuniversum besteht, dessen physische Realität sich aus Anti-Materie aufbaut. Da nun das Gesetz der elektrischen Ladungssymmetrie durch das neu entdeckte Prinzip der Nicht-Parität keinesfalls außer Kraft gesetzt werden kann, würden die beiden Universen, was ihre fundamentale physische Struktur anbetrifft, genaue Spiegelbilder voneinander sein. Die Unsymmetrie, die in unserem Universum davon herrührt, daß ein Elementarteilchen, das Neutrino, entgegen dem Uhrzeigersinn rotiert, würde in dem Gegenuniversum dadurch aufgehoben sein, daß dort (wie bereits nachgewiesen werden konnte) ein korrespondierendes Partikelchen, das Anti-

Neutrino sich im Uhrzeigersinn um seine Achse dreht. Die in unserem Weltall verloren gegangene Symmetrie des Seins wäre damit in einer Supra-Realität scheinbar wieder hergestellt.

Wir sagen „scheinbar". Denn wenn die eben beschriebene phantastische Spekulation wirklich einen realen Hintergrund haben sollte, dann tritt an einer ganz anderen Stelle eine unlösbare Schwierigkeit auf. Im Fall der tatsächlichen Existenz eines Gegenuniversums kann das Gesetz der Gravitation nicht universal sein. Es mag zwar unbeschränkt **in** jedem der beiden Welträume gelten, aber nicht **zwischen** ihnen. Das ist in Amerika in einer Formulierung, die sich bemühte gemeinverständlich zu sein, kürzlich damit begründet worden, daß wenn die Gravitation auch zwischen unserem Universum und dem Gegenuniversum wirkte, dann beide Welten sehr schnell zu gegenseitiger Vernichtung in einer apokalyptischen Kollision verurteilt sein würden.

Der eigentliche Grund aber liegt tiefer. Der physische Kontakt der beiden Welten setzt absolute Homogenität des Raums mit sich selbst, sowohl wie der Zeit mit sich selbst voraus. Das bedeutet, daß jeder Teil des Raums (oder der Zeit) „genau so" wie jeder andere Teil ist. In anderen Worten: für beliebige Sektoren von Raum (oder Zeit) gilt ebenfalls das Prinzip der Symmetrie. Die Möglichkeit einer Gegen-Realität aber beruht ausdrücklich auf einer Nicht-Homogenität von Raum und Zeit in beiden Universen.

Überträgt man das aber auf die logischen Funktionen des Bewußtseins, so heißt das nichts anderes, als daß es unmöglich ist, beide Universen zugleich und im gleichen Sinne als wirklich zu erleben!

Damit aber wird das dritte und letzte Grundgesetz in unserem Bewußtsein, also der Satz vom ausgeschlossenen Dritten, zerstört. Derselbe besagt nämlich, daß es zwischen uns als erlebendem Ich und der erlebten Wirklichkeit der objektiven Welt kein Drittes gibt. Das denkende Subjekt ist mit sich identisch und das gedachte Sein ist ebenfalls mit sich identisch. Infolgedessen gehört jedes Realitätsdatum — wobei unter Realität „Alles" verstanden wird, Gedanken sowohl wie Dinge — entweder dem Innenraum der erlebenden Subjektivität oder dem Außenraum der physisch-materiellen Objektivität an. Eine dritte Möglichkeit ist schlechterdings nicht erlebbar.

Es ist leicht einzusehen, daß die Konzeption der Anti-Materie und einer sich aus ihr aufbauenden Gegen-Realität dieses letzte grundlegende Erlebnisschema des menschlichen Bewußtseins völlig vernichtet. Denn das Gegen-Universum ist weder ein abstraktes Datum unseres seelischen Innenraums denn die Anti-protonen und Positronen sind ja „wirklich", noch ist es für uns ein reeller Außenraum, in dem wir uns physisch bewegen können. Denn wenn **unser** Universum „da" ist, dann existiert das andere nicht. Und umgekehrt. Das Gegen-Universum ist jenes Dritte, dessen Realität ausgeschlossen ist. Zu der exklusiven klassischen Aufeinanderbezogenheit von erlebendem Ich und als wirklich erlebter Welt tritt jetzt das „absolut Andere", ein Sein, das für sich selbst, aber nicht für uns Dasein hat.

Die moderne Philosophie hat bisher kaum Anstalten gemacht, sich über die einfach ungeheuerlichen Konsequenzen der gegenwärtigen wissenschaftlichen Situation genaue Rechenschaft zu geben. Das ist begreiflich. Wissenschaft ist — obwohl es heute eher den gegenteiligen Anschein hat — im Grunde konservativ. Die allerletzten Entdeckungen aber haben eine schon seit längerem kritische Situation endgültig zum Überschlagen gebracht. Was jetzt noch übrig bleibt ist intellektuelles Chaos.

Für den experimentierenden und sich ausschließlich an empirischen Tatsachen ausrichtenden Physiker wird das Phantastische und Gefährliche der gegenwärtigen Lage nicht so deutlich, da die systematische Sicherung und logische Analyse der oben beschriebenen und ähnlicher Daten nicht seine Aufgabe ist. Anders der Philosoph. Es wird deshalb nötig sein, genau festzustellen, was unserem Denken hier eigentlich zugemutet wird. Wir stellten auf den ersten Seiten dieser Bertrachtung fest, daß nach klassischer Auffassung zwischen Sein und Denken eine Symmetrierelation existiert. Die Realität ist mit sich selbst objektiv identisch, weil das erlebende Ich (solange es überhaupt ein Ich sein will) mit sich selbst subjektiv identisch sein muß. Diese urphänomenale Situation hat ihren logischen Niederschlag im Identitätssatz gefunden. Weiter kann das Sein sich nicht selbst widersprechen, weil unser Erleben mit sich selbst verträglich sein muß. Das theoretische Korrelat dazu ist der Satz vom Widerspruch. Und schließlich kann sich das Ich als denkendes und handelndes nur dann in der Welt behaupten, wenn der Realitätssinn des Seins absolut eindeutig feststeht. Das Ich erlebt seine eigne Wirklichkeit nur als Analogie zum Sein überhaupt im Universum. Kein einzelnes, individuell Seiendes kann jenes Analogiebewußtsein erwecken. Der innere Bewußtseinsraum ist nur deshalb eine in sich selbst beschlossene Totalität, weil das Sein der Welt als solche Totalität erlebt wird. Diese absolut eineindeutige Korrespondenz verträgt weder auf der subjektiven noch auf der objektiven Seite ein Etwas, was nicht beiden Seiten zugleich angehört. Ein solches phantastisches Etwas könnte weder als inneres Erlebnis, noch als äußeres Dasein registriert werden. Der Satz vom augeschlossenen Dritten formuliert diesen Sachverhalt für die Logik.

Daraus aber geht unwiderleglich hervor: unser Bewußtsein kann diese trinitarische Systematik von Identität, verbotenem Widerspruch und ausgeschlossenem Dritten überhaupt nicht abschaffen, ohne sich damit selbst außer Funktion zu setzen. Dieses System theoretischer Erlebnismotive ist nämlich nicht ein indifferenter **Inhalt** unseres Bewußtseins, der beliebig gegen einen anderen ausgewechselt werden könnte, es ist vielmehr die strukturtheoretische Beschreibung des Funktionszusammenhangs jedes erlebenden Ichs überhaupt.

Das denkende Subjekt kann die Urmotive der Selbstgewißheit in seinen Reflexionsprozessen nur um den Preis aufgeben, daß es seinen ganzen Bewußtseinsraum zerstört. Ich-bezogenes Dasein und identitätstheoretisches Denken sind synonyme Begriffe.

Diese Besinnung sollte auch dem, der sich beruflich nicht mit Logik und Wissenschaftstheorie befaßt, in grellsten Farben vor Augen führen, in welches fürchterliche Dilemma uns die jüngste Entwicklung hineingestoßen hat. Auf der einen Seite erdrückt man uns mit einem unaufhörlich wachsenden Gewicht naturwissenschaftlicher Tatsachen, die allen unseren bisher bewährten Denkformen widersprechen, auf der anderen Seite aber sind wir nicht in der Lage, unser Denken auf Grund jener Erfahrungen zu revidieren. Die verlangten Revisionen sind nämlich so ungeheuerlich und absurd, daß sie jeder Erlebniskapazität von menschlichem Bewußtsein überhaupt widersprechen. Ein denkendes Ich, das sich ihnen ernsthaft unterzöge, zerstörte damit nur sich selbst. Aber weder sind wir in der Lage, das Zeugnis jener Dissonanzen im Universum zu ignorieren, noch können wie es uns leisten, uns selbst auszulöschen, um diesem Höllenkonzert zu entfliehen.

Da wir selbstverständlich unseren Bewußtseinsmechanismus nicht aufgeben können, sind wir auch unter keinen Umständen in der Lage, die klassische Identitätslogik, die denselben dirigiert, zum Alteisen zu werfen. Sie muß und sie wird in alle Ewigkeit die fundamentale Basis bilden, auf der sich das theoretische Subjekt mit seinen Seinserlebnissen identifiziert. (Wir begegnen hier einem zweiten Paar synonymer Konzeptionen: Ich denke die Welt, und: Ich denke klassisch, sind völlig gleichbedeutende Ausdrücke.) Wenn es also überhaupt noch eine Lösung gibt, die uns einen Ausweg zeigt, dann muß sie diese Invarianz der klassischen Identitätsthematik als unabänderlich voraussetzen, ganz gleichgültig, welche angeblich neuen Denkmotive die uns umgebende Welt uns einzureden versucht.

Eine naheliegende und sehr billige Lösung wäre jetzt eine solche, in der wir sagten: Die Wissenschaft hat sowohl in der Nuklearphysik wie in der Kosmologie die letzten Grenzen der Rationalität bereits überschritten. Die Phänomene, denen man bei weiterem Vordringen begegnet, müssen unvermeidlich **irrationalen** Charakter haben. Ist das aber der Fall, dann können die neuen in jenen Grenzregionen gewonnenen Daten selbstverständlich keinen Anspruch erheben, daß das theoretische Subjekt das System seiner **rationalen** Bewußtseinsmotive revidiert. Für einen Augenblick ist man fast versucht, das für einen Ausweg anzusehen. Die Überlegung aber hält einer sorgfältigen Nachprüfung nicht stand. Schon die Atombombe liefert dazu ein höchst explosives Gegenargument. Wir meinen damit folgendes. Das bloße spekulierende Denken ließe sich vielleicht mit der Entschuldigung der Irrationalität abspeisen. Aber der Mensch denkt nicht nur. Er handelt auch und handelnd produziert er seine Technik. Die Letztere gibt sich aber nicht mit Irrationalitäten ab. Die überläßt sie den Dichtern. Die einfache Tatsache, daß wir eine Mikrotechnik besitzen, fegt die Irrationalitätsthese vom Verhandlungstisch. Wenn also jedes Seinsdatum, das uns empirisch begegnet und das technisch greifbar ist, kompromißlos rational sein muß — und das überdies im striktesten klassischen Sinn — dann gibt es nur eine Erklärungsmöglichkeit für die neuen „trans-klassischen" Phänomene, denen wir heute noch ziemlich fassungslos gegenüber stehen. Sie müssen reflexive Brechungserscheinungen der uns anderweitig nur in ungebrochener Gestalt vertrauten orthodoxen Eigenrationalität unseres Bewußtseins sein!

Ein triviales Beispiel unseres alltäglichen Lebens kann uns ein erstes angenähertes Verständnis des gemeinten Sachverhalts vermitteln. Wenn wir einen graden Stab ins Wasser halten, so erscheint er uns an der Übergangsstelle von der Luft in die Flüssigkeit gebrochen. Das Phänomen ist so „objektiv" wie man es sich wünschen kann. Nicht nur unsere „trügerischen" Sinne registrieren es, die photographische Platte tut es auch. Wir wissen, der Stab ist grade. Aber dieses Wissen beseitigt das Brechungsbild nicht. In Analogie zu diesem Experiment wollen wir uns nun das Verhältnis unserer Bewußtseinsrationalität zu der uns umgebenden Welt in dem folgenden Schema 1 (in erster Annäherung) verständlich machen:

11

Die Welt, in der wir aktuell leben und in der sich die Dinge befinden, mit denen wir direkten Umgang haben oder doch wenigstens theoretisch haben können, ist die des Mediokosmos. Unsere Bewußtseinsbeziehungen zu demselben sind präzis klassisch rational und von unmittelbarer (Hegel) überzeugender Evidenz. Versuchen wir aber in das ganz kleine oder das ganz Große, d. h. in die mikrokosmischen und makrokosmischen Dimensionen von Raum und Zeit vorzudringen, erreichen wir in beiden Fällen eine Grenze, wo sich die ontologischen Bedingungen von Sein und Prozeß von Grund auf ändern. Unser Denken, das in diese Regionen vordringt, bleibt genau dasselbe, so wie die Gradheit des Stabes, den wir in das Wasser halten, über seine ganze Länge hin unverändert die gleiche ist. Die einzige Weise aber, in der sich für unsere Begriffe der Übergang in die anderen ontologischen Bedingungen von Mikrodimension und Makrodimension bemerkbar machen kann, ist die, daß unser Begriffssystem uns jetzt in bestimmten Brechungswinkeln — und deshalb verzerrt — erscheint. Daß wir unsere altvertrauten Begriffe und kategorialen Relationen in diesen Entstellungen nicht wieder erkennen, ist auf zweierlei zurückzuführen. Erstens sind wir diese neuartige Erfahrung noch garnicht gewohnt und haben uns an ihr noch nicht verstehensmäßig orientiert. Zweitens aber fehlte uns bis kürzlich jedes Mittel, um jene Brechungswinkel der Rationalität logisch exakt nachzurechnen. Darüber weiter unten etwas mehr. Vorerst wollen wir, ehe wir das obige Schema I verlassen, an ihm das Brechungsphänomen der Rationalität noch etwas anschaulicher machen. Zu diesem Zweck eignen wir uns für den Augenblick eine etwas kindliche Vorstellung an, die gelegentlich von den Autoren phantastischer Romane benutzt wird. Wir nehmen an, daß im Innern eines Atoms sich ein Universum mit unzähligen Weltkörpern der entsprechenden Größenordnung befindet. Auf diesen intra-atomaren Planeten sollen nun Wesen leben, die wie wir Naturwissenschaft treiben. Diese mikrokosmischen Intelligenzen würden unweigerlich feststellen, daß es in ihrer Welt vollkommen vernünftig klassisch zuginge. Wenn ihr Wissen aber jene Grenze zwischen ihrer Welt und unserem Mediokosmos erreichte, würden sie mit gleichem Recht zu dem Ergebnis kommen, daß es bei uns vollkommen verrückt zuginge, weil in mediokosmischen Regionen die Gesetze von Identität, verbotenem Widerspruch und ausgeschlossenem Dritten nicht mehr durchgängig anwendbar seien. Die hypothetischen Wesen wären erst dann in der Lage, ihre falschen Vorstellungen zu korrigieren, wenn jemand unter ihnen die ontologischen Brechungsgesetze der Rationalität entdeckte.

Alle Gleichnisse aber hinken und das Unsrige von dem im Wasser gebrochenen Stab macht davon keine Ausnahme. Deshalb müssen wir das an ihm orientierte Schema, das nur eine erste, vorläufige Annäherung unseres Verständnisses an das Berechnungsphänomen der Rationalität erlaubte, durch ein genaueres ersetzten. Auch dieses wird kein volles Verstehen ermöglichen, uns aber doch ein sehr wesentliches Stück weiter in die neue Theorie hineinführen. Wieder beginnen wir mit einer alltäglichen Erfahrung. Wenn wir in einen Spiegel blicken, so begegnen wir einer anderen Illusion. Das Zimmer in unserem Rücken scheint sich jenseits der Spiegelfläche in gleichen Dimensionen auszudehnen. Wir sehen es noch einmal — und uns in ihm — aber unter der Bedingung, daß das, was hier rechts ist, „drüben" links ist. Wieder haben wir es mit einer Brechungserscheinung zu tun. Aber die Brechung des Lichts ist diesmal volle physische Reflexion. Reflektieren heißt: zurückwerfen. Was von uns und unserer Umgebung als Bild ausgegangen ist, kommt als Gegenbild zu uns zurück. Um diesen Vorgang in dem Verhältnis von denkendem (erkennendem) Subjekt und Universum wieder zu finden, wollen wir jetzt zu Schema II übergehen. Wir denken uns von nun an die senkrechten Linien des Schema I, die den Mediokosmos von seinen Grenzgebieten trennten, gekrümmt und in einander überlaufend, sodaß sie eine Kreislinie bilden.

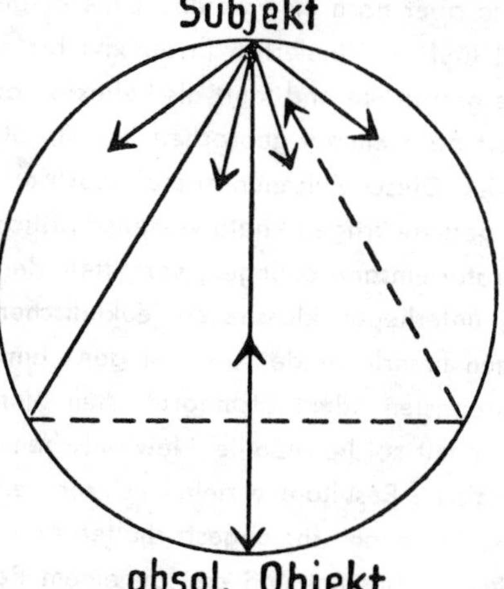


In diesen Kreis haben wir kontinuierliche und gestrichelte Linien eingezeichnet. Ist eine Gerade kontinuierlich, so soll sie Bewußtseinsprozesse darstellen, in denen unsere logischen Kategorien, mit denen wir die Welt zu erfassen suchen, keinerlei Brechung resp. Reflexion, erleiden. Solche Begriffe haben für unser Erleben eine echte klassische, identitätstheoretische Struktur. Da sie nirgends die durch die Kreislinie angedeutete Erfahrungsgrenze unseres Mediokosmos erreichen, wo allein die Bedingungen für reflexive Verzerrungen der bewußtseinsevidenten klassischen Form auftreten, haben die in den entsprechenden Denkoperationen verwandelten Begriffsstrukturen die Eigenschaft **irreflexiv** zu sein. Wir haben weiter eine gerade Linie eingezogen, die vertikal direkt vom Subjekt zum absoluten Objekt geht. Da unsere Gerade diesmal die Kreislinie berührt, handelt es sich um einen Bewußtseinsprozeß, der rationalen Brechungsbedingungen unterliegt. Es ist aber klar, daß die Reflexion in diesem Fall genau mit dem irreflexiven Prozeß zusammenfallen muß. Logisch bedeutet das, daß alle auf ein angeblich absolutes Objekt ausgerichteten Kategorien zweideutig sind. Man kann in ihnen die Irreflexivität eines Begriffes nicht von seinen Reflexionskomponenten unterscheiden. Mit Begriffen, deren Zweideutigkeit unauflösbar ist, kann man aber nicht denken und wissenschaftlich arbeiten. Der deutsche Idealismus von Kant bis Hegel hat diesen Sachverhalt zuerst entdeckt. Das Ding an sich ist begrifflich nicht erreichbar und löst sich im Denken auf. Schuld daran ist, in Kantischer Terminologie, „die Amphibolie der Reflexionsbegriffe". Dieser erkenntnistheoretische Sachverhalt ist durch die moderne Physik auch empirisch bestätigt worden. Der absolut isolierte Gegenstand, sagt Heisenberg, hat „prinzipiell keine beschreibbaren Eigenschaften mehr."

Wir haben in unser Schema aber noch eine weitere Linie eingezeichnet. Sie beginnt beim Subjekt und läuft kontinuierlich (irreflexiv) bis sie den Kreisumfang trifft, dort wird sie gebrochen und läuft als Reflexion auf die andere Seite des Kreises, wird dort noch einmal gebrochen und strebt als doppelte Reflexion zum Subjekt zurück. Dieses Zeichnungsdetail illustriert zwei äußerst wesentliche Motive der gegenwärtigen naturwissenschaftlichen Situation. Erstens: alle unsere Laboratoriumsanordnungen, vermittels derer wir Quantenphysik usw. betreiben, unterliegen klassischen (euklidischen) Raum- und Zeitbedingungen. Die ihnen unterliegende Logik ist ganz einwandfrei irreflexiv und evident im strengsten identitätstheoretischen Sinn. Das Überraschende aber ist, daß wir mit solchen Galilei-Newtonischen Experimentalbedingungen völlig unklassische Resultate erzielen. Unsere ein Dreieck bildende Linie illustriert diese Situation. Ihr ungestrichelter Anfang deutet an, daß der Prozeß als irreflexiver beginnt und erst an einem Reflexionsort in einen transklassischen übergehen kann. Was dann aber auch unvermeidlich geschieht.

Wichtiger ist das zweite durch die Zeichnung illustrierte Motiv. Zu seinem Verständnis wollen wir daran erinnern, daß Schema II aus Schema I hervorgegangen ist. Im Letzteren auf der rechten Seite (vom Leser) die mikrokosmische und links die makrokosmische Dimension. Gleichgültig in welcher Richtung man den teils kontinuierlichen teils gestrichelten Linien folgt, sie zeigen in beiden Fällen Komplementärreflexionen über den Mediokosmos hinweg. Die sich daraus ergebende methodologische Situation ist jedem Physiker bekannt. Will man etwas über das ganz Große, den gestirnten Raum wissen, so holt man sich die Information aus dem Allerkleinsten: der Physik der Elementarteilchen. Umgekehrt aber, da wir für unsere Mikrophysik auch nicht im entferntesten zureichende Laboratoriumsbedingungen herstellen können, muß der ganze Kosmos und besonders das Innere der Sterne als Experimentierraum herhalten. Das Wissen, das aus diesen verschränkten Operationen gewonnen wird, hat deshalb eine ganz neue, bisher nicht dagewesene Eigenschaft.

**Es ist reflexiv identisch!** Reflexionsidentität aber haben wir bislang nur in einer Variante gekannt. Es ist die Identität des Ichs mit sich selbst. Denn nur, indem das einsame Subjekt das Universum in seinem Bewußtsein abbildet und in diesem Reflexionsprozeß sich allem Sein als etwas Anderes gegenüber setzt, findet es seine eigene Identität. Heute aber beginnen wir zum ersten Mal Reflexionsidentität in der Natur zu begreifen. Was bedeutet das? C. F. v. Weizäcker hat die Antwort in seiner „Geschichte der Natur", Zürich 1948 (S. 60) mit folgenden Worten formuliert: „Der Mensch sucht in die sachliche Wahrheit der Natur einzudringen, aber in ihrem letzten, unfaßbaren Hintergrund sieht er wie in einem Spiegel unvermutet sich selbst."

Die beiden Schemanta können uns in unserem Verständnis des Brechungs- resp. Reflexionsphänomens der Bewußtseinsrationalität nicht weiter führen. Sie waren nur in der Lage, zwei erste und sehr provisorische Annäherungen an das Problem zu geben. Wenn sie auch nur ungefähr deutlich machten, warum es in unserem Bewußtsein neben vollkommen evidenter und anschaulich überzeugender Rationalität auch noch völlig widersinnig erscheinende und unüberzeugende rationale Formen der Erfahrung gibt, bei denen die Identifikation des theoretischen Subjektes mit seiner aktuellen inhaltlichen Erlebniskapazität nicht gelingen will, dann haben sie ihren Zweck reichlich erfüllt. Mit solchen und auch weiter-gehenden Erklärungen und Illustrationen ist uns aber nicht viel geholfen. Wir haben ein erheblich weitertragendes Bedürfnis, nämlich zu wissen, wie unser Bewußtsein mit diesen abenteuerlichen Gegenbildern und reflexiven Verzerrungen seiner eigenen Rationalität fertig werden kann. Der Beantwortung dieser dringenden Frage soll der folgende Teil unserer Betrachtungen gewidmet sein. —

Es ist evident, daß mit der von Plato und Aristoteles konzipierten klassischen Logik hier nichts anzufangen ist. Dieselbe fragt ja nur nach der isoliert sachlichen, also irreflexiven Richtigkeit unseres „natürlichen" Gedankenprozesses, der für das praktisch technische Handeln ganz legitim voraussetzt, daß es Objekte gibt, die vom Denken und der Subjektivität vollkommen unabhängig sind. Solche Objekte aber befinden sich alle im Mediokosmos und an ihnen bricht sich der Gedankenprozeß nicht. Die Begriffe, die wir hier verwenden, sind genau so irreflexiv wie die Gegenstände, mit denen sie es zu tun haben. Es ist völlig klar, daß ein solches kategoriales System ganz ungeeignet ist, das uns so rätselhafte Phänomen der Reflexion zu beschreiben. Andererseits aber haben wir festgestellt, daß die aristotelische klassische Logik die Struktur des rational erlebenden Bewußtseins überhaupt definiert. Mithin wäre es ganz unsinnig anzunehmen, daß man an ihre heute im wesentlichen vollendete Architektur noch einen Anbau anpappen könnte, der die gebrochenen Rationalitätsformen enthält — samt einer klugen Anweisung, wie man dieselben denken kann.

Der Schlüssel zur Lösung dieses vexierenden Problems liegt in einer ganz überraschenden Einsicht. Wir müssen uns mit dem paradoxen Gedanken vertraut machen, daß man diese Brechungs- und Reflexionserscheinungen der Rationalität weder denken kann, noch sie zu denken braucht! Daß man sie auf keine Weise denken kann, wissen wir im Grunde schon. Wir haben bereits weiter oben darauf hingewiesen, daß ein Objekt, das nicht identisch mit sich selbst sein soll, nur um den Preis „gedacht" werden könnte, daß wir den Sinn, unter dem wir überhaupt etwas erleben können, preisgeben. Wir brauchen nicht weiter auszuführen, wie widersinnig das ist. Da sich also das theoretische Subjekt mit keinem „Gedanken" identifiizieren kann — d. h. ihn als **eigenen** zu erleben vermag — wenn derselbe seinem rationalen Strukturzusammenhang widerspricht, ist eine denkende Behandlung der Reflexionsphänomene von vornherein ausgeschlossen. Wir **brauchen** sie aber auch garnicht zu denken, wir können sie mit mathematischer Exaktheit **berechnen** und die Rechenresultate dann als feststehende irreflexive Daten in unser klassisches Bewußtsein einbauen und dasselbe dadurch ganz immens an inhaltlichen Einsichten bereichern!

Es gibt in diesem — aber nur in diesem Sinn — in der Tat ein System einer nicht-aristotelischen Logik, das also **nicht** mehr den subjektgebundenen, ichhaften theoretischen Erlebnisprozeß beschreibt, der in uns allen in gleicher Weise vorgeht. (Derselbe wird, wie garnicht oft genug betont werden kann, durch die klassische Logik völlig zufriedenstellend und erschöpfend beschrieben.) Die nicht-aristotelische Systematik definiert vielmehr die von uns konstatierbaren Brechungs- und Reflexionserscheinungen, die jene einzige ichhaft erlebbare Rationalität erleidet, wenn sie aus dem inneren Bereich des theoretischen Subjekts heraus und auf das den innerlichen „Seelenpunkt" umgebende Universum projiziert wird. Die praktische Prozedur, vermittels derer ein solches Unternehmen in Bewegung gesetzt wird, ist nicht allzu schwer zu verstehen, wenn wir uns an einige Elementarbegriffe erinnern, die uns schon in unseren ersten Schuljahren beschäftigt haben.

Wir lernten damals, daß es ganz unmöglich ist, für jede individuelle Zahl in der unendlichen Zahlenreihe ein individuelles Zeichen zu erfinden. Und selbst wenn man das könnte, so würden die Rechenregeln dann so kompliziert, daß kein menschliches Gehirn sie beherrschen könnte. Man wählt statt dessen neun Zeichen, die numerische Werte anzeigen und ein weiteres Zeichen, die Null, um einfach eine leere Stelle anzuzeigen. Auf diese Weise kann man erreichen, daß die numerischen Grundzeichen unendlich viele Werte annehmen können, je nachdem in welche Stelle man sie einsetzt. Sie haben also sowohl Originalwerte wie auch besondere Stellenwerte. Schreiben wir einfach „1", so bedeutet das einfach „eins". Setzen wir aber eine leere Stelle dahinter, sodaß unser numerisches Zeichen die Form „10" hat, so hat die „1" kraft ihres veränderten Stellenwertes ihre Bedeutung gewechselt. Sie repräsentiert jetzt zehn Einheiten. Setzen wir sie an die dritte Stelle, so wechselt die Bedeutung zu „hundert", usw. Es läßt sich nachweisen, daß da bereits ein Reflexionsprozeß involviert ist, dessen wir uns durch eine ganz einfache mechanische Methode bemächtigen.

Wir wollen jetzt diese abstrakte Idee des Stellenwertes auf die Logik anwenden. Zu diesem Zweck wollen wir — um unserer Prozedur einige Anschaulichkeit zu geben — vorerst einmal daran erinnern, daß wir weiter oben bemerkten, daß, wenn es infinitesimale Bewohner in einem Universum innerhalb eines Atoms gäbe, dieselben feststellen würden, daß bei ihnen die klassische Logik ganz einwandfrei gelte, aber nicht im menschlichen mediokosmischen Bereich. Analoges ließe sich von der makrokosmischen Grenzdimension, wo unsere traditionellen Raum- und Zeitvorstellungen versagen, ebenfalls behaupten. Die klassische Logik gilt also an allen **ontologischen** Stellen des Universums. Wo auch immer lebende Subjektivität existiert, dort vollzieht sich Bewußtsein in den gleichen (klassischen) kategorialen Formen. Aber die, sagen wir, im Atom investierte identische Rationalität, die nur gebrochen zu uns hindurchscheint, hat für uns nicht den gleichen logischen „Wert" wie die rational ungebrochenen begrifflichen Erlebnisformen, deren wir uns in unserem Mediokosmos bedienen. D. h., dieselbe Logik hat, je nachdem welche ontologische Stelle sie in der uns umgebenden Dimension des Seins einnimmt stets einen verschiedenen reflektiven Stellenwert. Die Logik der Gedankenprozesse, mit denen wir uns selbst identifizieren, ist die Originalform. Sie ist uns in ihren Vollzügen vollkommen evident, weil sie nirgends durch Reflexionsphänomene verzerrt ist. Alle anderen Existenzformen derselben Rationalität sind für uns nicht vollziehbar, weil sie ontische Stellen der **objektiven** Extension des Universums repräsentieren, mit denen wir uns als **Subjekte** nie identisch setzen können. Wir erfahren also die Rationalität sowohl innerlich als eigene — und insofern ungebrochen. Wir begegnen ihr aber auch im äußerlichen Kontakt mit der Welt und begreifen sie als das Grundgesetz des Universums. Von dort aber kehrt sie zu uns durch die verschiedenen Medien der Objektivität gebrochen in verwandelter Gestalt zurück.

Wir haben inzwischen gelernt, daß „die Natur", von deren harmonischer Einheit die Aufklärung noch träumte, keine ontologisch homogene Region darstellt. Das individuell Seiende besetzt im Sein überhaupt sehr verschiedene ontische Stellen, von denen jede ihre Rationalität unter einem verschiedenen Reflexionswert zurückstrahlt. Bisher haben wir geglaubt, daß die reine formale identitätstheoretische Logik unserer klassischen Tradition die Elementarstruktur der Realität ganz uniform und ohne irgend welche „perspektivischen" Verzerrungen abbildet, sodaß wir in den Gesetzen der Natur ohne weiteres die Gesetze unseres eigenen Denkens wieder erkennen können. In anderen Worten: man setzte stillschweigend voraus, daß der Abbildungsprozeß der Wirklichkeit im Bewußtsein für jeden beliebig gewählten Ort des Seins der gleiche sein müsse. Diese seit Jahrtausenden unser Weltbild bestimmende Auffassung ist heute überholt. Denn jeder Abbildungsvorgang hängt genau von dem jeweiligen Stellenwert ab, den der Reflexionskoeffizient unseres klassischen Identitätssystems an dem in Frage stehenden ontologischen Ort grade hat. Diese neue Erfahrung muß unser Bewußtsein verarbeiten, und es tut das mit einer speziellen Logik der Reflexion. **Eine nicht-aristotelische, trans-klassische Logik ist also ein Stellenwertsystem der klassischen Logik, das die letztere sowohl in ihrer irreflexiven (von uns erlebbaren) Normalform als auch in allen überhaupt möglichen reflexiven Varianten zeigt. —**

Soweit haben wir nur von zwei Brechungserscheinungen der Rationalität gesprochen, nämlich der reflexiven Verzerrung unserer Bewußtseinskategorien an der mikrokosmischen und makrokosmischen Grenzschicht des Universums. Das Sein aber produziert noch weitere Reflexionsphänomene, die aus dem Übergang von einer Stellenrealität zur nächsten resultieren. Ein Beispiel dafür ist die reflektierende Grenzschicht, die das Ich und das Du von einander trennt. Weitere sind die Brechungen zwischen pflanzlicher und tierischer Subjektivität. Formallogisch müssen wir sogar mit einer unendlichen Anzahl von Reflexionsbildern unserer klassischen Rationalität rechnen, deren Konfigurationen sich in unserem Bewußtsein in phantastischen Erlebnisbildern kreuzen können. —

Wir werden die Aufgabe, die wir uns in dieser Betrachtung gestellt haben, als erfüllt betrachten können, wenn wir im letzten Teil dieser Betrachtung beschreiben, welche technische Prozeduren nötig sind, um jene Stellenwertlogik darzustellen, in der das eine Licht der Vernunft durch das Prisma der Welt gebrochen in vielfältigem verwirrendem Farbenreichtum zu uns zurückstrahlt.

Die Möglichkeit ein derartiges reflexives Stellenwertsystem der Rationalität zu beschreiben, ist durch die Entdeckung der mehrwertigen Logikkalküle gegeben. Seit etwa der Mitte des vorigen Jahrhunderts ist die formale Logik, die sich in der vorangehenden Periode in einem Zustande ziemlicher Stagnation befand, wieder in Bewegung gekommen. Dafür war eine in ihrer Bedeutung garnicht zu überschätzende Entdeckung verantwortlich. Man stellte nämlich fest, daß sich unsere rationalen Bewußtseinsvollzüge in einen exakten rechnerischen Algorithmus transferieren ließen und dort auch präzise Formeln, die denen der Mathematik nachgebildet waren, dargestellt werden konnten. Dieses logische Rechensystem war „zweiwertig". D. h., jedes theoretische Motiv konnte in ihm entweder einen positiven (wahr) oder einen negativen (falsch) Wert annehmen. Diese Zweiwertigkeit ist nichts weiter als das rechnerische Korrelat des Faktums, das wir, um überhaupt denken zu können, in rigorosen Alternativen zwischen Ich und Nicht-Ich, Denken und Gedachtem, notwendig-logischer Form und material-kontingentem Inhalt unterscheiden müssen. Unser Bewußtsein kann überhaupt nur unter der Voraussetzung existieren, daß wir in der Lage sind, jedes Realitätsdatum entweder der einen oder (exklusiv) der anderen Seite zuzuweisen.

Mit Hilfe der neuen Präzisionsinstrumente begann nun die Logik wahrhaft sensationelle Fortschritte zu machen. Vor etwa zwanzig bis dreißig Jahren aber stieß man auf ein Faktum, das, je mehr man sich mit ihm beschäftigte, immer rätselhaftere Züge annahm. Wir sprechen von der Entdeckung der Möglichkeit mehrwertiger logischer Kalküle. Es ist wichtig, daß man sich genau die scheinbare Widersinnigkeit einer solchen Idee vor Augen führt. Die durch einen zweiwertigen Kalkül repräsentierte Logik beschreibt die formalsten Grundbedingungen rationalen menschlichen Bewußtseins überhaupt. Das denkende Ich steht dem ganzen All als subjektive Identität gegenüber. Das Letztere ist sein Gegenstand, der seinerseits als Inbegriff alles Seienden mit sich selbst identisch ist. Und diese gegenseitige einander ausschließende Identität stellt sich in der Logik als der Wertgegensatz von postiv und negativ dar. Die Welt ist das in sich selbst ruhende Positive. Das Ich oder die Seele aber, die jenes All als das absolut Andere und unendlich Fremde von sich abstößt und sich mit keiner positiven Gestalt zu identifizieren vermag, ist das nur mit sich selbst identische Negative.

Sind aber die beiden Werte derart besetzt, daß das denkende Ich den einen und die Welt als Inbegriff alles Denkbaren den anderen für sich beansprucht, was sollen wir dann mit einem dritten Wert? Wer oder was okkupiert diesen neuen logischen Ort? Weder das Subjekt noch das Objekt können es sich leisten, sich über zwei Wertbereiche zugleich auszubreiten, ohne damit ihre Identität einzubüßen. Ein Denkvollzug, dem die Kontinuität der Identität mit sich selbst in einem erlebenden Ich fehlt, widerspricht sich nicht nur, er ist überhaupt nicht erlebbar. Und ein Seinsdatum, das nicht qua Sein mit sich selbst identisch ist, hat überhaupt keine objektive welthafte Existenz. Die Idee eines drei- oder mehrwertigen Bewußtseins, in dem aber der dritte und alle weiteren Werte von einem unbekannten X, das weder Subjekt noch Objekt sein darf, besetzt sein soll, ist erst recht nicht akzeptierbar. Von der semantischen Seite angesehen, wäre ein solches X schlechterdings nichts. Logisch syntaktisch betrachtet aber, wäre es eine Aufforderung, einen derart „besetzten" Wert als überflüssig fallen zu lassen, da er nur den Widerspruch repräsentiert, durch Nichtbesetzung besetzt zu sein. Kurz gesagt: drei- oder generell mehrwertige Bewußtseinserlebnisse sind einfach nicht vollziehbar und wir können uns auch in allen Himmeln keine mit einem Ich begabten Wesen vorstellen, deren subjektive Prozesse so organisiert sind. Dementsprechend sind auch alle Versuche, die mehrwertigen Kalküle mit unseren aktiven an ein Ich gekoppelten Bewußtseinsfunktionen zu identifizieren, ohne Ausnahme gescheitert.

Übrigens ist die Unmöglichkeit einer solchen Identifikation schon von einem technischen Gesichtspunkt her sehr eindrucksvoll demonstrierbar. Wir wissen aus unserer alltäglichen Erfahrung, daß unser Denken nur eine äußerst beschränkte Anzahl von logisch-elementaren Grundmotiven, wie z. B. Konjunktion (und), Disjunktion (oder), Äquivalenz (ist gleichwertig) usw. handhaben kann. Die innere Transparenz unseres Bewußtseinraums würde einer vollkommenen Undurchsichtigkeit weichen, wenn derselbe von einer unübersehbaren Menge logischer Motivationen erfüllt wäre. Dem entspricht, daß es in einer zweiwertigen Logik, die zwischen zwei formulierten Erlebnisdaten (Sätzen) eine logische Verbindung herstellt, dafür nur $2^4 = 16$ überhaupt mögliche Kombinationen von Werten gibt. Das reicht auch vollkommen aus. Mehr könnten wir doch nicht beherrschen. In einer dreiwertigen Logik aber steigt die entsprechende Ziffer schon auf $3^9 = 19683$. In einem vierwertigen System haben wir mit $4^{16} = 4294967296$ Kombinationen zu rechnen. Ein fünfwertiger Kalkül aber liefert $5^{25} = 298023223876953125$ Wertkonstellationen, die in Analogie zum zweiwertigen Kalkül als mögliche logische Elementaroperationen unseres Bewußtseins gelten müßten. Es erübrigt sich, über die Absurdität solcher Perspektiven weitere Worte zu verlieren.

Da sich die Funktionsfähigkeit unseres an einem theoretischen Subjekt orientierten Bewußtseinsmechanismus nicht wie ein Gasballon durch die Hinzufügung neuer Werte von innen herauf aufblasen läßt, müssen die mehrwertigen Kalküle also einen anderen Sinn haben als den, daß sie die aus der inneren Struktur unseres Erlebnisraumes resultierenden logischen Funktionen in einer differenzierteren Form beschreiben, als das die klassische Logik tut. Nun gibt uns aber gerade das ungeheuerliche, auch die ausschweifendste Phantasie überflügelnde Wachsen der Wertkombinationen einen wichtigen Fingerzeig. Unsere Systematik der Mehrwertigkeit macht selbstverständlich bei dem oben erwähnten fünfwertigen Kalkül nicht halt. Der obere Grenzbegriff ist eine unendlich wertige Logik. Im Rahmen einer Theorie aber die mit solchen Möglichkeiten rechnen muß, ist selbst der Funktionsbereich einer tausendwertigen Logik noch „klein". Derselbe umfaßt „nur" $1000^{1000000}$ elementare Wertkombinationen. Das ist aber bereits eine Ziffer, die die Zahl aller möglichen Gegenstände im Weltall ganz unvorstellbar überschreitet, wenn wir annehmen, daß unser Universum einen positiven Krümmungsradius hat und im Einsteinschen Sinne geschlossen ist. Wir verfahren, was die Zählung der möglichen Objekte anbetrifft dabei so großzügig wie möglich und stipulieren, daß jedes Elementarteilchen im Universum als ein Gegenstand gelten soll. Da wir aber keineswegs sicher sind, daß die Welt als Ganzes einen positiven Krümmungsradius hat, müssen wir noch zwei weitere Fälle betrachten. Nehmen wir an, der Krümmungsradius ist gleich Null, so ist die Welt unendlich. Einem solchen Universum würde nun eine unendlich-wertige Logik entsprechen. Denn eine solche Wirklichkeit enthielte eine abzählbare unendliche Anzahl von Gegenständen. Aber wieder wäre die Logik der Realität unsagbar weit voraus, denn die Zahl der Wertkombinationen unseres System wäre dann nur durch eine unabzählbare transfinite Cantorsche Menge darzustellen.

Schließlich bleibt noch die Möglichkeit, daß wir in einem Universum mit einem negativen Krümmungsradius leben. Dasselbe wäre gleichfalls unendlich, aber da in einem solchen Raum das Volumen schneller als der Kubus des Radius wächst, wäre es möglich, daß wir bei dem Übergang ins Unendliche Bedingungen begegnen, unter denen die Zahl der Gegenstände in der Welt von überunendlicher Größenordnung wäre. Die Annahme ist nicht sehr wahrscheinlich. Nach dem Urteil des Verf. sind solche ontologischen Existenzbedingungen sogar ganz enorm unwahrscheinlich. Aber wir besitzen keinerlei deduktive Prozeduren, vermittels deren wir eine solche Möglichkeit definitiv widerlegen können. Wir müssen, theoretisch wenigstens, mit einem derartigen Fall rechnen. Eine mehrwertige Logik, die mit einer solchen Welt korrespondierte — vorausgesetzt, daß wir immer noch hartnäckig daran festhalten, mehrwertige Kalküle als Erweiterungen der klassischen Logik zu interpretieren — käme nicht mehr mit einer einfach unendlichen Serie von Werten aus. Wir müßten dann erwarten, daß die Wertziffer von der gleichen Größenordnung die transfinite Menge aller realen Zahlen wäre, also den ersten Grad des Überunendlichen erreichte. Demgemäß entspräche die Zahl der jetzt verfügbaren Wertkombinationen einer Potenzmengenbildung des Überunendlichen erster Ordnung, also der Cantorschen transfiniten Zahl f, der Menge aller Funktionen.

Wir sehen also, je höher wir gehen desto größer wird der Abstand zwischen der Wirklichkeit und dem ihm angeblich korrespondierenden logischen System. Ein ganz unvorstellbarer Reichtum an logischen Mitteln wächst uns zu, dem sachlich überhaupt nichts mehr entspricht. Damit dürfte erwiesen sein, daß der Mehrwertigkeit nicht die gleiche ontologische Bedeutung zukommen kann, die wir der klassisch zweiwertigen Logik mit vollem Recht zuschreiben. Mehrwertige Systeme beschreiben keine objektiv in sich ruhende, von unseren Bewußtseinsprozessen unabhängige Wirklichkeit. Täten sie es, dann müßten wir, da solche Systeme von uns subjektiv völlig unerlebbare Strukturen enthalten, auch den Schluß ziehen, daß es auch prinzipiell unerfahrene Gegenstände gibt. Wir wären also gezwungen die Ungereimtheit zu schlucken, daß Objeke „existieren", die wir nicht **als** Objekte denken könnten und die auch in keiner Weise wahrnehmbar wären, wenn wir ihnen physisch begegnen. Dieselben könnten uns nicht den geringsten Widerstand leisten, wenn wir etwa körperlich durch sie hindurch schritten. Es wären also Gegenstände, die mit dem Sinne von Gegen-stand nicht mehr konformierten. Denn der Erlebnissinn des Objektes überhaupt ist ja gerade der, daß es dem Ich einen ontischen Widerdruck entgegenwirft. Ihm eben in einem tiefen metaphysischen Sinn entgegensteht.

Nimmt man die mehrwertigen Logiken also naiv als strukturelle Beschreibungen des objektiv Wirklichen, dann zeichnen sie eine Welt ab, in der der Wahnsinn regiert. Wir haben dann die unglaublichen Aussagen, die uns die moderne Mikrophysik serviert, für wörtliche Beschreibungen einer sachlichen Realwelt zu halten, in der zwar **wir** nicht mehr genau in der Lage sind Subjekt und Objekt auseinanderzuhalten, in der aber an sich und absolut eine solche Unterscheidung existiert. D. h. ein Partikel ist dann **wirklich** nicht mit sich identisch und ein physischer Vorgang kann sich vollziehen, obwohl er seinen eigenen Vollzugsbedingungen widerspricht. Eine solche Annahme aber ist, wie wir eingangs ausführten, völlig unakzeptabel. Und anstatt für den Mikrokosmus und die makrokosmische Region eine unmenschliche und undenkbare Rationalität anzunehmen, die unser eigenes Bewußtsein in unlösbare Widersprüche verwickelt, ist es wesentlich besser, die anscheinende Widersinnigkeit der beobachteten Phänomene als Brechungs- und Reflexionserscheinungen der allein legitimen klassischen Rationalität aufzufassen, die aus den entfernteren Dimensionen des Kosmos nur noch in grotesken Verzerrungen zu uns zurückfließt.

Das war soweit nur eine Hypothese, dargeboten ohne faktisches Material, das sie zu stützen in der Lage ist. Solches Material aber liefert die Theorie der mehrwertigen Logikkalküle. Ihre Existenz ist heute ein unbestrittenes Faktum. Allerdings ein solches, mit dem man bisher nichts Rechtes anfangen konnte. Wir haben gezeigt, daß man sie unmöglich auf den Sachzusammenhang der Welt anwenden kann. Alle diesbezüglichen bisherigen Versuche sind gescheitert. Wenn sie aber keinen irgendwie denkbaren Bereich im Außenraum der Welt designieren, dann können sie nur Verhältnisse im Innenraum des erlebenden Subjekts beschreiben. Dessen rationale ich-orientierte Erlebnisstruktur zeichnen sie aber nicht ab. Das wissen wir mit unumstößlicher Gewißheit. Das besorgt die klassische Logik in vollendeter Form. Unter diesen Umständen bleibt, da mehrwertige Systeme ebenfalls rationale Strukturen darstellen, als einzige Lösung, daß die Hinzufügung von weiteren Werten zu einer klassisch-zweiwertigen Systematik in unserem Bewußtsein Reflexionsbilder der rationalen Erlebnisfähigkeit des Subjekts produziert. D. h. drei- oder generell mehrwertige Kalküle beschreiben die Brechungserscheinungen, die zwischen den logischen (immer zweiwertigen) Vollzügen auf den verschiedenen Reflexionsstufen unseres subjektiven Bewußtseinsraums auftreten. Je nach der Erlebnisebene, auf der wir unsere klassische Logik aktivieren, hat dieselbe für das urteilende Subjekt einen bestimmten Stellenwert.

Eine Analyse des inneren Aufbaus mehrwertiger Kalküle bestätigt diese These. Eine dreiwertige Logik läßt sich z. B. in ein Stellenwertsystem von drei zweiwertigen Logiken auflösen. Das Ordnungsschema, in dem sich dabei die zweiwertigen Denkvollzüge über die Werte „1", „2" und „3" verteilen, ist das folgende:

$$\left.\begin{array}{l}\left.\begin{array}{l}1\\2\end{array}\right\}\text{Logik a)}\\\left.\begin{array}{l}\\3\end{array}\right\}\text{Logik b)}\end{array}\right\}\text{Logik c)}$$

Die geschweifte Klammer soll dabei jedesmal andeuten, daß zwischen je zwei Werten ein theoretisches Umtauschverhältnis von Positivität und Negativität, in dem sich ein erlebendes Subjekt realisieren kann, besteht. Identifiziert sich ein denkendes Ich z. B. mit Logik c), dann erscheinen ihm die rationalen Strukturen seines eigenen Bewußtseins in a) und b) verzerrt. Es sieht a) und b) sozusagen nur unter einer parallaktischen Verschiebung. Eine Ich-Identifikation, die sich auf alle drei Systeme zugleich erstreckt, würde diese Verzerrungen beseitigen. Sie ist aber erlebnisunmöglich, weil sie den Identitätscharakter des denkenden Subjekts auflöst.

Ein vierwertiges Stellenwertsystem des klassischen Denkens hat dann den folgenden Aufriß:

| Werte | | | |
|---|---|---|---|
| 1, 2 | Logik a) | Logik d) (= a + b) | Logik f) (= 1–4) |
| 2, 3 | Logik b) | Logik e) (= b + c) | |
| 3, 4 | Logik c) | | |

Man vergesse nicht, es ist immer wieder dieselbe klassische Logik, die sich in den verschiedenen Stellungen von a), b), c), d), e), f) usw. abbildet. Das theoretische Subjekt aber kann sich immer nur mit dem jeweilig letzten, umfassenden System identifizieren. Das allein ist für das logische Erleben evident. Die anderen liegen auf Reflexionsebenen, aus denen es sich längst zurückgezogen hat. Und von diesen Ebenen her erscheint ihm seine eigene Rationalität nur gebrochen und aus der Ichperspektive verschoben.

Wir hatten am Anfang unserer Betrachtung darauf hingewiesen, daß es eine unabweisliche Forderung aller überhaupt erlebbaren Rationalität ist, daß ein umkehrbar eindeutiges Abbildungsverhältnis zwischen Ich und Welt besteht. Solange das Universum des Menschen ausschließlich aus dem Mediokosmos bestand, ließ sich eine solche eindeutige Relation zwischen der „Natur" und dem Funktionsvollzug der unreflektierten klassischen Logik — die in den mehrwertigen Systemen nur noch als Subsystem auftritt — ohne große Mühe herstellen. Aber die neuere Entdeckung, daß die Welt ontologisch sich in mindestens drei Realitätsdimensionen von Mikrokosmos, Mediokosmos und einer sie beide einschließenden makrokosmischen Region, aufteilt, zerstörte die primordiale Harmonie zwischen Sein und Denken. Es zeigte sich, daß das Evidenz- und Wahrheitsbewußtsein des klassischen Menschen nur für eine jener drei Wirklichkeitsschichten zuständig war.

Sehen wir von weiteren Brechungsebenen im Bestand unseres Weltalls einmal ab, dann stellt bereits die in Schema III skizzierte einfachste Form eine Reflexions- resp. Stellenwertlogik die verloren gegangene Harmonie des Denkens mit der Wirklichkeit prinzipiell wieder her. Den Brechungserscheinungen der Rationalität in der Außenwelt korrespondieren analoge im Innenraum unseres Bewußtseins. So lehrt uns die Theorie der Mehrwertigkeit. Dem reflektiv ungebrochenen Weltbild der klassischen Periode entsprach ein unbefangenes Denken in reflexionsfreien Begriffen. Die geistige Krise der Gegenwart aber entstand, als die uns umgebende Wirklichkeit in wachsendem Maß reflexive Aspekte zu zeigen begann, unser Denken sich aber auch jetzt noch ausschließlich an der durchsichtigen Reinheit und dem überwältigenden Evidenzdruck eines ungebrochenen klassischen Kategorialsystems orientierte. Bewußtsein und Welt wurden so immer weiter auseinander getrieben.

Die in diesem Schisma aufwuchernde Verantwortungslosigkeit eines immer privater werdenden Ichs und die ihm auf dem Fuße folgende physische und spirituelle Desorganisation unseres geschichtlichen Daseins haben die moderne Subjektivität bis an den Rand eines Abgrunds von metaphysischen Ausmaßen gestoßen. Heute ist die menschliche Existenz als solche in Gefahr, denn im Gegensatz zu der sicheren Instinktgebundenheit des Tieres beruht sie auf einem freien im Denken und Handeln erworbenen Besitz der Welt. Dieses einstmalige Herrscher- und Eigentumsrecht aber ist heute im Begriff uns verloren zu gehen, seit die empirische Wirklichkeit vor unseren erschrokkenen Augen sich mehr und mehr in Konturen abzuzeichnen beginnt, deren bizarre Phantastik unsere klassisch-rational ordnende Fassungskraft übersteigt.

Unser Weltbewußtsein steht heute an einem Scheideweg. Wir können von nun an versuchen in dem Gedanken weiter zu gehen, daß das klassische Antlitz des Seins nur die Maske einer freundlichen Vordergrundsbegegnung von Mensch und Welt ist, und daß hinter diesem Vordergrund die fratzenhaft entstellten Züge einer dem Menschen unfaßbaren und seine Ichgestalt desavouierenden ontologischen Fundamentalverfassung der Wirklichkeit lauern. Wir leben dann in einer Welt, die nur in ihren Außenschichten erlebbar ist und die nur als Oberfläche spirituell erworben werden kann, weil ihr innerer Kern der Erlebnisstruktur menschlicher Subjektivität radikal widerspricht. Sind die erstaunlichen Beobachtungen, die wir heute in der Mikrophysik und an den korrespondierenden Grenzen des Makrokosmos machen, von direkter metaphysischer Relevanz als Anzeichen einer absoluten Disparität um Sein und Bewußtsein, dann haben wir nichts mehr zu hoffen und die Selbststeigerung des menschlichen Ichs in der Geschichte, die sich in seiner Auseinandersetzung mit dem objektiven Dasein vollzog, ist zu ihrem Ende gekommen.

Eine solche Vermutung einer kosmischen Grenze für die menschliche Bewußtseinsentwicklung ist unlängst von Otto Struve, dem Direktor der Sternwarte an der Berkeley Universität in Californien geäußert worden. Die obere Intelligenz- und Fassungsgrenze des menschlichen Ichs mag sich vielleicht, so erklärt Struve, in der folgenden furchtbaren Gestalt zeigen. In Abständen von einigen Hundert Jahren explodieren in unserem Milchstraßensystem gewisse Sterne, die wir als Supernovae bezeichnen. Es ist gar kein Zweifel, daß solche Weltkatastrophen durch natürliche Ursachen zustande kommen. Und bisher hat man solche Ursachen als alleinige angenommen. Andererseits aber ist nach Auffassung des californischen Gelehrten die These nicht von der Hand zu weisen, daß manche dieser Supernovaexplosionen uns anzeigen, daß an einer Stelle im Kosmos intelligente Wesen jene Grenze erreichten, wo eine absolute Disparatheit von menschlichem Bewußtsein und objektiver Realstruktur in Erscheinung tritt. Und indem sie dieselbe in der Anwendung der Atomtechnik überschritten, reagierte die Natur darauf mit einer nuklearen Explosion, die die Welt jener Wesen in eine glühende kosmische Gaswolke auflöste. Die Hypothese ist keineswegs so bizarr wie sie sich anhört. Sie ist eine ganz legitime Konsequenz der Idee, daß unsere menschliche klassische Rationalität nicht in die tieferen Schichten der Wirklichkeit hineinreicht und dort von unserem Erleben nicht zugänglichen Strukturen und Gesetzen abgelöst wird.

Aber nichts zwingt uns vor solchen düsteren Zukunftsaussichten zu kapitulieren. Wir haben noch eine andere Wahl. Wir können annehmen, daß die Gesetze unserer Bewußtseinsrationalität immer noch die Weltgesetze auch des innersten Kerns alles Seienden sind und daß dort, wo uns im Weltall eine bewußtseinsfremde Struktur der Realität bedrohen will, es sich nur um täuschende Brechungs- und Reflexionserscheinungen jenes inneren Lichtes handelt, das in jedem ichhaften Selbstbewußtsein lebt.

# DIE ARISTOTELISCHE LOGIK DES SEINS UND DIE NICHT-ARISTOTELISCHE LOGIK DER REFLEXION

## I.

### Was ist eine nicht-aristotelische Logik?

Als Rudolf Carnap im Jahre 1930 seinen programmatischen Artikel „Die alte und die neue Logik" erscheinen ließ, stellte er dort die scheinbar recht kühne und doch letzten Endes wieder unverbindliche Behauptung auf, daß „alle Philosophie im alten Sinne, knüpfe sie nun an Plato, Thomas, Kant, Schelling oder Hegel an ... sich vor dem unerbittlichen Urteil der neuen Logik nicht etwa nur als inhaltlich falsch, sondern als logisch unhaltbar, daher sinnlos" erweise[1]). Charakteristisch ist, daß in

1) Erkenntnis I (Annal. d. Phil. IX) S. 13 ff.

dieser Aufzählung der großen Namen von Plato bis Hegel, die hier vor dem Richterstuhl der modernen Logik verworfen werden, der Name des Stagiriten fehlt. Eine höchst bezeichnende, aber ganz inkonsequente Auslassung! Denn wenn man die Identitätsmetaphysik von Plato bis Schelling und Hegel in den Orkus verweist, verlangt die Konsequenz, daß man der aristotelischen Metaphysik das gleiche Schicksal angedeihen läßt. Mit der Metaphysik des Stagiriten aber fällt unweigerlich auch seine Logik der metaphysischen Identität von Denken und Sein.

In dieser Unklarheit spiegelt sich die gegenwärtige Situation und das relative Verhältnis von Logistik, philosophischer Logik und Metaphysik. Eine grundsätzliche Besinnung auf die sehr subtilen Beziehungen von Ontologie, traditioneller philosophischer Logik aristotelischer Provenienz und moderner logistischer Rechentechnik hat bisher noch nicht stattgefunden. Zwar wird die „alte" Logik allgemein mit der klassischen Logik und diese wieder mit dem aristotelischen System des logischen Formalismus identifiziert[2]), aber es wird nirgends angegeben, worin nun eigentlich das generelle Kriterium des Unterschiedes zwischen der alten, aristotelischen Logik und der neuen, die dann philosophisch betrachtet eben transklassisch und nicht-aristotelisch sein müßte, bestehen soll. Als charakteristisch für die neue Logik werden teils Präzisierungen und Verbesserungen des klassischen Systems angegeben, teils aber auch logische Sätze, die mit der älteren Theorie des Denkens direkt unvereinbar sind. Schließlich wird als Kennzeichen des Neuen auf die mathematische Kalkültechnik hingewiesen, durch die sich die moderne Logik von der traditionellen unterscheide.

Wie man sieht, können die Elemente dieses angeblich Neuen gar nicht heterogener sein. Was die Kalkülrechnung anbetrifft, so scheint es uns unangebracht, sie als Kennzeichen einer neuen, d. h. speziellen Logik zu betrachten. Jede formale Logik läßt sich kalkülmäßig darstellen und behandeln. Die vergangene Logik sowohl wie alle künftigen logischen Systeme, die im Verlauf der Geistesgeschichte des Menschen noch auftreten mögen. Der Kalkül ist als solcher völlig indifferent gegenüber dem Unterschied verschiedener Logiken. Es ist deshalb ein terminologischer Mißbrauch von einer neuen Logik zu reden, bloß weil man jetzt präzisere Darstellungs- und Rechenmethoden anwendet. Die logische Problematik, die mit diesen verbesserten Methoden bearbeitet wird, mag genau dieselbe sein, die die aristotelische Theorie der Reflexion entwickelte, und in diesem Fall entpuppt sich die mit Fanfaren angekündigte neue Logik als unser altes, ehrwürdiges klassisches

2) So neuerdings wieder Béla Juhos, Elemente der neuen Logik. Wien 1954, S. 12 ff.

System des Denkens, das nur vermittels einer exakteren Methodik in neuer, schärferer Gangart vorgeritten wird.

Dies trifft nun in der Tat auf einen — relativ kleinen, aber nicht unwichtigen — Teil der Logistik zu. So weit besteht also keinerlei Veranlassung von einer neuen Logik zu sprechen. Darüber hinaus aber hat sich herausgestellt, daß die klassische Logik ihr ureigenstes Programm, das darin besteht, daß wir logische Formen, „denen Formen des Seins entsprechen, nach solchen Regeln verknüpfen, denen Beziehungen zwischen den Seinsformen selbst korrespondieren"[3]), nur ganz fragmentarisch erfüllt hat. Die Gründe für diese erstaunlich bruchstückhafte Durchführung des ursprünglichen Programms der klassischen Logik sind übrigens in dem Fehlen einer zureichenden Technik zu suchen, mit welcher sowohl das Verhältnis unanalysierter Aussagen zu einander wie auch die internen „ontologischen" Relationen zwischen Subjekt und Prädikat untersucht werden konnten.

Wieder wäre es ein Mißbrauch, von dieser schließlichen Durchführung des originalen aristotelisch-klassischen Ansatzes als von einer neuen Logik zu sprechen. Gerade das aber geschieht heute ganz allgemein auf der logistischen Seite. In dem Terminus „neue Logik" ist ein philosophischer Anspruch verborgen, der durch die bisher von uns erwähnten Leistungen der Logistik (Introduktion einer strikt formalistischen Technik und Erfüllung des klassischen Programms) in keiner Weise gerechtfertigt wird. Es ist deshalb von philosophischer Seite in zahlreichen Fällen gegen den Anspruch der Kalkülrechner, eine neue Logik zu besitzen, Sturm gelaufen worden, wobei ausdrücklich darauf hingewiesen wurde, daß auch die angeblich neue Logik in allen ihren Varianten unverändert auf dem Fundament des klassisch-aristotelischen Denkens steht[4]).

Nun ist aber von den Verteidigern des orthodoxen klassischen Standpunktes übersehen worden, daß die Logistik nicht nur das originale Programm des traditionellen Denkens weitgehend ausgeführt hat. Und zu solchen Ausführungen können wir den Aussagenkalkül in seiner gegenwärtigen Gestalt und begrenzte Abschnitte des Prädikatenkalküls rechnen[5])! Sie ist darüber hinaus in Gebiete vorgestoßen, die definitiv als nicht-aristotelisch und trans-klassisch bezeichnet werden

3) Juhos, A. a. O. S. 12. Vgl. auch Paul F. Linke: die „ . . . allgemeinsten Gesetze des Seienden nennen wir die logischen Gesetze." Was ist Logik. Ztschr. f. Philos. Forsch. VI. 1951/52, S. 398

4) Von vielen diesbezüglichen Veröffentlichungen wollen wir nur erwähnen: B. v. Freytag-Löringhoff, Uber das System der Modi des Syllogismus. Ztschr. f. Philos. Forsch. IV (1949) S. 235—256. Und vom selben Verf.: Logik, Ihr System und ihr Verhältnis zur Logistik. Stuttgart 1955. Vgl. bes. Freytag-Löringhoffs Thesen S. 199 ff. In diesen Zusammenhang gehört auch die kürzlich ersch. Arbeit Gustav E. Müllers, Die Idee der Logik, Ztschr. f. Philos. Forsch. VIII (1934) S. 238 ff., wo die Einheit d e r Logik als selbstverständlich vorausgesetzt wird.

5) Vgl. Juhos, A. a. O. S. 120

müssen. Hier wird mit vollstem Recht und philosophisch höchst legitim von „Neuem" in der Logik gesprochen. Wo aber liegt dabei die kritische Grenze zwischen den älteren klassischen und den neuen nichtklassischen Bestandteilen, die den etwas ungefügen Komplex der heutigen Logik und Logistik ausmachen? Die Frage ist außerordentlich schwer zu beantworten und eine definitive Markierung der Trennungslinie zwischen klassischer und nicht-aristotelischer Logik ist bei dem gegenwärtigen Stande der Forschung noch nicht möglich. Alles hängt hier nämlich an den drei engverwandten Begriffen der „Vollständigkeit", „Entscheidbarkeit' und „logischen Wahrheit" formalisierter Systeme. Gerade aber die Formalisierung dieser Schlüsselbegriffe ist heute noch vollständig im Fluß . . . jedenfalls was die Theorie des Prädikatenkalküls angeht.

Immerhin läßt sich einiges mit Gewißheit sagen: Klassisch-aristotelisch in einem noch näher zu bestimmenden philosophischen Sinn ist der Aussagenkalkül in seiner heutigen Gestalt. Er ist erstens vollständig in dem schwächeren sowohl wie dem stärkeren Sinn, in dem dieser Terminus gebraucht wird. Und zweitens existiert für ihn ein unbeschränktes Entscheidbarkeitsverfahren. Da die Hinzufügung einer nicht aus den aussagelogischen Axiomen ableitbaren Formel einen Widerspruch erzeugt, ist durch die vorgegebene Axiomatik die Widerspruchsfreiheit und Geschlossenheit des Systems im Sinne des Satzes vom ausgeschlossenen Dritten garantiert.

Was den engeren Prädikatenkalkül angeht, so liegen die Dinge bereits diffiziler. Soweit endliche Argumentenbereiche allein zur Diskussion stehen, können allerdings auch hier die Widerspruchslosigkeitsbeweise genau wie im Aussagenkalkül geführt werden. Man ist nämlich in diesem beschränkten Fall in der angenehmen Lage, daß man sich der mit soviel logischer Problematik beladenen Quantifikatoren, d. h., des Alloperators (x)f(x) und des Existenzoperators (Ex)f(x) entledigen kann. Für finite Individuenbereiche gelten nämlich die folgenden definitorischen Beziehungen:

$$(x)f(x) =_{Def} f(a_1) \cdot f(a_2) \cdot \ldots\ldots f(a_n)$$
$$(Ex)f(x) =_{Def} f(a_1) \vee f(a_2) \vee \ldots \vee f(a_n)$$

Die Quantifikatoren können also durch eine endliche Folge von Konjunktionen resp. Disjunktionen ersetzt werden. Anders aber liegen die Dinge, sobald unendliche Individuenbereiche in die Betrachtung einbezogen werden. Für letztere ist schon im engen Funktionenkalkül die generelle Widerspruchsfreiheit nicht mehr allgemein darstellbar. Der hier zur Diskussion stehende Kalkül ist nämlich im stärkeren Sinne nicht mehr als vollständig zu bezeichnen. D. h. eine Formel wie

$$(Ex)f(x) \supset (x)f(x),$$

die für Argumentenbereiche, die nur ein einziges Individuum enthalten, wahr ist, ist zwar mit den Axiomen des Prädikatenkalküls nicht unverträglich, aber andererseits aus ihnen auch nicht ableitbar. (Um ableitbar zu sein müßte die obige Formel auch für Individuenbereiche mit mehr als einem Element wahr sein!) Im Aussagenkalkül würde die Hinzufügung einer nicht ableitbaren Formel zu einem Widerspruch führen. Im Prädikatenkalkül ist das nicht der Fall!

Andererseits verfügt der engere Prädikatenkalkül über Vollständigkeit im engeren Sinn, denn auch hier sind alle wahren Sätze aus dem Axiomensystem ableitbar. Daß dies tatsächlich der Fall ist, ist von Kurt Gödel, mit Einschluß von Individuenbereichen mit abzählbar unendlich vielen Elementen, nachgewiesen worden[6]). Voraussetzung für die Gültigkeit des Beweises ist der Satz vom ausgeschlossenen Dritten.

Aus dem bisher Gesagten geht hervor, daß das generelle Problem der logischen Allgemeingültigkeit eines formalisierten Ausdrucks, d. h. also die Frage, unter welchen Bedingungen eine Formel im Hinblick auf jeden möglichen Individuenbereich den Charakter rein formaler Wahrheit besitzt, schon im engeren Prädikatenkalkül nicht endgültig lösbar ist. Aber auch der schwächere Vollständigkeitsbegriff geht verloren, wenn wir zum weiteren Prädikatenkalkül übergehen. Es lassen sich nämlich in diesem generellsten Kalkül zu jedem gewählten Axiomensystem Formeln konstruieren, die zwar logisch für alle möglichen Individuenbereiche wahr sind, die aber trotzdem aus dem vorausgesetzten Axiomensystem nicht abgeleitet werden können. D. h. kein wie immer geartetes Axiomensystem liefert auf dieser Stufe einen vollständigen Kalkül . . . selbst wenn Vollständigkeit nur in der schwachen Bedeutung dieses Begriffs verlangt wird. Auch dieses Ergebnis verdanken wir Gödel[7]).

Für den Prädikatenkalkül als Ganzes gilt also der Satz vom ausgeschlossenen Dritten nicht mehr oder — um uns vorsichtiger auszudrücken — er kann nicht mehr unbeschränkt operativ in Anspruch genommen werden. Zwar ist auch für den erweiterten Prädikatenkalkül das Entscheidungsproblem, wie man bei einer zur Diskussion stehenden Formel feststellen kann, ob sie einen für jeden Individuenbereich wahren Ausdruck darstellt, oder ob es für sie überhaupt Argumente gibt, die ihr Wahrheitscharakter verleihen, lösbar. Aber diese Lösbarkeit beschränkt sich hier ausschließlich auf untergeordnete Teilgebiete,

6) Kurt Gödel, Die Vollständigkeit der Axiome des logischen Funktionenkalküls. Monatsh. f. Math. u. Physik. Bd. 37 (1930) S. 349—360.

7) Kurt Gödel, Uber formal unentscheidbare Sätze der Principia Mathematica und verwandter Systeme. Monatsh. f. Math. und Physik, Bd. 38 (1931) S. 173—198.

wie etwa das System der Formeln, die nur einstellige Prädikate enthalten. Überdies zeigt es sich, daß die Prozeduren, die Individuenbereichen gegenüber ausreichen, für Prädikatenbereiche nicht mehr allgemein zuständig sind.

Aus allem diesem geht zum mindesten das Eine hervor, die Problemlage ist nicht so einfach, daß man sagen könnte: bis zum engeren Prädikatenkalkül einschließlich ist die philosophische Thematik auch der modernen Logik noch aristotelisch-klassisch orientiert. Das wirklich neue, trans-klassische und nicht-aristotelische Denken beginnt mit dem weiteren Prädikatenkalkül. Es ist nämlich vorläufig noch gar nicht abzusehen, ob für das Entscheidungsproblem mit bezug auf Formeln, die mehrstellige Prädikate enthalten, eine mehr generalisierte Fassung gefunden werden kann und ob überhaupt der Begriff der formal-logischen Wahrheit, wie er den heutigen logistischen Prozeduren zugrunde gelegt wird, nicht letzten Endes wird revidiert werden müssen. Denn in dem Sinne, in dem heute logische Wahrheit definiert wird, gibt es sowohl im engeren wie im weiteren Prädikatenkalkül vollständige Entscheidungsverfahren nur für logische Systematiken, die sich aus speziellen Formeltypen ergeben. Jedenfalls ist die Frage einer gradweisen Erweiterung des Gültigkeitsbereiches solcher Verfahren heute noch sehr offen.

Was allein mit einiger Sicherheit feststeht, und worauf besonders die Schwierigkeiten deuten, die auftreten, sobald man von Individuenbereichen zu Prädikatenbereichen als logischen Argumenten überwechselt, ist die kaum mehr wegzuleugnende Tatsache, daß generell im Prädikatenkalkül die Sicht auf eine völlig neue Problematik der formalen Logik freigelegt worden ist, eine Problematik, die im eminentesten philosophischen Sinne trans-klassisch und nicht-aristotelisch ist.

Aber auch jetzt besteht noch kein Recht, von einer neuen nichtklassischen Logik zu sprechen, solange es nicht gelingt, die neue logische Problematik genau von der älteren traditionellen zu trennen und ihr ein eigenes System und eine gesonderte Behandlungsweise ihrer Fragestellungen zuzuweisen. In der gegenwärtigen Situation ist das, was wirklich substantiell und systematisch neu ist, kaum zu identifizieren, da bei dem heutigen Zustand der rechnenden Logik die ältere und die neue Problematik unentwirrbar ineinandergeschlungen sind. Die Folge davon ist, daß man auch dort schon mißbräuchlich von einer neuen Logik spricht, wo nur alte ontologische Probleme mit modernen, zum ersten Male adäquaten Techniken behandelt werden. Das ist mehr als ein trivialer Sprachgebrauch. Der Terminus einer „neuen Logik" ist solange irreführend, als wir nicht die *philosophische* Idee einer zweiten Logik besitzen, die sich an die erste aristotelisch-klassische ergänzend und die Idee des theoretischen Denkens erweiternd, systematisch anschließt. Daß eine solche neue Konzeption des rationalen Reflektierens existiert, und daß sie allein den Namen einer neuen Logik, die nicht-aristotelisch und trans-klassisch ist, verdient, soll im Folgenden dargestellt werden.

Wir beginnen dabei mit der Frage: was ist unter den Termini „aristotelische" und „klassische" Logik zu verstehen, wenn wir bei einem gegebenen System erstens von dem Grade, bis zu dem es durchgeführt ist, und zweitens von der benutzten Darstellungstechnik des betreffenden Formalismus absehen und unsere Aufmerksamkeit ganz auf die philosophische Theorie des Denkens konzentrieren, die in dem zur Diskussion stehenden Gebilde zum Ausdruck kommt? Glücklicherweise ist es möglich darauf eine Antwort zu geben, über die — wenigstens unter philosophisch orientierten Logikern — einigermaßen Übereinstimmung herrscht.

Eine solche Logik ist ein identitätstheoretisches System, das die „allgemeinsten Gesetze des Seienden" als formalen strukturtheoretischen Zusammenhang unter drei urphänomenalen Reflexionsmotiven ordnet. Diese grundlegenden Kernmotive — gelegentlich auch Axiome genannt — sind bekannt als das Gesetz der sich selbst gleichen Identität, das des verbotenen Widerspruchs und das des ausgeschlossenen Dritten. Diese drei Motive konstituieren ein in sich geschlossenes Reflexionssystem, aus dem man nicht eins beliebig entfernen kann, ohne damit auch die Geltung der anderen wesentlich zu beeinträchtigen. Das thematische Leitmotiv dieses Systems ist das Prinzip der Identität, wobei die letztere als formale Reflexion von Sein überhaupt begriffen wird. Die beiden folgenden Motive haben interpretierende Bedeutung, insofern als der Satz vom verbotenen Widerspruch besagt, daß Sein immer widerspruchsfrei gedacht werden muß, und der Drittensatz schließlich abschließend feststellt, daß ein widerspruchsfreies Denken von Sein sich in einem strikt zweiwertigen Reflexionssystem bewegen muß.

Die drei Kernmotive definieren also erstens Objekt der Reflexion (Identität), zweitens Reflexionsprozeß (verbotener Widerspruch) und schließlich das Gesetz, das das Verhältnis des Reflexionsprozesses zu seinem Gegenstand feststellt. (Tertium non datur) In anderen Worten: alles seinstheoretische, ontologisch orientierte Denken ist prinzipiell zweiwertig. Und nur als zweiwertiges behält es sein ursprüngliches Thema, Sein $\equiv$ sich selbst gleiche Identität, im Auge. Der Satz vom ausgeschlossenen Dritten ist deshalb mit Recht auch als Zweiwertigkeitssatz bezeichnet worden, und wer das Prinzip der unbedingten Zweiwertigkeit des reinen formalen Denkens aufgibt, verliert damit auch die originäre philosophische Thematik der Logik, nämlich das Grundthema: Sein des Seienden[8]).

Akzeptiert man einen solchen von vielen Philosophen geteilten Gedankengang[9]) — und es scheint uns in der Tat kein ernsthafter Grund vorzuliegen ihn abzulehnen — so scheint das letzte und endgültige Kriterium der klassischen Logik original aristotelischer Tradition ihre Zweiwertigkeit zu sein. Traditionelle Logik, ontologische Logik, aristotelische Logik, klassische und zweiwertige Logik sind dann alles synonyme Begriffe[10]).

Die philosophischen Kritiker der Logistik gehen aber weiter. Sie setzen Zweiwertigkeit und Logik überhaupt gleich und lehnen eine Erweiterung des echten logischen Bereiches auf drei- oder generell mehrwertige Strukturen radikal ab. Durch solche Generalisierungen des Wertigkeitsprinzips würden, so heißt es, nur „logoïde Formalismen" aber keine neue Logik erzeugt[11]). Mit anderen Worten: es wird stillschweigend vorausgesetzt, daß die klassische Idee des Denkens, wie sie durch die philosophischen Prinzipien von formaler Identität, verbotenem Widerspruch und ausgeschlossenem Dritten umschrieben wird, die einzige Idee von Denken überhaupt sei und in keiner Weise überschritten werden könne.

Ein solches Urteil ist schwer verständlich, wenn man sich vergegenwärtigt, daß die klassischen Formalprinzipien des Denkens eine sehr enge und sehr spezifische Reflexionssituation des menschlichen Bewußtseins definieren. Es kann kaum ein Zweifel bestehen, daß das theoretische Bewußtsein des Menschen in seiner bisherigen Geschichte durch Reflexionssituationen durchgegangen ist, die noch beschränkter waren, und es ist andererseits nicht einzusehen, warum sich unsere gegenwärtige Bewußtseinsstufe nicht in Reflexionsdimensionen hinein entwickeln soll, für die der klassische Formalismus keine korrespondierenden Strukturzusammenhänge mehr liefert.

Unser gegenwärtiges Bewußtsein ist zweiwertig. Gut und zugegeben. Aber setzt das nicht historisch eine einwertige Reflexionssituation voraus, für die unsere zweiwertigen Denkstrukturen ebenfalls ein „logoïder Formalismus" gewesen wären? Eine solche Kritik trifft zweifelsohne für die Reinform des sogen. primitiven Bewußtseins zu, das sich vollkommen mit seiner Umwelt identifiziert (wenn es „theoretisch" denkt) und ohne formalisierbaren und identifikationsfähigen Refle-

8) Vgl. hierzu die relevanten Ausführungen von Paul F. Linke, Die mehrwertigen Logiken und das Wahrheitsproblem. Ztschr. f. Philos. III (1948), S. 378 ff. und S. 530 ff.

9) In diesem Sinne dürften auch die Ausführungen von B. v. Freytag-Löringhoff zu interpretieren sein. Siehe seine „Logik" (Stuttgart 1955). Besonders S. 177 ff.

10) In diesem Sinne ist auch die Stellung von W. Albrecht zu verstehen. Vgl. Wolfg. Albrecht, Die Logik der Logistik. Berlin 1954.

11) P. Linke, Die mehrwertigen Logiken . . . S. 539.

xionsrest in seinen Bewußtseinsinhalten aufgeht. Auf dieser Stufe ist, wie wir sehr genau wissen, der Begriff des formal Wahren noch nicht faßbar und deshalb auch theoretisch-wissenschaftliches Denken in unserm Sinne prinzipiell unmöglich.

Von jener Bewußtseinstufe, auf der — wie angedeutet — unser aristotelisch-klassischer Wahr-Falsch-Formalismus nur als sinnloses Formelspiel, dem keine konkrete Reflexionssituation entspricht, erscheinen würde, setzt sich nun die nächste, doppelwertige Reflexionsstufe ab, auf der sich das theoretische Ich zum erstenmal von dem Objektzusammenhang der Welt distanziert und sich ihm als „Negation" entgegensetzt. Von jetzt ab ist das Denken, das bis dato „magisch" gebunden war, ein freibeweglicher, vom Gegenstand abgelöster, und deshalb formalisierbarer Reflexionsprozeß. Die urphänomenale Situation dieses Reflektierens ist in der platonisch-aristotelischen Analyse des Denkens beschrieben und, wenigstens in den allerersten Anfängen, auch formalisiert worden. Diese klassische Bewußtseinslage beschreibt das theoretische Ich als ein Subjekt überhaupt, das seinen Gegenständen *unvermittelt* gegenübersteht und das in sich, d. h. in der formalen Struktur seines begrifflichen Erlebens, dieses Grundverhältnis noch einmal *wiederholt*. Deshalb existiert in der Reflexion ein eindeutiger Unterschied von Denkprozeß und Denkgegenstand. Der erstere ist „Negativität" (Hegel) und der zweite „Positivität" und zwischen den beiden ist ein Drittes, das diese scharfe Abhebung der theoretischen Form von ihrem Objekt aufheben oder wenigstens mildern könnte, prinzipiell ausgeschlossen.

Das ist der Begriff des Denkens, der auch heute noch maßgeblich ist, und der in jedem Logikbuch bis zur Gegenwart stillschweigend vorausgesetzt wird. So wird es auch verständlich, daß, gemessen an der eben skizzierten zweiwertigen Reflexionssituation die aristotelische „Wahr-Falsch-Logik" als das einzige legitime logische System betrachtet wird, und daß die Einführung eines dritten, vierten usw. Wertes zwischen „wahr" und „falsch" als eine völlige Verkennung des philosophischen Sinns dieses klassischen Systems des Denkens geahndet wird. Soweit haben die Kritiker der neuen Logik vollkommen recht. Sie sind an prinzipieller Einsicht den Logistikern, die allzu sehr reine Techniker sind, überlegen. Und es soll, um keine Mißverständnisse aufkommen zu lassen, hier noch einmal ausdrücklich festgestellt werden, daß es prinzipiell unzulässig ist, zwischen zwei Werte, die durch einen Negationsoperator wechselseitig verbunden sind, einen dritten oder gar eine beliebige Anzahl von weiteren „Werten" einzuschieben. Ein Negationsverhältnis ist ein einfaches *Umtauschverhältnis* zweier Werte, d. h. es ist eine Relation, die den gegenseitigen Austausch zweier

Werte nach bestimmten Regeln erlaubt, und es ist ganz unsinnig und widerspricht völlig dem Sinn dieses Verhältnisses, hier noch einen weiteren Wert, oder gar mehrere einführen zu wollen. Ein solches *direktes.* Umtauschverhältnis, wie die klassische Negation es vorschreibt, ist immer nur zwischen zwei Werten möglich. Die philosophische Kernlogik, in der das theoretische Ich sein Verhältnis zur Welt, d. h. zu dem ganzen Universum möglicher *denkfremder* Objekte bestimmt, ist zweiwertig und wird es immer bleiben! Die klassische Logik bestimmt die urphänomenale Relation zwischen theoretischem Ich überhaupt und gegenständlichem Nicht-Ich. Diese Relation kann gar nicht anders als zweiwertig sein und, von ihr aus gesehn sind nicht-aristotelische, drei- oder mehrwertige Strukturen nur logoïde, formalistische Spielereien ohne jede ontologische Fundamentalrelevanz. —

Wer aber glaubt, daß damit das Problem der mehrwertigen Logiken erledigt sei, täuscht sich sehr. Was wir faktisch bisher festgestellt haben, ist nicht mehr, als daß die klassische, platonisch-aristotelische Tradition des Denkens essentiell zweiwertig ist, und daß deshalb alles sich unmittelbar auf Objekte richtende Denken dieser Tradition angehört. Zweiwertigkeit ist das generelle Kriterium dieses Logiktypus. Und wenn wir jetzt noch einmal die Frage stellen: was ist eine nicht-aristotelische Logik? so kann die Antwort nur lauten, daß dies ein mehrwertiger Formalismus sein müßte. Andererseits scheint es aber, als ob solche drei- oder generell n-wertige Strukturen als strikt-formale *logische* Formalismen nicht zugelassen werden dürfen, weil sie der urphänomenalen Relation von Denken und Gedachtem überhaupt nicht mehr entsprechen!

Das wäre in der Tat so, wenn die zweiwertige Reflexionssituation, in der wir uns der Welt gegenüber befinden, das historisch letzte Stadium der menschlichen Bewußtseinsentwicklung wäre. Aber nichts hindert uns, über die klassische Reflexionsstufe dadurch hinauszugehen, daß wir auf sie selbst reflektieren. Dies ist de facto bereits in den dargestellten Grenzproblemen der modernen Logik geschehen, wenn von der Widerspruchsfreiheit, der Vollständigkeit und der Erfüllbarkeit von Axiomensystemen, resp. von Bereichen von Formeltypen die Rede ist. Hier liegt bereits eine prinzipiell neue Reflexionssituation des logischen Bewußtseins vor, eine Reflexionssituation, in der das Denken nicht mehr auf sein unmittelbares Verhältnis zum Sein reflektiert, und sich (zweiwertig!) als direkten Gegensatz zu seinem Objekt versteht. Worauf jetzt hingegen reflektiert wird, ist das ontologische klassische Denken selbst. D. h. in diesen letzten Grenzanalysen über schwächere und stärkere logische Vollständigkeit, über die Tragweite des Tertium non datur, über leere und erfüllte Argumentbereiche und über die Abhängigkeit des Begriffs der logischen Wahrheit von bestimmten Formeltypen entwickelt sich ein neues, diesmal nicht-aristotelisches Denken, dessen Gegenstand nicht mehr ein form-transzendenter Objektbereich ist, sondern die logische Form selber qua Form. Es findet damit also ein grundsätzlicher Wechsel der Bewußtseinsthematik, die das bisherige System des Denkens erzeugt hatte, statt. Dem klassischen Denken korrespondierte als Thema die Welt als ein mit sich selbst identischer, objektiver, der Reflexion unmittelbar gegebener, irreflexiver Realzusammenhang. Auf diesen war der aristotelische Formalismus ausgerichtet. Das Thema des trans-klassischen Denkens aber ist jene erste Reflexion, die sich einer denkfremden Kontingenz der Welt der Gegenstände gegenübersieht. Auf diese Reflexion wird jetzt reflektiert.

Wir haben also jetzt zwei thematisch scharf getrennte Stufen der theoretischen Reflexion zu unterscheiden:

1) das klassische Denken von Sein
2) das trans-klassische Denken des klassischen Denkens.

Die neue Reflexionsstufe ist also die Basis einer Logik, die sich nicht mehr mit dem klassisch-aristotelischen Thema „Sein" beschäftigt, sondern mit dem neuen Thema „Reflexion". Diese Doppelstufigkeit der totalen Reflexion — wobei jeder Stufe eine gesonderte Logik entspricht — ist zuerst von Fichte entdeckt worden, wenn er sagt: „In der Wissenschaftslehre gibt es zwei sehr verschiedene Reihen des geistigen Handelns: die des Ich, welches der Philosoph beobachtet, und die der Beobachtungen der Philosophen". In den bisherigen klassisch-dogmatischen Philosophien, fährt Fichte dann fort, gab „es nur *eine* Reihe des Denkens, die der Gedanken des Philosophen, *da sein Stoff selbst nicht als denkend eingeführt wird*"[12]. Das ist so klar, wie es damals nur formuliert werden konnte. In dem klassischen Thema „Sein" wird der Stoff des Denkens ausdrücklich nicht selbst als denkend eingeführt, sondern als das, was allem Denken als ein Anderes, echt Objektives gegenüber steht. Den „Stoff" aber selbst als denkend einführen, kann nun nichts anderes heißen, als daß sich das Denken in der neuen Reflexion auf den Denkprozeß selber richtet. Eine andere — und vielleicht bessere — Formulierung hat Hegel später gebraucht, wenn er die totale Reflexion als Reflexion-in-sich der Reflexion-in-sich-und-Anderes definiert. Diese Fassung des Problems ist insofern viel weitertragend, als sie bereits ausspricht, daß die beiden Fichteschen „Reihen des Denkens", 1) die Reflexion-in-Anderes und 2) die Reflexion-in-sich keine einfach inversen Richtungen des Reflexionsprozesses darstellen, sondern daß die Reflexion-in-sich über den Gegensatz von Sein und Denken-von-Sein über-

12) J. G. Fichte, Zweite Einleitung in die Wissenschaften. Erster Abschnitt. Die zweite Sperrung in dem Zitat ist die unsrige.

greift. Hegel hat also bereits gesehn, daß man über das naive klassische, seinsthematisch orientierte Denken nicht nachdenken kann, ohne jenes erste Denken im Gegensatz zu seinen Objekten zu betrachten. In anderen Worten: in jeder Reflexion auf die Reflexion muß der Gegenstand der ersten Reflexion mit eingeschlossen sein.

Damit aber haben wir bereits das Problem der inneren Struktur jener Reflexion 2) berührt und unserm Gedankengang etwas vorgegriffen. Vorerst haben wir aber die grundsätzliche Frage zu beantworten: konstituiert die fundamentale Unterscheidung von Denken des Seins als erster Reflexion und Denkens des Denkens als zweiter eine systematische Differenz von solcher Tragweite, daß sich aus ihr zwei verschiedene Ideen von formaler Logik ergeben, derart daß wir in einem streng theoretisch philosophischen Sinn von einer klassisch-aristotelischen und einer trans-klassischen, nicht-aristotelischen Logik als prinzipiell verschiedenen Formalismen des reinen Denkens sprechen können. Oder umgekehrt: benutzen wir, wenn wir das Thema „Sein" denken, genau denselben Formalismus, der später zur Anwendung kommt, wenn das Thema unseres Denkens „Reflexion" heißt?

Im zweiten Fall gibt es nur *eine* Logik, nämlich diejenige, die uns in der klassischen Tradition überliefert worden ist, und es besteht dann kein Recht anders als in einem sehr trivialen chronologischen Sinn von alter und neuer Logik zu sprechen. Die „alte Logik" sind dann eben die älteren Teile und die „neue Logik" die moderneren Teile ein und desselben formalen Systems des Denkens. Unter diesen Umständen ist dann die neue Logik genau so klassisch, so ontologisch und so „aristotelisch" wie die alte, da ja die Thematik der Reflexion, die den Systembegriff bestimmt, nirgends gewechselt worden ist.

Anders aber liegen die Dinge, wenn wir annehmen, daß bei dem Übergang vom Denken des Seins 1) zum Denken des Denkens (von Sein) 2) die formale logische Thematik wechselt und wir deshalb in der ersten, naiv seinsthematischen Reflexion mit *einer* Idee des Denkens zu tun haben, die sich philosophisch systematisch von jener *zweiten* Idee des Denkens unterscheidet, die in dem Reflektieren auf das Reflektieren (anstatt auf das Sein) zum Ausdruck kommt.

Im transzendentalen Idealismus — genauer gesagt — in der Fichteschen Wissenschaftslehre und Hegelschen Logik — ist diese Frage bereits in dem Sinne entschieden worden, daß das Denken, welches sich auf sich selbst richtet, einer anderen Logik angehört als dasjenige Denken, das an der Thematik eines unmittelbaren objektiven Seins orientiert ist. In der modernen Logik aber ist diese Fundamentalproblematik des logischen Formalismus zwar nirgends theoretisch analysiert, wohl aber praktisch dahingehend interpretiert worden, daß der Übergang von der Logik des Seins zur Logik der Reflexion *keinen* Wechsel der philosophischen Thematik involviert. Es ist angeblich dasselbe Denken, das erstens das Sein der Gegenstandswelt und das in einer zweiten Reflexion sich selber denkt. D. h. es wird in der mathematisch-symbolischen Logik bis dato ziemlich unbefangen angenommen, daß wir nur eine Idee des Denkens besitzen, der ein einziges System der Reflexion entspricht und daß, speziell was den logischen Funktionenkalkül anlangt, die Logik aller Individuenbereiche mit der des Inbegriffs aller Prädikatenbereiche eine kontinuierliche Systematik bildet, in der weder ein philosophischer Themawechsel noch ein Übergang zu einer mehrwertigen Wertstruktur vorgesehen ist.

In der Tat muß die Hartnäckigkeit Verwunderung erregen, mit der man auch am Prinzip der Zweiwertigkeit angesichts der Schwierigkeiten festhält, die der Satz vom ausgeschlossenen Dritten, das Prinzip der Vollständigkeit und der Begriff der formalen Wahrheit im Rahmen des Prädikatenkalküls produzieren. Aber andererseits ist diese rigoros am Traditionellen orientierte Haltung doch nicht allzu verwunderlich, wenn man ins Auge faßt, in welcher fragwürdigen Weise der transzendentale Idealismus die gegenteilige Lösung durchzuführen versucht hat. Zwar wird bei Fichte und Hegel und in gewissem Sinne auch schon bei Kant sehr entschieden erklärt, daß das seinsthematische Denken einer andern Logik folge als das reflexionsthematische. Aber wenn wir fragen, welche *formale* Struktur jene neue (bei Kant „transzendental" und bei Hegel „dialektisch" genannte) Logik aufweise, so werden wir durch den deutschen Idealismus und die ihm folgende geisteswissenschaftliche Tradition ganz einstimmig belehrt, daß nur die klassische, ausschließlich auf das gegenständliche Objekt ausgerichtete Logik einen abstrakten Formalismus repräsentiere und über manipulierbare Operatoren verfüge. Die neue Logik sei nicht formal und deshalb auch nicht als rechnerischer Kalkül darzustellen, weil in ihr der elementare Gegensatz von Reflexions*form* und Reflexions*gegenstand* aufgehoben sei.

Über diese Meinung ist die Geschichte der Logik inzwischen zur Tagesordnung übergegangen. Wir sind heute im tatsächlichen Besitz einer neuen Logik. Sie ist genau so formal und kalkülmäßig darstellbar wie die alte klassische. Und sie besitzt überdies manipulierbare Operatoren, von denen sich die ältere Tradition nichts träumen ließ. Weiterhin ist diese nachidealistische Logik in denjenigen Teilen, die im echten philosophischen Sinn neu sind, eine Reflexion auf das klassische seinsthematische Denken. Daß dies so ist, kann ganz unzweifelhaft an der mit Leibniz beginnenden Entwicklung der modernen Theorie des Denkens abgelesen werden.

Die klassische Tradition einer naiven, ganz auf ihren Gegenstand eingestellten Reflexion hat sich nirgends ernsthaft um eine Trennung zwischen dem (metaphysischen) Objekt und dem ihm verhafteten Denkprozeß bemüht. Das war ganz selbstverständlich, denn jener selbst-vergessene theoretische Blick war ganz ausschließlich bestrebt, die Regeln eines gegenständlichen reinen Ansichseins festzustellen. Wobei stillschweigend vorausgesetzt wurde, daß jene hypostasierten ontologischen Gesetze letzten Endes mit den formalen Prinzipien unseres Denkens identisch sein müßten.

Mit Leibniz aber setzt eine grundsätzlich neue Betrachtungsweise ein. Die Reflexion verliert ihre Naivität, denn man beginnt mehr und mehr nach der Gültigkeit der logischen Formen unabhängig von ihrer spezifischen Gegenstandsbezogenheit zu fragen. D. h. es beginnt die Ablösung des Formalismus von seinem (metaphysischen) Objekt. In andern Worten: es entwickelt sich langsam eine neue Reflexionsform, deren Thema nicht mehr das denktranszendente klassische Ansichsein, sondern gerade jenes Denken ist, das sich in der klassischen Tradition so naiv und selbstvergessen an sein Welt-Objekt gebunden hatte.

Als erstes Resultat dieser trans-klassischen Reflexion auf das „unmittelbare" klassische Reflektieren der Umwelt im Denken wurde festgestellt, daß die traditionelle Logik ihr eigenes Programm auch nicht annähernd erfüllt hatte. Man entdeckte, daß die herkömmliche Theorie des Denkens bisher nur als schmales Systemfragment entwickelt worden war. Und ein Teil aller diesbezüglichen Bemühungen bis zur Gegenwart hat darauf abgezielt, die fehlenden Teile dieser ersten Reflexion nachzuliefern. Darüber hinaus aber wurde eine ganz neue logische Problematik sichtbar, die sich unter Anderem in der Unterscheidung von Objekt- und Metasprache, in den Antinomien und den Entdeckungen Gödels wiederspiegelt. Das Charakteristische der eben erwähnten Problematik ist, daß sie aus einer zweiten Reflexion auf das bisherige Denken entstanden ist.

Es ist von ganz außerordentlicher Wichtigkeit, sich diese epistemologische Situation deutlich vor Augen zu halten. Wir wollen sie deshalb kurz stichwortartig resümieren:

a) das klassische Denken (erste Reflexion) thematisiert „Sein"
b) das trans-klassische Denken (zweite Reflexion) thematisiert das Denken in a).

Damit aber taucht die heute in der symbolischen Logik praktisch überhaupt noch nicht ventilierte Frage auf: benutzt ein Denken, dessen Thema nicht mehr „Sein" sondern das *Denken* des Seins ist, denselben Formalismus, der uns die klassischen Regeln der ersten Reflexion lieferte? Anders ausgedrückt: iteriert sich unsere traditionelle Logik einfach, wenn wir statt bona fide Gegenstände zu denken, auf unser eigenes Denken reflektieren — oder aber impliziert eine solche Reflexion auf die Reflexion eine *andere* Logik?

Der transzendentale Idealismus hat eine ganz unmißverständliche Antwort auf diese Frage gegeben. Er hat erklärt, daß die Reflexion auf unser theoretisches sich mit Welt-Gegenständen beschäftigendes Bewußtsein einer *anderen* Logik folgen müsse, als die jenes Bewußtsein selbst habe. In diesem Sinne unterscheidet Kant formale (aristotelische) und transzendentale Logik. Und auf die gleiche Weise trennt Hegel formale Abstraktionslogik von konkret-absolutem Denken.

Heute können wir deutlich sehen, daß der verhängnisvolle Fehler, der jede Entwicklung des idealistisch-transzendentalen Logikbegriffs von vornherein verhindert hat, die unberechtigte Identifizierung von formaler und klassisch-aristotelischer Logik gewesen ist. Wir wissen jetzt aus der aktuellen Praxis der mathematischen Logikkalküle, daß eine Reflexion auf die klassischen Reflexionsstrukturen genau so formal ist wie die traditionellen Denkformen, die sich mit dem irreflexiven Tatbestand der Objekt-Welt befassen. Insofern hat, wie gesagt, der transzendentale Idealismus Unrecht gehabt. Aber auch die symbolische Logik hat sich einer beträchtlichen Unterlassungssünde schuldig gemacht, weil sie sich niemals in ihren Vertretern ernsthaft die Frage vorgelegt hat, ob jener Formalismus der zweiten Reflexion mit den abstrakten Bewußtseinsstrukturen des klassischen Denkens identisch sei. In der gesamten Entwicklung der mathematischen Logik seit Leibniz wird stillschweigend vorausgesetzt, daß wir uns genau derselben Logik bedienen, gleichgültig ob wir irreflexive Objekte oder den Reflexions*prozeß,* der sich mit jenen Objekten beschäftigt, denken. An diesem Glauben ist man auch dann nicht irre geworden, als die iterierte Reflexion auf die klassischen Reflexionsstrukturen sich in Antinomien, in eine endlose Iterativität des Widerspruchsprinzips und andere Schwierigkeiten verwickelte. —

Gegenüber diesem Gegensatz von transzendentaler und mathematisch-logischer Tradition stellen wir nun die folgenden Thesen auf:

1) die Reflexion auf die klassische Reflexionssituation impliziert eine neue, trans-klassische Logik, die keine einfache Iteration des traditionellen, identitäts-theoretischen Denkens darstellt.

2) Die Reflexion auf die Reflexion ist in dem gleichen Sinne formal wie ihr „Objekt", die erste Reflexion.

3) Alle theoretischen Bewußtseins-(Reflexions)prozesse sind grundsätzlich zweiwertig.

Die Bedeutung der Thesen 1) und 2) geht aus unseren vorangehenden

Ausführungen hervor. Der spezifische Sinn der These 3) wird durch die kommenden Analysen erhellt werden.

Wir beginnen mit Hegels Begriff der doppelten (oder zweiten) Reflexion. Sie ist die Reflexion-in-sich der Reflexion-in-sich und der Reflexion-in-Anderes. Diese „totale" Reflexion ist das System des reellen Selbstbewußtseins. Und insofern als sie jenes System darstellt, ist diese zweite Reflexion-in-sich „konkret".

Wir werden im folgenden unsere Analyse des Hegelschen Begriffs der Reflexion ausschließlich auf formallogische Erörterungen beschränken. D. h. wir ignorieren die metaphysischen Implikationen, die in den Termini „reell" und „konkret" zum Ausdruck kommen. Diese substantiellen Implikationen widersprechen unserer These 2).

Der formale Begriff der Reflexion ist bereits in der Phänomenologie des Geistes voll ausgebildet, wo Hegel zwei prinzipielle Bewußtseins- resp. Reflexionsstufen unterscheidet. Die erste ist die „unmittelbare" Reflexion, in der sich ein naiv-unbefangenes Bewußtsein einer denk- und bewußtseinstranszendenten Außenwelt gegenüber sieht. Diese elementare und absolut grundlegende Bewußtseinssituation konstituiert sich in einer fundamentalen Dichotomie von Inhalt und Form, von Nicht-Ich und Ich, von Sein und Denken usw. Dieser kontingent-irreflexive Wirklichkeitszusammenhang nun spiegelt (reflektiert) sich in einem erlebenden und wissenden Subjekt in dem uns genugsam bekannten zweiwertigen Schema von Positivität und Negation, auf dem sich unsere klassisch-aristotelische Logik aufbaut. Dabei vertritt der Wert der Positivität die Reflexionsmotive die durch die Kernworte „Inhalt", „Nicht-Ich", „Sein", „Kontingenz", „Irreflexion" u. a. m. vertreten werden. Der Gegenwert der Negation aber indiziert Erlebnismotive wie „Form", Subjektivität, „Nichtsein", „Notwendigkeit" und „Reflexion".

Alles überhaupt mögliche Bewußtsein beruht auf diesem urphänomenalen Motivgegensatz des Reflexionsprozesses, in dem sich das Denken als reine Form von seinem Gehalt, dem Inbegriff alles Seienden, emphatisch absondert. Diese reflektierende Absonderung ist das, was Hegel die „reine Negativität" nennt und ihr theoretisches Abbild ist der schwebende Gegensatz von Thesis und Antithesis.

Was an dieser Betrachtungsweise für die moderne Logik besonders wesentlich ist, ist die Identifikation der naiven unmittelbaren, noch nicht auf sich selbst reflektierenden Bewußtseinslage mit dem Prinzip der Zweiwertigkeit. In anderen Worten: die klassische zweiwertige Logik beschreibt die Struktur von Denkprozessen, die sich auf diesem Niveau einer direkten, nicht reflexiv „vermittelten" Reflexion abspielen. In Hegelscher Terminologie: die traditionelle Logik mit der „unmittelbaren" Entgegensetzung von Positivität und Negation repräsentiert das System der „einfachen" Reflexion-in-sich und den „abstrakten" Gegensatz von Denken und Gedachtem.

Diese Bewußtseinslage ist aber nach Hegel nicht die einzige. In ihr ist sich die Reflexion nur ihrer Gegenstände, resp. Inhalte, bewußt; sie hat aber kein Bewußtsein ihrer selbst. Auf ihr baut sich jedoch eine zweite, „totale" Reflexionssituation auf, in der das theoretische Bewußtsein jener zweiwertigen Spanne zwischen Denken und Gegenstand inne wird. Der erste Paragraph der phänomenologischen Betrachtungen in der Philosophischen Propädeutik beschreibt dieses Verhältnis in einfachen und klaren Worten: „Unser gewöhnliches Wissen stellt sich nur den *Gegenstand* vor, den es weiß, nicht aber zugleich sich, nämlich das Wissen selbst. Das Ganze aber, was im Wissen vorhanden ist, ist nicht nur der Gegenstand, sondern auch *Ich*, der weiß und die Beziehung meiner und des Gegenstandes aufeinander, das Bewußtsein[13])."

Die traditionelle abstrakte Alternativlogik, also das was wir heute die zweiwertige Logik nennen würden, definiert nach Hegel nur die rationale Struktur des „gewöhnlichen Wissens", das eben einen (irreflexiven) Gegenstand — und nichts weiter! — hat. D. h. sie ist die Logik des ersten Reflexionsniveaus, das nur einen irreflexiven Gegenstandsbereich besitzt. Was in dieser Logik aber überhaupt noch nicht auftritt, ist das Problem des Abstandes zwischen Reflexionsprozeß und irreflexivem Objekt des Reflektierens. Also die Frage: wie kann das Denken (von Gegenständen) sich selber denken? Diese Reflexion auf das Wissen von Gegenständen — also die Reflexion auf die Reflexion — ist nach Hegel erst das „ganze" Wissen, das nicht nur das Objekt, sondern auch die Reflexion des Objekts im Ich enthält. Eine Logik, die diese doppelt reflektierte Bewußtseinssituation darstellt, wäre nach spekulativ-idealistischer Auffassung „absolut". Eine solche Logik aber kann nach Meinung der Transzendentalphilosophen als formales, operables Kalkülsystem nicht mehr dargestellt werden. Darin sind sich Kant, Fichte, Hegel und Schelling durchaus einig, wenn sie auch die unterschiedlichsten Begründungen für diese Ansicht liefern.

Wir wissen heute, daß diese Auffassung nachweislich falsch ist, und wollen deshalb das Problem der Transzendentallogik unter der wohlbegründeten Voraussetzung weiterführen, daß sich das System des theoretischen Selbstbewußtseins, in dem das Ich auf seine eigene Reflexionssituation gegenüber der Objektwelt reflektiert, als formaler Kalkül darstellen läßt. Dabei gehen wir von der folgenden Nominaldefinition aus: wir nennen eine Logik, die ausschließlich die Seinsstruktur von irreflexiven Objekten reflektiert, ein klassisches oder

---

13) Hegel (Glockner) WW. III, S. 101.

aristotelisches System des Denkens. Unter einer nicht-aristotelischen, trans-klassischen Logik aber wollen wir ein Reflexionssystem verstehen, in dem nicht auf einen irreflexiven Gegenstandsbereich, sondern auf jenen ersten Reflexionsprozeß reflektiert wird, der ausschließlich Irreflexivität zum Gegenstand hat.

Daraus folgt zweierlei: erstens, eine aristotelische Logik beschreibt eine theoretische Bewußtseinslage, für die es erlebnistranszendente Gegenstände „gibt"; zweitens: jeder überhaupt mögliche Denkinhalt ist für das Bewußtseinsniveau, das durch eine nicht-aristotelische Logik beschrieben wird, immanent. Für die Reflexion auf die Reflexion gibt es kein absolut objektives Sein mehr, das unabhängig vom Denken beschreibbar ist. Sein ist von jetzt ab nur noch operables Reflexionsmotiv *innerhalb* des Systembereiches der doppelten Reflexion.

Damit aber ändert sich sofort der Charakter des logischen Wertes. Im aristotelischen System, für das es bewußtseinstranszendente Dinge gibt, wird der irreflexiv-positive Wert semantisch als „wahr" interpretiert. Denn die Reflexion (die Negativität) ist hier ja nichts weiter als ein sekundäres Abbild, eine bloße Spiegelung eines platonisch Ansichseienden. Als *bloße* Spiegelung (Reflexion) aber ist sie „falsch", insofern sie etwas vortäuscht, was sie nicht ist. Sie ist μὴ ὄν, wie es im platonischen Sophistes heißt, und sie ist transzendentaler Schein, wie Kant in der Kritik der reinen Vernunft bemerkt. Das reflexive Abstandnehmen von der Positivität des Seins (des Wahren) wird hier als „falsch" interpretiert, weil es ja gerade der Sinn des klassischen Denkens ist, sich *nicht* auf sich selbst, sondern sich auf „das Andere" zu richten und sich ihm anzugleichen. Soweit die Reflexion also Reflexion bleibt und dieses Ziel verfehlt, ist sie deshalb falsch. Sie hat ihre eigene Thematik verloren. Aus diesem Grunde wird also in der klassischen zweiwertigen Logik Irreflexivität und Positivität mit Wahrheit, aber Reflexion und Negativität mit Falschheit identifiziert. Das Subjekt, als der Ursprung der Reflexivität, ist nach alter Tradition die Quelle alles Irrtums.

Diese Situation ändert sich, wie bereits bemerkt, ganz radikal, wenn wir von der klassischen Seins- und Irreflexivitätsthematik zu der transklassischen Thematik einer Reflexion auf das Denken selbst übergehen. Es hat jetzt gar keinen Sinn mehr einen logischen Wert als falsch zu bezeichnen, weil er ein Verfehlen der logischen Thematik anzeigt. Das war nur auf klassischem Boden möglich, weil dort das Thema des Denkens das „absolut Andere" war. Unter diesen Umständen war eine Reflexion, die nicht jenen Charakter des Anderen abbildete, eben thematisch verfehlt. Im Gegensatz dazu ist es die Aufgabe einer nichtaristotelischen Reflexion auf den Reflexionsprozeß, jetzt jenes klassische Abbildungsverhältnis von „objektivem" Sein *und* „subjektivem" Denken darzustellen. In einer solchen Logik sind also sowohl Irreflexivität wie auch Reflexion legitime Ziele und Themen des theoretischen Begreifens. Das Denken kann also jetzt keinesfalls seine thematische Absicht verfehlen, gleichgültig ob es sich als Irreflexivität oder als Reflexion abbildet. D. h. in einer solchen Logik wird der Begriff der Falschheit sinnlos. Das hat Hegel zum erstenmal mit äußerster logischer Konsequenz begriffen, wenn er feststellt, daß die Reflexion-in-sich der Reflexion-in-sich-und-Anderes es nur mit dem Wahren zu tun habe. Der Begriff des Falschen existiert in einer Logik der zweiten Reflexion nicht mehr.

Soweit eine solche Logik aber formal und operabel ist, hat sie auch Werte. Die wichtige Frage aber ist, was diese Werte semantisch bedeuten mögen! Denn da der Begriff des Falschen jetzt hinfällig geworden ist, hat es auch keinen Sinn mehr, einen der Werte als „wahr" zu bezeichnen. Die nicht-aristotelische Logik kann offenbar überhaupt keine „wahr-falsch" Logik mehr sein.

Diese Überlegung zwingt uns erst einmal festzustellen, was logische Werte in der iterierten Reflexion auf unsere Reflexionsprozesse designieren müssen. Eine Antwort darauf ergibt sich ganz zwangsläufig aus der Thematik der doppelten Reflexion. Das „Objekt" dieser neuen Logik ist, wie wir nun ausführlich genug dargestellt haben, das theoretische Bewußtsein selbst. In dem letzteren aber unterscheiden wir Denken und Gedachtes. Die Differenz zwischen diesen theoretischen Erlebniskomponenten ist durch die voraufgehende klassische Logik etabliert und jetzt als definitiver Tatbestand gegeben. Auf ihr beruht der für alles Denken maßgebliche Unterschied von logischer Form und logischem Inhalt. Die klassische Logik aber ist nicht in der Lage, die von ihr selbst konstituierte Unterscheidung zu verstehen und theoretisch zu formulieren. Was logische Form ist und was nicht, das kann auf dem Boden des traditionellen aristotelischen Formalismus mit seiner ausschließlichen thematischen Orientation an dem inhaltlichen Charakter des Seins nicht entschieden werden.

Der klassische Formalismus ist deshalb unfähig die Frage zu beantworten, welcher absolute allgemeine Wahrheitsbegriff etwa die folgenden Formeln umfaßt:

$$(x)\, f(x) \equiv \sim (Ex)\, f(x) \qquad (1{,}1)$$
$$(x)\, f(x) \equiv (Ex)\, f(x) \qquad (2{,}1)$$
$$\sim (x)\, f(x) \equiv \sim (Ex)\, f(x) \qquad (2{,}2)$$
$$(x) \sim f(x) \equiv (Ex) \sim f(x) \qquad (2{,}3)$$

$$(x)\,(y)\,[f(x) \supset f(y)] \qquad (2,4)$$
$$(Ex)\,(Ey)\,[f(x) \cdot \sim f(y)] \qquad (3,1)$$
$$(x)\,(Ey)\,f(x,y) \cdot (x) \sim f(x,x) \cdot (x)\,(y)\,(z) \qquad (4,1)$$
$$[f(x,y) \cdot f(y,z) \subset f(x,z)]$$

Alle diese Ausdrücke haben einen Bereich, in dem sie „wahr" sind. Die Formel (1,1) gilt für alle Universen, die kein Individuum enthalten. Die Formelgruppe (2,1) bis (2,4) betrifft alle Universen mit einem einzigen Individuum. (3,1) hingegen fordert eine endliche Mehrzahl von Objekten. Und (4,1) schließlich kann nur durch eine (abzählbare) unendliche Menge von Individuen erfüllt werden.

Insofern aber, als alle diese Formeln in dem einen oder andern Sinne Geltung haben, beginnt sich hier der ursprünglich einheitliche klassische Wahrheitsbegriff zu differenziieren. In der älteren Tradition war Wahrheit die unmittelbare Übereinstimmung des Denkens mit dem Sein[14]). Jetzt aber müssen wir uns fragen, welches Denken soll mit dem Sein übereinstimmen? Das unmittelbare Denken, also die erste Reflexion? Oder das Denken des Denkens, d. h. die zweite Reflexion?

Anders formuliert (wobei bemerkt werden muß, daß sich die Formulierungen nicht genau decken): meint die klassische These das aussagenlogische Denken, das durch das axiomatische System definiert

$$p \vee p \supset p$$
$$p \supset p \vee q$$
$$p \vee q \supset q \vee p$$
$$(p \supset q) \supset (r \vee p \supset r \vee q)$$

wird? Oder bezieht sie sich auch auf jenes Denken, für das der Existenzialoperator (E..)f(..), resp. der Alloperator (..)f(..) unerläßlich sind? Stellen wir unsere Frage so, dann zeigt es sich, daß in den Formeln (1,1) bis (4,1) zwei Formen des Denkens involviert sind, denn soweit es sich um endliche Individuenbereiche handelt, können Existenz- und Alloperator entbehrt werden. Unentbehrlich sind sie jedoch, sobald Universen mit echtem Kontingenzgehalt, d. h. mit unendlichen Individuenbereichen zur Diskussion stehen. Unter diesem Gesichtspunkt können wir feststellen, daß sich (unbeschadet feinerer Distinktionen) in der Formelgruppe (1,1) bis (4,1) zwei unterschiedliche Formen von Reflexion manifestieren. Erstens eine Reflexionsweise, die die Ausdrücke (1,1) bis 3,1) umfaßt, und zweitens eine weitere, die für (4,1) zuständig ist.

Da aber der allgemeine, mit dem Existenzbegriff arbeitende Funktionenkalkül, das obige aussagenlogisch-axiomatische System als Subsystem impliziert, ist die sich in (4,1) manifestierende Reflexion zwei-

14) Dieser Wahrheitsbegriff dürfte durch die scharfsinnigen Analysen Alfred Tarskys endgültig erledigt sein. Vgl. A. Tarsky, Der Wahrheitsbegriff in den formulierten Sprachen. Studia Philophica, Leopoli 1935; I, S. 261—405.

stufig[15]). Sie besteht erstens aus einer Reflexion, die sich irreflexiv darstellen läßt. Und zweitens aus einer zusätzlichen Reflexionskomponente, für die diese Bedingung nicht mehr gilt. Das Kriterium für das, was irreflexiv darstellbar ist, ist dabei die Gültigkeit des Tertium non datur. Der Drittensatz gilt für das Axiomensystem des Aussagenkalküls und er gilt auch noch für eine Formel wie (3,1). In einer Reflexion aber, die durch das Beispiel (4,1) vertreten wird, ist der eventuelle Geltungsbereich des Tertium non datur problematisch.

Die Gründe dafür liegen in der funktionalen (semantischen) Doppeldeutigkeit des All- und des Existenzoperators. Interpretiert man Allheit resp. Existenz gegenständlich endlich, so indizieren unsere Operatoren eine unmittelbar sich auf ein irreflexives Objekt richtende Reflexion — und nichts weiter! Interpretiert man aber Allheit als unendlichen Bereich, und Existenz nicht nur als das Dasein des logischen Inhalts sondern darüber hinaus als Existenz des Reflexionsprozesses, dann repräsentieren die Operatoren des Funktionenkalküls eine doppelte Reflexion, nämlich einmal auf das Objekt und zweitens auf die erste Reflexion, die dieses Objekt hat.

Die Schwierigkeit, in die die moderne Logik mit dem Satz von ausgeschlossenen Dritten geraten ist, deutet nun ganz unmißverständlich an, daß es außerordentlich schwer ist, in der Reflexion auf unsere seinsthematische Reflexion festzustellen, welche Motive unseres Denkens irreflexiv und welche reflexiv sind. Überdies kann in einer zweiwertigen Logik die Frage nach jenem Unterschied überhaupt nicht sinnvoll gestellt werden, weil ein solches System des radikal seinsthematischen Reflektierens keinen logischen Wertunterschied zwischen der im Funktionenkalkül auftretenden Differenz von Individuen- und Prädikatenbereichen feststellen kann. Für beide muß deshalb derselbe logische Objektbegriff verwandt werden — was zu der unsinnigen Konsequenz führt, daß ein Felsklotz und ein Reflexionsprozeß in dieser Logik dem gleichen Begriff von Existenz unterliegen. —

Dies ist die kritische Stelle, an der der Themabereich einer nicht-aristotelischen Logik beginnt. Dieselbe unterscheidet, indem sie das Denken als Reflexionsprozeß, der zwischen „Welt" und „Ich" spielt, noch einmal denkt, zwischen Gedachtem und Denken, zwischen Reflektiertem und Reflexion, also letzten Endes zwischen Irreflexivität als Inhalt und abbildendem Prozeß als wiederholender Form.

Thema einer nicht-aristotelischen Logik ist also die prinzipielle

15) Wir wollen in diesen Betrachtungen, um die Sachlage nicht unnötig zu komplizieren, davon absehen, daß die individuelle Formel (4, 1) keinesfalls für den g a n z e n Bereich der zweistufigen Reflexion repräsentativ sein kann, da sie nur das abzählbar Unendliche und nicht überabzählbare Bereiche betrifft. Sie stellt sozusagen nur die untere Grenze dar, an der die nichtaristotelische Problematik beginnt.

Doppeldeutigkeit des logischen Objekts. Das eindeutige Objekt des klassischen Denkens war durch den einen Wert

irreflexiv-positiv ≡ wahr

vertreten. Das doppelsinnige Objekt des trans-klassischen Denkens hat jetzt notwendig zwei Werte. Es ist entweder bloßer Inhalt der Reflexion. Dann ist es

positiv ≡ irreflexiv

oder es ist abbildender Prozeß. Dann ist es

negativ ≡ einfach reflexiv.

In anderen Worten: das trans-klassische Denken ist sich bewußt, daß der Unterschied von „Objekt" und „gedachtem Objekt" selbst logisch relevant ist. Deshalb erhalten wir anstelle des „absoluten" klassischen Objekt-Wertes jetzt die zwei nicht-aristotelischen Werte „irreflexiv" und „reflexiv", denn das logisch-anonyme Objekt-überhaupt, kann entweder als nicht reflexionsfähiger Sachverhalt (Es) oder als reflektierendes Erlebnis (Sinn) interpretiert und logisch thematisiert werden. Da aber unser Denken (die zweite Reflexion), das auf diesen Unterschied reflektiert, von dem gedachten Denken unterschieden werden muß, benötigen wir einen dritten Wert, der die als Objekt auftretende klassische Reflexion von dem trans-klassischen Reflexionsprozeß unterscheidet. Diesen dritten Wert nennen wir

trans-klassisch negativ ≡ doppelt reflexiv.

Die damit erreichte Dreiheit der logischen Werte bedingt einen dreiwertigen oder (wie wir später sehen werden) einen generell n-wertigen Kalkül. Für diese Kalküle hat bisher keine philosophische Interpretation existiert. Der zweite Teil dieser Betrachtung wird sich bemühen eine solche zu liefern, wobei der folgende Gesichtspunkt maßgeblich sein soll: das Modell der mehrwertigen Kalküle wird durch eine Abbildung der Reflexionsstruktur des theoretischen Bewußtseins geliefert.

## II.

## *Theorie der Mehrwertigkeit*

Die Reflexionsstruktur des theoretischen Bewußtseins, die die mehrwertigen Kalküle abbilden, läßt sich in analoger Weise darstellen wie die Wahrheitsstruktur der zweiwertigen Logik. Wir wollen deshalb in unserem Aufbau der doppelten Reflexion-in-sich von dem formalisierten Wahrheitssystem der klassischen Tradition ausgehen.

Das Prinzip der Zweiwertigkeit wird für die einfache Reflexion durch die Negationstafel

| p | ~ p |
|---|---|
| P | N |
| N | P |

(I)

definiert. Dabei sollen „p", und das später eingeführte, „q" unanalysierte Bewußtseinsdaten sein. Von ihrer möglichen Interpretation als Aussagen, Klassen usw. sehen wir in dieser Betrachtungsweise ab. Das Zeichen „~ . ." soll als die Negation der ersten Reflexion gelten. Vermittels derselben distanziert sich der Reflexionsprozeß von seinem Gegenstand.

Aus Tafel (I) lernen wir nun, daß die Negation ein einfaches und direktes Umtauschverhältnis zweier Werte darstellt; so etwa wie „rechts" und „links" ein Umtauschverhältnis möglicher Beobachtungsstandpunkte etablieren.

Da wir es in unserem Universum aber mit mehr als einem logischen Individuum „p" zu tun haben, müssen wir zwecks Entwicklung der logischen Grundfunktionen, die in einem solchen Bereich gelten, noch ein zweites Individuum „q" einführen. Denn, wenn „p" der Träger der Positivität ist, so brauchen wir noch einen zweiten unabhängigen Träger für die Negativität. Auf diese Weise ergeben sich für „p" und „q" $4^2$ kombinatorisch mögliche Verbindungen. Von diesen 16 herstellbaren Wertfolgen scheiden aber die folgenden 8 als selbständige Motive aus:

| | | |
|---|---|---|
| P P P P | als | tautologische Positivität |
| P P N P | „ | Umkehrung der Implikation |
| N N P N | „ | Negation der Umkehrung der Implikation |
| P P N N | „ | Wiederholung von „p" |
| N N P P | „ | Negation von „p" |
| P N P N | „ | Wiederholung von „q" |
| N P N P | „ | Negation von „q" |
| N N N N | „ | tautologische Negativität. |

Bleiben 8 weitere Wertfolgen, die sich in die beiden Tafeln (II) und (III) einordnen lassen:

| p | q | p · q | p ∨ q | p ⊃ q | p ≡ q |
|---|---|---|---|---|---|
| P | P | P | P | P | P |
| P | N | N | P | N | N |
| N | P | N | P | P | N |
| N | N | N | N | P | P |

(II.)

und

| p | q | p \| q | p ↓ q | p ⊂ q | p ‖ q |
|---|---|---|---|---|---|
| P | P | N | N | N | N |
| P | N | P | N | P | P |
| N | P | P | N | N | P |
| N | N | P | P | N | N |

(III.)

Die Tafel (II) produziert die theoretischen Motive „und", „oder", „impliziert" und „ist aequivalent". Die untere Tafel ist, wie man sieht, nichts weiter als die Negation der Wahrheitsfunktionen von Konjunktion, Disjunktion usw. Charakteristisch und wesentlich für eine Theorie der Reflexion ist, daß diese einfache Negierung in den Wertfolgen der Tafel (III) sofort semantisch selbständige Bewußtseinsmotive produziert.

Denn „p | q" kann gelesen werden: „p" ist unvereinbar mit „q"
„p ↓ q" " " " weder „p" noch „q"
„p ⊂ q" " " " „p" determiniert „q"
„p || q" " " " „p" alterniert mit „q".

Es bestehen auch andere Unterschiede zwischen (II) und (III). Die Tafel (II) ist nämlich nur im Zusammenhang mit Tafel (I) operabel. Für (III) aber besteht diese Abhängigkeit nicht, da „ ∼ p" sowohl durch „p | p" als durch „p ↓ p" ausgedrückt werden kann.

Darüber hinaus muß noch auf eine weitere unendlich wichtige Eigenschaft der traditionellen acht Wahrheitsfunktionen aufmerksam gemacht werden. Die Identifizierung der einzelnen Wertfolgen mit bestimmten logischen Bewußtseinsmotiven wie „und", „oder" usw. beruht auf einem Umtauschverhältnis und ist in diesem Sinne willkürlich! Wir sind durch unsere praktische Erfahrung so daran gewöhnt, das Konjunktionsmotiv mit der Wertfolge „P N N N" zu identifizieren, daß uns gar nicht der Gedanke kommt, daß diese Identifikation auf einer Zuordnungsdefinition beruht. Wir haben nämlich bei der Aufstellung der Tafeln (II) und (III) stillschweigend vorausgesetzt, daß „P" der designierende Wert sein soll. Alle acht von uns aufgestellten Wertfolgen gehören ursprünglich zu einem uninterpretierten Kalkül und die Bedeutung, die wir Zeichen wie „. . . · . . .", „. . . v . . ." oder „. . . | . . ." usw. geben, stellt bereits eine semantische Interpretation dieser an sich bedeutungsindifferenten Wertgruppen dar. Diese Interpretationen aber gelten nur unter der Voraussetzung, daß „P" designierender Wert ist, d. h. daß wir entschieden haben, den zweiwertigen Kalkül im Sinne einer irreflexiven Seinsthematik zu interpretieren. Die Gründe dafür sind offensichtlich und indisputabel. Wenn wir unsere Logik auf objektive Welt- resp. Seinsverhältnisse anwenden, liefert nur diejenige Interpretation sinnvoll denkbare Resultate, in der „und" eben mit der Wertfolge „P N N N" identifiziert wird. Denn letztere *ist* die Seinsbedeutung von *„und"*. In diesem Sinne liefert der Kalkül uns die ontologische Struktur der Außenwelt der reflektierten, aber nicht selbst reflektierenden, Objekte.

Was man aber leicht vergißt, ist, *daß derselbe Kalkül den Reflexionsprozeß im denkenden Subjekt darstellt* und auch in diesem Sinne gedeutet werden kann. War also im Falle der traditionellen Interpretation das Reflexions*objekt* unser logisches Thema, so soll es jetzt der subjektive Reflexions*prozeß* selber sein. Objekt und Subjekt aber verhalten sich — auf klassischem Boden! — zu einander wie Positivität und Negation, denn Sein und Denken stellen im Absoluten ein einfaches Umtauschverhältnis dar.

Haben wir also zum Zweck einer seinsthematischen Interpretation des Kalküls bestimmt, daß der designierende Wert „P" sein soll, so stipulieren wir jetzt, zwecks einer reflexionsthematischen Deutung unserer Kalkülstruktur, daß „N" als designierender Wert bestimmt ist. Unter dieser Voraussetzung ergibt sich eine völlig andere Zuordnung unserer logischen Motive zu den einzelnen Wertfolgen! Die Tafeln (IIa) und (IIIa) geben das Bild dieser inversen Verteilung:

| p | q | $p \cdot {}' q$ | $p \vee {}' q$ | $p \supset{}' q$ | $p \equiv {}' q$ |
|---|---|---|---|---|---|
| P | P | N | N | P | P |
| P | N | N | P | P | N |
| N | P | N | P | N | N |
| N | N | P | P | P | P |

(IIa)

| p | q | $p \mid{}' q$ | $p \downarrow{}' q$ | $p \subset{}' q$ | $p \,\|\,{}' q$ |
|---|---|---|---|---|---|
| P | P | P | P | N | N |
| P | N | P | N | N | P |
| N | P | P | N | P | P |
| N | N | N | N | N | N |

(IIIa)

Wir wollen die semantische Bedeutung der Tafeln (IIa) und (IIIa) an dem Beispiel der „reflexiven" Konjunktion „p · ' q" erörtern. Die irreflexive Konjunktion fand statt, wenn „p" und „q" beide den Wert „P" hatten, d. h., wenn sie als irreflexive Objekte, resp. als bloße Denk*inhalte* gedeutet wurden. Der Reflexionsprozeß aber ist nur dann konjunktiv, wenn *beide* Konjunktionsglieder *reflexiv* sind, also den Wert „N" haben. Nur in diesem Falle „ist" die Reflexion selber eine Konjunktion.

In genau dem gleichen Sinne sind die übrigen Wertfolgen zu verstehen. Die Tafeln (IIa) und (IIIa) liefern ein inverses (einfach reflexives) Abbild der originalen Seinsthematik. Dementsprechend geht die Eigenschaft der Tafel (III) unabhängig von der Negationstafel (I) zu sein, jetzt auf (IIa) über, da sich in unserem Reflexionssystem „ ~ p" jetzt „konjunktiv" durch „p · ' p" oder disjunktiv durch „p v ' p" vertreten läßt. Weiterhin ist zu bemerken, daß die in dem seinsthematischen System semantisch „überflüssige" Wertfolge „P P N P" jetzt in ihre Rechte tritt. Sie sagt nämlich in dem reflexionsthematischen System, daß die Positivität die Negation impliziert und nicht umgekehrt! Damit aber scheidet „P N P P" als selbständiges logisches Motiv aus, denn diese Wertfolge wiederholt nur dasselbe in der umgekehrten Ordnung von „q" nach „p". —

In dem hier flüchtig skizzierten Sinne läßt sich die abbildende Reflexionsstruktur des Bewußtseins bereits in der klassischen Logik nachweisen. Hegelisch gesprochen: der zweiwertige Kalkül kann vermittels (II) und (III) als Reflexion-in-Anderes und vermittels (IIa) und (IIIa) als einfache Reflexion-in-sich interpretiert werden.

Wer aber nun glaubt, daß diese Theorie der Reflexion sich auf klassischem Boden wirklich darstellen läßt, begeht genau denselben Irrtum, den Hegel mit seiner unendlichen Iterierung der zweiwertigen Situation von Thesis und Antithesis in der Systematik der Dialektik sich hat zu Schulden kommen lassen. Die Tafeln (II), (III), (IIa) und (IIIa) liefern nur eine Pseudo-Systematik der Reflexion, denn was Reflexion-in-sich wirklich ist, läßt sich nicht zweiwertig darstellen! Und eine bloße Iterierung des zweiwertigen Systems auf einer angeblich „höheren" Ebene (modern: in einer Metasprache) hilft da auch nichts.

Die rationalen Strukturen, die auf der Basis der Tafel (I) und einer der ersten drei Funktionen von (II) möglich sind, lassen sich durch das bekannte Axiomensystem

$$p \vee p \supset p$$
$$p \supset p \vee q$$
$$p \vee q \supset q \vee p$$
$$(p \supset q) \supset (r \vee p \supset r \vee q)$$

beschreiben. Diese vier Sätze definieren also die in den klassischen Wahrheitsfunktionen implizierte Seinsthematik des Denkens. Sie konstatieren in der üblichen Interpretation von „p" und „q" die Beziehungen, die Aussagen als irreflexive Objekte (Sätze an sich) mit einander haben können.

Das korrespondierende Axiomensystem für die Reflexionsthematik des zweiwertigen Denkens würde folgende Gestalt haben:

$$p \downarrow' p \subset' p$$
$$p \subset' p \downarrow' q$$
$$p \downarrow' q \subset' q \downarrow' p$$
$$(p \subset' q) \subset' (r \downarrow' p \subset' r \downarrow' q)$$

Dieses Axiomensystem, obgleich es eine genaue Abbildung des Whitehead-Russell-Bernayschen Systems ist (unter der Voraussetzung, daß „N" der designierende Wert sein soll und daß der positive Wert sich selbst und den negativen impliziert), ist ganz und gar ungeeignet, die wirkliche Struktur des Reflexionsprozesses wiederzugeben. Es liefert nämlich genau dieselben Strukturen, die wir aus der klassischen Tradition der Seinsthematik längst kennen. Seine Pseudo-Existenz demonstriert nun Folgendes: das zweiwertige System enthält Reflexivität (ein

Abbild seiner selbst). Aber diese Reflexivität läßt sich im klassischen System *als* Reflexivität nicht darstellen. Die zweiwertige Logik liefert nur gegenständliche Seinsthematik.

Unser bisheriger Weg hat uns also in eine Sackgasse hineingeführt, aber wir sind ihn bewußt gegangen. Denn es war auf diese Weise möglich, zwei Einsichten zu demonstrieren. Erstens, daß sogar das extreme selbst-vergessene, sich ganz an das äußere Objekt verlierende Denken eine Reflexionsstruktur in sich enthält, die aber infolge der besonderen Eigenschaften des zweiwertig-identitätstheoretischen Denkens nirgends thematisch werden kann. Sie ist ganz a-thematisch in der irreflexiven Struktur des Themas „Sein" verborgen. Das „reflexive" Axiomensystem der Tafeln (IIa) und (IIIa) zeigt ganz deutlich, daß es auf diese Weise nicht möglich ist, die wesentliche Eigenschaft der Reflexion-in-sich, nämlich „doppelt" zu sein und nicht nur den Gegenstand, sondern auch sich selbst (im Gegensatz zu dem ersteren) zu reflektieren, auf dem Boden der klassischen Logik selbst darzustellen. Der Grund dafür ist darin zu suchen, daß Positivität und Reflexion in einem zweiwertigen System ein einfaches Umtauschverhältnis darstellen. Aber in einem solchen wird durch Vertauschung der Werte nichts Neues gewonnen. Die ursprüngliche Symmetrierelation zwischen Positivität und Negation, die für die klassische Logik charakteristisch ist und die ein Kennzeichen der Irreflexivität ist, bleibt auch in diesem scheinbaren Themawechsel erhalten. Das kommt übrigens in den Tafeln selbst zum Ausdruck. Denn beim Übergang von (II) und (III) zu (IIa) und (IIIa) bleiben die Wertfolgen von „$p \equiv q$" und „$p \,||\, q$" als einzige völlig unverändert erhalten. Diese Symmetriebeziehung von Positivität und Negation, resp. ihre semantische Vertauschbarkeit, aber macht es ganz unmöglich, daß sich die Reflexion in dem zweiwertig — aristotelischen System jemals von sich selbst distanzieren kann. Jene Reflexion auf die Reflexion-in-sich-und-Anderes ist erst dann darstellbar, wenn wir einen dritten Wert auf der Seite der Reflexion einführen. Ohne einen solchen Schritt ist der semantische Gegensatz der beiden Axiomensysteme nicht explizierbar. Auf zweierlei Basis läßt sich dieser Gegensatz durch die Umkehrung des Implikationswertes von „P" und „N" darstellen. D. h. für (II) und (III) gilt:

$$N \supset P$$

und für (IIa) und (IIIa) gilt: $P \supset N.$

Die Einführung des dritten Wertes aber erlaubt eine „Verschiebung" der beiden Systeme gegeneinander. Wenn wir nämlich jetzt für Positivität den Wert „I" (für irreflexiv), für einfache Reflexion „R" und „D" für doppelte Reflexivität einführen, dann erscheint das klassische System im dreiwertigen Kalkül als die implikative Beziehung

$$R \supset I$$

und einfache Reflexion-in-sich als

$$D \supset R.$$

Damit aber stehen das System der irreflexiven Seinsthematik und das der direkten Reflexion-in-sich nicht mehr im Umtauschverhältnis mit einander.

Eine solche dreiwertige Systematik erfordert eine ebenfalls dreiwertige Negationstafel, die die folgende — alle voll-reflexive Möglichkeiten erschöpfende — Gestalt haben muß:

| p | ~p | ~'p | ~~'p | ~'~p | ~~'~p<br>~'~~'p (IV) |
|---|---|---|---|---|---|
| I | R | I | R | D | D |
| R | I | D | D | I | R |
| D | D | R | I | R | I |

Wie man sieht, haben wir neben dem klassischen Negationszeichen „~··", das die Werte „I" und „R" operiert, noch eine transklassische Negation „~'··" eingeführt, die ein Umtauschverhältnis zwischen den beiden reflexiven Werten „R" und „D" herstellt. Wir können jetzt unseren Begriff der Negativen etwas genauer präzisieren. Weiter oben stellten wir fest, daß eine Negation eine Umtauschrelation zwischen zwei Werten darstellt. Eine solche Definition ist ausreichend im Falle der zweiwertigen Logik. Sie genügt jetzt aber nicht mehr. Wir erweitern sie daher, indem wir jetzt stipulieren: Eine Negation ist ein Umtauschverhältnis zwischen zwei *benachbarten* Werten. Ohne diese nähere Präzisierung wäre es nämlich möglich, einen hypothetischen Negationsoperator einzuführen, der eine direkte Umtauschrelation zwischen „I" und „D" herstellen würde. Das würde uns aber in erhebliche semantische Schwierigkeiten verwickeln, wenn wir den dreiwertigen Kalkül als System des Bewußtseins zu interpretieren versuchten. Ein Negationsvorgang ist ein Reflexions*prozeß,* was niemand ernsthaft bestreiten kann. Führen wir aber die mögliche, gegenseitige Vertauschung von „I" und „D" als *elementare* Negation ein, so besäßen wir einen sehr merkwürdigen Erlebnisprozeß. Denn an demselben wäre der objektive Reflexionsvorgang, der in unserem Kalkül durch „R" bezeichnet ist, gar nicht beteiligt. Eine zweite semantische Schwierigkeit entstünde dadurch, daß das Umtauschverhältnis von „I" und „D" ein Bewußtsein indizierte, das keinen *unmittelbaren* Gegenstand besäße, in dem also keine absolute Scheidung zwischen „Ich" und „Es" stattfände. Ein solches Bewußtsein wäre nicht mit sich selbst identisch. D. h., in ihm könnte jener fundamentale Negationsvorgang, in dem das erlebende Subjekt sich von allen seinen Inhalten distanziert und sagt:

„*Das* bin ich *nicht*", niemals zustande kommen. In anderen Worten: das Umtauschverhältnis „I ⟷ D" stellt keinen *subjektiv* erlebbaren und als Innerlichkeit *verstehbaren* Ich-Welt Prozeß dar.

Die anderen beiden Wertfolgen rechts vom Doppelstrich in Tafel (IV) kommen als elementare Negationsbeziehungen erst recht nicht in Frage, insofern als in ihnen die Werte „rotieren". Sie stellen also noch weniger urphänomenale Bewußtseinssituationen dar, in denen ein unmittelbares Verhältnis von Reflexion und Reflexionsgegenstand etabliert wird. Die Wertfolgen „R D I", „D I R" und „D R I" stellen also relativ zu „p" vermittelte Negationsrelationen dar. D. h., *ein* echtes Negationsverhältnis ist hier durch ein anderes „vermittelt". Im letzten Fall der Tafel (IV) ist die Vermittlung sogar doppelt.

Es ist ohne weiteres ersichtlich, daß ein sich auf die Tafel (IV) stützendes Denken nicht mehr einfaches identitätstheoretisches Denken im Sinne unserer klassischen Tradition ist. Die platonisch-aristotelische Metaphysik, die unsere Begriffsbildung bis zur Gegenwart beherrscht hat, setzt ein genaues Äquivalenzverhältnis zwischen Sein und Begriff, zwischen Reflexions*gegenstand* und Reflexions*prozeß* voraus. Aber nur unter der Voraussetzung, daß Positivität (als Repräsentation des Seins) und Negativität (als Abbild des Bewußtseins), ein sich selbst erschöpfendes Umtauschverhältnis darstellten, war diese metaphysische Identität von Sein und Denken postulierbar. D. h., es konnte nicht gestattet werden, daß bei der Abbildung des Denkens auf das Sein ein *Reflexionsrest* zurückblieb, der in jenem Abbildungsprozeß nicht aufging. Anders formuliert: es wurde stillschweigend vorausgesetzt, daß an der Umtauschrelation von Positivität und Negation, wie sie die Tafel (I) darstellt, die *ganze* Negationsfähigkeit des reflektierenden Bewußtseins beteiligt sei.

Diese Annahme aber hat sich inzwischen, und zwar durch die Forschungsarbeit der mathematischen Logik, als unhaltbar herausgestellt. Wäre nämlich die identitätstheoretische Grundvoraussetzung der platonisch-aristotelischen Tradition unbeschränkt richtig, so müßte der Satz vom ausgeschlossenen Dritten auch dort unbegrenzt gelten, wo in den modernen Analysen der symbolischen Logik auf das zweiwertige Denken selbst, seine absolute Widerspruchsfreiheit, seine Vollständigkeit oder seine Entscheidbarkeit reflektiert wird. Das aber ist gerade *nicht* der Fall. Damit ist aber gesagt, daß in einer zweiten Reflexion, die sich das klassische zweiwertige Denken selbst zum Gegenstand macht, das einfache, durch das Tertium non datur verbürgte, Umtauschverhältnis von „P" und „N" nicht mehr existiert. Es besteht also ein Reflexionsüberschuß, der in der klassischen Gleichung nicht aufgeht! Dieser Überschuß an Reflexionsfähigkeit unseres theoretischen Bewußtseins etabliert ein neues Umtauschverhältnis, nämlich zwischen *gedachter* Reflexion und zweitem Reflexionsprozeß.

Damit haben wir jetzt *zwei* Umtauschverhältnisse, die *einen* Wert gemeinsam haben. Erstens die klassische Umtauschrelation[16]).

$$P \longleftrightarrow N \quad \text{jetzt} \quad I \longleftrightarrow R$$

und zweitens eine nicht-aristotelische zwischen klassischem „N" und einer zweiten Negation „N'"

$$N \longleftrightarrow N' \quad \text{jetzt} \quad R \longleftrightarrow D$$

Daß „N" und „N'" in einem dreiwertigen System verschiedene Negationen darstellen, geht daraus hervor, daß zwar

$$p \equiv \sim \sim p \qquad (1)$$

$$p \equiv \sim' \sim' p \qquad (2)$$

gelten, daß aber der Ausdruck

$$p \equiv \sim \sim' p \qquad (3)$$

falsch ist. Das Gleiche gilt für

$$p \equiv \sim' \sim p \qquad (4)$$

Wollen wir „p" vermittels beider Negationen ausdrücken, so benötigen wir dafür die etwas umständliche Ausdrucksweise

$$p \equiv \sim \sim' \sim' \sim p \qquad (5)$$

oder die inverse Form

$$p \equiv \sim' \sim \sim \sim' p \qquad (6)$$

Die etwas undurchsichtige Lage der heutigen Grundlagenforschung beruht im Wesentlichen darauf, daß die an und für sich richtige Einsicht, daß wir auch bei der Reflexion *auf* die zweiwertige Logik wieder ein zweiwertiges Bewußtsein gebrauchen, dadurch getrübt wird, daß man die beiden zweiwertigen Reflexionssituationen für identisch hält.

Sie sind es nicht! Aber unsere irrtümliche Identifizierung zweier ganz verschiedener Reflexionsbegriffe hat uns dazu verführt, in unserer Metalogik, die auf das originäre zweiwertige System reflektiert, den gleichen Negationsoperator „N" zu benutzen, den die Objektsprache — also das klassische System — gebraucht. Wir haben uns dabei also in den Widerspruch verwickelt, daß etwas (nämlich „N") zugleich Reflexions*gegenstand* und Reflexionsprozeß sein soll.

Beide Systeme, das klassische seinsthematische von „I ⟷ R" und das trans-klassische Meta-System „R ⟷ D" aber lassen sich nicht unmittelbar zur Deckung bringen, wie die Falschheit der Formeln (3) und (4) anzeigt. D. h. ihre gegenseitige Beziehung kann nur in einem vermittelnden und vermittelten System „I ⟷ D" beschrieben werden. Ohne ein solches bleibt das Verhältnis zwischen Objekt-System „I ⟷ R" und dem auf dasselbe reflektierenden Meta-System

16) Als Zeichen eines Umtauschverhältnisses zwischen zwei Werten (gleichgültig ob benachbart oder nicht) benutzen wir „. . . ⟷ . . .".

„R ⟷ D" vieldeutig. Denn „R" vertritt im dreiwertigen System das klassische „N" und letzteres ist, wie jeder Studierende der Schullogik weiß, unendlich vieldeutig.

Da dieser Gesichtspunkt außerordentlich wichtig ist, wollen wir ihn in einem graphischen Schema illustrieren:

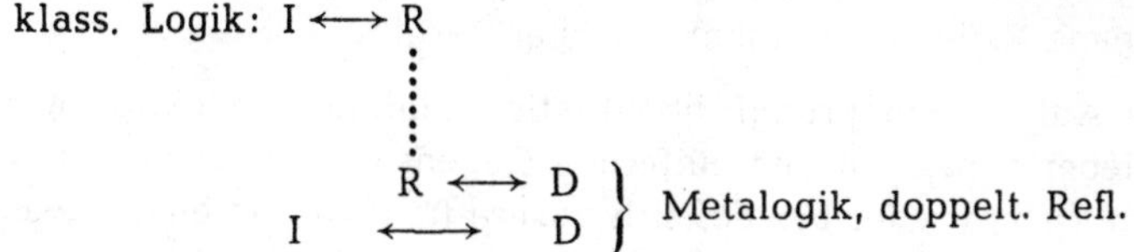


Die punktierte Linie soll die über „R" gehende Vieldeutigkeitsbeziehung zwischen „I" und „D" andeuten.

Aus diesem Schema ist ohne weiteres ersichtlich, daß das nicht-aristotelische Denken keine einfache Identitätslogik im traditionellen Sinne mehr darstellt. D. h., das Sein (repräsentiert durch „I") und die Reflexion überhaupt („R" *und* „D") können nicht mehr zur Deckung gebracht werden. Das Sein hat nur *Reflexionsbreite.* Aber das Denken hat eine zusätzliche *Reflexionstiefe.* Es ist in dem obigen Schema mindestens zweistufig. Infolgedessen treten jetzt an die Stelle des absoluten Identitätsprinzips drei partielle nicht auf einander reduzierbare Identitätsgleichungen. Nämlich: 1) die Identität des Gegenstandes mit sich selbst, 2) die Identität des Reflexionsprozesses (des Denkens) mit sich selbst, und 3) schließlich die Identität des erlebenden Subjekts mit sich selbst.

Nun wissen wir aus der klassischen Tradition daß ein Identitätssystem eine zweiwertige Systematik ist, deren Strukturelemente unter dem Verbot des Widerspruchs stehen und durch den Satz vom ausgeschlossenen Dritten zu einem abgeschlossenen Ganzen zusammengefügt werden. Die traditionelle aristotelische Logik verfügt nur über ein einziges solches Identitätsmotiv: die (absolute) Seinsidentität, in der Positivität und einfache Negation „metaphysisch" zusammen fallen. Fügen wir aber einen zweiten Reflexionswert dazu, so können wir, wie bereits betont, drei solcher Identitätsrelationen konstatieren. Da aber jedes Identitätsprinzip eine zweiwertige Systematik impliziert, *so muß eine dreiwertige Logik zwangsläufig als ein System von drei zweiwertigen Logiken interpretiert* werden!

Hier ist die Frage berechtigt: welchen Sinn soll eine solche Wiederholung der uns bekannten Logik eigentlich haben? Die Antwort ist sehr einfach und evident, wenn wir uns von den Grundeigenschaften der Reflexion einmal Rechenschaft geben.

Die ursprüngliche und elementare Situation des Denkens ist die der klassischen Logik, in der ein denkendes „Ich" einem gedachten „Es" gegenüber steht. Diese Unmittelbarkeit des Gegenüberstehens ist der Umstand, aus dem die Zweiwertigkeit resultiert. Das Resultat eines solchen Systems ist Irreflexivität, weil das theoretische Ich sich ja in dieser Bewußtseinslage ganz und gar an das Objekt hingibt und seine eigene Reflexionstätigkeit darüber vergißt.

Auf diese ursprüngliche Situation kann jetzt reflektiert werden. Und wieder haben wir den einfachen Gegensatz vom Denken und Gedachten. D. h., wieder bewegt sich unsere Reflexion in einem zweiwertigen System! Nur daß diesmal der Gegenstand des Denkens nicht ein naiv, also in irreflexiven Kategorien begriffenes „Sein" ist, sondern das *Denken* dieses Seins. Also das Objekt dieses Denkens ist der reine, allein mit sich selbst identische Reflexionsvorgang. Soweit also hat das Denken — überhaupt zwei „Objekte". Erstens das „Ding" und zweitens den „Reflexionsprozeß". Und beide werden mit einer zweiwertigen Logik behandelt!

Die Reflexion aber hat noch ein drittes Objekt! Und darum nennt Hegel sie mit Recht „doppelt". Ihr dritter Gegenstand ist das denkende Ich oder „Subjekt"[17]. Wem aber diese Termini zu metaphysisch klingen, der mag mit gleichem Recht sagen: das dritte mögliche Objekt des Denkens ist das Verhältnis des Reflexionsprozesses zur Irreflexivität. Wir können jetzt unter Benutzung der Hegelschen Formel für Reflexion die folgenden Indikationen vornehmen:

| | | | |
|---|---|---|---|
| Refl. — in — Anderes | zweiwert. Logik | Thema: „Sein" | I ⟷ R |
| Refl. — in — sich | „ | „ „Reflexion" | R ⟷ D |
| Dopp: Refl. — in — sich | „ | „ „Subjekt" | I ⟷ D |

Dabei treten, wenn diese drei Logiken angewendet werden, drei semantische Identifikationen ein. Das Thema „Sein" wird als objektive „Welt" interpretiert. Das zweite Thema „Reflexion" aber als „Innerlichkeit" oder „Ichhaftigkeit". Denn an ihm ist die irreflexive Seinskomponente „I" überhaupt nicht beteiligt. Denn die Identitätslogik, die das Motiv „Reflexion" behandelt, verfügt nur über die beiden Werte „R" und „D". In anderen Worten die Aussagen einer solchen Logik mögen zwar Sinn haben. Derselbe aber kann nicht irreflexiv — objektiv gedeutet werden. Das dritte Thema schließlich behandelt die relative Identität von Reflexion mit einem irreflexiven Objekt in der Welt. Eine solche Identität aber ist nichts anderes als das Bild des „Du", d. h., der als logisches Objekt gedachten, existierenden, Subjektivität.

17) Das jetzt aber als G e d a c h t e s fungiert!

Da alle Logik thematisch „objektiv" ist, sich also immer auf einen Inhalt, resp. Denkgegenstand, bezieht, kann die Reflexion sich als ganze (Hegel: total) nie als Innerlichkeit, d. h., rein reflexiv, darstellen. Sie muß das Moment des Seins, der „Äußerlichkeit", wie es in der Phänomenologie des Geistes heißt, in sich aufnehmen und sich mit ihm identifizieren. Diese letzte Identifikation ist deshalb „transzendental".

Eine nicht-aristotelische Logik des Bewußtseins als eines Reflexionssystems besteht deshalb aus drei identitätstheoretischen zweiwertigen Kalkülen, die drei semantisch unterschiedene Identitätsmotive haben:

Seinsidentität = Welt (Es)
Reflexionsidentität = Ich (Innerlichkeit)
Transzendentalidentität = Du (obj. Syst. der Reflex.)

Die folgende Zeichnung mag das noch einmal illustrieren:

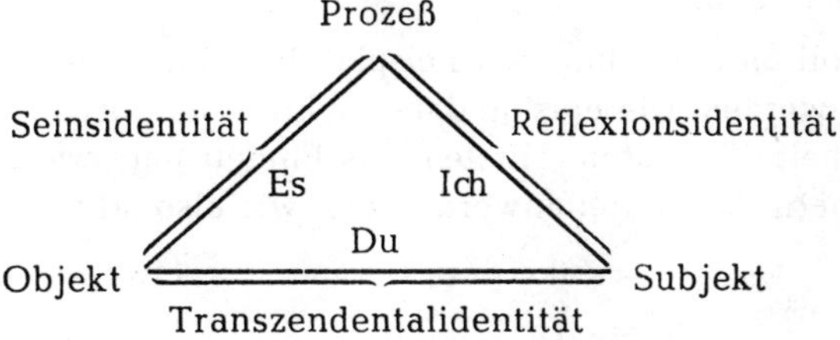


An dieser Stelle sind wir auf den Einwand gefaßt: wenn es sich herausstellt, daß alles thematisch formulierbare Denken zweiwertig ist und der Unterschied zwischen dem Denken des Seins und dem der Reflexion nur in einer differenten semantischen Interpretation eines neutralen (uninterpretierten) zweiwertigen Kalküls besteht, wozu dann der Übergang zu einer dreiwertigen Logik? Die Beantwortung dieser Frage wird uns an die philosophische Kernfrage mehrwertiger Logiksysteme und ihrer unabdinglichen Notwendigkeit und unersetzlichen Bedeutung direkt heranführen.

Um keine Mißverständnisse entstehen zu lassen, sei nochmals ausdrücklichst zugegeben: alles aktuelle, von einem realen, vorstellbaren Subjekt durchgeführte Denken ist immer und ewig zweiwertig! Wir können uns einfach kein Ich vorstellen, dessen Reflexion nicht der urphänomenale zweiwertige Gegensatz von Denken und Denkgegenstand als logische Formalstruktur zu Grunde liegt. Ein subjektives Erleben, das von sich behaupten würde, daß es sich *nicht* auf den fundamentalen Gegensatz von Ich und Nicht-ich stützt, ist für uns unvollziehbar.

Unter dieser Voraussetzung müßte die zweiwertige Logik die einzig mögliche Logik sein. *Und in diesem Sinne ist sie es in der Tat.* Es wäre ein Irrtum anzunehmen, daß eine drei- oder generell n-wertige Erlebnisstruktur sich jemals in einem individuellen Bewußtsein entwickeln könnte, daß wir es also eines Tages mit logischen Übermenschen zu tun bekämen, für die die zweiwertige Struktur jedes faktischen Denkaktes aufgehoben wäre. Wir wären nicht in der Lage, solche Wesen als ansprechbare Subjekte zu identifizieren.

Die Bedeutung der mehrwertigen Systeme liegt in einer ganz anderen Richtung. Sie tragen dem bisher nicht genügend gewürdigten Umstand Rechnung, daß wir ein und dieselbe zweiwertige Logik auf verschiedenen Bewußtseinsstufen anwenden können und daß diese verschiedenen Anwendungen nicht isolierte Phänomene sind, sondern in gegenseitiger Abhängigkeit sich befinden. *Eine mehrwertige Logik beschreibt ein solches Abhängigkeitssystem der möglichen Stellenwerte, die die klassische Logik in dem Reflexionssystem unseres Bewußtseins einnehmen kann.*

Das soll an dem einfachen Beispiel des binarischen Zahlensystems erläutert werden. Die einzige dabei gebrauchte positive Ziffer „1" hat eine doppelte Bedeutung. Erstens als Einheit und zweitens als Quantität, je nach ihrem Stellenwert. Wenn wir also schreiben:

0 = 0 110 = 6
1 = 1 111 = 7
10 = 2 1 000 = 8
11 = 3 1 001 = 9
100 = 4 1 010 = 10
101 = 5 1 011 = 11
usw.

so ist es immer dieselbe identische „1", die sich in verschiedenen Stellen mit verschiedenen (quantitativen) Bedeutungen wiederholt. Eine „1" an der ersten Stelle bedeutet 1; an der vierten Stelle aber bedeutet dieselbe Ziffer 8.

Eine mehrwertige Logik ist nun nichts anderes als ein System, das uns erlaubt, unserer einzigen, „wirklichen" Logik verschiedene Stellenwerte im System des Bewußtseins derart zu geben, daß jeder Stellenwert mit einer verschiedenen semantischen Bedeutung des sich so wiederholenden zweiwertigen Kalküls verbunden ist. Ein solches mehrwertiges System erlaubt dann den strukturellen *Zusammenhang* der verschiedenen zweiwertigen Erlebnisstufen des Bewußtseins abzulesen. Außerdem kann gezeigt werden, daß sich die Funktionsweise der zweiwertigen Logik je nach ihrem Stellenwert subtil ändert. *Die mehrwer-*

*tigen Kalküls sind also nichts anderes als eine sinngemäße Übertragung des uns aus der Arithmetik längst geläufigen Begriffs des Stellenwertes auf das Gebiet der reinen Logik.* Das soll im Folgenden für das dreiwertige System demonstriert werden. —

In einem dreiwertigen Kalkül haben die Matrizen der logischen Grundmotive, wie „Konjunktion", „Disjunktion", „Implikation" usw., nicht mehr vier Stellen, wie in den Tafeln (II) bis (IIIa), sondern neun — falls wir nur binarische Operationen in Betracht ziehen. Das bedeutet aber, daß das trinitarische System der Reflexion nicht nur über 16 verschiedene Wertfolgen verfügt, aus denen unsere Funktionen ausgewählt werden müssen. Es stehen statt dessen jetzt $3^9 = 19683$ Wertsequenzen zur Verfügung, aus denen diejenigen festgestellt werden müssen, die den theoretischen zweiwertigen Bewußtseinsmotiven, die von der Konjunktion „p · q" bis zur Alternation „p || q" laufen, genau entsprechen.

Die Aufgabe ist überraschend einfach zu lösen. Die 16 klassischen Motive stellen die logisch möglichen Kombinationen für das Umtauschverhältnis von „P" und „N" dar. Dieses Umtauschverhältnis tritt im dreiwertigen System als „I" und „R" auf. Und wir haben jetzt nichts weiter zu tun, als die jeweiligen klassischen Motive auf „I ⟷ R", aber auch auf „R ⟷ D" und „I ⟷ D" sinngemäß und in allen überhaupt möglichen Kombinationen zu übertragen. Daß dies nicht nur für „I ⟷ R" sondern auch für die anderen beiden Umtauschverhältnisse von Reflexionswerten geschehen muß, geht daraus hervor, daß sich *dieselbe* klassische Logik ja mit drei verschiedenen Stellenwerten im dreiwertigen Kalkül wiederholt.

Wir wollen unser Verfahren an den Beispielen der zweiwertigen Konjunktion resp. Disjunktion, und ihrer Übertragung auf eine dreiwertige Tafel illustrieren. Diese Beispiele sind insofern besonders brauchbar, als sie als Resultate zwei der symbolischen Logik längst bekannte dreiwertige Funktionen liefern.

Das Charakteristikum der konjunktiven Wertfolge ist, daß sie sobald in den Determinationskolonnen „p" und „q" der reflexive Wert auftritt, sofort zum reflexiven Wert übergeht. Die disjunktive Wertfolge verhält sich genau umgekehrt; sie hält den irreflexiven Wert so lange fest, als er in den Kolonnen „p" und „q" verfügbar ist. Wir interpretieren diese Eigenschaft für das Wertsystem „R ⟷ D" dahin gehend, daß für die Konjunktion „D" als der bevorzugte Wert gilt und dementsprechend „R" das in der disjunktiven Wertfolge so lang wie möglich gesetzte Wertsymbol ist.

Die Übertragung nimmt dann folgende Gestalt an:

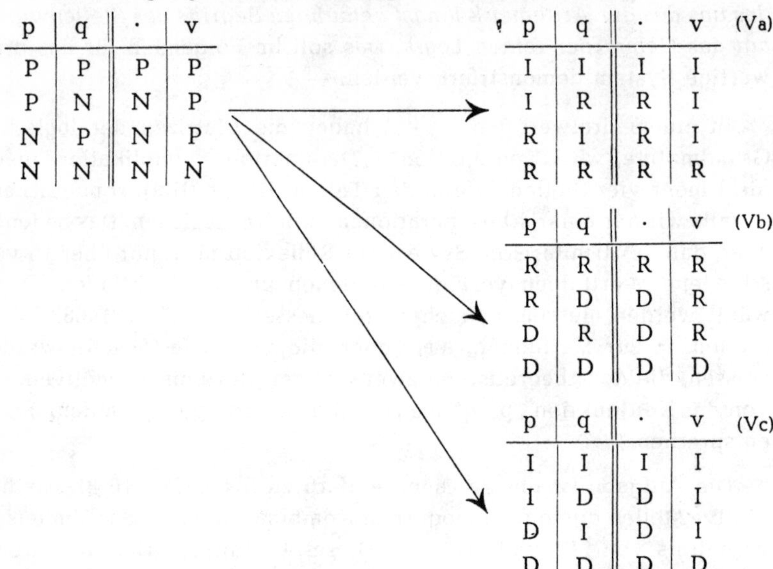

| p | q | · | v |
|---|---|---|---|
| P | P | P | P |
| P | N | N | P |
| N | P | N | P |
| N | N | N | N |

(Va)

| p | q | · | v |
|---|---|---|---|
| I | I | I | I |
| I | R | R | I |
| R | I | R | I |
| R | R | R | R |

(Vb)

| p | q | · | v |
|---|---|---|---|
| R | R | R | R |
| R | D | D | R |
| D | R | D | R |
| D | D | D | D |

(Vc)

| p | q | · | v |
|---|---|---|---|
| I | I | I | I |
| I | D | D | I |
| D | I | D | I |
| D | D | D | D |

Fügen wir die drei Tafeln (Va) bis (Vc) zu zwei dreiwertigen Wertfolgen zusammen, so erhalten wir die trans-klassische Voll-Konjunktion „$p \cdot^{D} q$", mit der Wertsequenz I R D R R D D D, und als anderes Extrem die radikale Disjunktion „$p\ v^{D}\ q$" mit der Wertfolge I I I I R R I R D.

Wir nennen die Wertfolgen „extrem" oder „radikal", weil wir bei ihrer Zusammensetzung ganz einseitig entweder das konjunktive oder das disjunktive Wertwahl-Motiv benutzt haben. Nichts aber hindert uns, für das eine Wertpaar, z. B., „I" und „R", das disjunktive Prinzip anzuwenden, und für die anderen beiden Wertpaare in *derselben* Wertsequenz das konjunktive Wahlgesetz durchzuführen. Die drei zweiwertigen Systeme, aus denen sich eine dreiwertige Logik zusammensetzt, sind ja in ihrer *internen* Struktur ganz unabhängig von einander[18]). Die dreiwertige Funktion definiert ja nur ihre aus den Stellenwerten ableitbare Relation zu einander.

Unter diesen Umständen ergeben sich in transklassischen Wertsequenzen für die in ihnen enthaltenen zweiwertigen Systeme acht mögliche Kombinationen der logischen Motive von Konjunktion und Disjunktion. Wir können sie unter Verwendung der Buchstaben „k" und „d" in der folgenden Tafel schematisch anführen:

18) Das gilt wenigstens soweit als Konjunktion und Disjunktion in Frage kommen. In den Implikationsfunktionen ist der Sachverhalt komplizierter, da dort das implikative Verhältnis a l l e r dreier Werte zueinander in Frage steht.

| zweiwert. System | Mögl. Kombinationen der konj. u. disjunkt. Wertwahl | | | | | | | (VI) |
|---|---|---|---|---|---|---|---|---|
| I ⟷ R | k | d | k | k | d | d | k | d |
| R ⟷ D | k | k | d | k | d | k | d | d |
| I ⟷ D | k | k | k | d | k | d | d | d |

Auf Grund der Tafel (VI) und der fünf Negationssituationen von Tafel (IV) ergeben sich nun sechs Gruppen von Reflexionsfunktionen, die das dreiwertige Gegenbild zu den klassischen Wahrheitsfunktionen „p · q", „p v q", „p | q" und „p ↓ q" liefern. Während die klassische Logik über eine „positive" (II) und nur eine einzige „negative" Tafel (III) verfügt, haben wir jetzt natürlich zwar wieder nur mit einer „positiven", (d. h. irreflexiven) Tafel zu rechnen. Aber der Tafel (III) entsprechen hier die Tafeln für die Operationen „~ ...", „~ ' ...", „~ ~ ' ...", „~ ' ~ ..." und für „~ ' ~ ~ ' ...", resp. „~ ~ ' ~ ...", die die ursprünglichen Motive negieren. Jede dieser Tafeln enthält gemäß der Aufstellung in (VI) acht individuelle Reflexionsfunktionen. Zum Zwecke der Raumersparnis, und weil die Ableitung der übrigen Tafeln ohnehin eine Selbstverständlichkeit ist, wollen wir von den 48 aus Konjunktion und Disjunktion direkt oder durch Negation ableitbare Funktionen, hier nur die Tafel (VII) der „positiven" Wertfolgen wiedergeben.

| p | q | $p \cdot^D q$ | $p \cdot^R q$ | $p \cdot^I q$ | $p \triangle q$ | $p \bigtriangledown q$ | $p\ v^I\ q$ | $p\ v^R\ q$ | $p\ v^D\ q$ (VII) |
|---|---|---|---|---|---|---|---|---|---|
| I | I | I | I | I | I | I | I | I | I |
| I | R | R | I | R | R | I | I | R | I |
| I | D | D | D | D | I | D | I | I | I |
| R | I | R | I | R | R | I | I | R | I |
| R | R | R | R | R | R | R | R | R | R |
| R | D | D | D | R | D | R | D | R | R |
| D | I | D | D | D | I | D | I | I | I |
| D | R | D | D | R | D | R | D | R | R |
| D | D | D | D | D | D | D | D | D | D |

Tafel (VII) stellt die konjunktiv — disjunktive Relationsstruktur einer dreiwertigen Logik der Reflexion erschöpfend dar. Die erste Funktion „$p \cdot^D q$" haben wir auf Seite 395 bereits abgeleitet[19]). Die Übrigen ergeben sich, wie bereits bemerkt, aus der Tafel (VI). Es ist aber empfehlenswrt, sie zusätzlich durch Definitionen auf der Basis von „$p \cdot^D q$" zu charakterisieren, weil dabei eine interessante Eigenschaft von (VII) sichtbar wird:

19) Dito die letzte: „p v D q".

$$p \cdot^{R} q =_{Def} \sim(\sim p \cdot^{D} \sim q)$$
$$p \cdot^{I} q =_{Def} \sim'(\sim' p \cdot^{D} \sim' q)$$
$$p \, v^{I} q =_{Def} \sim\sim'(\sim'\sim p \cdot^{D} \sim'\sim q)$$
$$p \, v^{R} q =_{Def} \sim'\sim(\sim\sim' p \cdot^{D} \sim\sim' q)$$
$$p \, v^{D} q =_{Def} \sim\sim'\sim(\sim\sim'\sim p \cdot^{D} \sim\sim'\sim q)$$
$$=_{Def} \sim'\sim\sim'(\sim'\sim\sim' p \cdot^{D} \sim'\sim\sim' q).$$

Die beiden zentralen Wertserien „$\triangle$ q" und „p $\nabla$ q", die wir an anderer Stelle[20]) als „meontische" Funktionen bezeichnet haben, werden durch die Negationsstufen der Tafel (IV) übersprungen. Dies deutet auf sehr spezifische Eigenschaften hin, die sie von den anderen Tafeln absondern sollten, und die sie in der Tat auch haben. Ihre Definitionen können in kürzester und philosophisch relevanter Form als

$$p \triangle q = Def\ (p\ v^{I}\ q) \cdot^{D} (p\ v^{R}\ q)$$
$$p \nabla q = Def\ (p \cdot^{R} q)\ v^{D}\ (p \cdot^{I} q)$$

angeschrieben werden.

Die klassische Theorie des Denkens setzt ein genaues Symmetrieverhältnis zwischen Sein und Denken voraus, da sie dem Denken keine zusätzliche über den ontologischen Bereich hinausgehende Reflexionstiefe zutraut. Die transklassische Negationstafel (IV) zeigte bereits, daß dieses aristotelische Gleichgewicht zwischen Irreflexivität und Reflexion, das in der Tafel (I) stipuliert war, in der logischen Struktur der Reflexion nicht mehr aufrecht erhalten werden konnte. Die Existenz der „meontischen" Funktionen indiziert aber darüber hinaus, daß nicht nur das Verhältnis der Reflexion zur Irreflexivität unsymmetrisch ist, sondern daß die Reflexion (als denkende) zu sich selbst (als gedachte) in einer analogen Relation der Asymmetrie sich befindet.

Bevor wir jedoch dieses Thema weiter erörtern, wollen wir die Struktur der Konjunktion in einer dreiwertigen Logik vermittels einer Hilfstafel (VIIa) etwas näher erörtern. Das Gesagte wird dann sinngemäß auch von der Disjunktion gelten.

(VIIa)

| p | q | $p \cdot^{D} q$ | | | $p \cdot^{R} q$ | | | $p \cdot^{I} q$ | | | $p \triangle q$ | | |
|---|---|---|---|---|---|---|---|---|---|---|---|---|---|
| I | I | I | | I | I | | I | I | | I | I | | I |
| I | R | R | | | I | | | R | | | R | | |
| I | D | | | D | | | D | | | D | | | I |
| R | I | R | | | I | | | R | | | R | | |
| R | R | R | R | | R | R | | R | R | | R | R | |
| R | D | | D | | | D | | | R | | | D | |
| D | I | | | D | | | D | | | D | | | I |
| D | R | | D | | | D | | | R | | | D | |
| D | D | | D | D | | D | D | | D | D | | D | D |

20) G. Gunther, Die philosophische Idee einer nicht-aristotelischen Logik. Proc. XI. Int. Congr. Phil. V, 44 — 50; Brüssel, 1953.

Die Tafel zeigt deutlich den Aufbau der Reflexionsstruktur in einem dreiwertigen Kalkül als aus *drei* zweiwertigen Logiken bestehend! Alle vier in (VIIa) angeführten Wertsequenzen sind „konjunktiv". Man kann deshalb eine dreiwertige Konjunktion als eine solche Wertsequenz bezeichnen, in der mindestens zwei der „aristotelischen" (zweiwertigen) Wertfolgen konjunktiv sind. Wie man sieht, trifft das auf die vier dargestellten Funktionen zu. Die erste Wertfolge „$p \cdot^{D} q$" ist die „radikale" Konjunktion. In ihr ist die Minimumbedingung überschritten, denn hier sind alle drei zweiwertigen Systeme konjunktiv. Dagegen enthalten „$p \cdot^{R} q$", „$p \cdot^{I} q$" und „$p \bigtriangleup q$" je eine partielle Disjunktion.

Wie man sieht, schließt diese Definition der Konjunktion die Wertfolge „$p \bigtriangleup q$" ein. Letztere aber darf bestenfalls als eine Pseudo-Konjunktion bezeichnet werden. Erstens kann ein System der Reflexion-in-sich der Reflexion-in-sich-und-Anderes sinnvoller Weise nur drei echte Konjunktionen haben. Nämlich eine doppelt-reflexive, konjunktive Wertfolge, dann eine einfach reflexive und schließlich eine irreflexive. Zweitens aber haben die Wertserien „$p \bigtriangleup q$" und „$p \bigtriangledown q$" sehr spezifische Eigenschaften, die sie deutlich von dem konjunktiv-disjunktiven System absondern. Die folgenden Formeln beschreiben diese eigentümlichen Charakteristika:

$$
\begin{aligned}
p \bigtriangledown q &\equiv \sim (\sim p \bigtriangleup \sim q) \\
&\equiv \sim' (\sim' p \bigtriangleup \sim' q) \\
p \bigtriangleup q &\equiv \sim' \sim (\sim \sim' p \bigtriangleup \sim \sim' q) \\
&\equiv \sim \sim' (\sim' \sim p \bigtriangleup \sim' \sim q) \\
p \bigtriangledown q &\equiv \sim' \sim \sim' (\sim' \sim \sim' p \bigtriangleup \sim' \sim \sim' q) \\
&\equiv \sim \sim' \sim (\sim \sim' \sim p \bigtriangleup \sim \sim' \sim q)
\end{aligned}
$$

Damit ist ohne weiteres ersichtlich, daß sich „$p \bigtriangleup q$" und „$p \bigtriangledown q$" nicht wie Konjunktion und Disjunktion zu einander verhalten. Unsere bisherige Definition von dreiwertiger Konjunktivität war also zu weit und damit ungenau. Wir präzisieren sie deshalb durch die folgende Formulierung: Eine dreiwertige Konjunktion ist eine Wertfolge, in der mindestens zwei der „aristotelischen" Wertsequenzen konjunktiv sind, wobei eine der beiden das Umtauschverhältnis „$I \longleftrightarrow D$" betreffen muß. Analog ist eine dreiwertige Disjunktion dann eine Wertserie, die mindestens zwei Disjunktionen enthält, derart, daß die „$I \longleftrightarrow D$" Beziehung niemals konjunktiv ist. Die Tafel (VII) enthält also je drei echte Konjunktionen und Disjunktionen. Beide Dreiergruppen aber sind durch das Teilsystem einer Pseudo-Konjunktion und einer Pseudo-Disjunktion getrennt. —

So wie in der klassischen Logik den „materialen" Funktionen von Konjunktion und Disjunktion zwei „formale" Wertfolgen der Implikation und Äquivalenz entsprechen — die sich ausschließlich mit den strukturellen Eigenschaften von „P" und „N" befassen — ebenso entspricht der Tafel (VII) eine Tafel der dreiwertigen Implikationen und schließlich eine der Äquivalenz- resp. Identitätsrelationen.

Die Tafel der möglichen implikativen Beziehungen zwischen drei Werten hat die folgende Gestalt:

| p | q | $p \supset^{D} q$ | $p \supset^{R} q$ | $p \supset^{I} q$ | $p \supset^{\triangle} q$ | $p \rightarrow^{\triangledown} q$ | $p \rightarrow^{I} q$ | $p \rightarrow^{R} q$ | $p \rightarrow^{D} q$ |
|---|---|---|---|---|---|---|---|---|---|
| I | I | I | I | I | I | I | I | I | I |
| I | R | R | I | R | R | I | I | R | I |
| I | D | D | D | D | I | D | I | I | I |
| R | I | I | I | I | I | I | I | I | I |
| R | R | I | I | I | I | I | I | I | I |
| R | D | D | D | R | D | R | D | R | R |
| D | I | I | I | I | I | I | I | I | I |
| D | R | I | I | I | I | I | I | I | I |
| D | D | I | I | I | I | I | I | I | I |

(VIII)

Wem die Aufstellung der Tafel (VIII) Schwierigkeiten macht, der sei auf ein einfaches mechanisches Verfahren hingewiesen, durch das sich die Richtigkeit der obigen konjunktiven und disjunktiven Implikationen kontrollieren läßt. Das generelle Prinzip der Implikation — zweiwertig sowohl wie dreiwertig — beruht darauf, daß

a) jeder Wert sich selbst irreflexiv impliziert,

b) der höhere Reflexionswert den niederen immer irreflexiv impliziert,

c) der niedere Wert den höheren entweder irreflexiv *oder* reflexiv impliziert.

Der individuelle Charakter einer bestimmten Implikation hängt nun von der Differenz zwischen b) und c) ab. In diesem präzisen Sinne hat die klassische Logik zwei (!) „Implikationen". Die zweite kann allerdings im zweiwertigen System aus evidenten Gründen ignoriert werden. Die folgende Tafel zeigt, wie man die beiden Implikationen auf Grund der Vorschriften a), b), c) mechanisch produziert:

| p | q | $p \cdot q$ | $p \supset q$ | $p \vee q$ | —— |
|---|---|---|---|---|---|
| P | P | P | P | P | P |
| P | N | N | N | P | P |
| N | P | N | P | P | P |
| N | N | N | P | N | P |

(IX)

Um die Implikation herzustellen, brauchen wir nach den Vorschriften a) und b) nur „P" in die erste dritte und vierte Stelle der Wertfolge für „p q" einzusetzen. Die Vorschrift c) aber enthält eine „oder" — Anweisung. D. h., wir können „P" oder „N" in die zweite Stelle einsetzen. Wir entscheiden uns nun danach, ob wir eine „konjunktive" oder eine „disjunktive" Implikation konstruieren wollen. Im ersten Fall wählen wir den Wert, den die Konjunktion an der fraglichen Stelle hat. Im anderen Fall wird unser implikativer Wert der zweiten Stelle der disjunktiven Wertfolge entnommen. Diese Vorschrift erscheint ganz unsinnig, denn sie produziert nur *eine* Implikation. Die Anlehnung an die Disjunktion resultiert in einer Wahrheitstautologie. Die Unterscheidung von „konjunktiver" und „disjunktiver" Implikation hat deshalb im zweiwertigen System nicht viel Zweck.

Anders aber liegen die Dinge im dreiwertigen Kalkül. Wir finden dort in der Tat implikative Wertserien, die mit der Disjunktivität korrespondieren. Es ist aus diesem Grunde empfehlenswert, einen generelleren Sprachgebrauch zu pflegen und eine Wertfolge „P P P P", resp. „I I I I" als eine disjunktive Implikation zu bezeichnen — wenn sie als Teilsystem in einer dreiwertigen Implikation auftritt.

Die Konstruktion der Implikationen der Tafel (VIII) ist jetzt sehr leicht nachzuprüfen. Wir setzen in alle Stellen außer I R, I D und R D, also außer der zweiten, dritten und sechsten Zeile, den irreflexiven Wert „I" ein. Welcher Wert aber in die offen bleibenden Positionen eingesetzt werden soll, das entscheiden wir je nach dem, welcher Wertfolge der Tafel (VII) unsere Implikationsfunktion zugeordnet werden soll. D. h., wir entnehmen einfach die entsprechenden Werte aus (VII) und setzen sie in die von uns zu bildenden Funktionen ein.

Es stellt sich dann heraus, daß die Systematik der dreiwertigen Implikationen nur solche Wertfolgen enthält, die die klassische Implikation in drei verschiedenen Stellenwerten repräsentieren. Um das anschaulich zu machen, wollen wir wieder die ersten vier Wertfolgen aus Tafel (VIII) in der bereits in (VIIa) geübten Weise aufspalten. Wir erhalten dann:

| p | q | $p \supset^{D} q$ | | | $p \supset^{R} q$ | | | $p \supset^{I} q$ | | | $p \supset^{\triangle} q$ | | |
|---|---|---|---|---|---|---|---|---|---|---|---|---|---|
| I | I | I | | I | I | | I | I | | I | I | | I |
| I | R | R | | | I | | | R | | | R | | |
| I | D | | | D | | | D | | | D | | | I |
| R | I | I | | | I | | | I | | | I | | |
| R | R | I | I | | I | I | | I | I | | I | I | |
| R | D | | D | | | D | | | R | | | D | |
| D | I | | | I | | | I | | | I | | | I |
| D | R | | I | | | I | | | I | | | I | |
| D | D | | I | I | | I | I | | I | I | | I | I |

(VIIIa)

Es ist jetzt sehr einfach zu sehen, daß die Funktion „$p \supset^{D} q$" eine Wertfolge ist, die aus drei zweiwertigen „konjunktiven" Implikationen besteht. Andererseits besteht die Wertserie „$p \supset^{R} q$" aus einer „disjunktiven" Implikation für das Umtauschverhältnis „$I \longleftrightarrow R$" und aus zwei „konjunktiven" Implikationen. Einige Schwierigkeiten, bis man sich in die Analysierungstechnik eines dreiwertigen Kalküls eingearbeitet hat, mag die Funktion „$p \supset^{I} q$" bereiten. Sie ist ganz korrekt nach der Vorschrift k d k der Tafel (VI) aufgebaut. D. h., sie besteht aus einer „konjunktiven" Implikation, einer „disjunktiven" für „$R \longleftrightarrow D$" und wieder einer „konjunktiven". Das mag überraschen, aber die Wertfolge „I R I I" kann „konjunktive" *oder* „disjunktive" Implikation sein — je nach dem Stellenwert, den sie hat! Sie ist „konjunktiv" im System „$I \longleftrightarrow R$", aber „disjunktiv" in „$R \longleftrightarrow D$". Der Wert „R" ist nämlich im ersten Fall von den beiden zur Wahl stehenden Werten der reflexiv höhere Wert. Im anderen Falle aber ist es der niedere Wert gegenüber „D". Die Implikation ist also „disjunktiv". Im vierten Falle von „$p \supset \triangle q$" sind die ersten beiden Implikationen „konjunktiv" und die dritte ist disjunktiv, was keiner weiteren Erklärung bedarf. Analoges gilt für die zweite Hälfte der Tafel (VIIIa). —

Angesichts dieses strikten Analogieverhältnisses zur klassischen Implikativität gilt auch das durch die zweiwertige Formel

$$p \equiv q \quad \text{aeq} \quad (p \supset q) \cdot (q \supset p)$$

bestimmte Verhältnis zwischen Implikation und Äquivalenz in korrespondierender Form in der nicht-aristotelischen Logik. Wir können nämlich die dreiwertigen Äquivalenzen und Identitätsrelationen auf die folgende Weise definitorisch festlegen:

$$\begin{array}{lllll}
p \equiv^{D} q & =_{Def} & (p \supset^{D} q) & .^{DI} & (q \supset^{D} p) \\
p \equiv^{R} q & =_{Def} & (p \supset^{R} q) & .^{DRI} & (q \supset^{R} p) \\
 & & (p \supset^{R} q) & \nabla & (q \supset^{R} p) \\
p \equiv^{I} q & =_{Def} & (p \supset^{I} q) & .^{DI} & (q \supset^{I} p) \\
p \equiv^{\triangle} q & =_{Def} & (p \supset^{\triangle} q) & .^{DI} & (q \supset^{\triangle} p) \\
p =^{\triangle} q & =_{Def} & (p \rightarrow^{\triangledown} q) & .^{DI} & (q \rightarrow^{\triangledown} p) \\
p =^{I} q & =_{Def} & (p \rightarrow^{I} q) & .^{DRI} & (q \rightarrow^{I} p) \\
 & & (p \rightarrow^{I} q) & \nabla & (q \rightarrow^{I} p) \\
p =^{D} q & =_{Def} & (p \rightarrow^{R} q) & .^{DI} & (q \rightarrow^{R} p) \\
 & & (p \rightarrow^{R} q) & \triangle & (q \rightarrow^{R} p) \\
 & & (p \rightarrow^{R} q) & V^{R} & (q \rightarrow^{R} p) \\
p =^{R} q & =_{Def} & (p \rightarrow^{D} q) & .^{DI} & (q \rightarrow^{D} p) \\
 & & (p \rightarrow^{D} q) & \triangle & (q \rightarrow^{D} p) \\
 & & (p \rightarrow^{D} q) & V^{R} & (q \rightarrow^{D} p)
\end{array}$$

Die Äquivalenztafel hat also die unten angegebene Gestalt:

| p | q | $p \equiv^{D} q$ | $p \equiv^{R} q$ | $p \equiv^{I} q$ | $p \equiv^{\triangle} q$ | $p =^{\triangledown} q$ | $p =^{I} q$ | $p =^{R} q$ | $p =^{D} q$ (X) |
|---|---|---|---|---|---|---|---|---|---|
| I | I | I | I | I | I | I | I | I | I |
| I | R | R | I | R | R | I | I | R | I |
| I | D | D | D | D | I | D | I | I | I |
| R | I | R | I | R | R | I | I | R | I |
| R | R | I | I | I | I | I | I | I | I |
| R | D | D | D | R | D | R | D | R | R |
| D | I | D | D | D | I | D | I | I | I |
| D | R | D | D | R | D | R | D | R | R |
| D | D | I | I | I | I | I | I | I | I |

Ähnlich wie im Falle der Implikationen, müssen wir hier den Begriff der Äquivalenz erweitern, so daß er die Wertfolge „I I I I" einschließt. Es läßt sich dann auch an Tafel (X) ablesen, daß der dreiwertige Kalkül ein Stellenwertsystem der zweiwertigen Logik ist.

In der klassischen Logik konnten wir feststellen, daß die Negation der „positiven" Wertserien von Konjunktion, Disjunktion usw., unsere „negativen" logischen Motive, wie Unvereinbarkeit etc. produziert. Dies ist auch im dreiwertigen Kalkül der Fall. Da aber jede Wertserie der Tafeln (VII), (VIII) und (X), gemäß unserer Negationstafel (IV) auf fünf verschiedene Weisen negiert werden kann, stellen 144 neunstellige Wertfolgen aus den 19683 möglichen Kombinationen von „I", „R" und „D" logische Motive erster Ordnung dar. Wir sagen, „erster Ordnung", denn es können aus diesem enormen Reservoir kombinatorischer Möglichkeiten noch logische Motive weiterer Ordnungen hergestellt werden. Ein Beispiel dafür liefert der Ausdruck:

$$p \cdot^{R} (p \cdot^{D} q)$$

Die korrespondierende Wertfolge lautet: I I D R R D D D D, die sich in die folgenden zweiwertigen Komponenten auflösen läßt:

| | |
|---|---|
| p | I I . R R . . . . |
| Konjunktion | . . . . R D . D D |
| Konjunktion | I . D . . . D . D |

Einer dritten Ordnung gehört

$$p \,^{\triangledown} (p \cdot^{D} q)$$

an. Die zuständige Wertfolge ist: I I D R R R D D D. Ihre Auflösung:

| | |
|---|---|
| p | I I . R R . . . . |
| p | . . . . R D . D D |
| Konjunktion | I . D . . . D . D |

Der Unterschied der Ordnungen ist auf den ersten Blick sichtbar. Die zweite Ordnung involviert nur noch zwei klassische Funktionen und die dritte eine einzige[21]).

Eine direkte Konsequenz dieses ausgedehnten Systems von Reflexionsfunktionen ist die Tatsache, daß der dreiwertige Kalkül nicht nur über einen Existenz- und einen All-operator verfügt, wie das in der klassischen Logik der Fall ist. In einem mehrwertigen System ist es möglich, eine Mehrzahl von Existenz- und All-Begriffen zu definieren. Die irreflexive Existenz eines Seins muß offensichtlich vermittels einer anderen Daseinskategorie begriffen werden als die Existenz der Primzahlen oder des binomischen Theorems. Und wiederum die Existenz eines erlebenden und reflektierenden Ichs wird durch keinen der beiden vorangehenden Existenzbegriffe erfaßt. Da aber die Darstellung der Theorie der dreiwertigen Operatoren der Quantifikation auch in kürzester Form eine ganze Abhandlung erfordern würde, muß hier darauf verzichtet werden. —

Wir wollen statt dessen mit einem allgemeinen Gedankengang über das Verhältnis des dreiwertigen Systems zu allgemein n-wertigen Kalkülen schließen. Unsere Theorie der mehr-wertigen Strukturen besteht, wie wir noch einmal wiederholen wollen, darin, daß wir sie als Stellenwertsysteme unseres unvermeidlich zweiwertigen Denkens betrachten. Wenn aber der dreiwertige Kalkül bereits die totale Reflexionsstruktur des Bewußtseins beschreibt, wie soll es dann möglich sein, zu einem vier-, fünf- oder beliebig n-wertigen System fortzuschreiten? Ignorieren aber können wir diese höheren Kalküle nicht, denn sie haben mathematische Existenz im Sinne eines reflexiven Existenzoperators, wie er bereits im Bereich der dreiwertigen Strukturen auftritt.

Die Antwort auf die eben gestellte Frage ist in dem Umstand gegeben, daß durch das Prinzip der Dreiwertigkeit nur die allerabstrakteste und leerste Form der Reflexionsstruktur des theoretischen Bewußtseins geliefert wird. In unserer skizzierten nicht-aristotelischen, transklassischen Logik wird überhaupt nicht berücksichtigt, daß der irreflexive Objektzusammenhang der gegenständlichen Umwelt, in der wir leben, auf verschiedene Bewußtseinsstufen ganz unterschiedlich gedeutet wird. Ding-Realität ist für einen Buschmann etwas ganz an-

21) Eine weitere interessante Variante einer dreiwertigen Wertfolge wird durch eine „Kreuzung" zwischen Tafel (VII) und der Tafel (VIII) geliefert. Die Formel „$\sim$ (p . D $\sim$ q)" beschreibt eine solche Situation. Die Wertserie ist: I R D I I D D D D. Sie kann aufgelöst werden in eine Implikation für das System „I $\longleftrightarrow$ R" und sie ist eine Konjunktion für „I $\longleftrightarrow$ D". Diese beiden echten klassischen Motive sind vermittelt durch die Pseudo-Konjunktion I D D D für das System „R $\longleftrightarrow$ D". — Es ist für den Verfasser vorläufig noch eine offene Frage, ob es semantisch legitim ist, eine Wertfolge von Typus $\sim$ (p . D $\sim$ q) als Reflexionsmotiv anzuerkennen. Vorläufig spricht die Wahrscheinlichkeit nicht für eine solche Anerkennung. Ganz fraglos aber liefern „Kreuzungen" zwischen den Tafeln (VIII) und (X) echte Reflexionsfunktionen. So produziert z. B. „(p $\supset$ D q) . D I (q $\longrightarrow$ I p)" eine ganz einwandfreie Verbindung zwischen Implikation und Äquivalenz.

deres als für Newton. Und die Newtonsche Auffassung wieder würde von einem modernen Nuklearphysiker fraglos abgelehnt werden. D. h., mit wachsender Reflexionstiefe ändert sich auch der Charakter des irreflexiven Objektbereiches, dem das Bewußtsein begegnet.

Diesem Umstand tragen die mehr als dreiwertigen Kalküle Rechnung. Sie vergrößern nicht die Reflexionstiefe des logischen Subjekts, wohl aber seine Erkenntnistiefe des Objekts — indem sie eine prinzipiell unendliche Differenzierung der Anwendung des Stellenwertsystems auf das gegenständliche Denken des Objektbereiches der Welt zulassen. Wir wollen das kurz demonstrieren:

In unserer transklassischen Logik war der totale Umfang des theoretischen Bewußtseins durch die Reflexionsspanne

$$I \longleftrightarrow D$$

definiert. Wir wollen diesen Tatbestand jetzt generalisieren und wir formulieren ihn deshalb in der folgenden Form: In jedem beliebigen n-wertigen System wird der Umfang des theoretischen Bewußtseins durch das vermittelte Umtauschverhältnis

$$1 \longleftrightarrow n$$

definiert[22]). Dies ist die sogenannte doppelte Reflexion. Die einfache Reflexion-in-sich umfaßt dann das Umtauschverhältnis

$$2 \longleftrightarrow n$$

und die Reflexion-in-Anderes die alternative Spannweite von

$$1 \longleftrightarrow n - 1.$$

Wir wollen das an den Beispielen einer drei-, vier- und fünf -wertigen Logik demonstrieren:

| drei | vier | fünf |
|---|---|---|
| 1 ←→ 2 | 1 ←→ 2 | 1 ←→ 2 |
| 2 ←→ 3 | 2 ←→ 3 | 2 ←→ 3 |
| — | 3 ←→ 4 | 3 ←→ 4 |
| 1 ←→ 3 | — | 4 ←→ 5 |
| | 1 ←→ 3 | — |
| | 2 ←→ 4 | 1 ←→ 3 |
| | — | 2 ←→ 4 |
| | 1 ←→ 4 | 3 ←→ 5 |
| | | 1 ←→ 4 |
| | | 2 ←→ 5 |
| | | — |
| | | 1 ←→ 5 |

22) Wir benutzen von jetzt ab für Werte die natürlichen Zahlen. „I" ist also 1 usw.

Die in den Quadraten enthaltenen Umtauschverhältnisse stellen jeweilig das formale Reflexionssystem des theoretischen Bewußtseins dar. Sie sind in jeder Logik die jeweilig am höchsten „vermittelten" Negationsrelationen. Wie man sieht, überspringen die beiden einfachen Reflexionen in einer fünfwertigen Logik je zwei Zwischenwerte, und die doppelte Reflexion überspringt drei. Die außerhalb der Quadrate befindlichen Umtauschverhältnisse bezeichnen mögliche Interpretationssysteme des Objektbereiches.

Alle Systeme bestehen aus zweiwertigen Logiken, von denen jede einen anderen Stellenwert hat. Je umfangreicher die Kalküle wertmäßig werden, desto komplizierter und mehrstufiger wird auch die Systematik der Stellenwerte.

Weiterhin ist bemerkenswert, daß das dreiwertige System genau so wie die klassische Logik ein rein abstrakt, formales System ist, das den Objektbereich nicht reflexiv bestimmt. D. h., weder die zwei- noch die dreiwertige Logik haben einen *notwendigen* Objektbereich. Hier liegt der tiefere Grund, warum der Begriff des Dinges an sich durch Hegel in der ersten Reflexion auf das klassische Denken aufgelöst worden ist. Geht man aber über die reinste, abstrakteste Relationsstruktur von Reflexion-in-sich der Reflexion-in-sich-und-Anderes dadurch hinaus, daß man einen vierten, usw., Wert einführt, so besitzt die Reflexionslogik auf einmal einen *notwendigen,* d. h., ihrer eigenen Struktur korrespondierenden Objektbereich.

Wenn wir die Zahl der Stellenwerte, die die klassische Logik in einem beliebigen n-wertigen System einnehmen kann, mit „St" bezeichnen und Wert mit „W", Objektbereich aber mit „O", dann gelten die folgenden Formeln:

$$St = \frac{W^2 - W}{2}$$

$$O = \frac{W^2 - W}{2} - 3$$

Der logische Stellenwert ist der Ausdruck für die funktionale Abhängigkeit des Objekts vom denkenden Subjekt. „Der völlig isolierte Gegenstand" hat nach jener berühmten Aussage Heisenbergs, „prinzipell keine beschreibbaren Eigenschaften mehr." Die klassische aristotelische Logik, kann, da sie nichts weiter ist als das isolierte Umtauschverhältnis

$$\boxed{1 \longleftrightarrow 2}$$

naturgemäß keinen reflexiven Stellenwert haben. Infolgedessen glaubt man, in ihr das absolute (isolierte) Objekt beschreiben zu können. Als man in der Transzendentallogik auf das klassische Denken zu reflektieren begann, entdeckte man nur *inner*-reflexive Stellenwerte des Denkens. Dadurch wurde das Ding-an-sich mehr und mehr ins Bewußtsein hineingezogen und verflüchtigte sich schließlich ganz.

Das dreiwertige System, in dem das Denken ausschließlich und ganz „bei sich selbst" ist, ist aber nur die Übergangsstufe zum allgemein n-wertigen Denken, wobei bereits im vierwertigen System das in der Reflexion auf die Reflexion verloren gegangene Objekt wieder entdeckt wird. Denn hier besitzt die Reflexion Stellenwerte, die nicht mehr bewußtseinsimmanent[23]) gedeutet werden können. Es scheint, als ob dieses System, das drei (objektive) Realitätsschichten:

$$\begin{array}{c} 1 \longleftrightarrow 2 \\ 2 \longleftrightarrow 3 \\ 3 \longleftrightarrow 4 \end{array}$$

und drei Bewußtseinslagen:

$$\boxed{\begin{array}{c} 1 \longleftrightarrow 3 \\ 2 \longleftrightarrow 4 \\ 1 \longleftrightarrow 4 \end{array}}$$

umfaßt, unserer gegenwärtigen wissenschaftlichen Situation am besten entspricht.

Wir resümieren: die klassische, aristotelische Logik ist die einzige Gegenstandslogik; denn in jedem überhaupt denkbaren Verhältnis zu seinem Inhalt, verhält sich das menschliche Denken zweiwertig. Diese Logik aber kann auf verschiedenen Reflexionsstufen des Bewußtseins angewendet werden und in diesem Vorgang erhalten die traditionellen Denkvollzüge Stellenwerte. *Die Theorie dieser Stellenwerte ist die nicht-aristotelische, mehrwertige Logik, die uns zuerst als dreiwertiges Reflexionssystem des Bewußtseins entgegen tritt.* Der Begriff der Reflexion aber geht über den des Bewußtseins hinaus. Er umfaßt auch das bewußtseintranszendente Objekt (siehe klass. Identitätsthese) und in diesem weiteren Sinne ist das unendlich gegliederte System der Reflexivität überhaupt das Modell aller mehrwertigen Kalküle. — — —

Auch die nicht-aristotelische Logik der Reflexion ist ein System der Wahrheit. Aber wenn die Wahrheit des Seins reflektiert wird, so tritt sie in drei urphänomenalen Gestalten auf. Das lehrt uns die Theorie der Mehrwertigkeit. Die Theologie hat das längst geahnt, wenn sie uns in allen Weltreligionen belehrt, daß uns das Absolute als eine Trinität begegnet. In der Theorie des reflektierten Begriffs erscheinen uns diese drei Gestalten als Irreflexivität, als einfache Reflexion und als doppeltes Reflektieren. Diese trinitarische Gliederung der einen Wahr-

23) D. h., als subjektive Erlebnisprozesse, also als Reflexionsprozesse im Ich oder im Du.

heit ist das Resultat der möglichen Stellenwerte, die das Bild der Wirklichkeit in unserem Bewußtsein annehmen kann. In diesem Sinne sind „I", „R" und „D" bewußtseinstheoretische Stellenwerte des Wahren ... wobei der dritte, eminent nicht-aristotelische Wert „D" die unendliche Selbsttranszendenz alles möglichen Denkens anzeigt.

Aber insofern als unser individuelles Bewußtsein empirisch ist und in jeder konkreten Situation nur einen begrenzten Existenzbegriff besitzt, ist dasselbe zweiwertig *isoliert*. Und für jene Existenz und das sie abbildende Bewußtsein gelten die Worte Hegels aus der Enzyklopädie der philosophischen Wissenschaften: „Die Existenz ist die unmittelbare Einheit der Reflexion-in-sich und der Reflexion-in-Anderes. Sie ist daher die unbestimmte Menge von Existierenden als in sich Reflektierten, die zugleich ebensosehr in anderes scheinen, *relativ* sind, und eine *Welt* gegenseitiger Abhängigkeit und eines unendlichen Zusammenhanges von Gründen und Begründeten bilden[24])."

24) Hegel, W. W. (Meiner) V, S. 135.

# DAS METAPHYSISCHE PROBLEM EINER FORMALISIERUNG DER TRANSZENDENTAL-DIALEKTISCHEN LOGIK

## *Unter besonderer Berücksichtigung der Logik Hegels**

Wenn in der folgenden Untersuchung von einer Formalisierung der transzendental — dialektischen Logik, die den Bemühungen des Deutschen Idealismus zugrunde liegt, gesprochen wird, so kann damit zweierlei gemeint sein. Erstens: eine direkte Übersetzung des vorliegenden historischen Textmaterials der Autoren KANT, FICHTE, Hegel und SCHELLING[1] (soweit es logischen Gehalt hat) in die Sprache eines formalen Kalküls. Zweitens: eine Neudarstellung der sachlichen Problematik, die sich in der Entwicklung von KANT bis zu SCHELLINGS positiver Philosophie enthüllt, auf dem Boden eines transklassischen Formalismus. Es würde sich hier also um ein Parallelunternehmen handeln, zu dem die logischen Schriften des Deutschen Idealismus zwar ausgiebig Hilfestellung leisteten, das aber nicht den Charakter eines Kommentars zum Wortlaut des idealistischen Textbestandes hätte. Solche Fragen wie: was ist transzendentaler Schein, Subjektivität, doppelte Reflexion in sich, Vermittlung des Denkens usw. können ganz unabhängig davon, daß sie Kernprobleme des Idealismus repräsentieren, auf ihre formallogische Struktur hin untersucht werden. So betrachtet ist ihr Auftreten in dem geschichtlichen Phänomen des Deutschen Idealismus akzidentiell.

Es hat sich im Verlauf der Untersuchung gezeigt, daß es nicht praktisch ist, bei einer Analyse des formallogischen Gehalts der transzendental-dialektischen Logik sich auf den ersten oder den zweiten Zugang zum Thema ausschließlich festzulegen. In den folgenden Darlegungen sollen beide Wege benutzt werden. Im Allgemeinen aber dominiert der Gesichtspunkt einer Neudarstellung der sachlichen Problematik. Der Verf. vermutet, daß eine (höchst wünschenswerte) kalkültheoretische Analyse eines so dunklen

* Prepared under the Sponsorship of the Air Force Office of Scientific Research, Directorate of Information Sciences, Grant AF-AFOSR-8-63.

[1] Auch Salomon Maimons *Versuch einer neuen Logik oder Theorie des Denkens* (1794) muß eventuell hier zugefügt werden.

Werkes wie der *Phänomenologie des Geistes* viel weniger Schwierigkeiten bieten wird, wenn die Kenntnis der formalen Struktur einer Logik des subjektiven Reflexionsprozesses mit Methoden gewonnen wird, die unabhängig von denen sind, mit denen Kant und seine Nachfolger ihre Resultate erreicht haben.

Zum Schluß soll darauf hingewiesen werden, daß dieser Beitrag zu den Hegeltagen in Heidelberg nicht beansprucht, das Problem einer Formalisierung der transzendental-dialektischen Logik gelöst zu haben. Unser Ehrgeiz beschränkt sich darauf, einen Weg zu zeigen, der vielleicht zu einer solchen Lösung führt.

## I.

Im zweiten Teil der transzendentalen Elementarlehre der *Kritik der reinen Vernunft* unterscheidet Kant die allgemeine Schullogik von seinem neuen Begriff einer transzendentalen Logik. Die erstere ... „abstrahiert ... von allem Inhalt der Verstandeserkenntnis, und der Verschiedenheit ihrer Gegenstände, und hat mit nichts als der bloßen Form des Denkens zu tun"[2]. Die Idee der Transzendentallogik aber entspringt nach ihm aus „der Erwartung, daß es vielleicht Begriffe geben könne, die sich a priori auf Gegenstände beziehen mögen, nicht als reine oder sinnliche Anschauungen, sondern bloß als Handlungen des reinen Denkens ..."[3] Eine Wissenschaft, die sich mit solchen Handlungen beschäftigte, wäre die gesuchte transzendentale Logik. Die letztere teilt Kant dann wieder ein in transzendentale Analytik und transzendentale Dialektik. Beiden Aspekten dieser neuen Logik ist gemeinsam, daß in ihnen die „bloßen formalen Prinzipien des reinen Verstandes"[4] isoliert werden. Aber „der Gebrauch dieser reinen Erkenntnis ... beruht darauf, als ihrer Bedingung: daß uns Gegenstände in der Anschauung gegeben seien, worauf jene angewandt werden könne"[5].

Es ist wichtig festzustellen, daß Kant von den formalen Prinzipien dieser über den klassischen Formalismus hinausgehenden neuen Logik spricht. Trotzdem ist bis heute kein ernsthafter Versuch gemacht worden transzendentale Analytik und Dialektik in einer Operatorenlogik als Fortsetzung des aristotelischen Organons zu formalisieren. Die Gründe liegen in der Ent-

[2] *Kant: Kritik der reinen Vernunft.* 2. Aufl. Riga 1787. 78.
[3] Ebd. 81.
[4] Ebd. 88.
[5] Ebd. 87. — Wir zitieren die Erdmannsche Lesart.

wicklung, die die neue transzendentale Theorie des Denkens in den Systemen der Nachfolger KANTS, speziell bei FICHTE und Hegel, aber auch bei SCHELLING genommen hat. Es ist unverkennbar, daß den Bemühungen der letztgenannten Denker die Absicht zugrunde liegt, die tradierte formale Schullogik in ein System von höherer logischer Mächtigkeit zu integrieren[6]. Dabei ist folgendes zu bemerken: die KANTische Unterscheidung zwischen tradierter und Transzendentallogik wird schon bei FICHTE an entsprechender Stelle durch die Trichotomie von gemeiner oder gewöhnlicher Logik, von Transzendentallogik und von Wissenschaftslehre ersetzt. In diesem Zusammenhang ist vor allem beachtenswert, daß für den Verfasser der Vorlesungen *Über das Verhältnis der Logik zur Philosophie oder transzendentale Logik* auf der dritten Stufe des neuen Standpunktes die beiden traditionellen Wahrheitswerte „wahr" und „falsch" verschwinden. „Wir sind indifferent gegen wahre und falsche Philosophie, nur außerhalb beider schwebend", ruft er aus.[7] Noch emphatischer ist Hegel in dieser Hinsicht. Er behält zwar die Idee des Wahren als ontologische Konzeption, aber der logische Prozess des Geistes kann nichts Falsches erzeugen. Seine Logik besitzt keinen durch das finite Subjekt manipulierbaren Operator, vermittels dessen wahre Aussagen in falsche und falsche in wahre transformiert werden können. Überdies ist bei ihm die trichotomische Struktur der Logik wesentlich tiefer als bei FICHTE ausgebildet. Während FICHTE gelegentlich (und wie es uns scheint mißverständlich) von der „Zerstörung" der gemeinen Logik spricht und KANT de facto vorwirft, daß er diese Zerstörung nicht weit genug getrieben hätte, ist die klassische Logik auf ganz unverlierbare Weise unter dem Titel „Das Wesen" als die Theorie der Reflexionsbestimmungen in das System der Hegelschen Logik eingebaut. Hegels eigene Polemik gegen die Schullogik hat die Hegelforschung bis heute daran gehindert zu sehen, wie wesentlich der klassische Formalismus für den Aufbau des dialektischen Systems ist. Es ist kein Zufall, daß einerseits die Aristotelische Logik den Abschnitt über die *Reflexions*bestimmungen in der Großen Logik dominiert und daß andererseits der absolute Geist als Reflexion-in-Anderes, Reflexion-in-sich und als totale Reflexion beschrieben wird.

Die schwächer oder stärker ausgeprägte Trichotomie der transzendental-dialektischen Systeme von KANT bis Hegel und SCHELLING ist der Ausdruck eines tiefgehenden philosophischen Themawechsels in der Geistesgeschichte des Abendlandes. Er bereitet sich unterirdisch seit DESCARTES vor, wie

[6] Wir gebrauchen diesen Ausdruck in dem Sinne, in dem er in *Georg Cantors Theorie des Transfiniten* auftritt.

[7] *Fichte: Nachgelassene Werke.* Hrsg. v. I. H. Fichte. Bd 1. Bonn 1834. 108.

SCHELLING besonders klar gesehen hat[8], aber expressiv verbis und mit einer tiefgehenden Korrektur des kartesischen Ansatzes tritt er erst in der *Kritik der reinen* Vernunft in das Licht des philosophischen Tages. Will man ihn so einfach wie möglich formulieren, dann läßt er sich vielleicht mit den folgenden Sätzen zum Ausdruck bringen: Das ausschließliche Thema der klassischen Tradition des Denkens bis zu dem Auftreten der *Kritik der reinen Vernunft* war das Sein als objektive, transzendent-gegründete Realität. Das unrelativierte Ansichsein. Wo das Subjekt, resp. das Ich, in diesem Weltbild auftrat, wurde es unweigerlich *als* Objekt, wenn auch von besonderer Gattung, begriffen. Spezielle Kategorien, die das Subjekt *als* Subjekt, also im totalen Gegensatz zum objektiven Zusammenhang der Welt begreifen sollten, standen weder zur Verfügung, noch empfand man ihre epistemologische Notwendigkeit. Die Logik, die diese Situation dominierte, war die Aristotelische, dichotomisch entwickelte, Wertlogik, in der der als „positiv" erklärte Wert die ganze Realität designierte und der negative Wert das relative oder absolute Nichts. Ein Denker, der das Subjekt denken wollte, hatte nur die Wahl es *als* ein objektives System oder (mystisch) *als* das Nichts zu beschreiben. Auf diese logisch-metaphysische Bedeutung der Kategorie des „als" hat der transzendental-spekulative Idealismus ausdrücklich aufmerksam gemacht.[9] Sie spiegelt sich z. B. in dem Doppelsinn des Terminus „objektiv", der sowohl eine innere Bewußtseinshaltung als auch das Gegenständlichsein des Wirklichen anzeigt.

Die coincidentia oppositorum des Cusaners ist der tiefste Ausdruck jener metaphysischen Doppeldeutigkeit der klassischen Logik, deren Wurzeln in der bekannten Symmetrierelation der traditionellen Werte „wahr" und „falsch", oder „positiv" versus „negativ" liegen. Reinhold BAER hat in seinem Vortrag auf dem zweiten Hegelkongreß (1931) ausdrücklich auf den isomorphischen Charakter der zweiwertigen Logik und seine Bedeutung für die Hegelsche Dialektik hingewiesen. Da ein genaues Verständnis dieser Struktureigentümlichkeit der tradierten Logik für die Entwicklung eines transklassischen Formalismus unerläßlich ist, wollen wir die BAERschen Ausführungen im Detail zitieren. Unter einem Isomorphismus wird „eine solche umkehrbare eindeutige Zuordnung der Dinge eines Systems zu den Dingen eines anderen Systems, der Relation zwischen den Dingen des ersten Systems zu denen des zweiten Systems verstanden, daß Dingen des ersten Systems, die eine der einschlägigen Relationen erfüllen bzw. nicht erfüllen,

[8] *Schellings Werke.* Hrsg. v. Schröter. Bd 5. 74—102.
[9] In neuerer Zeit ist darauf wieder von *A. Gehlen* hingewiesen worden. Siehe seine *Theorie der Willensfreiheit.* Berlin 133.

solche Dinge des zweiten Systems zugeordnet sind, die die zugeordnete Relation erfüllen, bzw. nicht erfüllen".

„Diesen fundamentalen Begriff", so fährt BAER fort, „wollen wir durch ein auch an sich interessantes Beispiel illustrieren, durch die *logistische Aufweisung* der coincidentia oppositorum. Der sogenannte (engere) Aussagenkalkül betrachtet einen Bereich von Dingen, die ‚Aussagen' genannt werden, und zwischen denen, von abgeleiteten Beziehungen abgesehen, die Beziehungen: ‚Negation' und ‚Konjunktion' (= sowohl . . . als auch . . .) bestehen. Man kann aber auch die Beziehungen ‚Negation' und ‚Disjunktion' (= oder, nicht exklusiv, sondern im Sinn des lateinischen ‚vel') zu Grunde legen. Es besteht dann die folgende Isomorphie, die eine Art Präzisierung des Dualismus zwischen Konjunktion und Disjunktion darstellt:

1. Jeder Aussage wird ihre Negation zugeordnet.
2. Die Grundbeziehung ‚Negation' wird sich selbst zugeordnet.
3. Der Grundbeziehung ‚Konjunktion' wird die Grundbeziehung ‚Disjunktion' zugeordnet.

Daß dies wirklich eine Isomorphie ist, folgt wesentlich aus dem Satz vom Widerspruch: a ≠ non-a, dem Satz vom ausgeschlossenen Dritten: a = non-non-a, und der Tatsache, daß die Negation einer Konjunktion gleich der Disjunktion des Negierten ist: non-(a ∧ b) = non-a ∨ non-b.

Diese Isomorphie besagt nun bei inhaltlicher Interpretation des Aussagenkalküls tatsächlich die behauptete Coincidentia oppositorum: Jede Aussage ist zwar von ihrer Negation verschieden, *aber es besteht kein wesentlicher Unterschied zwischen positiven und negativen Aussagen, sogar schärfer zwischen einer Aussage und ihrer Negation.*"[10]

Diese Eigenschaft der klassischen (zweiwertigen) Logik macht ohne weiteres verständlich, warum unsere wissenschaftliche Tradition von den Griechen bis auf den heutigen Tag radikal objektivistisch geblieben ist. Denn wenn zwischen einer Aussage und ihrer Negation kein wesentlicher Unterschied besteht, dann ist es völlig unmöglich, über das Subjekt *als* Subjekt, d. h. als Nicht-Objekt, irgend etwas inhaltlich auszusagen, was nicht auch als Aussage über bona fide Objekte darstellbar wäre. Der Physiker Erwin SCHRÖDINGER hat kürzlich diesen Tatbestand auf eine außerordentlich geistvolle Weise in einer Monographie, die *Mind and Matter* betitelt ist, formuliert. Seine diesbezüglichen Bemerkungen lauten (in

[10] *Reinhold Baer: Hegel und die Mathematik.* In: Verhandlungen des zweiten Hegelkongresses vom 18. bis 21. Okt. 1931 in Berlin. Tübingen 1932. 104 f. — Hervorhebung im letzten Satz von uns.

Übersetzung)[11]: „Der Grund, warum unser fühlendes, wahrnehmendes und denkendes Ich nirgendwo in unserem wissenschaftlichen Weltbild anzutreffen ist, kann ganz einfach in sieben Worten angegeben werden: weil es nämlich selbst dieses Weltbild ist. Es ist identisch mit dem Ganzen und kann deshalb in demselben nicht als ein Teil enthalten sein". Und einige Seiten weiter fährt er fort: „... unsere Wissenschaft — griechische Wissenschaft — gründet sich auf Objektivation, wodurch sie sich den Weg zu einem adaequaten Verständnis des Subjekts der Erkenntnis, des Geistes, abgeschnitten hat. Ich glaube, das ist genau der Punkt, wo unsere gegenwärtige Methode des Denkens ergänzt werden muß."[12]

Als Philosophen können wir dazu nur sagen, daß solche verspäteten Zugeständnisse eine Bestätigung des metaphysischen Themawechsels sind, der durch die *Kritik der reinen Vernunft* inauguriert worden ist. Kant fügte zum Problem des Seins, das bis dahin die wissenschaftliche Tradition des Abendlandes dominierte, das Problem des nicht-objektiven Bewußtseins, d. h. der seinsthematisch nicht begreifbaren Ichsubjektivität. Mit dem Instinkt des Genies begriff er, daß für dieses neue fundamentale Thema der Philosophie das klassische Organon keine adaequaten Verständniskategorien liefert, daher seine Schöpfung der transzendental-dialektischen Logik und ihre weitere Vertiefung und Verfeinerung in den Fichteschen Wissenschaftslehren und den logischen Spekulationen von Hegel und Schelling. Die Entwicklung aber nahm einen verhängnisvollen Verlauf. Der Begriff und die Methodik der Formalisierung, die Kant und seinen Nachfolgern zur Verfügung stand, war der älteren Schullogik entnommen und der neuen Problematik in keiner Weise angemessen. Von der modernen Formalisierungstechnik, wie sie sich seit der Mitte des neunzehnten Jahrhunderts zu entwickeln begann, konnten die transzendental-spekulativen Logiker nichts ahnen. Das neue Thema trat deshalb im Gewande einer „konkreten" oder „dialektischen" Logik auf, deren Formalisierung schon deshalb nicht in Frage kam, weil das operierende Subjekt dieser Logik nicht der individuelle empirische Denker sondern eine trans-individuelle höhere Instanz sein sollte. Jeder dieser Philosophen gab ihr einen anderen Namen. Hegel nennt sie den absoluten Geist. Bei Marx heißt sie aus bestimmten Gründen wieder anders. Aber beide, Hegel sowohl wie Marx, sind sich völlig darüber einig, daß der dialektische Prozeß, der diese neue Logik in Bewegung hält, sich aller Formalisierung entzieht. Diese antiformalistische Tradition hat sich im Westen in der Idee der sogenannten geisteswissen-

[11] E. *Schrödinger: Mind and Matter.* (Tarner Lect). Cambridge 1959. 52.
[12] Ebd. 54 f.

schaftlichen Logik mit Zähigkeit erhalten. Aber auch der dialektische Materialismus des Ostens bekennt sich mit gleicher Hartnäckigkeit zu ihr. In einer kenntnisreichen Studie über die philosophischen Probleme der mehrwertigen Logik hat der russische Logiker A. A. ZINOV'YEV kürzlich dargelegt, daß der Charakter der Dialektik es ausschließt, daß sie in einem Logikkalkül formalisiert werden kann. Das gelte nicht nur für die zweiwertige traditionelle Logik. Auch die strukturell reicheren mehrwertigen Systeme besäßen Limitationen, die die Möglichkeit einer solchen Formalisierung als Absurdität erscheinen ließen.[13] Man kann nicht umhin, über diese rührende Einigkeit zwischen westlichen Geisteswissenschaftlern und marxistischen Logikern zu staunen. Sie scheint allerdings nicht mehr von langer Dauer zu sein (siehe unser Nachwort).

Gegen diese Einstimmigkeit ist vorerst einzuwenden, daß beide Seiten ihren Standpunkt keineswegs durch eine sorgfältige Problem-analvse des logischen Formbegriffs und seiner Anwendbarkeit gesichert haben. Es liegen weder genügende Untersuchungen darüber vor, ob sich durch moderne Formalisierungstechniken die philosophische Logik etwa in einem Sinn, der den Hiatus von „Form" und „Stoff" wenn auch nicht aufhebt so doch wenigstens mildert, generalisieren ließe; noch können wir heute mit Zuversicht behaupten, daß es unmöglich sei, wenigstens eine begrenzte Zahl der Stufen des dialektischen Prozesses zu formalisieren. (Eng zusammen damit hängt das Problem, was aus der Antithese von „Form" und „Stoff" wird, wenn wir eine Logik mit abzählbar unendlich vielen Werten einführen. Die Zahl der Funktoren eines solchen Systems ist dann von der Mächtigkeit des CANTORSCHEN $\aleph_1$, d. h. die Funktoren repräsentieren ein den reellen Zahlen äquivalentes Kontinuum. Es ist kaum wahrscheinlich, daß unser aus der zweiwertigen Logik abgeleiteter kategorialer Gegensatz von „Form" und „Stoff" in dieser transfiniten Dimension der Funktorenlogik noch den gleichen Sinn hat wie in endlichen Wertsystemen.)

Eine weitere Möglichkeit, über die man sich heute überhaupt noch keine Gedanken gemacht hat, ist die, ob sich vielleicht der klassische Formbegriff derart ins Transklassische erweitern ließe, daß man darauf verzichtete, die Erweiterung der traditionellen Logik durch Hinzufügung neuer Werte zu bewerkstelligen. Eine solche Methode schlösse selbstverständlich nicht aus, daß man sich, wenn nötig, trans-klassischer Werte bediente. Dieselben würden dann aber nur in einer subsidiären Rolle auftreten. Das arithmetische Argument, daß, wenn man Werte überhaupt zählt, man auch

[13] *A. A. Zinov'yev: Filosofskiye Problemy Mnogoznachnoy Logiki.* Institut für Philosophie in der Akademie der Wissenschaften in Moskau 1960. Vgl. Kap. V, 5.

weiter als bis zwei zählen könne, würde dann überhaupt keine Rolle spielen. Der Übergang der Logik vom Klassischen zum Trans-klassischen würde dann aufgrund einer andern grundlegenden Eigenschaft unserer traditionellen Theorie des Denkens verwirklicht werden.

Dies ist in der Tat der Weg, der hier eingeschlagen werden soll. Wir kommen auf diese Weise den äußerst ernst zu nehmenden Argumenten entgegen, die von philosophischer Seite gegen die bedenkenlose Vermehrung der Werte durch die Kalkülrechner erhoben worden sind. VON FREYTAG-LÖRINGHOFF hat sehr richtig bemerkt, daß die Einführung von mehr als zwei Werten „für die Logik nichts prinzipiell Neues" ergibt[14]. Und kürzlich hat H. Arnold SCHMIDT sich ebenfalls in einem skeptischen Sinn geäußert. Er stellt fest: „Bei Einführung von mehr als zwei Wahrheitswerten . . . gelangt man, sofern man sie wirklich als *Wahrheitswerte* auffassen will, zu offenbaren Aporien der Interpretation, die sich *auf keine zwanglose Weise* überbrücken lassen."[15] Die Zahl dieser Stimmen läßt sich beliebig vermehren. Hier sei nur noch der amerikanische Logiker C. E. LEWIS erwähnt, der in einer seiner Arbeiten über die Mehrwertigkeit der Logik erklärte, daß der Einschluß von allen formal gültigen Implikationsrelationen in einen trans-klassischen Formalismus keinen neuen Kanon des Logischen ergeben würde, sondern „Chaos"[16].

Wir wollen weiterhin nicht vergessen, daß, wenn mehrwertige Systeme nicht in toto akzeptiert werden können, die philosophische Einheit der Logik nicht nur gefährdet, sondern praktisch bereits ausgehoben ist. Es ist bezeichnend, daß sich bereits der bedenkliche Sprachgebrauch herausgebildet hat, von mehrwertigen Logiken zu sprechen. Eines der Standardwerke auf diesem Gebiet hat diesen Plural ausdrücklich in seinen Titel aufgenommen.[17] Demgegenüber wird hier mit Entschiedenheit an der philosophischen Einheit der Logik festgehalten, und zwar in dem starken Sinn, daß diese Einheit auch eine Einheit des *logischen* Kalküls nach sich zieht. Mathematisierende Kalküle, die keine spezifisch formallogische Bedeutung beanspruchen und lediglich aus pragmatischen Erwägungen heraus entstandene Rechensysteme sind, werden selbstverständlich von einer solchen Einheitsforderung nicht berührt. Obwohl die letzteren öfters und bedauerlicherweise Logiken genannt werden, kann nicht genug betont werden, daß es

[14] *B. von Freytag-Löringhoff: Logik.* Stuttgart, Köln 1955. 180.

[15] *H. Arnold Schmidt: Mathematische Gesetze der Logik.* Berlin, Göttingen, Heidelberg 1960. 125.

[16] *C. I. Lewis: Alternative Systems of Logic.* In: The Monist 42 (1932). 507.

[17] *J. B. Rosser and A. R. Turquette: Many-valued Logics.* Amsterdam 1952.

sich hier um einen ganz illegitimen Sprachgebrauch handelt. Der Gebrauch logischer Symbole und einiger logischer Regeln produziert noch lange kein logisches System. Wenn wir heute in der Lage wären, unser ganzes medizinisches Wissen in Kalkülform darzustellen, so würde damit sicher manches gewonnen sein; es wäre aber absurd anzunehmen, daß wir damit eine neue Logik entwickelt hätten.

Wenn die Einheit der (formalen) Logik bewahrt werden soll, kann der Begriff der logischen Form gar nicht rigoros genug interpretiert werden. Ein vorbildliches Beispiel dafür ist von Oskar Becker gegeben worden, der, wenn wir ihn recht verstehen, sogar die Modallogik in den Bereich der angewandten Systeme verweist. Er kommentiert die Modalitätstheorie mit den folgenden wichtigen Sätzen: „Wir verstehen darunter eine der theoretischen Physik methodisch entsprechende Wissenschaft. Der theoretische Physiker arbeitet wohl mit mathematischen Denkmitteln (Formeln usw.), aber sein Ziel ist nicht die Errichtung freischwebender Gedankengebäude, wie sie der ,reine' oder ,freie' Mathematiker baut, sondern die Erklärung oder vielleicht besser die vollständige, möglichst einfache und durchsichtige Beschreibung des sich aus seinen Beobachtungen ergebenden Tatbestandes der physischen Erfahrung. Analog dieser physischen Erfahrung gibt es nun auch so etwas wie einen logischen Tatbestand, eine logische Erfahrung. Freilich wird diese nicht dem sinnlichen Auge sichtbar, sondern nur dem von Plato bei Antisthenes vermißten geistigen Auge, das die Ideen zu erschauen allein fähig ist."[18] Das konnte nicht besser gesagt werden. Die Modalitätslogik steht genau an der Grenze zwischen einer im rigorosen Sinn formalen, „intensiven" Logik, für die kompromißlose Einheit gefordert werden muß, und allen pragmatischen, semiformalen Systemen, die an der mittleren Modalität, dem Kontingenzproblem, orientiert sind. Es ist bezeichnend, daß das berühmte neunte Kapitel der *Hermeneia* und die darin enthaltene Überlegung über den logischen Wert von Kontingenzaussagen auf das logische System des Aristoteles keinen Einfluß gehabt hat, wie Bochenski richtig bemerkt[19]. Es war die Absicht des Aristoteles, ein absolut formales System des Logischen zu entwickeln und dadurch die philosophische Einheit der Logik zu sichern. Folglich mußte das Kontingenzproblem und die damit verbundene Schwächung, resp. De-formalisierung, des tertium non datur aus seinem Formalismus ausgeschlossen bleiben. In der klassischen Gestalt des Aristotelischen Formalismus ist die Unterscheidung

[18] *Oskar Becker: Einführung in die Logistik.* Meisenheim/Glan 1950. 13.
[19] *J. M. Bocheński: Formale Logik.* Freiburg/München 1956. 74.

zwischen (subjektiver) Denkbarkeit und (objektiver) Wirklichkeit radikal. Es gibt kein Drittes dazwischen.

Es ist aber evident, daß diese radikale Trennung zwischen notwendiger Form und kontingentem Inhalt in einer transzendentalen Theorie des Subjekts, wie sie in der Entwicklung von KANT bis Hegel und SCHELLING aufgestellt worden ist, nicht mehr aufrecht erhalten werden kann. Die transzendentale Logik kann nicht mehr — im klassischen Sinn — formal sein. Darüber brauchen wir weiter keine Wort zu verlieren. Eine ganz andere Frage aber ist: ist der in der griechischen Philosophie inaugurierte Begriff der logischen Form, den wir bis heute so gläubig beibehalten haben, wirklich der einzig mögliche? Ober steckt in ihm eine verborgene Voraussetzung, die ihn einengt und deren Beseitigung uns erlauben würde, ihn zu generalisieren und in einem transklassischen Sinn, der der Problematik der Transzendentallogik entspräche, zu erweitern?

Unsere Frage kann auch noch auf eine andere Weise gestellt werden. Die bisherigen Versuche einer Erweiterung des klassischen (zweiwertigen) Formalismus haben sich alle auf das Wertprinzip gestützt. Man hat drei-wertige, vier-wertige und schließlich unendlich-wertige Kalküle eingeführt in der nicht unbedingt begründeten Hoffnung, daß sich für dieselben auch eine ontologische Interpretation finden ließe, durch die die philosophische Einheit der Logik gewahrt bleiben würde. Bis jetzt sind diese Versuche, vom Standpunkt des Philosophen aus gesehen, fehlgeschlagen. Und es sind auch keine Anzeichen vorhanden, daß wir zukünftig mit besserem Erfolg rechnen dürfen. Wer sagt aber, daß die Weiterentwicklung des logischen Formalismus auf dem Weg über das Wertprinzip zu erfolgen hat? Das Beispiel des ARISTOTELES, der trotz der Erwägungen des neunten Kapitels der *Hermeneia* keinen dritten Wert für Kontingenzaussagen eingeführt hat, sollte zu denken geben. Überdies ist die Hegelsche Logik, in der die transklassische Entwicklung des philosophischen Denkens vorläufig gipfelt, das genaue Gegenteil einer Theorie der Kontingenz des Wirklichen.

Allerdings: *für ARISTOTELES sind Formalismus und Wertformalismus synonyme Termini. Das ist die stillschweigende Voraussetzung der klassischen Logik.* Der Erfolg der klassischen Logik in der Wissenschaftsgeschichte des Abendlandes beweist, daß die Aristotelische Gleichsetzung von logischer Form und logischer Wertstruktur berechtigt war, solange das Zweiwertigkeitsprinzip (Tertium non datur) nicht in Frage gestellt wurde. Unter dieser Voraussetzung war diese Logik „absolut". Der Begriff der logischen Form ließ sich schlechthin nicht erweitern und als in der Transzendentalphilosophie Fragestellungen auftraten, die wie KANT, FICHTE und

Hegel zeigen, definitiv jenseits des Kompetenzbereiches eines zweiwertigen Formalismus lagen, sah man sich gezwungen zu einer, nichtformalen, operatorenlosen Logik, die „konkreten", resp. dialektischen Charakter besaß, überzugehen.

Die weitere Entwicklung des transzendentalen Idealismus aber hat gezeigt, daß diese „Lösung" des durch KANT aufgeworfenen logischen Problems nicht akzeptabel ist. Der Rückgriff auf die Dialektik, die eher noch älter als die Aristotelische Logik ist, zeigt deutlich, daß man eine Erweiterung der Logik der Philosophie ohne Revision ihrer metaphysischen Grundlagen versucht hat. Dem Logiker zeigt die *Kritik der reinen Vernunft* ein zwiespältiges Gesicht. Einerseits löst sie die klassische Ontologie kritisch auf, andererseits aber mündet die transzendentale Logik wieder in der Dialektik, jener Dialektik, die das ureigenste Kind des ontologischen Denkens ist. In anderen Worten: die neue Logik, die der Idealismus zu inaugurieren versuchte, wird unter metaphysischen Voraussetzungen dargestellt, die sich bereits als unzureichend erwiesen haben. Dialektik ist der im Denken bejahte und aufrecht erhaltene Widerspruch. Nun ist es ganz evident, daß solange man logischen Formalismus mit Wertformalismus identifiziert, die in der Dialektik zutage tretende Problematik niemals formalisierbar sein kann. Soweit in der Hegelschen Logik von Thesis und Antithesis eine formale Struktur verborgen ist, ist dieselbe einwandfrei zweiwertig. Und *Widerspruch ist stets Wertwiderspruch!* Das gilt auch für Hegel. Er selbst spricht es in der Großen *Logik* in seiner Analyse des „Wesens als Reflexion in ihm selbst" in Abschnitt C des zweiten Kapitels ganz unmißverständlich aus. „Das Negative . . . schließt als Entgegensetzung die Identität (des Positiven) von sich aus."[20] Das ist formale Logik der „äußerlichen Reflexion", die ein unmittelbares Sein voraussetzt, aber „nicht in dem Sinne, daß Unmittelbarkeit nur Gesetztsein oder Moment ist (d. h. Bewußtseinsinhalt), sondern vielmehr, daß diese Unmittelbarkeit die Beziehung auf sich, und die Bestimmtheit nur als Moment ist"[21].

Es ist ganz unmöglich, daß in einer Logik, die sich mit der „äußerlichen Reflexion" befaßt, und in der der Widerspruch als die „Entgegensetzung" des Positiven und des Negativen gilt, ein dialektischer „Formalismus" entwickelt werden kann, für den

$$p \equiv \sim p \qquad \text{(O)}$$

klassisch-ontologisch eine „wahre" Formel ist. Nachdem Hegel aber selbst den Widerspruch als Wertwiderspruch interpretiert hat, fährt er fort und

[20] *Hegel: Wissenschaft der Logik*. Hrsg. v. G. Lasson. Leipzig 1923. Teil 2. 50 f.
[21] Ebd. 17. — Der eingeklammerte Zusatz ist der unsrige.

beschreibt das spekulative Denken seiner Dialektik mit den folgenden Worten: „Das spekulative Denken besteht nun darin, daß das Denken den Widerspruch und in ihm sich selbst festhält, nicht aber daß es sich, wie es dem Vorstellen geht (klassische Begriffsbildung), von ihm beherrschen und durch ihn sich seine Bestimmungen nur in andere oder in Nichts auflösen läßt."[22] Wenn für die Dialektik aber gilt, daß das Denken sich in einer Beziehung, wie etwa ausgedrückt durch Formel (O), „festhalten" soll, so bedeutet das nichts anderes, als daß es ausgeschlossen ist, jene Realitätsstrukturen, die traditionell als dialektische bezeichnet werden, in einer formalen Logik zu interpretieren, die mit Werten und Wert-antithesen arbeitet. Auf diesem Boden ist eine Formalisierung der Problematik, die durch die transzendental-spekulative-dialektische Denkweise aufgedeckt worden ist, in der Tat unmöglich. Das soll ausdrücklich zugegeben werden.

Aber, wie wir sehen, identifiziert auch Hegel Logik mit Wertlogik des Positiven und Negativen, und auch für ihn besteht der Formalismus darin, daß die positiven und negativen Bestimmungen nicht als equivalent betrachtet werden dürfen. Deshalb müssen sie ihrerseits den Widerspruch in „isolierten" Momenten (Werten) in seiner „Festigkeit unverrückt" bestehen lassen und können ihn nicht an den trans-subjektiven Reflexionsprozeß, in dem sich „der Begriff selbst weiter leitet" zurückgeben. Die „Festigkeit" des Wertwiderspruches von Positivität und Negation provoziert also einerseits die Dialektik des Begriffs, weil die Bestimmungen desselben auf jeder Stufe in der „lebendig konkreten Einheit" des Geistes von neuem „versöhnt" werden müssen, andererseits aber erlaubt sie die Formalisierung der Beziehungen, die zwischen den isolierten Bestimmungen der Denkinhalte statthaben. Formalismus ist also für den transzendentalen und spekulativen Logiker ausdrücklich Wertformalismus, und abstrakte logische Struktur ist Wertstruktur. An dieser stillschweigenden Voraussetzung der originalen Aristotelischen Logik wird nicht nur Hegel sondern auch noch heute unbeirrbar festgehalten. Auf ihr beruht die Überzeugung, daß die Kant-Fichte-Hegel-Schellingsche Logik nicht formalisierbar ist, daß es keine Logik der Geisteswissenschaften mit formalen Operatoren geben könne und daß der dialektische Materialismus, wie die russischen Logiker behaupten, nicht Folge sondern vorangehende Bedingung aller formalen Logikkalküle sei.[23]

---

[22] Ebd. — 59 f. Der eingeklammerte Zusatz ist der unsrige.

[23] Vgl. *Zinov'yev* (wie oben Anm. 13): „Alle Versuche, die Dialektik in der Form eines Kalkülsystems (mit Werten) zu entwickeln, können nur paradoxe Situationen ergeben." Der deutsche Text des Zitats ist (mit Ausnahme der Klammer) eine Über-

Dieses Theorem von der Identität von logischer Form und logischer Wertstruktur soll in der folgenden Untersuchung aufgegeben werden. Es wird auf diese Weise möglich sein nachzuweisen, daß der klassische Formalismus des Denkens in einem noch näher zu bestimmenden Sinn unvollständig ist und durch ein trans-klassisches Gebiet der logischen Form ergänzt werden muß. Dieser Übergang zum Trans-klassischen wird unter ausdrücklichem Ausschluß des Wertbegriffs vollzogen werden. D. h. die Erweiterung des Bereichs der Operatorenlogik wird nicht auf dem Weg über die Mehrwertigkeit erfolgen, obwohl nach Gewinnung des logischen Neulands Werte beliebiger Zahl — aber nur in subsidiärer Rolle — wieder zugelassen werden sollen. In der so durchgeführten Generalisierung des Formbegriffs der Logik wird sich zeigen, daß die frisch gewonnenen Formalstrukturen genau das logische Problem des Bewußtseins, resp. der Subjektivität betreffen, welches den Anstoß zu den transzendental-logischen Analysen der *Kritik der reinen Vernunft,* der FICHTEschen *Wissenschaftslehre* und der Logik des Absoluten in der Hegelschen Philosophie gegeben hat.

Vorläufig aber sind wir noch nicht so weit. Es ist erst notwendig festzustellen, wie es sich mit dem Anfang der Hegelschen Dialektik in der Antithese von „Sein" und „Nichts" verhält, soweit formale Gesichtspunkte in Frage kommen und soweit sich in diesem urphänomenalen Gegensatz die gegenseitige Spiegelung von Objekt und Subjekt ausdrückt. Daran anschließend wird es wichtig sein, kurz zu skizzieren, was wir in einem logischen Formalismus unter Objektivität versus Subjektivität verstehen dürfen. Ein korrespondierendes Begriffspaar, das diesen Gegensatz in formallogischen Analysen vertreten kann, muß deshalb eingeführt werden. Das ist die Aufgabe des zweiten Teils dieser Betrachtung.

## II.

Da die metaphysische Begründung eines trans-klassischen Formbegriffs der Logik allen jenen Einwänden ausgesetzt ist, die heute von den Kalkülrechnern gegen transzendentale Interpretationen abstrakter logischer Strukturen gemacht werden, wollen wir unsern Ausgang von dem im ersten Teil besprochenen formalen Kriterium der Isomorphie nehmen. Wir erin-

---

setzung aus der englischen Ausgabe der Zinov'yevschen Monographie, die von U. S. Joint Publications Research Service (1961) herausgegeben worden ist. Englische Version des Zitats: 175.

nern an SCHRÖDINGERS Ausspruch, daß das erlebende Subjekt, qua Bewußtsein, selbst das Weltbild ist, das unsere Wissenschaft bisher entworfen hat. Damit sagt SCHRÖDINGER nichts anderes, als daß es auf dem Boden unserer klassischen Wissenschaftslogik unmöglich ist, Objekt *als* Objekt und Subjekt *als* Subjekt zu unterscheiden. Wir sprechen zwar in unsern wissenschaftlichen Disziplinen allerorten von Subjekten, sogar die theoretische Physik tut es, wenn sie die Beschreibung eines Objektzusammenhangs von einem gegebenen Beobachter abhängig macht, aber das derart eingeführte Subjekt wird dabei unvermeidlich als ein Objekt neben andern behandelt. Es wird ihm ein Platz in der Welt angewiesen und die Frage, wie ein im Universum bestehendes Subsystem das ganze Universum als potentiellen Bewußtseinsinhalt besitzen kann, wird dabei schamhaft unterschlagen. Für das, wie Hegel sagt, unmittelbare Bewußtsein, das naiv objektiviert, existiert die Frage schlechthin nicht. Alles was „ist", ist notwendig ein Ding-an-sich in der Welt. Und sofern ein Selbst existiert, muß es selbst-verständlich denselben objektiven Charakter haben. Selbst KANT spricht noch ganz unbekümmert von einem Ich-an-sich. Alles was das Subjekt ist, ist es *als* Objekt; *als* Subjekt ist es nichts. Die klassische Logik des objektiven Seins besitzt keine formalen Struktureigentümlichkeiten, die auf Subjektivität qua Subjektivität hindeuten würden. Es ist genau dieser epistemologische Sachverhalt, auf den sich die Hegelsche Logik — als erstes durchgeführtes System einer Logik von Objektivität plus Subjektivität — gründet.

Am Anfang der Großen *Logik* begegnen wir den lapidaren Sätzen: „Sein, reines Sein — ohne alle weitere Bestimmung. In seiner unbestimmten Unmittelbarkeit ist es nur sich selbst gleich . . . Es ist *nichts* in ihm anzuschauen, wenn von Anschauen hier gesprochen werden kann; oder es ist nur dies reine, leere Anschauen selbst. Es ist ebensowenig etwas in ihm zu denken, oder es ist ebenso nur dies leere Denken. Das Sein, das unbestimmte Unmittelbare, ist in der Tat *Nichts*, und nicht mehr noch weniger als Nichts."[24] Man sieht, hier ist SCHRÖDINGERS Bemerkung, daß unser objektives Weltbild das Subjekt selbst ist, längst antizipiert und zum Ausgangspunkt eines logischen Systems gemacht. In einer Begriffsbildung, die nur „reflexionsloses Sein" konzipiert, tritt das Subjekt qua Subjekt überhaupt nicht auf. Als solches ist es nichts. Bringt man die obige etwas dunkle metaphysische Ausdrucksweise des Anfangs der Großen *Logik* auf einen formalisierenden Nenner dann ergibt sich als vorläufiges aussagenlogisches Resultat eben Reinhold BAERS Feststellung, daß „kein wesent-

[24] *Hegel: Wissenschaft der Logik.* Hrsg. v. G. Lasson. Leipzig 1923. Teil 1. 66f.

licher Unterschied zwischen positiven und negativen Aussagen, sogar schärfer zwischen einer Aussage und ihrer Negation" besteht.

Will man also über das, was wir mit Hegel ebenso vorläufig einmal das Nichts nennen wollen, Aussagen einführen, die von denen über das „reflexionslose" Sein verschieden sind, so muß die klassische Alternativlogik, die nur ein einfaches (symmetrisches) Umtauschverhältnis von Positivität und Negation kennt, erweitert werden. Nur dann lassen sich reflexionsfreie Aussagen durch solche ergänzen, die Reflexionsprozesse, d. h. Abbildungsvorgänge, logisch adäquat beschreiben. Da es öfter beanstandet worden ist, wenn Subjektivität mit Negation gleichgesetzt worden ist und man etwa die Tilde in dem Ausdruck $\sim p$ als Index des im Aussagenkalkül investierten Reflexionsprozesses interpretiert (wie der Verf. getan hat) so sei ausdrücklich darauf hingewiesen, daß Hegel diese formale Gleichsetzung von Negativität und Subjektivität am Anfang seiner *Logik* anerkennt. Im ersten Abschnitt des ersten Buches der Großen *Logik* heißt es ganz unmißverständlich: „Das Nichts zeigt sich in seiner Unmittelbarkeit genommen als *seiend;* denn seiner Natur nach ist es dasselbe als das Sein. Das Nichts wird gedacht, vorgestellt, es wird von ihm gesprochen; es *ist* also; *das Nichts hat an dem Denken, Vorstellen, Sprechen usf. sein Sein.*"[25] In anderen Worten: wenn wir einen logischen Formalismus *ontologisch* interpretieren, dann können die Negationsoperationen nur als Reflexionsprozesse gedeutet werden. Aber reflexionsfreies Sein und Reflexion fallen in einer zweiwertigen Logik zusammen. In der spekulativ-dialektischen Terminologie Hegels: „Das Nichts ist der *Grund* vom Sein oder das Sein ist der *Grund* von Nichts."[26] Um sie auseinanderzuhalten, also um die Differenz zwischen Objekt und Subjekt zu beschreiben, muß etwas Drittes eingeführt werden.

Bis zu diesem Punkt läßt sich die Hegelsche Logik mit den formalen Kategorien der klassischen Logik in Parallele setzen, denn bisher ist, wenn wir gegenständlich reden wollen, von keiner anderen Positivität als dem reflexionslosen Sein die Rede gewesen. Und von demselben gilt ja ganz „unmittelbar" das traditionelle metaphysische Theorem von der transzendenten Identität von Denken und Sein. Aber, wie bereits betont, auf der Basis eines solchen Grundsatzes, der unbedingte Zweiwertigkeit voraussetzt, läßt sich die Struktur von Reflexionsvorgängen *als unterschieden von dem Verhalten von Objekten nicht darstellen.* D. h. in einer Reflexionslogik, und die He-

[25] Ebd. 88. — Hervorhebung ist die unsrige.
[26] Ebd. 90.

gelsche ist eine solche, bleibt man, nachdem man Irreflexivität (Sein — Nichts) als unvermeidlichen Ausgangspunkt genommen hat, im weiteren Fortschreiten gehemmt, falls nicht sofort eine grundlegende Reflexionskategorie eingeführt wird, die den weder reflexiv noch irreflexiv bestimmbaren Gegensatz von Sein und Nichts aufhebt. Das Subjekt ist ja auf der elementaren Basis einer unmittelbaren Entgegensetzung von Thesis und Antithesis das unbeschreibbare Nichts; folglich ist qua Reflexion über dasselbe auf dieser Stufe überhaupt nichts auszusagen.

Soweit kann auch der Logiker, der auf Formalisierbarkeit seiner Theorie Wert legt, nichts dagegen einwenden, daß Hegel jetzt zu einer synthetisierenden Reflexionskategorie übergeht, die den logischen Gegensatz von Sein und Nichts auflösen soll. Die Frage nach der Möglichkeit eines transzendentalen Formalismus, der auch die Hegelsche Logik unterkellern würde, hängt nun ausschließlich davon ab, ob es möglich ist, die „vermittelnde", Reflexionskategorie zwischen Sein und Nichts, resp. Positivität und Negation, in einer solchen Weise einzuführen, daß diese in einem erweiterten Logikkalkül in demselben oder in einem analogen Sinne operabel wäre, wie Positivität und Negation formalen Operationen zugänglich sind. Aber Hegel schneidet diese Möglichkeit sofort ab. Er tut das, indem er seine erste positive Reflexionskategorie, die er „das Werden" nennt, mit den folgenden Sätzen einführt: „Das reine Sein und das reine Nichts ist also dasselbe. Was die Wahrheit ist, ist weder das Sein, noch das Nichts, sondern daß das Sein in Nichts und das Nichts in Sein — nicht übergeht, — sondern übergegangen ist." Dieser Wortlaut zeigt in subtiler Weise an, daß an dieser Stelle das Prinzip des logischen Formalismus aufgegeben und als drittes Motiv neben Sein und Nichts eine materiale Kategorie in die Reflexionslogik eingeführt wird. Bezeichnend ist die Wahl des Tempus und seine pointierte Hervorhebung. Nicht der aktuelle Prozeß des Werdens, d. h. das ewig *gegenwärtige* Übergehen von dem Einen zum Andern, sondern das vollzogene Übergegangen*sein* ist die Wahrheit. In anderen Worten: auch das dritte Motiv wird seinem logischen Charakter nach (Wahrheit) als Sein — platonisch: als Erinnerung — interpretiert. Die mehr als zweitausendjährige klassische Tradition, daß das Denken es mit Objektivität, und nichts als Objektivität (als dem Gewordenen) zu tun habe, bleibt auch hier erhalten. Objektivität aber läßt sich erschöpfend in einem zweiwertigen Formalismus darstellen. Das hat schon ARISTOTELES festgestellt und die Entwicklung der abendländischen Wissenschaft hat seine Meinung unaufhörlich bestätigt. Der dritte logische „Wert", den Hegel einführt, erweitert den Formalismus also nicht im Geringsten. Er produziert nur logische Redundanz, d. h. er führt ein materiales Moment ein. Die Logik, wenn man diese Disziplin noch so nennen will, wird „konkret". Das Resultat also ist, daß die Hegelsche Logik, soweit sie formale Strukturen enthält, zweiwertig ist. Soweit sie aber wie die ganze Transzendentaltheorie über die klassische Tradition des Denkens hinausgeht, ist sie nicht mehr formal.

Dieser dominierende objektive Seinsakzent, der auf der Kategorie des Werdens liegt, wird auch dadurch nicht aufgehoben, daß Hegel, um den dialektischen Charakter des Werdens hervorzuheben, nach den oben zitierten Sätzen über das Übergegangensein unmittelbar fortfährt: „Aber ebensosehr ist die Wahrheit nicht ihre Ununterschiedenheit, sondern daß sie nicht dasselbe, daß sie absolut unterschieden, aber ebenso ungetrennt und untrennbar sind und unmittelbar jedes in seinem Gegensatz verschwindet. Ihre Wahrheit ist also diese Bewegung des unmittelbaren Verschwindens des Einen in dem Andern: das Werden; eine Bewegung, worin beide unterschieden sind, aber durch einen Unterschied, der sich unmittelbar aufgelöst hat."[27]

Diese Sätze scheinen den zuerst zitierten direkt zu widersprechen. Das Tempus wird hier ausdrücklich gewechselt. Das Verb „verschwinden" steht im Präsens. Das Werden ist eine Bewegung, in der das Sein im Nichts und das Nichts im Sein verschwindet. Und in dieser Bewegung und *nur* in ihr können die beiden primären logischen Motive auseinandergehalten und unterschieden werden. Aber dieser Unterschied, so werden wir dann endgültig belehrt, ist einer, „der sich ebenso unmittelbar aufgelöst hat". Also zum Schluß wieder das Tempus der Vergangenheit. Und nicht nur das: die Auflösung ist „unmittelbar". Dieser letzte Terminus erlaubt zwei Interpretationen. Erstens könnten wir sagen: wenn die Auflösung unmittelbar ist, muß sie eigentlich erfolgen, bevor die Vermittlung durch das Werden eintritt. Auflösung aber ist Werden; also besäßen wir hier das Paradox einer Vermittlung, die sich selbst antizipiert. Zweitens ließe sich der Passus so verstehen, daß das Werden überhaupt nicht als gegenwärtiger Vorgang sondern nur als Vergangenes — als gewesenes Ereignis — erscheint und begriffen wird. Das Paradox in der ersten Interpretation ließe sich schwerlich formalisieren. Im zweiten Fall aber verschwindet das Werden im eleatischen Sein; und für dieses Denkmotiv besitzen wir schon den klassischen Formalismus, der hier aber nicht mehr zuständig sein soll. Will man jedoch beide Deutungen „dialektisch" nebeneinander bestehen lassen, so hat man damit den Anspruch der Transzendentaltheorie, keiner Formalisierung unterworfen zu sein, schon implizit zugegeben.

[27] Ebd. 67.

Ein sorgfältiges Lesen der Hegelschen Texte erweckt immer wieder den Eindruck, daß Hegel sich zwar die größte Mühe gibt, in seinen Analysen den me-ontischen Schwebezustand der ewig zwischen Sein und Nichts suspendierten Reflexion festzuhalten; aber es wird dem Leser ebenso deutlich, daß dort, wo seine Dialektik logisch identifizierbare Elemente enthält, dieselben der klassischen Ontologie des (reflexionslosen) Seins entstammen. Wir wollen als Beispiel Hegels eigenen Kommentar zu seinem Begriff des Werdens in der seinem Text folgenden Anmerkung 3 wenigstens durch die ersten beiden Sätze, mit der er seine Erläuterung einführt, illustrieren: „Die Einheit, deren Momente, Sein und Nichts, als untrennbare sind, ist von ihnen selbst zugleich verschieden, so ein *Drittes* gegen sie, welches in seiner eigentümlichen Form das *Werden* ist. Übergehen ist dasselbe als Werden, nur daß in jenem die beiden, von deren Einem zum Andern übergegangen wird, mehr als außereinander ruhend und das Übergehen als *zwischen* ihnen geschehend vorgestellt wird."[28] Das Eine, das Andere und das Dritte (das Werden) sind in dieser Darstellung also selbständige Identitäten. Im nächsten Satz sagt Hegel vom Dritten sogar ausdrücklich, daß es „vorhanden sein" muß. Das ist genau die Sprache der objektivierenden klassischen Logik, aber nicht die einer transzendentalen Reflexionstheorie. Nun dürfte zwar eingewendet werden, daß Hegel das faute de mieux tut. Unsere Umgangssprache sei durch eine lange geistesgeschichtliche Tradition klassisch orientiert! Die Textstellen, in denen es Hegel gelingt, sich von der objektiven Realitätssuggestion der Sprache frei zu machen, seien zahlreich! Womöglich überwiegen sie sogar die anderen, in denen der Gedanke die Reflexion aus dem Auge verliert. Das mag alles zugegeben werden. Es ist nicht relevant. Entscheidend ist, daß die Dialektik nicht fortschreiten kann, ohne sich dabei auf einen logischen Deduktionsprozeß zu stützen. Die Träger der logischen Analyse aber sind wiederum jene beanstandeten Begriffe, die in der Ontologie des objektiven Seins ihre Heimat haben. Und es sind ausschließlich sie; denn nur an sie lassen sich zuverlässige Deduktionsprozeduren anknüpfen. Die Deduktion, wie die Transzendentallogiker sie allein üben können, ist selbst eine klassische Operation. Kant ist sich dessen noch völlig bewußt, und der Aufbau der *Kritik der reinen Vernunft* zeigt deutlich, wie er sich diesen Zusammenhang zwischen klassischer Logik und Transzendentaltheorie zunutze macht. Es dürfte kaum nötig sein, ausdrücklich darauf hinzuweisen, daß die spekulative Logik Fichtes, Hegels und Schellings de facto auf den gleichen

[28] Ebd. 79.

klassischen Voraussetzungen ruht. Aber schon FICHTE ist sich dessen so wenig bewußt und so unklar über die Rolle, die die Aristotelische Tradition in der *Kritik der reinen Vernunft* spielt, daß er, wie wir bereits weiter oben andeuteten, klagt, KANT habe „die gemeine Logik ... nicht so von Grund und Boden aus zerstört ... wie es seine Philosophie eigentlich erfordert, und wie wir es in seinem Namen nachholen wollen ..."[29] Man kann nur sagen: eine wunderliche Verkennung des Wesens der eigenen Philosophie. Aber Hegel und SCHELLING teilen seine Haltung und ihr Einfluß ist in der neueren geisteswissenschaftlichen Tradition auch heute noch so stark, daß die seit der Mitte des neunzehnten Jahrhunderts in Gang befindliche Erneuerung der formalen Logik durch Mathematiker und an der Naturphilosophie orientierte Denker nicht den geringsten Einfluß auf die geisteswissenschaftliche Logik ausgeübt hat.

Unter diesen Umständen ist es nicht zu verwundern, daß das metaphysische Problem der Subjektivität und der transzendentalen Synthese von Objekt und Subjekt in den modernen Handbüchern der symbolischen Logik überhaupt nicht auftritt. Da sich aber die Tatsache, daß die Struktur des Bewußtseins die Formalisierung des Denkens relevant modifiziert, doch nicht ganz ignorieren läßt, hat man die Unterscheidung von Objekt- und Metasprachen eingeführt. Und da die Hierarchie der Metasprachen einen unendlichen Regreß darstellt, ist man sicher, daß man nie das subjektive Bewußtsein erreicht, *das spricht.* Daß diese Selbstiteration der logischen Sprache eine „schlechte Unendlichkeit" und „leere Unruhe des Weitergehens", wie Hegel bemerkt, darstellen muß, ist unvermeidlich. „Dieses Unendliche hat die feste Determination eines [objektiven] *Jenseits,* das nicht erreicht werden kann, weil es nicht erreicht werden soll ..."[30] Demgegenüber setzt Hegel die „affirmative" Unendlichkeit, „die Einheit, die selbst das Unendliche ist, welches sich selbst und die Endlichkeit in sich begreift"[31]. Für die Große *Logik* wäre die monotone Iteration der Metasprachen nur „der Ausdruck eines Widerspruchs, der sich für die *Auflösung* und für das Letzte gibt"[32].

Es wäre selbstverständlich unbillig, wollte man der symbolischen Logik vorwerfen, daß sie die beiden Hegelschen Unendlichkeitsbegriffe nicht unterscheidet.[33] Da sie der alten Tradition folgend logischen Formalismus

[29] *Fichte: Nachgelassene Werke.* Bd 1. 111 f.
[30] *Hegel: Wissenschaft der Logik.* Teil 1. 131. — Zusatz in Klammern von uns.
[31] Ebd. 133.
[32] Ebd. 140.
[33] Es sei denn in der Cantorschen Differenz von infiniten und transfiniten Mengen.

und logische Wertstruktur gleichsetzt, kann sie es einfach nicht und hat auch keine Veranlassung dazu. Trotzdem aber ist zu bedenken, daß auch für sie das Problem besteht, wie Objektsprache und Metasprache in der synthetischen Einheit des denkenden Bewußtseins integriert sind. Zu behaupten, daß es sich hier um etwas handelt, das grundsätzlich nicht formalisiert und als „transzendentaler" Kalkül dargestellt werden könne, scheint zumindestens voreilig, solange nicht nachgewiesen ist, daß sich die Formalprinzipien der Logik nicht generalisieren lassen und daß sie wirklich unablöslich an den Wahrheitswert als logische Einheit gebunden sind. Ein solcher Nachweis ist aber unmöglich, da wir im Folgenden demonstrieren werden, daß der elementare Aussagenkalkül, der nach Łukasiewicz „die tiefste Grundlage aller deduktiven Wissenschaften"[34] ist, in einer von dem logischen Wertbegriff unabhängigen Bedeutung tatsächlich nur ein Formfragment darstellt.

Da sich aber Termini wie Subjektivität, Ichsein, Bewußtsein, Selbstbewußtsein usw. schlecht zum Formalisieren eignen, wollen wir unsere Demonstration mit einer einfachen Unterscheidung in Gang setzen: nämlich der von Systemen, die keine und solchen, die eine Umwelt haben. Wir stipulieren dann, daß wir das Begriffspaar „objektiv—subjektiv" nur in dem Sinne gebrauchen wollen, daß wir sagen: das, was in einem System ohne Umwelt beschrieben wird, wird als „objektiv" gedeutet, und das, was sich nur in einem System, das eine Umwelt besitzt, beschreiben läßt, soll als „subjektiv" interpretiert werden. Der Einfachheit halber wollen wir das erste System ein O-System und das zweite ein S-System nennen. Bei rigoroser Auslegung unserer Unterscheidung zeigt es sich dann, daß wir nur von einem einzigen echten O-System Kenntnis haben. Es ist das psychophysisch objektiv gegebene Universum. Da wir dasselbe als den Inbegriff alles dessen, „was da ist", auffassen, ist es denkunmöglich, demselben eine Umgebung zuzuschreiben. Denn eine solche Umgebung wäre ja auch „da", gehörte also definitionsgemäß zum Universum und nicht zu seiner Umwelt. Dazu läßt sich überdies bemerken, daß „Umwelt" ja nicht bedeutet, daß etwas um die Welt ist, sondern daß die Welt um etwas herum sich ausbreitet. Der Versuch, dem Universum eine Umwelt anzusinnen, führt nur in einen unendlichen Regreß von einer solchen Pseudo-Umgebung zur nächsten, da alle von dem O-System unvermeidlich als system-zugehörig reklamiert werden. Die einzige „Umwelt", die das physische Universum haben

[34] *J. Łukasiewicz: Die Logik und das Grundlagenproblem.* Les Entretiens de Zurich sur les Fondements et la Méthode des Sciences Mathématiques. 6—9 Déc. 1938. Ed. (F. Gonseth) Zurich 1941. 82.

kann, ist das Meta-Physische. Aber hier hat der Terminus eben nur metaphorische Bedeutung.

Im Gegensatz zu der Einzigkeit des O-Systems dürfen wir aber von einer beliebigen Vielheit von S-Systemen sprechen. Hier ist eine genauere Präzisierung des Terminus „S-System" notwendig. Ein beliebiger Teil des Universums, der in den durchgängigen logisch-mathematisch-physikalischen Darstellungen der objektiven Realität überhaupt *ausreichend* beschrieben werden kann, soll nicht als S-System gelten. Es ist ein integraler Teil jener Welt, die selbst keine Umwelt mehr hat. So ist z. B. ein Flußsystem, das sich von einem Gebirge bis zum Meer erstreckt, keine Ordnung im Sinne von „S". Wenn wir davon sprechen, daß ein System eine Umwelt *besitzt,* so meinen wir damit ein solches, das Kraft seiner internen Organisation die Fähigkeit besitzt, diese Umwelt qua Umwelt in sich abzubilden und zwischen:

a) sich,
b) dem Abbildungsverhältnis
c) dem Abgebildeten

zu unterscheiden. In diesem Sinne ist jede Pflanze, jedes Tier und jeder Mensch, d. h. alles Lebendige, ein S-System. Es muß aber auch in Erwägung gezogen werden, daß es künstliche Systeme gibt, die der S-Kategorie zugeordnet werden müssen. Hingegen ist ein Stein, der inmitten einer Wiese liegt, niemals ein S-System. Er *befindet* sich zwar in einer Umgebung, aber er *besitzt* sie nicht in dem oben angegebenen Sinn. Hier ist eine der logischen Unterscheidungen Hegels am Platz: Der Stein hat „an sich" eine Umgebung, aber nicht „für sich". „An sich" aber ist äquivalent mit „für uns". D. h. *wir* können dem Stein, wenn wir so wollen, eine Umwelt zuschreiben, aber er kann sie sich nicht selbst zuschreiben. Der Stein ist ein echter Teil des O-Systems. Er besitzt keine Selbstreferenz, die ihm durch seine Umwelt vermittelt ist. Seine Existenz ist „objektiv" in dem von uns stipulierten Sinn.

Wir haben im obigen Absatz bemerkt, daß zu den S-Systemen auch Artefakte gehören. Das mag zwar dem landläufigen Begriff der Subjektivität widersprechen, nicht aber dem, den Hegel in der *Phänomenologie des Geistes* entwickelt, wenn er „subjektiven Geist" und „objektiven Geist" unterscheidet. Der „objektive Geist" bezeichnet die historischen Institutionen, die zwar vom Menschen gemacht sind, trotzdem aber in ihrem Prozeß der Selbst-organisation die Struktur des Bewußtseins und bestimmte Bewußtseinsvollzüge nachbilden. In anderen Worten: die historischen Institutionen sind S-Systeme und besitzen in dem stipulierten Sinn eigene

„Subjektivität". Die Kategorie der S-Systeme umfaßt also in Hegelscher Terminologie sowohl das Phänomen der subjektiven (Ich) und objektiven (Du) Subjektivität (subjektiver Geist) als auch der Objektivität, die subjektive Verhaltenszüge aufweist (objektiver Geist). Wir erinnern dabei daran, daß unter „Subjektivität" formal nichts anderes verstanden werden soll als ein abbildendes Verhalten gegenüber einer Umwelt. Jenes Abbilden ist das, was Hegel die Reflexion nennt. FICHTE spricht einfach von dem „Bild", und wir lesen bei ihm: „das Ich ist das Bild der Erscheinung überhaupt"[35]. Wir gehen kaum fehl, wenn wir seinen Begriff der Erscheinung mit dem der Umwelt gleichsetzen. Auf die zusätzliche Subtilität in FICHTES Begriff des Bildes, nämlich daß das Ich als Bild der Erscheinung nur Bewußtsein aber nicht Selbstbewußtsein ist, wollen wir hier nicht eingehen. Hier sei lediglich angemerkt, daß Selbstbewußtsein nach FICHTE wohl als eine Abbildung des Abbildungsprozesses der Umwelt verstanden werden muß.[36]

Nun bestehen formallogisch durchaus keine Bedenken, das O-System als einen Grenzfall des S-Systems aufzufassen. Dieser Gesichtspunkt ist, freilich in anderer Terminologie und mit anderen Absichten durch H. VON FOERSTER in einer Arbeit, betitelt: *On Self-Organizing Systems and Their Environments,* aufgenommen worden.[37] Rückt man nämlich die Grenze, die ein S-System von seiner Umgebung trennt, so weit hinaus, daß sie das ganze Universum umfaßt, dann ist es zulässig zu sagen, daß das Universum ein S-System ist, daß sich selbst zur Umgebung hat.

Hier ist nun die Frage berechtigt, warum dann überhaupt die Unterscheidung zwischen einem O-System und einer beliebigen Vielheit von S-Systemen? Die Antwort darauf ist, daß die Distinktion logisch relevant bleibt, weil von den beiden Sätzen:

a) das O-System ist ein Grenzfall des S-Systems

und

b) das S-System ist ein Grenzfall des O-Systems

nur der erste zulässig ist. Denn wir können zwar die Welt in einem Reflexionssystem als Irreflexivität (Hegel: reflexionsloses Sein) beschreiben, wir können aber niemals mit einer Logik der Irreflexivität das Phänomen der Reflexion darstellen. Es gibt keine eineindeutige Abbildung von S

---

35 Vgl. *Fichte: Nachgelassene Werke.* Bd 1. 428.

36 Ebd. 217. „Das Ich setzt sich selbst, ist nicht wahr. Wahr ist: es ist ein *Bild* eines Sichsetzens". (= „Vermögen" Bilder zu haben.)

37 Vgl. *Self-Organizing Systems.* Hrsg. v. M. C. Yovits and S. Cameron. London 1960. 31—50.

auf O. Die Bezeichnung ist unsymmetrisch, d. h. einmehrdeutig. Bei FICHTE ist das in ontologischer Terminologie auf die folgende Weise ausgedrückt: Er stellt fest, daß sich Objektives zu Objektivem nicht reflexiv verhalten kann. „Objektives zu Objektivem ist ... ein Undenkbares. Objektivität existiert und ist zu denken überhaupt nur im Gegensatz des Subjektiven: Objekt *für* ein Subjekt und umgekehrt. Vom Objekt eines Objekts aber kann man überhaupt in keinem Sinne reden."[38] Um einen Ausdruck VON FOERSTERS zu gebrauchen: wir können zwar in einer Seinslogik eines O-Systems die Reflexion in den ewigen Jagdgründen des Infinitesimalen verschwinden lassen, aber wir können diesen Prozeß nicht umkehren und in einer Reflexionslogik das Sein und seine undurchdringliche Irreflexivität auflösen. Es ist Voraussetzung und Grenze aller Reflexion. Deshalb sagen wir: das O-System ist der Grenzfall des S-Systems und nicht umgekehrt.

Dies ist übrigens der epistemologische Ausgangspunkt der Großen *Logik*. Das irreflexive objektive Sein, dessen Reflexionslosigkeit ausdrücklich festgestellt wird, wird zugleich als ein S-System behandelt, das reflektiert. Aber was es reflektiert, ist das Nichts. Das Letztere aber wird sofort wieder mit dem Sein identisch gesetzt. Diese Entgegensetzung ist bisher immer als „dialektisch", d. h. als formallogisch nicht auflösbar interpretiert worden. Wir werden jetzt zeigen, daß sie einen präzis definierbaren formallogischen Kern enthält, sofern man nur sich von dem Vorurteil frei macht, daß logischer Formalismus mit Wertformalismus gleichzusetzen ist. Wenn SCHRÖDINGER bemerkt, daß das fühlende, wollende und denkende Ich nirgends in unserm wissenschaftlichen Weltbild anzutreffen ist, weil es selbst jenes Weltbild ist, so sagt er nichts anderes, als daß unsere wissenschaftliche Weltanschauung auf jenem Grenzfall des S-Systems aufgebaut ist, in dem das System mit seiner Umgebung identisch ist. Ein erkenntnistheoretisches Subjekt, das die Welt anschaut und sich in dieser Anschauung von ihr als Umgebung ausdrücklich *unterscheidet*, kann also in diesem System nicht auftreten. „S" und „O" fallen zusammen. Es ist völlig gleichgültig, ob wir in diesem Fall unseren Erkenntnisinhalt als S- oder als O-Ordnung beschreiben. Der Inhalt der Beschreibung ist der gleiche. In anderen Worten: die Welt als An-sich-sein und die Welt als Bewußtseinsinhalt sind, reflektionstheoretisch betrachtet, identisch. Mit der Behauptung dieser Verdoppelung ist also schlechthin nichts gesagt. In der Redeweise der Dialektik: das irreflexive Sein reflektiert sich im Nichts. Es *ist* das Nichts! Und es *ist* das Sein!

---

[38] *Fichte: Nachgelassene Werke.* Bd 3. 372.

Trotzdem aber behaupten wir hartnäckig, daß es einen Sinn hat, die Welt als objektive Existenz und als subjektiven Bewußtseinsinhalt zu unterscheiden. Wir sagen, daß diese Unterscheidung auch dort völlig legitim ist, wo wir wie in dem SCHRÖDINGERschen Beispiel gar nicht sagen können, worin sich denn das zu Unterscheidende eigentlich differenzieren soll. Mehr noch, wir geben uns nicht damit zufrieden, daß die Trennung von Bewußtseinsimmanenz und Bewußtseinstranszendenz uns durch metaphysische Gründe und Motive aufgezwungen sein möchte, wir behaupten vielmehr, daß die logischen Bedingungen unseres Erlebens dafür verantwortlich seien *ein und dasselbe* Sein unter *zwei* Aspekten zu betrachten. Wir geben zu: das Objekt überhaupt ist nur mit sich selbst identisch und bildet sich nur auf sich selbst ab (Seinsidentität). Um es zu begreifen benötigen wir aber eine Logik mit *zwei* Werten, von denen immer nur *einer* designierender Wert sein kann. Aus den Ausführungen von Reinhold BAER geht jedoch hervor, daß es ganz gleichgültig ist, welchen der beiden Werte (positiv oder negativ) wir als designierenden wählen. Das Gesetz des Widerspruchs verbietet uns nur, beide zugleich als designierende anzusehen. Da aber die Werte ein symmetrisches Umtauschverhältnis — wie rechts und links — darstellen, werden wir immer ein und dieselbe Weltbeschreibung erhalten, gleichgültig welchen Wert wir wählen, um das Objekt zu designieren. Der andere fungiert dann immer als „Negation", d. h. als das unvermeidliche Reflexionselement, dem in der Beschreibung eines O-Systems kein ontologischer Platz angewiesen werden kann. Es ist wichtig zu bemerken, daß dieser exilierte Wert der positive sein kann . . . der eben durch jene Verweisung nun zum „negativen" wird. Das ist die Voraussetzung, mit der die Hegelsche Logik ihren Anfang nimmt.

Die angebliche formale Unauflöslichkeit der Dialektik kommt nun daher, daß wir zwar die Welt als objektive, ich-transzendente Realität und reflexionslose Existenz mit *einem* Werte designieren können, während wir *zwei* brauchen, um sie zu denken, d. h. als vorgestelltes Bild zu entwickeln. Nun kann *ein* Wert nicht sich selbst widersprechen, die zwei aber *müssen* sich widersprechen. In anderen Worten: ein O-System kann widerspruchsfrei dargestellt werden, ein S-System hingegen nicht. Wollen wir nämlich ein S-System mit einer Wertlogik aufbauen, so müssen *beide* Werte als Elemente der Systembeschreibung, mit gleichem designierenden Akzent, aufgenommen werden. Formal betrachtet enthält ein solches System einen Widerspruch. Es ist ontologisch bedeutungslos. (Bedeutungsvoll ist es nur noologisch.) Inhaltlich betrachtet aber ist es „dialektisch". Die transzendentalen Idealisten haben von KANT an, frühen platonischen und neuplatonischen Vorbildern folgend, solche dialektische Systeme als S-Systeme faute de mieux akzeptiert, um auf diese Weise wenigstens in nicht-formalisierbaren Begriffen die Eigenschaften der Reflexionsprozesse zu beschreiben.

Für die Beurteilung der Frage, ob und wie sich die dialektische Bewegung des Denkens formalisieren läßt, ist es von entscheidender Wichtigkeit zu wissen, daß der Gebrauch von Werten als logischen Einheiten und ihre Manipulation durch das Negationsverfahren dafür verantwortlich ist, daß die dialektischen Strukturen mit Widerspruchssituationen identifiziert werden. Es kann gar kein Zweifel daran bestehen, daß solange alle logischen Formalismen auf der Basis des Wertprinzips interpretiert werden, gar keine Aussicht ist, in der Dialektik eine kalkülmäßige beherrschbare Formalstruktur zu entdecken. Der Widerspruch von Positivität und Negation läßt sich aus keiner Beschreibung eines Wirklichkeitszusammenhanges, der Objekt *und* Subjekt gleicherweise umfaßt, eliminieren. Es wäre töricht, das auch nur versuchen zu wollen. Wir geben deshalb die These von der Identität des logischen Formalismus mit Wertformalismus von Positivität (wahr) und Negation (falsch) auf. Der dritte Teil dieser Betrachtung wird zeigen, daß diese Preisgabe eines alten Vorurteils uns zu neuen und überraschenden Einsichten über das Wesen und die ontologische Tragweite des logischen Formalismus führen wird.

## III.

Wir stellen als bisheriges Resultat fest: für die Beschreibung *einer* Welt ist logisch ein Minimum von *zwei* Werten erforderlich. (Ein einwertiges System ist eine (operatorenlose) Ontologie, aber keine Logik.) Die Einheit der Welt ist als Wertstruktur nicht formalisierbar, weil sie die coincidentia oppositorum ist. Formalisierung setzt den Mangel an Coincidenz opponierender Werte voraus. Dieser Tatbestand kann auch auf die folgende Weise beschrieben werden: was die beiden Werte gemeinsam repräsentieren, sind *objektive* Eigenschaften der Wirklichkeit. Folglich stellt ihre Antithese immer ‚konkrete Bestimmtheit" dar.

Diesem Gedanken Hegels kann man nun eine neue Wendung geben, indem man annimmt, daß logische Werte noch viel zu material-gebunden sind, um einen wirklich reinen und unbeschränkten Formalismus zu produzieren. Jede Materialgebundenheit muß einen Formalismus logisch schwächen. Ein Formalismus ohne Werte müßte logisch stärker sein und könnte deshalb auch Phänomene umfassen, die heute noch als unzugänglich für jeden Kalkül gelten.

Unsere Frage ist also: läßt sich eine solche tiefere und wirklichkeitsfreiere Formalstruktur des Logischen entdecken, die zwar von Werten besetzt werden kann, die aber nicht mit ihnen identisch ist? Diese Frage darf affirmativ beantwortet werden, und zum Zweck der Demonstration unserer Antwort wollen wir damit beginnen, daß wir die übliche Tafel der traditionellen Negation und die der 16 binarischen Funktoren des klassischen Aussagenkalküls mit den Werten (W) wahr und (F) falsch anschreiben. Da es sich hier nur um den Aufweis einer reinen Struktur und nichts anderes handelt, darf ignoriert werden, daß im üblichen Kalkül die Werte mit Variablen (p, q, r . . .) assoziiert werden. Unsere ersten beiden Tafeln haben dann die folgende Gestalt:

| W | F |
|---|---|
| F | W |

(Ia)

und

| W | W | W | W | W | W | W | W |
|---|---|---|---|---|---|---|---|
| W | W | F | F | W | F | W | F |
| W | F | W | F | W | W | F | F |
| F | F | F | F | W | W | W | W |
| F | F | F | F | F | F | F | F |
| F | F | W | W | F | W | F | W |
| F | W | F | W | F | F | W | W |
| W | W | W | W | F | F | F | F |

(IIa)

Wir erwähnten bereits Łukasiewicz' Hinweis, daß der Aussagenkalkül die tiefste Grundlage aller deduktiven Wissenschaften bildet. Die Tafeln (Ia) und (IIa) sind nun ihrerseits die Grundlagen des Aussagenkalküls. Will man nun noch die Werte eliminieren, wie wir das in der Tat vorschlagen, so bleibt offenbar nichts übrig. So sollte man jedenfalls vorerst annehmen. Das ist jedoch ein Irrtum. Wir werden sehen, daß der Fortfall der Werte uns eine noch tiefere und allgemeinere Grundlage der Logik enthüllt. Zum Zweck unserer Demonstration führen wir jetzt zwei Symbole, einen Stern (✳)und ein Viereck (□) ein. Denselben soll als solchen keinerlei logische Bedeutung zukommen. Vor allem darf diesen Symbolen keine Wertfunktionalität zugeschrieben werden. Sie sind lediglich Zeichen von leeren Stellen, die gegebenenfalls mit Werten besetzt werden können *oder auch nicht*. Falls sie aber mit Werten besetzt werden, so darf das in einer zweiwertigen Logik sowohl der positive wie der negative und in einer mehrwertigen Logik jeder beliebige legitim eingeführte Wert sein.

Eliminieren wir nun aus den Tafeln (Ia) und (IIa) die dort verwendeten Werte „W" und „F" und setzen wir stattdessen unsere neuen Symbole ein, die lediglich anzeigen sollen, daß in den korrespondierenden Leerstellen der eine oder der andere Wert stehen *kann*, dann erhalten wir zwei neue Tafeln abstrakter Platzordnungen oder Leerformen, die alle eine spezifische Gestalt besitzen. Um von vornherein zu betonen, daß diese zwei- und vierstelligen Muster keinesfalls mit Wertfolgen identifiziert werden dürfen und Relationen zueinander besitzen, die ganz unabhängig davon sind, ob diese Ordnungen „zufällig" von Werten okkupiert sind, wollen wir ihnen einen eigenen Namen geben. Sie sollen von jetzt ab als „Morphogramme" bezeichnet werden.[39] Ist ein solches Morphogramm aber von Werten besetzt, so soll es ein „Reflexionsmuster" heißen. Eine Wertlogik wäre demgemäß ein System, in dem die Morphogramme nicht rein sondern schon mit ontologischen Wertdesignationen behaftet auftreten. Aus den Tafeln (Ia) und (IIa) ergeben sich nun die neuen morphogrammatischen Tafeln (Ib) und (IIb):

$$\frac{*}{\square} \qquad \text{(Ib)}$$

und

| [1] | [2] | [3] | [4] | [5] | [6] | [7] | [8] |
|---|---|---|---|---|---|---|---|
| * | * | * | * | * | * | * | * |
| * | * | □ | □ | * | □ | * | □ |
| * | □ | * | □ | * | * | □ | □ |
| □ | □ | □ | □ | * | * | * | * |

(IIb)

Da, wie bereits betont, jedes der beiden Zeichen * und □ beide Werte tragen kann, ist die vierplätzige Tafel (Ia) jetzt zu zwei Plätzen reduziert und aus den 16 vierstelligen Wertserien von (IIa) sind 8 Morphogramme hervorgegangen. Wie wir sehen, erscheint damit Hegels Ausgangsthese, daß das reine Sein unmittelbar das reine Nichts, daß also Positivität überhaupt und Negativität überhaupt reflexionstheoretisch identisch sind, in einem neuen Licht. Wir sagen jetzt: der klassische Gegensatz von *zwei*

[39] Der Terminus „Morphogramm" ist zum erstenmal vom Verf. in seinem Technical Report (Nr 4) des Electrical Engineering Research Laboratory der University of Illinois verwandt worden. Den Ausdruck „Reflexionsmuster" haben wir in: *Ein Vorbericht über die generalisierte Stellenwerttheorie der mehrwertigen Logik* (Grundlagenstudien aus Kybernetik und Geisteswissenschaft 1 [1960]. 99—104) zum erstenmal verwandt.

Werten wird von *einem* Morphogramm repräsentiert. Damit wird dem Ansatzpunkt der Hegelschen Dialektik, wie überhaupt der transzendentalen Logik, ihr antinomischer Charakter genommen. Die dialektische Logik interpretiert Widerspruch als Wertwiderspruch. Aus den Tafeln (Ib) und (IIb) aber sind die Werte verschwunden. Diese Tafeln stellen in der Tat eine coincidentia oppositorum der korrespondierenden Gegensätze in (Ia) und (IIa) dar. Diese Coincidenz aber ist nicht mit der Aufgabe des Formalprinzips der Logik erkauft! Im Gegenteil, wir haben jetzt das Niveau eines tiefer liegenden und allgemeineren Formalismus erreicht, weil aus ihm auch das Letzte entfernt worden ist, was sich auf den kontingent-objektiven Charakter der Welt bezieht, nämlich der faktische Eigenschaften designierende logische Wert.

Solange der Übergang von der klassischen zur trans-klassischen Logik unter dem Gesichtspunkt einer Vermehrung der Wertzahl diskutiert wurde, war es nicht allzu schwer, jedem Argument, das für eine Vermehrung der Werte sprach, ein ebenbürtiges entgegenzusetzen, das für die Beschränkung auf das einfache Umtauschverhältnis von Affirmation und Negation eintrat. Die Frage der philosophischen Legitimität der Mehrwertigkeit muß gegenwärtig immer noch als unentschieden betrachtet werden. Das schwerwiegendste Argument für den „konservativen" Standpunkt hat u. E. STEGMÜLLER angeführt, wenn er bemerkt, daß sich ein Gegensatz zwischen dem semantischen Gesichtspunkt, der zutiefst im Klassischen verankert scheint und den Tendenzen, die auf eine mehrwertige Logik zusteuern, kaum vermeiden läßt. Es ist durchaus möglich, daß das semantische Prinzip der Zweiwertigkeit, das so tief in der Alltagssprache (und damit in der Universalsprache) gegründet ist, als Domaine des Transklassischen, soweit es *als* Mehrwertigkeit auftritt, nicht viel mehr als eine „Untergliederung der falschen Sätze" aber selbstverständlich keine „Aufsplitterung des einheitlichen Wahrheitsbegriffs" erlauben wird. STEGMÜLLER qualifiziert seine vorsichtige Meinung allerdings in einer sehr bedeutsamen Weise. Er macht nämlich die einschränkende Voraussetzung, daß der Gegensatz zwischen Semantik und jenen erwähnten modernen Tendenzen, die auf eine mehrwertige Logik hinsteuern, voraussetzt, daß „die Mehrwertigkeit in der letzteren sich wirklich auf die Wahrheitswerte bezieht"[40].

Soweit die hier entwickelte Theorie in Frage kommt, können wir der STEGMÜLLERschen Auffassung nur kräftig beistimmen. Sie scheint unserer eigenen Meinung, daß eine Erweiterung der philosophischen Logik ins

---

[40] *W. Stegmüller: Das Wahrheitsproblem und die Semantik.* Wien 1937. 247 f.

Transklassische über das Prinzip von Wahrheitswerten wohl kaum in Frage kommt, nahezustehen. *Wahrheit impliziert in ihren letzten Fundamenten Zweiwertigkeit!* Wir wollen hier ohne Bedenken stipulieren, daß es den Gegnern einer trans-klassischen Logik bereits gelungen ist, nachzuweisen, daß auf den bisher eingeschlagenen Wegen es prinzipiell unmöglich ist, eine mit mehr als zwei Werten arbeitende Syntax als *logisch notwendig* zu begründen.[41] Diese Annahme läßt sich auch schärfer formulieren, indem wir sagen, daß die philosophische Logik als zweiwertige Logik, d. h. eben als Wertlogik, komplett und nicht erweiterungsfähig ist. Das bedeutet, daß das Phänomen der sogenannten Mehrwertigkeit nur „logoide" Formalismen, aber keine echte Erweiterung der Logik produziert.[42] Sehr überzeugend hat sich darüber VON FREYTAG-LÖRINGHOFF[43] geäußert.

Die klassische Logik ist also, so haben wir konzediert, vom Wertstandpunkt aus betrachtet, vollständig. Jetzt aber stellen wir die neue Frage, ist diese Logik auch als morphogrammatische Logik, unter völliger Absehung von einer möglichen Wertbesetzung der Morphogramme, vollständig? Oder sind wir, wenn wir unsere Theorie eines logischen, in seinen letzten Grundlagen wertfreien Formalismus entwickeln wollen, gezwungen über die klassischen Grenzen hinauszugehen? In anderen Worten: besitzen wir in den Tafeln (Ib) und IIb) bereits alle Morphogramme?

Es ist kein Zweifel, daß die Tafel (Ib) nicht erweiterungsfähig ist. Die morphogrammatische Struktur der Negation ist definitiv. Wer aus rein schematischen Gründen (Ib) durch

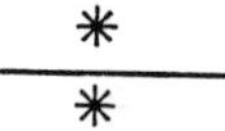

ergänzen möchte, dem sei dies belassen. Die Ergänzung besagt im Hinblick auf die Theorie der Negation ja nur, daß keine Negation vorgenommen werden soll. Daß also nichts geschieht! Unsere Tafeln sind aber dadurch zustande gekommen, daß wir die Leerstrukturen der *Operationen* angeschrieben haben, auf denen sich der Aussagenkalkül aufbaut. Betrachtet man nun Tafel (IIb) unter dem Gesichtspunkt, ob sie alle überhaupt möglichen Leerstrukturen enthält, die als letzte formale Basis solcher logischer Operationen betrachtet werden können, die nicht zwei, sondern vier Stellen

[41] Die Existenz einer Wahrscheinlichkeitslogik darf nicht als Gegenbeispiel betrachtet werden. Sie besitzt nur zwei echte Werte, die aber über ein Intervall der Ungewißheit „distribuiert" sind. Vgl. *H. Reichenbach: Experience and Prediction.* Chicago 1938. 326—333.

[42] Vgl. hierzu *P. Linke: Die mehrwertigen Logiken und das Wahrheitsproblem.* In: Zeitschrift für philosophische Forschung. 3 (1948). 378 ff.

[43] *B. von Freytag-Löringhoff: Logik.* 177—201.

für ihre Implementierung benötigen, so wird schon ein flüchtiger Blick uns darüber belehren, daß Tafel (IIb) unvollständig ist. Es müssen noch weitere Leerstrukturen bzw. Morphogramme existieren, z. B. ein solches, in dem ein einmal gebrauchtes Symbol in keinem anderen Platz wiederkehrt. Zwecks Darstellung jener noch fehlenden Morphogramme führen wir die weiteren bedeutungsleeren Symbole ▲ und ● ein, schreiben mit ihrer Hilfe eine weitere Tafel (III) an, durch die das System der morphogrammatischen Grundformen vervollständigt werden soll.

| [9] | [10] | [11] | [12] | [13] | [14] | [15] | (III) |
|---|---|---|---|---|---|---|---|
| * | * | * | * | * | * | * | |
| ▲ | * | ▲ | □ | ▲ | □ | ▲ | |
| * | ▲ | □ | ▲ | ▲ | ▲ | ● | |
| □ | □ | □ | □ | □ | * | □ | |

Wir wollen für den Augenblick die Frage der möglichen logischen Interpretation von Tafel (III) außer acht lassen. Es kommt vorerst alles darauf an nachzuweisen, daß es eine Interpretation der Idee des logischen Formalismus gibt, vermittels deren demonstriert werden kann, daß der klassische Formalismus der Logik sein Fundament nicht tief genug gelegt hat und deshalb außerstande ist, uns mehr als ein Fragment von logischer Form überhaupt vorzuführen. Die klassische Theorie des Denkens mag als Wertlogik vollständig sein, *als morphogrammatische aber ist sie unvollständig!* Der Übergang in die Mehrwertigkeit, wie er seit etwa 40 Jahren von einer Anzahl von Kalkülrechnern gelegentlich vorgenommen worden ist, war immer ein Wagnis und höchstens im Falle der Modallogik einigermaßen philosophisch motiviert. Nie aber lag ein wirklicher rein logischer Zwang vor. Die modalen Erwägungen waren ja niemals strikt formal.

Interpretiert man aber den reinen logischen Formalismus als morphogrammatische Theorie, so ist der Übergang zur trans-klassischen Logik unvermeidlich. Die Aristotelische Logik ist morphogrammatisch auf 8 vierstellige Leerstrukturen beschränkt, obwohl 15 existieren! Diese Beschränkung hat ihren Grund darin, daß ARISTOTELES Leerstruktur (Form) mit Wertstruktur identifiziert. Zugleich begreift er aber mit tiefem philosophischen Instinkt, daß seine Logik, um absolut und rein formal zu sein, nur zwei Werte zulassen kann. Wir nehmen Ergebnisse einer späteren Veröffentlichung voraus, wenn wir feststellen, daß die Einführung von zwei, und *nur* zwei, Werten den morphogrammatischen Formalismus, qua reinen *Wert*formalismus, nicht beeinträchtigt. Etwas anderes aber ist es, wenn man Tafel (III) in das System der Logik einschließt. Will man auch dann noch kompromißlos formal bleiben, so muß man auf Wertbesetzung der Morphogramme verzichten. Der resultierende Kalkül darf nur morphogrammatische Leerstrukturen operieren.

Wir stehen in der Logik also vor der Wahl, daß wir entweder Werte benutzen — dann muß unser System sich auf 8 Morphogramme beschränken, wenn wir streng formal bleiben wollen. Die Zahl der Werte übersteigt dann niemals zwei, und unser System verliert alle die Zweiwertigkeit transzendierenden Formalstrukturen. Oder aber wir verzichten darauf, die Logik als Wertlogik (Wert = *Wahrheits*wert) formal zu begründen. In diesem Fall können wir zu einem vollständigen morphogrammatischen Formalismus übergehen. Es ist allerdings auch ein Kompromiß möglich. Wir werden später sehen, daß eine Interpretation des Wertbegriffes existiert, die uns gestattet, das Prinzip der Zweiwertigkeit mit aller Rigorosität, die man sich nur wünschen kann, auf die trans-klassischen Morphogramme zu übertragen. Logischer Wert darf dann allerdings nicht mehr mit Wahrheitswert gleichgesetzt werden. Ist man zu diesem Interpretationswechsel bereit, so zeigt es sich, daß die sogenannten mehrwertigen Logiken ihr eigenes strenges Zweiwertigkeitsprinzip und ihr eigenes spezifisches Tertium non datur besitzen. Es muß aber angenommen werden, daß jede Wertbesetzung morphogrammatischer Strukturen in einem transklassischen System den Formalismus schwächt, selbst wenn diese Auffüllung durch Werte eine strikte Alternativsituation, die ein Drittes ausschließt, produziert.

Wenn wir aber von nun an Morphogramme als die logischen Grundeinheiten eines rigorosen Formalismus ansehen, dann benötigen wir auch einen speziellen Operator, der diese Formen manipuliert und uns gestattet, unter bestimmten Bedingungen ein Morphogramm in ein anderes zu überführen. Es ist evident, daß der klassische Negationsoperator dazu nicht geeignet ist. Bestehen wir darauf, ihn trotzdem zu benutzen, so ist eine relativ komplizierte Prozedur notwendig. Nehmen wir an, daß wir Morphogramm [1] und Nr. [4] ineinander transferieren wollen, so ist es notwendig, daß wir die Leerstrukturen erst mit Werten besetzen, also die korrespondierenden Kolonnen der Tafel (IIa) benutzen. Dieselben repräsentieren die üblichen Wertfolgen für Konjunktion ($\wedge$) und Disjunktion ($\vee$). Wir benötigen weiter die Morphogramme [2] und [3] ebenfalls mit Werterfüllung. Dieselben repräsentieren dann zwei Variable „p" und „q". Der morphogrammatische Transfer hat dann die bekannte Gestalt der De-Morganschen Formeln:

$$p \vee q \equiv N\,(Np \wedge Nq) \qquad (1)$$
$$p \wedge q \equiv N\,(Np \vee Nq) \qquad (2)$$

wobei $N$ als Symbol für den Umtausch der Wertbesetzung fungiert. Unser Beispiel demonstriert, daß, falls wir auf dem alleinigen Gebrauch der Negation bestehen, die Morphogramme weder direkt, d. h. ohne Gebrauch der Variablen, noch wertfrei ineinander übergeführt werden können.

Da es aber, wie oben ausgeführt, uns darum zu tun ist, eine Tiefenschicht des logischen Formalismus aufzudecken, der Werte nur sekundär und als relative Objektivformen angehören, können wir uns mit solchen indirekten Methoden den Übergang von einem Morphogramm zu einem andern durchzuführen, nicht zufriedengeben. Wir suchen nach einem Kalkül, in dem auch der letzte Objektivitätscharakter des Bewußtseins, resp. der Reflexion aufgehoben ist. Auch der logische Wert ist noch „naiv". Er hat, um in Hegelscher Terminologie zu sprechen, ein Moment der Unmittelbarkeit an sich. Das ist in der gegenwärtigen Entwicklung der Logik besonders deutlich, wo logische Kalküle mehr und mehr dazu benutzt werden, nicht nur die Struktur der Denkvorgänge, sondern partikulare Sachzusammenhänge (z. B. elektrische Schaltsysteme) darzustellen. Erst durch den Wert, der dem Argument einer Funktion f (x) beigegeben wird, wird die reine Form des Kalküls an die objektive Wirklichkeit angeschlossen. Wonach wir suchen, ist ein Operator, der die wertfreie Reflexionsstruktur, also das reine Morphogramm, direkt in ein anderes überführt.

Eine Andeutung eines solchen Operators findet sich bereits bei FICHTE. Mehr noch, er hat sogar einen bedeutsamen Symbolismus dafür eingeführt. In den *Tatsachen des Bewußtseins* (1813) heißt es: das „Ich nun erscheint sich niemals bloß als Ich, sondern immer mit einem Bilde, als habend und seiend ein Bild"[44]. Und weiter wird dieses Bild mit den Worten bestimmt: „Das Ich erscheint sich in und mit einem Bilde überhaupt, und zwar mit einem Bilde des Seins."[45] Schließlich ist das Ich als Selbstreflexion das „Bild eines Gesetzes, ein Sein zu bilden, (oder zu denken)". D. h. es ist auf der zweiten Stufe „das Bild eines Vermögens"[46] primäre Bilder des Seins zu haben. Von diesem Bildbegriff geht FICHTE aus, wenn er als Symbol für die Abbildungsrelation einen horizontalen Strich setzt, der Abgebildetes und Abbildung trennt. Dabei werden in den *Einleitungsvorlesungen in die Wissenschaftslehre* (1813) die folgenden Anschreibun-

[44] *Fichte: Nachgelassene Werke.* Bd 1. 426.
[45] Ebd. 427.
[46] Ebd. 428.

gen gebraucht: $\frac{B}{B'}$, $\frac{B}{S}$[47] und schließlich $\frac{B}{\frac{B}{B}}$[48]. Das dritte B ist in dieser Symbolik als Abbilden des Abbildens gedacht.

Obwohl das horizontale Strich- oder Spiegelsymbol sich in dem gebrauchten Sinn kaum für einen Reflexionskalkül eignet[49], gibt es doch einen guten Fingerzeig. Der Operator, der reine Reflexionsstrukturen manipuliert, soll nichts weiter als eine Abspiegelung liefern. Das ist aus dem FICHTEschen Text, wenn wir denselben auf seinen formalen Gehalt hin betrachten, auch leidlich deutlich herauszulesen. Wir wollen uns diesen Gedanken zunutze machen und schreiben deshalb in der folgenden Tafel (IV) alle 15 vierstelligen Morphogramme an und unter ihnen, durch den FICHTEschen Reflexionsstrich getrennt, ihre Reflexionen resp. Spiegelbilder:

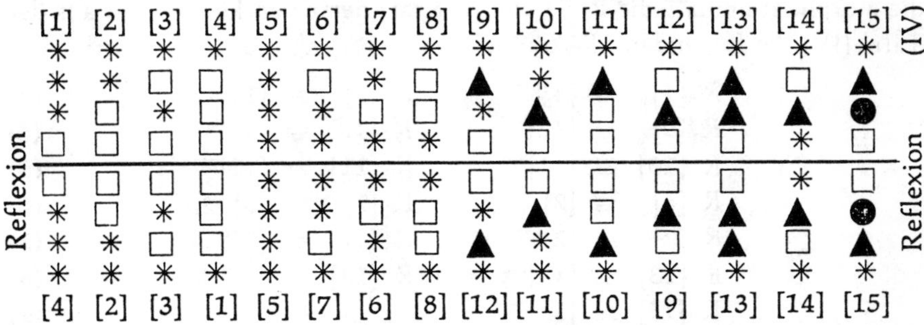


Wir führen jetzt für den Operator, der uns das Spiegelbild eines gegebenen Morphogramms liefert, als Symbol *R* ein. Schreiben wir eine Formel an, so soll „*R*" stets vor das Zeichen des Morphogramms, das in seine Reflexion übergeführt werden soll, gesetzt werden. Der Reflektor „*R*" darf übrigens in einem gewissen Sinne als eine Verallgemeinerung der Negation aufgefaßt werden. Schreibt man nämlich die Tafel (Ia)

| W | F |
|---|---|
| F | W |

derart auf, daß man den vertikalen Strich durch den FICHTEschen Refexionsstrich ersetzt und die Wertzeichen, die auf der rechten Seite stehen, unter

[47] Ebd. 160, 162. Siehe auch: Bd 2. 45.

[48] Ebd. 419.

[49] Eine Fichtesche Formel mit diesem Operator ist z. B. I = S/0 ∞, die im Sinne moderner Kalkültechnik ziemlich nutzlos ist. Vgl. *Fichte: Nachgelassene Werke.* Bd 3. 381.

die auf der linken Seite placiert, so ist anschaulich evident, wie Tafel (V) zeigt:

$$\frac{\;\frac{W}{F}\;}{\;\frac{F}{W}\;} \qquad \text{(V)}$$

daß die Negationsoperation ein „Bild" im FICHTEschen Sinn oder eine „unmittelbare Reflexion" (in Hegelscher Terminologie) produziert. Die klassische Negation ist also zugleich ihr eigener *R*-Operator. Geht man aber zu vierstelligen Wertfolgen über, so muß zwischen der Funktion von *R*, soweit dieselben Werte affiziert und soweit sie ausschließlich Morphogramme manipulieren soll, unterschieden werden. Wir berücksichtigen vorläufig nur die morphogrammatische Rolle von *R*. Kraft derselben können wir aus der Tafel (IV) die folgenden „*R*-Äquivalenzen" (≡) ablesen:

| | | |
|---|---|---|
| $R\,[1] \equiv [4]^{neg}$ | $R\,[4] \equiv [1]^{neg}$ | (3) |
| $R\,[9] \equiv [12]^{neg}$ | $R\,[12] \equiv [9]^{neg}$ | (4) |
| $R\,[10] \equiv [11]^{neg}$ | $R\,[11] \equiv [10]^{neg}$ | (5) |
| $R\,[6] \equiv [7]$ | $R\,[7] \equiv [6]$ | (6) |
| $R\,[2] \equiv [2]^{neg}$ | $R\,[3] \equiv [3]^{neg}$ | (7) |
| $R\,[13] \equiv [13]^{neg}$ | $R\,[14] \equiv [14]^{neg}$ | (8) |
| $R\,[15] \equiv [15]^{neg}$ | | (9) |
| $R\,[5] \equiv [5]$ | $R\,[8] \equiv [8]$ | (10) |

In den Fällen, in denen die *R*-Operation bei gegebener Wertbesetzung die Wertfolge des Resultats in einer solchen Weise verändert, daß dieselbe unter speziell zu stipulierenden Voraussetzungen als Negation einer „Standardwertserie"[50] aufzufassen ist, haben wir die Nummern der so affizierten Morphogramme mit dem Index $\ldots^{neg}$ versehen. Im übrigen sind die *R*-Äquivalenzen unter dem Gesichtspunkt geordnet worden, daß Morphogramme, die sich dem *R*-Operator gegenüber in gleicher Weise verhalten, jedesmal in einer Gruppe zusammengefaßt worden sind. Wir haben dementsprechend vier Gruppen. Erstens die Fälle, in denen der Operator das Morphogramm transformiert und Negation eintritt. Zweitens haben wir morphogrammatische Transformation ohne Negation. Die dritte Gruppe umfaßt die Situationen, in denen der morphogrammatische Charakter durch die Operation unangetastet bleibt, aber Negation eintritt. Und schließlich

[50] Wir fassen z. B. die Wertbesetzungen der Morphogramme [1] bis [8] im oberen Teil der Tafel (IIa) als Standardwertfolgen auf.

begegnen wir zwei Fällen, in denen weder ein Wechsel des Morphogramms noch der einer etwaigen Wertbesetzung zu verzeichnen ist.

Die 15 angeschriebenen $R$-Äquivalenzen liefern uns eine formelle Schematik dessen, was als „unmittelbare Reflexion" in der transzendentalen Logik auftritt. Ein Kenner der Großen *Logik* wird einige derselben mühelos in dem Hegelschen Text identifizieren können. Mit andern ist das schwieriger. Es kann aber mit Zuversicht behauptet werden, daß der Terminus keine anderen als die angeführten Bedeutungen haben kann. Die Aufstellung ist erschöpfend, weil die Tafeln (IIb) und (III) *alle* morphogrammatischen Grundeinheiten liefern. Andererseits müssen alle 15 Bedeutungen in der transzendental-spekulativen Logik auftreten, wenn dieselbe den Anspruch erhebt als Reflexionssystem komplett zu sein. Es wäre wichtig, einen solchen Nachweis für die Hegelsche Logik zu liefern.

Daß die in den $R$-Äquivalenzen schematisierte Reflexion nur „unmittelbar" ist, läßt sich aus unserer Aufstellung ebenfalls leicht ablesen. Wie man aus der ersten und zweiten Gruppe ersieht, bleiben die durch $R$ bewirkten morphogrammatischen Transformationen klassisch, bzw. transklassisch: beide Tafeln (IIb) und (III) transformieren nur in sich. Wir besitzen auf vierstelliger Basis keine $R$-Transformation, die ein klassisches Morphogramm in ein trans-klassisches verwandelt. Um das zu erreichen, müssen diese vierstelligen Einheiten erst in Systemen zusammengefaßt werden. Da diese Zusammenfassungen jederzeit einer Belegung durch Werte im Sinne einer mehrwertigen Logik zugänglich sein müssen, sind die Regeln der Komposition solcher Gebilde ohne weiteres gegeben. Sie müssen ein Stellenwertsystem formen. Wir können uns hier kurz fassen, da wir den Aufbau eines solchen Systems bereits in einer früheren Veröffentlichung beschrieben haben.[51] Wir wollen hier nur noch folgendes zusätzlich bemerken: da wir von jetzt ab sowohl von den Stellen innerhalb eines Morphogramms, die von individuellen Werten besetzt werden können, als auch von den Stellen sprechen wollen, die ein Morphogramm in einem System einnimmt, wird es gut sein, um Mißverständnisse zu vermeiden, im ersten Fall von Individualstellen zu sprechen.

Werden Morphogramme zu einem Systeme zusammengefügt, so wird die in den vorangehenden Tafeln kontinuierliche Folge der Individualstellen unterbrochen. Und da die einzelnen Einheiten etwa wie die Ringe einer Kette ineinandergreifen, wollen wir von morphogrammatischen „Ketten" sprechen, wenn wir dieselben von den Wertfolgen trans-klassischer

[51] Vgl. *G. Günther: Die Aristotelische Logik des Seins und die Nicht-Aristotelische Logik der Reflexion.* In: Zeitschrift für philosophische Forschung. 12 (1958). 360—407.

Systeme unterscheiden wollen. Die kürzeste Kette, die sich zusammensetzen läßt, enthält drei Glieder und jedes mag etwa einzeln oder in beliebiger Kombination mit den anderen vermittels des *R*-Operators manipuliert werden. Diese unterschiedlichen Geltungsbereiche des Operators wollen wir dadurch anzeigen, daß wir die Kettenglieder zählen und die gefundenen Zahlen als Indexe benutzen. Wird die Kette als Ganzes gespiegelt, so wird der Operator weiterhin ohne Index angeschrieben, gleichgültig wie lang die Kette ist. Auf das allgemeine Prinzip der Zählmethode für die Indexe wollen wir hier aus Raummangel nicht eingehen. In der folgenden Tafel ist die Zählung für ein „dreiwertiges" System mit $M_1$, $M_2$, $M_3$ angegeben. In einer solchen Kette kann also der Reflektor in den folgenden Varianten angewendet werden: $R^1$, $R^2$, $R^3$, $R^{1\text{-}2}$, $R^{2\text{-}3}$, $R^{1\text{-}3}$ und *R*. In der Tafel (VI) stellen wir eine nur aus dem Morphogramm [1] bestehende Kette einmal als fortlaufende Zeichenreihe und dann aufgeteilt in ihre Kettenglieder dar:

(VI)

| [1, 1, 1] | $M_1$ | $M_2$ | $M_3$ |
|---|---|---|---|
| ∗ | ∗ | | ∗ |
| ∗ | ∗ | | |
| ∗ | | | ∗ |
| ∗ | ∗ | | |
| □ | □ | □ | |
| □ | | □ | |
| ∗ | | | ∗ |
| □ | | □ | |
| ▲ | | ▲ | ▲ |

In der folgenden Tafel (VII) zeigen wir die Anwendung des partiellen *R*-Operators *R'* auf die Zeichenreihe [1, 1, 1]:

(VII)

| *R'* [1, 1, 1] | [4] | [. . , 1, 1] | [4, 13, 13] |
|---|---|---|---|
| ∗ | □ | | □ |
| ∗ | ∗ | | ∗ |
| ∗ | | ∗ | ∗ |
| ∗ | ∗ | | ∗ |
| □ | ∗ | | ∗ |
| □ | | □ | □ |
| ∗ | | ∗ | ∗ |
| □ | | ▲ | □ |
| ▲ | | □ | ▲ |

Die in Tafel (VII) vorgenommene Prozedur benötigt nur eine kurze Erläuterung. Durch die Operation *R'* ist nur das erste Morphogramm ($M_1$) in der Zweiten vertikalen Kolonne als [4] reflektiert worden. Fünf Zeichen von

[1, 1, 1] sind durch diese Operation nicht berührt worden. Wir schreiben sie also in der originalen Reihenfolge, gekennzeichnet als [. . , 1, 1], wieder an und kombinieren in der letzten Zeichenreihe die beiden mittleren Kolonnen. Wir erhalten so die neue Kette [4, 13, 13].

Das Resultat ist bemerkenswert. Wir hatten anläßlich der elementaren *R*-Äquivalenzen festgestellt, daß wir noch keine Prozedur besaßen, ein klassisches Morphogramm in ein transklassisches zu reflektieren. Für die vierstellige morphogrammatische Einheit [1] ergab die unmittelbare Reflexion [4]. Für die Kette [1, 1, 1] aber erhalten wir durch die gleiche Operation sowohl [4] als auch das trans-klassische [13].

Aber nicht jede partielle *R*-Operation liefert ein solches Resultat, wie die nächste Tafel (VIII) demonstrieren soll:

| $R^{2.3}$ [1, 1, 1] | [1, . . , . .] | | [4, 1, 4] | *R* [1, 1, 1] (VIII) |
|---|---|---|---|---|
| ✱ | ▲ | | ▲ | ▲ |
| ✱ | □ | | □ | □ |
| ✱ | ✱ | | ✱ | ✱ |
| ✱ | □ | | □ | □ |
| □ | □ | | □ | □ |
| □ | | □ | □ | ✱ |
| ✱ | ✱ | | ✱ | ✱ |
| □ | | □ | □ | ✱ |
| ▲ | ✱ | | ✱ | ✱ |

$R^{2.3}$ reflektiert die beiden Morphogramme, die in der Operation der Tafel (VII) trans-klassische Strukturen ergaben. Diesmal bleibt das Resultat im klassischen Bereich, aber es ist in anderer Hinsicht überraschend. Nur eins der beiden direkt manipulierten Morphogramme erfährt eine Verwandlung. Die zweite Metamorphose betrifft das durch $R^{2.3}$ nicht operierte Glied der Kette. Nämlich Morphogramm $M_1$.

In der letzten Spalte haben wir außerdem die totale Reflexion von [1, 1, 1] angeschrieben. Ihr Resultat ist, wie unschwer aus der Zeichenreihe abgelesen werden kann, [4, 4, 4]. Die nicht in den Tafeln (VII) und (VIII) dargestellten Anwendungsmodi von „*R*" auf die dreigliedrige Kette, die nur [1] als Glieder enthält, wollen wir kurz in Form von *R*-Äquivalenzen anschreiben:

$$R^{2}\ [1, 1, 1] \equiv [\ 1, 4, 1] \qquad (11)$$

$$R^{3}\ [1, 1, 1] \equiv [13, 1, 4] \qquad (12)$$

$$R^{1.2} [1, 1, 1] \equiv [\ 4, 4, 4] \qquad (13)$$

$$R^{1.3} [1, 1, 1] \equiv [13, 4, 4] \qquad (14)$$

Wie man sieht, ist das Resultat der $R^{1.2}$-Operation identisch mit dem Ergebnis der Totalreflexion in Tafel (VIII). Diese Eigenschaft der $R^{1.2}$-Manipulation ist keinesfalls allgemein, sie ist aber reversibel, wie die nächste Formel zeigt:

$$R^{1.2}[4, 4, 4] \equiv [1, 1, 1] \tag{15}$$

Das folgende Beispiel

$$R^{1.2}[2, 2, 2] \equiv [2, 2, 3] \tag{16}$$

und

$$R[2, 2, 2] \equiv [2, 2, 2] \tag{17}$$

zeigt aber, daß die Totalreflexion keineswegs immer mit einem partiellen Reflexionsprozeß identisch ist. De facto gibt im Falle von [2, 2, 2] jede Anwendung des partiellen Reflektors ein anderes, und von der Totalreflektion stets verschiedenes, Resultat.

Weiterhin ist wichtig zu wissen, daß der Gebrauch des Reflektors auch die Möglichkeit der Iterierung der einfachen (partiellen oder totalen) Reflexion zuläßt. Aus Formel (13) und Tafel (VIII) geht hervor, daß es nicht möglich ist, mit einer einfachen Reflexion von [1, 1, 1] oder [4, 4, 4] alle Kombinationen von dreistelligen Ketten, die sowohl [1] als auch [4] enthalten zu produzieren. Es sind 8 solche Kombinationen möglich, aber mit den uns bisher bekannten Anwendungen von „*R*" ist weder [4, 4, 1] noch [1, 1, 4] darstellbar. Da die Produktion dieser Ketten auf der Basis von [1, 1, 1] oder [4, 4, 4] noch andere Probleme involviert, deren Diskussion den engen Rahmen dieser Arbeit sprengen würde, wollen wir einen einfacheren Fall der Nicht-darstellbarkeit einer der oben genannten Kombinationen durch eine einfache *R*-Operation wählen. So ist z. B. [4, 1, 1] eine einfache Reflexion von [4, 4, 4] aber nicht von [1, 1, 1]. Wohl aber ist die in Frage stehende Kette eine iterierte Reflexion jener dreistelligen Kette, die nur [1] enthält. Die *R*-Äquivalenz (18) stellt diesen Sachverhalt wie folgt dar:

$$R^{3}\, R^{2.3}[1, 1, 1] \equiv [4, 1, 1] \tag{18}$$

Dazu das Korollarium:

$$R^{3}\, R^{1.3}[4, 4, 4] \equiv [4, 1, 4] \tag{19}$$

In den Formeln (18) und (19) ist der Reflektor iteriert.

Mit diesen flüchtigsten Andeutungen eines morphogrammatischen Formalismus der Reflexionslogik müssen wir uns hier begnügen. Was noch zu tun bleibt, ist der nähere Anschluß dieser Gedanken an das Problem der Subjektivität, bzw. des ontologischen Gegensatzes zwischen dem O-System und dem S-System. Der vierte und abschließende Teil dieser Betrachtung soll dieser Aufgabe gewidmet sein.

## VI.

Der Gedanke einer Dimension des Formalen, die jenseits des klassischen Wertformalismus steht, ist sehr eingehend und profund von Emil LASK in seiner *Logik der Philosophie* . . . und in seiner *Lehre vom Urteil* behandelt worden. Er unterscheidet einen Formalismus des Seins (als des Sinnlichen) von der „Form fürs Unsinnliche, der kategorischen Form für Form, der Form der Form"[52]. Hier scheint man sich allerdings in den metaphysischen Regionen der Aristotelischen νόησις νοήσεως zu verlieren. Aber LASK will das für seine Form der Form nicht wahr haben. Eine Lehre von der kategorialen Form fürs Übersinnliche, so sagt er, „kann nicht Metaphysik, sondern muß Logik sein, genau wie die Lehre vom kategorialen Seinsgehalt nicht Sinnlichkeitserkennen, sondern Logik war. So wenig wie die Kategorien *fürs* Sinnliche sinnlich sind, sowenig die fürs Übersinnliche übersinnlich."[53]

Auch in der *Lehre vom Urteil* spricht LASK von „der Doppeldeutigkeit des Formbegriffs", die es erlaubt „alle logischen Phänomene nach Gehalts- und Strukturformen (zu) klassifizieren". Seine einige Zeilen weiter folgende Bemerkung, daß „bei allen Gegenüberstellungen des rationalen und des empirischen Erkenntnisfaktors . . . die kategorialen Gehaltsformen und die sekundären Strukturphänomene durcheinandergeworfen" werden[54], hat leider auch für die gegenwärtige Diskussion auf dem Gebiet der formalen Logik Gültigkeit. Dem Gegensatz zwischen „Strukturform" und „Kategorialform" entspricht nun nach LASK im Bereich der Gegenständlichkeit eine „nachbildliche" und eine „urbildliche" Schicht. In der nachbildlichen herrscht der Gegensatz von Positivität und Negation; die letzte urbildliche Dimension der Gegenständlichkeit aber ist „übergegensätzlich"[55]. In ihr ist die Hegelsche Antithese von Sein und Nichts aufgehoben. Diese Auflösung des Gegensatzes durch einen Prozeß, der subjektiver als das Aufzulösende ist, involviert nach LASK ein „Novum der Struktur", das „ganz und gar erst auf dem Boden der Subjektivität und durch sie entstehen" kann.[56]

Der Unterschied zwischen Kategorialform und Strukturform besteht nun nach LASK darin, daß die erstere den Charakter der „Ganzheit und Unzerrissenheit" hat, während die zweite sich durch „isolierte Elemente" (Aus-

[52] E. *Lask: Gesammelte Schriften.* Tübingen 1923. Bd 2. 89.
[53] Ebd. 126. Vgl. auch 177 ff.
[54] Ebd. 383.
[55] Ebd. 386 ff.
[56] Ebd. 417.

drücke von Lask) konstituiert. Das würde etwa unserm Unterschied zwischen morphogrammatischer und Wertstruktur entsprechen. Es ist vielleicht nicht unrichtig, in Weiterführung der Gedanken von Lask zu sagen, daß die Morphogrammatik eine Strukturschicht beschreibt, in der die Differenz zwischen Subjektivität und Objektivität erst etabliert wird und deshalb dort noch nicht vorausgesetzt werden kann. Führen wir aber Werte, d. h. den Gegensatz von Positivität und Negation ein, so betrachten wir denselben Sachverhalt als (inhaltliches) Resultat eines Bewußtseinsvorgangs. D. h. die Trennung von Subjekt und Objekt muß jetzt vorausgesetzt werden. Subjektivität ist nach Lask ein Phänomen der „Isolierung", sie ist der „Entstehungsgrund der Gegensätzlichkeit" und bringt etwas „Zerstückeltes" und „Gekünsteltes" in die urbildliche Struktur. Und ihrer „Eigenmächtigkeit" entspricht ein transzendentaler „Willkürbereich"[57].

Mit solchen Werturteilen, in die die scharfsinnigen, transzendentallogischen Analysen Lasks gelegentlich abgleiten, ist selbstverständlich in einer Theorie der formalen Logik wenig anzufangen. Sie deuten aber doch auf einen Sachverhalt hin, den wir so neutral und farblos wie möglich durch die Unterscheidung von Systemen, die eine Umwelt oder die keine haben, zu beziehen versuchten. Wir werden den Gedankengang nach diesem Hinweis auf Lasks wichtigen Beitrag zur Transzendentallogik nun auf unsere Weise weiterführen, indem wir die morphogrammatische Struktur jetzt mit „isolierten" (Lask) bzw. „unmittelbaren" (Hegel) Elementen besetzen, die wir als logische Werte interpretieren.

Soweit die Morphogramme [1] bis [8] in Frage kommen, erhalten wir immer nur eine (klassisch) zweiwertige Struktur, gleichgültig was für Werte wir zu wählen belieben. Die Einführung von Werten in die trans-klassische Morphogrammatik von [9] bis [15] produziert 6 dreiwertige und eine vierwertige Situation. Wir wollen nun den Unterschied zwischen den klassischen und trans-klassischen Wertfolgen durch eine Konfrontation beider Typen in der Tafel (IX) demonstrieren. Wir beschränken uns dabei auf ein Minimum von Wertfolgen:

(IX)

| p | q | $\wedge$ | $\vee$ | T |
|---|---|---|---|---|
| W | W | W | W | W |
| W | F | F | W | 3 |
| F | W | F | W | 3 |
| F | F | F | F | F |

Der durch die vier ersten Kolonnen gefüllte Teil der Tafel ist ganz konven-

[57] Ebd. 415 f.

tionell und braucht nicht weiter gerechtfertigt zu werden. Für die letzte Kolonne aber ist eine Anschreibung gewählt worden, durch die von vornherein ausgedrückt werden soll, daß sie keinesfalls in demselben Sinne zu Tafel (IX) gehört, wie die übrigen Teile derselben. Die ersten beiden vertikalen Wertreihen erschöpfen alle möglichen Kombinationen für eine Wertwahl. In der dritten und vierten Kolonne erkennt man unschwer die Wertwahlen, die Konjunktion ($\wedge$) und Disjunktion ($\vee$) auszeichnen. Was aber die letzte „Wertfolge" angeht, so sind nur die Zeichen auf dem ersten und vierten Platz der Folge sinnvoll als Wertwahlen im konventionellen Sinn. Die Ziffer, durch die die zweite und dritte Stelle besetzt ist, ist im obigen Zusammenhang bedeutungslos oder so scheint es wenigstens.

Wenn wir jetzt Konjunktion und Disjunktion miteinander vergleichen, so fällt sofort eine gemeinsame Eigenschaft der beiden Funktionen auf: es werden nur Werte gewählt, die durch die Variablen *angeboten* werden. Für die erste und vierte Stelle besteht keine echte Wahl. Es ist nur ein Wert angeboten, also ist die Wertwahl der beiden Funktionen identisch. Im zweiten und dritten Fall zieht die eine Funktion den einen, die andere den alternativen Wert vor. Gemeinsam ist den derart entstehenden Wertserien also, daß sie bei unterschiedlicher Wahl die angebotene Alternative *akzeptieren.*

Betrachtet man unter diesem Gesichtspunkt die letzte Wertfolge, so ergibt sich sofort folgendes: was immer der fremde, durch eine Ziffer bezeichnete Wert sonst sein mag, er drückt die *Rejektion* der angebotenen Alternative aus. Dabei ist äußerst wichtig, sich klar zu machen, daß die Verwerfung nicht die Werte als solche betrifft, sondern eben die Alternativsituation. Das nicht der individuelle Wert als solcher betroffen ist, zeigt die neue Funktion dadurch an, daß dort, wo eine echte Wahlsituation überhaupt nicht existiert und nur ein Wert angeboten ist, das Angebotene auch hingenommen wird.

Wir rufen uns nun in Erinnerung, daß, wie wir weiter oben ausgeführt haben, die zweiwertige Logik völlig genügt um das Universum als objektiven, nur mit sich selbst identischen, irreflexiven Seinszusammenhang darzustellen. Dieser Zusammenhang legt sich für das reflektierende theoretische Bewußtsein in formalen Alternativsituationen auseinander und eine Begriffsbildung, die sich in diesem Rahmen bewegt, begreift radikale Objektivität und nichts weiter. Konjunktion und Disjunktion sind in diesem Sinn also Vehikel des Seinsverständnisses. Wird aber in der letzten Funktion ein Rejektionswert eingeführt, so liegt darin eine noologische Verwerfung des *ganzen* irreflexiven Seinsbereichs. Derselbe wird in logischen Abstand gesetzt und erhält den Charakter einer Umwelt für etwas, das sich von ihr absetzt. Es scheint uns nun, daß, wenn Subjektivität irgend einen formallogischen Sinn haben soll, der betreffende nur durch eine solche Absetzungsfunktion repräsentiert sein kann. Interessant ist in diesem Zusammenhang, daß ein nordamerikanischer Indianerstamm, die Algonquins, für das Subjekt die folgende Bezeichnung hat: that which has cast itself adrift. Das, was sich abgelöst hat. Von Hegel wollen wir hier nur den einen Satz aus seinen Vorlesungen über die Philosophie der Religion setzen: „... der Geist ist das ewige in sich Zurückgehen".

Da eine Funktion, die Rejektionswerte enthält, den durch Konjunktion und Disjunktion umgriffenen irreflexiven Seinsbereich transzendiert, wollen wir das neue logische Motiv „Transjunktion" (T) nennen.

Wem die Identifizierung von Konjunktivität und Disjunktivität mit reflexionslosen Seinsstrukturen (Objektivität) und von Transjunktion mit dem Reflexionscharakter der Subjektivität in diesem elementaren Stadium der Untersuchung vorschnell erscheint, oder wer überhaupt Bedenken gegen die Gleichsetzung formaler logischer Termini mit solchen von metaphysischer Natur hat, der sei daran erinnert, daß Subjekt und Objekt in dieser Untersuchung nur die Bedeutung haben sollen: System — mit und System — ohne — Umwelt. Wenn wir von Transjunktions- bzw. von Rejektionswerten reden, so heißt das nur, daß wir eine Funktion besitzen, die eine logische Grenzlinie zieht zwischen einem O-System, das ohne Umwelt beschrieben werden *muß* und einer überschießenden *Reflexionsstruktur (S-System), die nicht ohne den Gegensatz von System und Umwelt begriffen werden kann.* Die Theorie der Reflexion-in-sich ist auf allen Stufen die Lehre von jenen formalen Strukturen, in denen sich Rejektionen von beliebigen Wertalternativen manifestieren. Es scheint uns, daß man sich unter Subjektivität formal-logisch überhaupt nichts anderes denken kann.

Es ist selbstverständlich, daß das Verwerfen einer Wert-Alternative nicht total zu sein braucht, wie das in unserm Beispiel in Tafel (IX) der Fall ist. Besetzen wir die Morphogramme [9] bis [12] und [14] mit Werten so erhalten wir alle überhaupt möglichen Fälle von partieller Transjunktion. Raummangel verbietet uns, auf die philosophische Deutung dieser transjunktiven Differenzen einzugehen. Das soll in größerem Zusammenhang nachgeholt werden.[58] Dagegen ist ein Wort vonnöten über die Wertbesetzung des Morphogramms [15], das eine Sonderstellung einnimt. Die in Tafel (IX) dargestellte Transjunktion ist total, aber undifferenziert. Der formale Be-

[58] Vorläufige interpretative Bemerkungen über diese Differenzen finden sich in der Anm. 39 erwähnten Publikation des Verf.

reich logischer Möglichkeiten wäre aber nicht erschöpft, wenn die Rejektion sich angesichts zweier Alternativsituationen (WF und FW) nicht differenzieren könnte. Diesem Fall entspricht die Wertbesetzung des Morphogramms [15]. Dies dürfte der Hegelschen Unterscheidung von einfacher und doppelter Reflexion-in-sich entsprechen.

Die Transjunktion entspricht generell jenem metaphysischen Tatbestand, den wir in früheren Veröffentlichungen als „Reflexionsüberschuß" bezeichnet haben.[59] In ihr trennt sich jene Reflexion, die auf das objektiv-isolierte Sein projiziert werden kann, von jener, die sich einer solchen Projektion entzieht und die deshalb als „Subjektivität" erscheint. Damit begegnen wir aber einer tieferen Zweiwertigkeit, die die klassische Entgegensetzung von Positivität und Negation übergreift und sie als Spezialfall enthält. Jene weitere transklassische Zweiwertigkeit ist die Alternative zwischen Akzeptions- und Rejektionswert. Wieviel Werte wir in mehrwertigen Systemen auch einführen mögen, sie fungieren entweder in einem Morphogramm, das die Struktur der logischen Akzeption oder die einer Rejektion repräsentiert. Tertium non datur! In anderen Worten: das philosophische Zweiwertigkeitsprinzip der „mehrwertigen" Systeme bestimmt, welche Reflexionsstrukturen und Gesetze in einem O-System und welche in einem S-System auftreten.

An dieser Stelle muß einem möglichen Mißverständnis vorgebeugt werden. Die Tafel (IX) könnte den Eindruck erwecken, daß die beiden durch große Buchstaben repräsentiert klassischen Werte ein für allemal Akzeption designieren und daß der durch die Ziffer vertretene Wert definitiv auf Rejektion festgelegt ist. Das ist jedoch nicht der Fall. Ein jeder Wert in einem mehrwertigen System kann akzeptiv oder rejektiv fungieren. Zwecks Illustration des Gesagten wollen wir in Tafel (X) eine interessante T-Funktion anschreiben:

(X)

| p | q | T | [13] | [13] | [13] |
|---|---|---|---|---|---|
| 1 | 1 | 1 | 1 | | 1 |
| 1 | 2 | 3 | 3 | | |
| 1 | 3 | 2 | | | 2 |
| 2 | 1 | 3 | 3 | | |
| 2 | 2 | 2 | 2 | 2 | |
| 2 | 3 | 1 | | 1 | |
| 3 | 1 | 2 | | | 2 |
| 3 | 2 | 1 | | 1 | |
| 3 | 3 | 3 | | 3 | 3 |

[59] Vgl. etwa *G. Günther: Schöpfung, Reflexion und Geschichte.* In: Merkur 41 (1960). 634.

In dieser Tafel sind alle Werte durch Ziffern repräsentiert. Die Funktion (T) ist erst als Kette angeschrieben und dann in ihre morphogrammatischen Einheiten [13, 13, 13] aufgelöst. Das einzige verwendete Morphogramm ist wieder [13], aber in jeder der drei in Tafel (X) möglichen Wertbesetzungen spielt ein anderer Wert die rejektive Rolle. Akzeption ist so verteilt, daß jedes Morphogramm immer einen Akzeptionswert mit einer andern morphogrammatischen Struktur gemeinsam besitzt. Dies Beispiel zeigt deutlich, daß die Eigenschaft des Akzeptierens oder Rejizierens keineswegs an bestimmte Werte gebunden ist. Im klassischen — auf acht Morphogramme beschränkten — System läßt sich dieser Rejektionscharakter nicht genügend von dem negativen Wert ablösen, wie Hegel mit tiefem Blick erkannt hat. Die Subjektivität als Rejektion ist auf „einer Seite fixiert". Hegel wirft besonders Fichte vor, daß bei ihm „Ich fixiert ist als entgegengesetzt gegen Nicht-Ich"[60]. In der klassischen Logik des verbotenen Widerspruchs sind die Reflexionsbestimmungen „gleichgültig gegeneinander", sagt Hegel in dem Abschnitt über das Wesen. „Die eine ist das *Positive*, die andere das *Negative*, aber jene als das an ihm selbst Positive, diese als das an ihm selbst Negative."[61]

Gemäß der Theorie der Dialektik läßt sich diese „fixe Bestimmtheit" der Werte in einer zweiwertig formalen Logik klassischer Observanz nicht aufheben. In dem Augenblick, wo wir sagen, daß das Negative das Positive ist, haben wir den Boden eines zuverlässigen Formalismus verlassen. Übertragen wir aber das Prinzip der Zweiwertigkeit von dem traditionellen Gegensatz auf den der Akzeption oder Rejektion eines zweiwertigen Systems, so ist nicht nur der von den Dialektikern geforderte Funktionswechsel eines logischen Wertes gewährleistet, wir sind überdies im Formalen geblieben. Die vermittels der T-Funktion gebildete Kette ist eine genau so formale Struktur wie klassische Konjunktion und Disjunktion. Das Tertium non datur ist auf der neuen Ebene dadurch wieder gewährleistet, daß ein logischer Wert, der aus einer Alternative resultiert, nicht Akzeptions- oder Rejektionswert sein *kann*, er *muß* das Eine oder das Andere sein. Eine dritte gleichgeordnete Funktionsweise existiert nicht.

Hier kann der Dialektiker selbstverständlich aus der Hegelschen Logik den Einwand schöpfen, daß die beiden Seiten dieses neuen Gegensatzes auch wieder sich unvermittelt gegenüber ständen und daß Akzeption und Rejektion „an sich selbst" allein das seien, was sie seien. Dieser Vorwurf

[60] *Hegel: Werke.* Hrsg. v. H. Glockner. Bd 19. 634 ff.

[61] *Hegel: Wissenschaft der Logik.* Teil 2. 49.

trifft allerdings unser Sprechen über diesen Sachverhalt. Das sich in der Umgangssprache manifestierende theoretische Bewußtsein ist zweiwertig. Und zwar ist es im klassischen Sinne der Zweiwertigkeit unterworfen. Soweit aber ein transklassischer Formalismus in Frage kommt, ist darauf zweierlei zu antworten: Erstens ist es das Charakteristikum des mehrwertigen Kalküls, daß die Werte ihre Rolle als akzeptierende oder nicht-akzeptierende je nach ihrer Position in einer Wertfolge dauernd wechseln; zweitens aber ist der Wertformalismus ja überhaupt nicht die tiefste Grundlage einer Transzendentallogik. Die ist eben das System jener Leerstrukturen, die wir Morphogramme nennen. Und drittens wird niemand, der sich der letzten metaphysischen Wurzeln der transzendental-dialektischen Problematik bewußt ist, die Behauptung wagen, daß sich alle Reflexionsvorgänge und alles Denken in einen „absoluten" Formalismus auflösen läßt. Was hier allein behauptet wird, ist, daß die Formalisierung in ihr bisher nicht zugängliche Dimensionen des logischen Begriffs vorgetrieben werden kann, und zwar in solche, in denen die Gesichtspunkte der Transzendentalität, der Selbstreflexion und der Dialektik auftreten. An welchen metaphysischen Grenzen der Formalisierungsprozeß schließlich haltmachen muß, das ist bei dem gegenwärtigen Stande der Forschung überhaupt noch nicht auszumachen. Der einzelne logische Forscher kann darüber nur ganz private und wissenschaftlich unverbindliche Meinungen haben. Man kann nicht einmal sagen, daß die Meinungen eines KANT-, FICHTE- oder Hegelspezialisten hier schwerer wiegen als die eines Kalkülrechners. Wenn dem einen, wie die heutigen Handbücher der symbolischen Logik zeigen, ein gewisser Sinn für das transzendentale Formproblem abgeht, so fehlt dem anderen gewöhnlich das Fingerspitzengefühl für die subtile Technik der Formalisierung, oder überhaupt der Sinn dafür, wie wichtig es für die Interpretation des transzendental-dialektischen Idealismus ist, daß alles was in demselben formalisierbar ist, auch wirklich solchen exakten Methoden unterworfen wird. In der gegenwärtigen Hegelliteratur sind jedenfalls von solchem Ehrgeiz leider nur geringe Spuren zu finden. Was vonnöten ist, ist eine gutwillige Zusammenarbeit zwischen den metaphysischen und den mathematischen Logikern. Es ist völlig ausgeschlossen, daß die Arbeit von der einen oder der anderen Seite allein geleistet werden kann.

Wir glauben, daß solche Zusammenarbeit von der Einsicht ausgehen sollte, daß die zweiwertige klassische Logik morphogrammatisch unvollständig ist und daß dementsprechend unsere Vorstellungen von dem, was formal ist, einer Modifizierung bedürfen. In einer Logik der Reflexion sollte dann der Wertbegriff eine veränderte Rolle spielen. Hegel wollte die Alternative von „wahr" und „falsch" überhaupt aus der Reflexionslogik verbannen. Damit ging er sicher zu weit. Er hat aber wohl doch richtig gesehen, daß die Logik in tiefere Schichten der Reflexion dringen kann, in denen die besagte Alternative in der Tat gegenstandslos ist. Diese tiefere Schicht ist, so nehmen wir an, im Morphogrammatischen zu finden. Es liegt dort ein ungeahnter Reichtum an strukturellen Beziehungen, der mit konventionellen Methoden nur schwer, wenn überhaupt, aufgedeckt werden kann.

Da wir in den unmittelbar vorhergehenden Betrachtungen die Morphogramme als wertbesetzt und unter dem Gesichtspunkt einer transklassischen Zweiwertigkeit untersucht haben, dürfte der Gegensatz zwischen morphogrammatischer und wertwählender Logik etwas verwischt worden sein. Wir wollen deshalb auf den folgenden Seiten noch kurz auf die Differenz, bzw. Nicht-Identität von morphogrammatischer Kette und Wertfolge aufmerksam machen. Sie ergibt sich ohne weiteres aus dem bisher Gesagten. Wir gingen davon aus, daß die zweiwertige Logik acht Morphogramme besitzt für die *zwei* Wertbesetzungen zur Verfügung stehen. Dadurch ergibt sich ein ganz einzigartiges Verhältnis zwischen Morphogramm und Wert, das in den trans-klassischen Systemen, die Transjunktion involvieren, nicht mehr wiederkehrt. In einer dreiwertigen Logik existiert die folgende Beziehung zwischen der Zahl der morphogrammatischen Ketten einerseits und den möglichen Wertbesetzungen andererseits:

(XI)

| Kette | Wertbesetzung |
|---:|:---:|
| 1 | 3 |
| 255 | 6 |
| 3025 | 6 |

Die Zahl der Ketten ist dabei nach dem Gesichtspunkt unterteilt worden, ob die Besetzung durch einen, durch zwei oder durch drei Werte erfolgt. Eine Kette, die z. B. nur das Morphogramm [5] enthält, erlaubt selbstverständlich nur drei Wertbesetzungen.

Je umfangreicher die logischen Systeme werden, desto höher ist die Zahl der möglichen Wertbesetzungen bzw. desto geringer die Zahl der Ketten verglichen mit der Anzahl der in ihnen auftretenden Wertfolgen. H. von Foerster (University of Illinois) verdankt der Verf. den äußerst wichtigen Hinweis darauf, daß die Zahl der Möglichkeiten, $\mu$ (m) und $\bar{\mu}$ (m), einzelne Werte m in n verschiedene Positionen zu setzen mit Hilfe von S (n, k), den Stirling Zahlen zweiten Grades bestimmt werden kann. Die folgende Tafel (XII) enthält die ersten dieser Zahlen:

| n/k | 1 | 2 | 3 | 4 | 5 | 6 | 7 | 8 | 9 | (XII) |
|---|---|---|---|---|---|---|---|---|---|---|
| 1 | 1 | | | | | | | | | |
| 2 | 1 | 1 | | | | | | | | |
| 3 | 1 | 3 | 1 | | | | | | | |
| 4 | 1 | 7 | 6 | 1 | | | | | | |
| 5 | 1 | 15 | 25 | 10 | 1 | | | | | |
| 6 | 1 | 31 | 90 | 65 | 15 | 1 | | | | |
| 7 | 1 | 63 | 301 | 350 | 140 | 21 | 1 | | | |
| 8 | 1 | 127 | 966 | 1701 | 1050 | 266 | 28 | 1 | | |
| 9 | 1 | 255 | 3025 | 7770 | 6951 | 2646 | 462 | 36 | 1 | |
| .. | .. | .. | .. | .. | .. | .. | .. | .. | .. | |

Wir erhalten die Zahl der individuellen Morphogramme und der morphogrammatischen Ketten vermittels der Formel

$$\mu\,(m) = \sum_{i=1}^{m} S\,(m^2, i) \qquad (20)$$

durch Einsetzung von 2 für m ergibt sich dann

$$\mu\,(2) = \sum_{1}^{2} S\,(4, i) = 1 + 7 = 8 \qquad (21)$$

Im Falle eines dreiwertigen Systems:

$$\mu\,(3) = \sum_{1}^{3} S\,(9, i) = 1 + 255 + 3025 = 3281 \qquad (22)$$

Darüber hinaus zeigen uns die STIRLING-Zahlen einen weiteren Aspekt der morphogrammatischen Ketten. Wir wollen denselben ihre $\bar{\mu}$-Struktur nennen. Er ergibt sich aus der Formel

$$\bar{\mu}\,(m) = \sum_{i=1}^{m^2} S\,(m^2, i) \qquad (23)$$

Wir benötigen die Formel (23) zur Begründung unserer Feststellung, daß eine Logik der Reflexion genau 15 morphogrammatische Grundeinheiten hat. Geben wir m den Zahlenwert 2, so ergibt sich:

$$\bar{\mu}\,(2) = 15 \qquad (24)$$

also die Zahl der Morphogramme, aus denen die Tafeln (IIb) plus (III) bestehen. Das ist nach dem bisher Gesagten trivial. Die Formel (23) hat aber noch eine tiefere Bedeutung. Wir geben jetzt m den Wert 3.

$$\bar{\mu}\,(3) = 21147 \qquad (25)$$

Da wir wissen, daß eine dreiwertige Logik nur $3^{3^2} = 19683$ binarisch geformte Wertfolgen haben kann, scheint es zunächst ziemlich unsinnig, einer solchen Logik 21147 morphogrammatische Ketten zuzuschreiben.

Und in der Tat ist das ganz unmöglich, solange wir annehmen, daß 3 der höchste Wert ist, der im System auftreten kann. In anderen Worten ausgedrückt besagt diese letzte Annahme aber, daß wir stipulieren, daß unser dreiwertiges System nur sich selbst und die zweiwertige Logik als Teilordnung enthält und nicht ihrerseits Bestandteil einer höherwertigen Struktur ist. In diesem Fall ist Formel (20) zuständig.

Wir wollen jetzt aber annehmen, daß unsere dreiwertige Struktur nur ein Fragment eines höheren Systems ist, das sagen wir, vorläufig 4 Werte enthält. Soweit unsere 15 morphogrammatischen Grundeinheiten aus Tafel (IIb) und (III) in Frage kommen, ändert sich durch den Wertzuwachs nichts. Andererseits können wir jetzt für eine „dreiwertige"[62] Logik, die ihren Platz als Subsystem in dem reicheren Strukturzusammenhang hat, die folgende Serie von Werten anschreiben:

$$1\,3\,2\,.\,.4\,2\,1\,.\,.\,.\,4\,4\,3 \qquad (26)$$

Dieselbe ist der Tafel (XIII) entnommen.

(XIII)

| p | q | U | a | b | c | d |
|---|---|---|---|---|---|---|
| 1 | 1 | 1 | 1 | 1 | 1 | 1 |
| 1 | 2 | 3 | 3 | 3 | | |
| 1 | 3 | 2 | 2 | | 2 | |
| 1 | 4 | 2 | | 2 | 2 | |
| 2 | 1 | 4 | 4 | 4 | | |
| 2 | 2 | 2 | 2 | 2 | | 2 |
| 2 | 3 | 1 | 1 | | | 1 |
| 2 | 4 | 1 | | 1 | | 1 |
| 3 | 1 | 4 | 4 | | 4 | |
| 3 | 2 | 4 | 4 | | | 4 |
| 3 | 3 | 3 | 3 | | 3 | 3 |
| 3 | 4 | 1 | | | 1 | 1 |
| 4 | 1 | 3 | | 3 | 3 | |
| 4 | 2 | 3 | | 3 | | 3 |
| 4 | 3 | 2 | | | 2 | 2 |
| 4 | 4 | 4 | | 4 | 4 | 4 |

In Tafel (XIII) haben wir eine Funktion „U" angeschrieben, die einer vierwertigen Logik angehört. Dieselbe besitzt 4 „Plätze": a, b, c und d, für dreiwertige Subsysteme. Im Falle von U aber sind alle Plätze von vier Werten besetzt, und zwar derart, daß jede der angeschriebenen fragmentarischen Sequenzen aus drei Morphogrammen vom Typ [15] besteht. So-

[62] D. h. für eine aus drei Morphogrammen bestehende Kette, in der aber vier Werte auftreten können: also eine dreiwertige Logik mit einem Minimum an $\bar{\mu}$-Struktur.

weit unsere vierstelligen Morphogramme in Frage kommen, ist die Struktur immer die gleiche, d. h. ∗ ▲ ● □

Dieselbe tritt, wie wir wissen, erst in einer vierwertigen Logik auf. Andererseits ist die Folge der neun Individualstellen von (26) der Platzhalter einer „dreiwertigen" Logik in jedem reicheren System. Die morphogrammatische Struktur von (26) ist

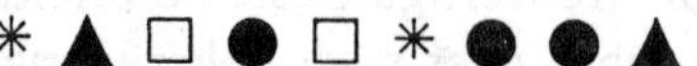

Das aber ist eine Leerform, die in einem isolierten dreiwertigen System nicht vorkommen kann. Sie gehört also zur µ̄-Struktur desselben. Untersuchen wir jetzt weiter die Leerformen, die durch die Wertserien, die b, c und d erfüllen, repräsentiert werden, so stellen wir fest, daß wir 3 weitere neunstellige Leerformen gewinnen, die durch

∗ ● □ ▲ □ ∗ ● ● ▲
∗ ● ● ▲ □ ∗ □ ● ▲
∗ ● ● ▲ □ ● □ ∗ ▲

dargestellt werden können.[63] Das vierstellige Morphogramm [15] produziert also in der Funktion „U" 4 unterschiedliche neunstellige Leerstrukturen. Und damit ist seine Produktionsmöglichkeit noch nicht erschöpft. Die Plätze a, b, c, d können noch 4 weitere ausschließlich aus [15] hervorgehende Strukturen tragen. Es sind das:

∗ ▲ ● ● □ ∗ □ ● ▲
∗ ▲ □ ● □ ● ● ∗ ▲
∗ ▲ ● ● □ ● ▲ ∗ ▲
∗ ● □ ▲ □ ● ● ∗ ▲

Sehen wir von dem Spezialfall des Morphogramms [15] ab, so läßt sich allgemein sagen, daß der Zuwachs an µ̄-Struktur, den eine „dreiwertige" Logik in einem vierwertigen System (das seinerseits *nicht* ein Fragment einer höheren Ordnung ist) erfährt, durch 7770 morphogrammatische Ketten mit neun Individualstellen repräsentiert wird.[64] Ein weiterer, wenn auch geringerer Zuwachs tritt ein, wenn eine entsprechende Einordnung in ein fünfwertiges System erfolgt. Die Grenze der möglichen Bereicherung der µ̄-Struktur ist erreicht, wenn der Übergang von einer acht- zu einer neunwertigen Ordnung vollzogen wird. Es kommt für das ursprüngliche „dreiwertige" System dann gerade noch eine morphogrammatische Leer-

---

[63] Beim Gebrauch der Symbole ∗, □, usw. folgen wir dabei der Konvention, daß die Reihe immer mit ∗ beginnen, an der fünften Stelle □ haben und mit ▲ schließen soll.

[64] Vgl. Tafel (XII).

form dazu, die wir — mit willkürlich gewählter Wertbesetzung — folgendermaßen anschreiben:

$$1\ 4\ 8\ 5\ 2\ 6\ 9\ 7\ 3 \tag{27}$$

Die Eigenschaft dieser Kette besteht darin, daß keine zwei Individualstellen von dem gleichen Wert besetzt werden dürfen. Da es unmöglich ist, in neun Stellen mehr als neun Werte zu placieren, ist damit die Grenze des Wachsens der $\bar{\mu}$-Struktur für dreiwertige Systeme erreicht. Betrachtet man die letzteren als Teile von zehn- oder noch höherwertigen Ordnungen, so besteht ihre fortschreitende Bereicherung — wenn man von einer solchen überhaupt noch sprechen kann — nur in der Möglichkeit, daß höherwertige Negationen eingeführt werden. Z. B. kann die Wertfolge:

$$1\ 1\ 1\ 1\ 2\ 3\ 3\ 3\ 3 \tag{28}$$

durch Negation in

$$1\ 1\ 1\ 1\ 2\ 10\ 10\ 10\ 10 \tag{29}$$

übergeführt werden. Obwohl die Wertfolge (29) erst in einer zehnwertigen Logik auftreten kann, gehört die morphogrammatische Kette, die durch sie besetzt ist — ganz wie im Fall von (28) — zur $\mu$-Struktur einer dreiwertigen Logik.

Der Unterschied von $\mu$- und $\bar{\mu}$-Struktur ist vor allem bedeutsam für die Theorie der Rejektionswerte. Die Zahl der Rejektionswerte, die ein zweiwertiges System in seiner Eigenschaft als Subsystem einer beliebigen m-wertigen Logik haben kann, ist immer m-2. In einer dreiwertigen Logik besitzt also jedes ihr integrierte zweiwertige System nur je einen Rejektionswert. Sind aber dreiwertige Systeme ihrerseits (als Ketten dreier Morphogramme) Teile eines, sagen wir, neunwertigen Systems, dann repräsentiert, wie wir gesehen haben, jede neun Individualstellen umfassende Kette einen größeren strukturellen Reichtum als neun Stellen in einem isolierten dreiwertigen System tragen können. Die obere Grenze für eine solche Bereicherung ist generell durch die Formel

$$S\ (n, k) - \mu = \bar{\mu} \tag{30}$$

gegeben. In unserem Spezialfall einer dreiwertigen Logik gibt das

$$\begin{array}{rrcr} & S\ (n, k) & = & 21\,147 \\ - & \mu & = & 3\,281 \\ \hline & \bar{\mu} & = & 17\,866 \end{array}$$

Kein Zweifel — der Zuwachs an morphogrammatischer Kettenstruktur ist eindrucksvoll. Aber er hat für jedes beliebige m-wertige System mit finitem m eine obere Grenze.

Formel (30) ist ein Ausdruck dafür, daß die klassische Logik morphogrammatisch unvollständig ist. Die STIRLINGnummer zweiten Grades S (n,

k) für vier Individualstellen ist 15. Tafel (IIb) aber enthält nur den Teil der Morphogramme, die ihre $\mu$-Struktur darstellen. Die $\bar{\mu}$ dieser Logik wird uns erst durch Tafel (III) gegeben. Die Rejektionswerte haben also ihre Herkunft aus der $\bar{\mu}$-Struktur. Da aber jedes logische System, das Element eines höheren Reflexionszusammenhanges ist, schließlich einen Zustand morphogrammatischer Sättigung durch seine Rejektionswerte erreicht, wie Formel (30) impliziert, so ist ersichtlich, daß die Rejektionskapazität eines gegebenen S-Systems genau bestimmbar ist. Da für die klassische Logik die $\bar{\mu}$-Struktur in einer vierwertigen Logik, bzw. in einem System morphogrammatischer Ketten, die 6 Glieder haben, vollständig entwickelt ist, lassen sich auch nicht mehr als zwei Stufen der Reflexion, die sich auf reflexionsloses Sein beziehen, unterscheiden. Das ist der Anfang der Hegelschen Logik, wo das Rejizierte als Sein, die erste Rejektion als Nichts und die zweite als Werden auftritt. Die Dialektik des Deutschen Idealismus (wenn nicht die Dialektik überhaupt) ist unter formalen Gesichtspunkten zweiwertig „fixiert", aber sie besitzt in der $\bar{\mu}$-Struktur der Zweiwertigkeit Raum für die „Selbstbewegung" ihrer Begriffe.

Geht man nun zu höher reflektierten, d. h. mehrwertigen Systemen fort, so stellt man fest, daß zwar in jedem m-wertigen System m selbst seinen Rejektionscharakter verliert und zum Akzeptionswert wird, daß aber diesem Verlust ein ständiges Wachsen der Rejektionswerte derart gegenübersteht, daß dieselben für jedes folgende System einen „Überhang" bilden. Die folgende Aufstellung (XIV) soll dieses Verhältnis zwischen den Rejektionswerten eines und des nächsthöheren Systems anschaulich machen:

| Logik | Akzeption | Rejektion (XIV) |
|---|---|---|
| 1-wertig | 1 | 2 |
| 2-wertig | . 2 | 3 4 |
| 3-wertig | . . 3 | 4 5 6 7 8 9 |
| 4-wertig | . . . 4 | 5 6 7 8 9 10 11 12 13 14 15 16 |
| 5-wertig | . . . . 5 | 6 7 8 9 10 11 12 13 14 15 16 17 bis 25 |
| ... | . . . . . . | . . . . . . . . . . . . . |

In Tafel (XIV) ist für jede m-wertige Logik das Verhältnis von Akzeptions- und Rejektionswerten angeschrieben. Werte, die unter dem diagonalen Strich stehen, nehmen für das ihnen korrespondierende System den Charakter von Akzeptionswerten an. Steht der Wert über der Diagonale, so gilt er als Rejektionswert. In der Sektion der akzeptierenden Werte haben wir nicht alle Werte, sondern nur den jeweiligen Zuschuß an Akzeption notiert. Die erste Zeile unter dem Horizontalstrich zeigt, daß die klassische Negation auch als Rejektionswert betrachtet werden kann. Nur muß man sich, falls man dies tut, darüber klar sein, daß damit das für die klassische Logik geltende Umtauschverhältnis der Werte hinfällig wird. Wenn nämlich in der zweiten Reihe die Negation als Akzeption erscheint, wird der positive Wert „1" dadurch keineswegs zur Rejektion. Wir haben weiter oben der klassischen Zweiwertigkeit von Positivität und Negation die transklassische von Akzeption und Rejektion gegenübergestellt. Diese höhere Zweiwertigkeit ist so echt wie die erste. Sie unterscheidet sich aber dadurch von dem älteren Gegensatz, daß wir es hier nicht mehr mit einer Wertsymmetrie, d. h. mit einem einfachen Umtauschverhältnis zu tun haben. Hegels Antithese von „Sein" und „Nichts" setzt genau eine solche (dialektische) Asymmetrie voraus. Und nur durch eine solche ist der Übergang zum „Werden" möglich. Mit diesen Andeutungen über Zweiwertigkeit in dialektischen (und mehrwertigen!) Systemen müssen wir uns hier begnügen.

Wichtiger ist eine andere Eigenschaft, die den Rejektionswerten anhaftet. Wir haben sie ihren „Überhang" genannt. Eine zweiwertige Logik hat, wie wir wissen, zwei Rejektionswerte: „3" und „4". Für ein dreiwertiges System wächst diese Zahl auf sechs an. Und zwar sind es jetzt die mit „4" bis „9" bezeichneten Werte. Beide Ordnungen haben also einen Wert gemeinsam. Der Rejektionsbereich des klassischen Systems hängt mithin minimal über. Der Überhang aber vergrößert sich schnell, wie man, aus Tafel (XIV) ersehen kann. Die dreiwertige Struktur hängt bereits mit fünf Werten über das vierwertige Rejektionsfeld über. Wir haben die Grenzen dieser Überhänge durch kleine nach unten weisende Pfeile markiert. Während nun der Zuwachs an Akzeptionswerten von Stufe zu Stufe immer nur eine Einheit beträgt, wächst der Überhang ziemlich beträchtlich. Er beträgt für eine sechswertige Logik 29 und für ein siebenwertiges System 41 Werte. Allgemein erfolgt der Zuwachs an Rejektionswerten, die für ein gegebenes m-wertiges System einen Überhang über das nächsthöhere formen, gemäß der Formel

$$m^2 - (m + 1) \qquad (31)$$

Wir glauben, daß Formel (31) wichtig ist. Wir betrachten sie nämlich als einen möglichen werttheoretischen Ausdruck für eine der formalen Strukturen, die der Hegelschen Vermittlung zugrunde liegt.

In der Vorrede zur *Phänomenologie des Geistes* beschreibt Hegel die Vermittlung als eine doppelläufige Bewegung: „... *Anders werden*, das zurückgenommen werden muß ..." Und im nächsten Abschnitt heißt es: „... die Vermittlung ist nichts anders als die sich bewegende Sichselbstgleichheit, oder sie ist die Reflexion in sich selbst, das Moment des fürsichseienden Ich, die reine Negativität, oder, auf ihre reine Abstraktion herabgesetzt, das *einfache Werden*. Das Ich oder das Werden überhaupt, dieses Vermitteln ist um seiner Einfachheit willen eben diese werdende Unmittelbarkeit und das Unmittelbare selbst.[65] Diese Erklärung wird ergänzt durch einen außerordentlich wichtigen Passus im zweiten Buch der Großen *Logik*, den wir trotz seiner Länge im vollen Umfang wiedergeben wollen: „Die Reflexion ist die *reine Vermittlung* überhaupt, der Grund ist die *reale Vermittlung* des Wesens mit sich. Jene, die Bewegung des Nichts durch nichts zu sich selbst zurück, ist das Scheinen *seiner* in einem *Andern;* aber weil der Gegensatz in dieser Reflexion noch keine Selbständigkeit hat, so ist weder jenes Erste, das Scheinende ein Positives, noch das Andere in dem es scheint, ein Negatives. Beide sind Substrate, eigentlich nur der Einbildungskraft; sie sind noch nicht sich auf sich selbst Beziehende. Die *reine* Vermittlung ist nur *reine Beziehung,* ohne Bezogene. Die bestimmende Reflexion setzt zwar solche, die identisch mit sich, aber zugleich nur *bestimmte Beziehungen* sind. Der Grund dagegen ist die reale Vermittlung, weil er die Reflexion als aufgehobene Reflexion enthält; er ist das *durch sein Nichtsein in sich zurückkehrende* und *sich setzende* Wesen. Nach diesem Momente der aufgehobenen Reflexion erhält das Gesetzte die Bestimmung der *Unmittelbarkeit,* eines solchen, das außer der Beziehung oder seinem Scheine identisch mit sich ist. Dies Unmittelbare ist das durch das Wesen wiederhergestellte *Sein,* das Nichtsein der Reflexion, durch das das Wesen sich vermittelt. In sich kehrt das Wesen zurück als negierendes; es gibt sich also in seiner Rückkehr in sich die Bestimmtheit, die eben darum das mit sich identische Negative, das aufgehobene Gesetztsein, und somit ebensosehr *seiendes* als die Identität des Wesens mit sich als Grund ist."[66]

Wir haben diese ausführlichen Hegelschen Erklärungen aus einer doppelten Absicht zitiert. Einmal wollen wir uns in einem bescheidenem Maße auf sie berufen und außerdem möchten wir zeigen — und damit widersprechen wir der ersten Absicht bis zu einem gewissen Grade — daß man sich nicht völlig auf den Wortlaut der Sätze Hegels verlassen darf, wenn

[65] *Hegel: Phänomenologie des Geistes*. Hrsg. v. G. Lasson. Leipzig 1928. 21.
[66] *Hegel: Wissenschaft der Logik*. Teil 2. 64.

man untersuchen will, ob sich hinter dieser Philosophie noch unentdeckte formale Strukturen verbergen. Man wird, bei aller Vorsicht, doch den Text sehr frei interpretieren müssen, um das systematische Problem, um das es geht, aus seiner zeit- und umstandsbeschränkten Gestalt zu befreien.

Es dürfte ja wohl nicht ernsthaft bestritten werden, daß Hegel Reflexionssysteme verschiedener Stufenhöhe als solche und in ihrem Verhältnis zu irreflexiven Bewußtseinsdaten beschreibt. In unserer Terminologie: der Philosoph analysiert die Beziehungen, die zwischen beliebigen S-Systemen einerseits und ihren teils verschiedenen, teils identischen Relationen zum O-System strukturtheoretisch gelten müssen. Beschränkte sich der Text der FICHTE, Hegel und SCHELLING auf eine solche (restlos formalisierbare) Aufgabe, so würde er nicht so dunkel sein. Aber der Ehrgeiz der Autoren geht viel weiter. Sie wollen das System der reinen Vernunft entwickeln. Dieselbe soll ihre eigene *Wirklichkeit* begreifen. In unserer trivialeren Ausdrucksweise: das Denken soll feststellen, wie es ontologisch dazu kommt, daß das O-System im Verlauf seiner Geschichte Teilsysteme entwickelt, die es als Umwelt besitzen. Dabei soll „besitzen" in dem von uns weiter oben definierten Sinn verstanden werden, nämlich daß ein solcher Besitz auf den letzten Reflexionsstufen ein Haben der Welt als Bewußtseinsinhalt, samt der Fähigkeit, von solchem Haben in einer „doppelten" Reflexion sich distanzieren zu können, einschließt. Das Denken soll also nicht nur seine Inhalte, sondern sein eigenes Sein im vollen Umfang (des O-Systems) begreifen.

Man braucht wohl nicht erst zu versichern, daß ein solcher radikaler Ehrgeiz samt seinen Resultaten jenseits aller vernünftigen Formalisierungsbestrebungen liegen muß. Etwas ganz anderes aber ist es, die Strukturbedingungen von endlichen Reflexionssystemen, gleichgültig ob sie die Bewußtseinsstufe oder gar die des Selbstbewußtseins erreicht haben oder nicht, einem formalen Kalkül zugänglich zu machen. Von solchen Bedingungen ist in den transzendental-spekulativ-dialektischen Texten reichlich die Rede. Die von uns zitierten Texte zum Thema Vermittlung liefern uns nämlich beides: erstens Andeutungen formaler Strukturen und zweitens verbale Passagen, die sich auf den weiteren metaphysisch-eschatologischen Ehrgeiz ihres Autors beziehen.

Von dem ersten unserer beiden Zitate wollen wir nur zwei Sitchworte aufnehmen, die sich, wie wir glauben, auf formale Strukturmomente reflexiver Systeme beziehen. Es sind das: „sich bewegende Sichselbstgleichheit" (als Reflexion in sich selbst) und weiter: „werdende Unmittelbarkeit" (als das Unmittelbare selbst). Wir haben weiter oben das Reflexionsmoment des Sichabsetzens vom reflexionslosen Sein als logischen Rejektionswert charakterisiert, während Sein als Unmittelbarkeit durch Akzeptionswerte vertreten sein sollte. Nun scheint uns, daß die von Hegel bemerkte Sichselbstgleichheit der Reflexionsmomente — die immer ein niederes und ein höheres System voraussetzt! — in Tafel (XIV) in dem jeweiligen „Überhang" gegeben ist. Soweit ein solcher Überhang reicht, ist die in sich zurückgewendete Reflexion sich selbst gleich. Und daß eine solche Sichselbstgleichheit mit der Reflexionshöhe des Denkens wächst, ist ja eine ausdrückliche Forderung der Hegelschen Logik. Wie anders sollte man sonst zum absoluten Geist und der „Offenbarung der Tiefe" in seinem „absoluten Begriff" kommen!

Zugleich ist diese Reflexion aber progressive „Versenkung in die Substanz", also „werdende Unmittelbarkeit". D. h. die logischen Kategorien, die letztere beschreiben und die durch die Akzeptionswerte repräsentiert werden, werden vertieft und bereichert. In unsere Tafel (XIV) ist das angezeigt durch den Zuwachs an Akzeptionswerten, der in höher reflektierten Systemen zur Verfügung steht, um die ursprünglich unter dem Prinzip der Zweiwertigkeit begriffene „Substanz" logisch zu verstehen. Die derart gegebene Bereicherung an Struktur erlaubt eine mit der Entfaltung der Subjektivität parallel gehende progressive Vertiefung des Seinsverständnisses.

In dem speziell der Logik gewidmeten abschließenden Teil seines Hegelbuches bemerkt Th. Litt, daß es „nur *eine* Logik (gibt), aber diese Logik ist, entgegen der durch die ‚formale Logik' kanonisierten Annahme, eine in sich gestufte, und zwar nach Maßgabe des Denkgehalts gestufte Logik. Innerhalb des Stufenbaus dieser Logik bildet das, was bisher ‚formale Logik' hieß, nur eine, und zwar die unterste Stufe."[67] Mit dieser Auffassung kann man einverstanden sein, abgesehen von der Inkonsequenz, daß die unterste Stufe allein formalisiert werden kann, die höheren aber nicht Wo bleibt da die von Litt mit Recht geforderte Einheit der Logik? Trotzdem liegt auch in der idealistischen Unterscheidung von formaler und transzendentaler, spekulativer dialektischer oder konkreter Logik eine gewisse Wahrheit. Aber könnte es sich nicht vielleicht so verhalten, daß die Schwäche der klassischen zweiwertigen Logik eher darin liegt, daß sie nicht genug formalisieren kann? Sie kommt überhaupt nicht bis zum Begriffe der morphogrammatischen Form. Nimmt man an, daß in einem höher reflektierten Denken die Formalisierungskraft des Denkens stetig

[67] *Th. Litt: Hegel.* Heidelberg 1961. 287.

wächst, dann ist man nicht von dem Hiatus von Form und Stoff bedroht, der es zu keiner Einheit zwischen der formalen Logik der Mathematik und der „konkreten" Logik des philosophischen Denkens kommen lassen will.

Unser zweites, ausführliches Hegelzitat zum Thema der Vermittlung mag eine Ahnung von der in der Reflexion nicht abnehmenden *sondern wachsenden* Formalisierungskraft des Denkens geben. Hegel unterscheidet in ihm ganz unzweideutig zwischen „reiner" und „realer" Vermittlung. Der Text der ersten Hälfte des Zitats ist der reinen, der der zweiten Hälfte der realen Vermittlung gewidmet. Es ist selbstverständlich, daß der auf Formalisierung ausgehende Logiker nichts mit jener zweiten Vermittlung zu tun haben will und kann. In der letzteren handelt es sich darum, wie der Reflexionsprozeß existiert, d. h. um seine „Substantialität". Eine ganz andere Sache aber ist die reine Vermittlung. Über sie sagt das Zitat Interessantes. Es bezieht sich auf die Vermittlung der Momente „Sein" und „Nichts" im Werden und weist darauf hin, daß die so bestehende Reflexion als „Gegensatz ... noch keine Selbständigkeit hat". D. h. die Reflexion kann in den Bestimmungen von Sein und Nichts noch nicht qua Reflexion, d. h. derartig begriffen werden, daß man Reflektiertes (Sein), Reflexionsbild (Nichts) und Reflexionsvorgang unterscheiden kann. In andern Worten: Bewußtsein kann sich auf dieser elementaren Ebene nicht konstituieren. Ein Reflexionsbild, das nichts abbildet, hat eben keinen von dem Reflexionsprozeß unterscheidbaren Inhalt. Hegelisch gesprochen: es ist nicht „bestimmt". Im Text wird dazu gesagt: „Die reine Vermittlung ist nur *reine Beziehung* ohne Bezogene." Man muß also — und niemand soll vergessen, daß wir uns immer noch im Problemgebiet der reinen Vermittlung befinden — zu bestimmten Beziehungen übergehen. Daß wir hier noch ganz im Formalen bleiben (LITT: im Bereich der Identitätslogik) bestätigt Hegel auf seine Weise, indem er versichert, daß diese bestimmten Beziehungen „identisch mit sich" selbst sind. Sieht man sich das zweite Buch der Großen *Logik* nun daraufhin an, wie Hegel die Reflexion auf die Höhe der Bestimmung erhebt, so stellt man fest, daß jetzt an Stelle der *zwei* Momente am Werden im ersten Buch, *drei* Bestimmungen, nämlich Identität, Unterschied und Widerspruch, treten. Und so wie die alternativen Momente sich im Werden aufhoben, so geht jetzt die Trinität der Reflexionsbestimmungen in dem sich als Wesen bestimmenden Grund auf und an ihm zugrunde.

Dahinter steht der Gedanke, daß die Reflexionsstruktur an der leeren Symmetrie von Sein und Nichts nicht dargestellt werden kann. Reflexion (Denken) bedeutet Mangel an Symmetrie! Dieser Mangel an Symmetrie (die „zweite" Negation) wird in den Erörterungen über das „Wesen" nun dadurch produziert, daß das, was ursprünglich Sein war, jetzt als „Identität" auftritt, das Nichts aber von *zwei* negativen Bestimmungen, „Unterschied" und „Widerspruch", vertreten wird. In unserer Terminologie: an die Stelle von einem Rejektionswert sind jetzt zwei getreten. Nach Tafel (XIV) sind wir damit von einwertigen zu zweiwertigen Begriffen der Objektivität übergegangen. Das ursprünglich als Nichts bezeichnete Moment gehört jetzt zur Objektwelt und an die Stelle der Idee des Seins tritt jetzt die kategorial reichere der Wirklichkeit, der der dritte Abschnitt der Lehre vom Wesen gewidmet ist. Diese Bereicherung erscheint in Tafel (XIV) so, daß der erste Rejektionswert in den Zustand eines Akzeptionswertes übergegangen ist.

Raummangel verbietet uns, den entsprechenden Übergang vom zweiten zum dritten Buch der Großen *Logik* unter formallogischen Gesichtspunkten zu skizzieren. Das Unternehmen ist deshalb besonders schwierig, weil Hegel auf der dritten Stufe, in der Lehre vom Begriff, den unendlichen Reflexionsüberschuß sammelt, der in unserer Tafel (XIV) sich unterhalb der Zweiwertigkeit ausbreitet. Die dadurch erzielte reflexive Dichte dürfte nur noch ein Minimum an Identifikationen der formalen dem Text zugrunde liegenden Reflexionsstrukturen erlauben. –

Wir kommen zum Schluß. Es ist die Aufgabe dieser Betrachtung gewesen nachzuweisen, daß die Selbstiteration der Begriffe in der Subjektivität, auf die Fichte so nachdrücklich hingewiesen hat, keineswegs zur Preisgabe des Prinzips des Formalen in einer Logik der Geisteswissenschaften und der Philosophie zu führen braucht. Die Deutschen Idealisten glaubten, daß sich nach einer doppelten Iteration der introszendenten Reflexion (Reflexion-in-sich der Reflexion-in-sich) kein Zuwachs an logischer Formalstruktur ergeben könne.

Demgegenüber ist es wichtig festzustellen, daß der Reflexionszuwachs ohne über die Grenzen eines Formalismus hinauszugehen, auf *zweierlei* Weise begriffen werden kann:

1. durch monotone Iteration eines morphogrammatisch gesättigten Systems
2. durch Zuwachs an morphogrammatischer Struktur vermittels des Übergangs zu höheren Einheiten von Leerstrukturen (Übergang von $\mu$- zu $\bar{\mu}$-Morphogrammatik).

Hier scheint uns der formale Kern der Hegelschen Unterscheidung von schlechter und wahrer Unendlichkeit zu liegen. Wir haben die Frage einer Formalisierung der transzendental-spekulativen Logik unter dem Gesichtspunkt betrachtet, daß die klassische zweiwertige Logik als morphogrammatisch unvollständig angesehen werden muß und daß die Struktur der Dialektik in Hegels Logik vielleicht auf einem tiefer fundierten wertfreien Formalismus ruht. Daß die Dialektik in sich selbst kein formales System darstellt, daran dürfte wohl kaum ein Zweifel bestehen. Und weiter dürfte es wohl auch ausgeschlossen sein, die dialektische Situation, in der sich jedes endliche Bewußtsein befindet, mit den Mitteln eben dieses selben Bewußtseins ohne Restbestand in einen Formalismus aufzulösen.

Ein ganz anderes Problem aber ist, ob sich vielleicht in der Logik des Deutschen Idealismus in transzendentalem bzw. dialektischem Gewande Strukturen verbergen, die uns gestatten würden, wenigstens bestimmte Reflexionsschichten der Dialektik zu formalisieren. In der klassischen Logik besitzen wir einen Formalismus für die einfache, d. h. unmittelbare Reflexion. Die Hegelsche Reflexion-in-sich und -Anderes aber hat ein doppeltes Gesicht in der Dialektik: sie ist einmal metaphysisches System und als solches Beschreibung einer Dimension der Wirklichkeit, in der Form und Gehalt unauflöslich miteinander verbunden sind; zugleich aber ist sie in unserm endlichen Bewußtsein ein Bild der Welt, entworfen gemäß den Gesetzen, die das Bildwerden beherrschen. Die klassische Logik beschreibt nur den geringsten Teil dieser Gesetze. Es ist nicht einzusehen, warum die nicht beschriebenen *alle* jenseits des Horizontes eines nach Form strebenden Denkens stehen sollten. Eine formalisierte Theorie der doppelten, d. h. vermittelten und vermittelnden Reflexion beschreibt nicht die Wirklichkeit, wohl aber ihr Bild und ihr Vermögen Bilder von sich selbst zu haben.

Der logische Formalismus, der uns bisher zur Verfügung steht, umgreift zwar das Bild als unmittelbare Reflexion; er gibt uns jedoch nicht die formalen Gesetze jenes Vermögens der Subjektivität, Bilder von sich selbst und dem Anderen zu haben. In der *Phänomenologie des Geistes* sagt Hegel ausdrücklich, daß das begreifende Subjekt *zwei* Gegenstände besitzt. „Das Bewußtsein hat als Selbstbewußtsein . . . einen doppelten Gegenstand, den einen, den unmittelbaren, den Gegenstand der sinnlichen Gewißheit und des Wahrnehmens . . . und den zweiten, nämlich *sich selbst.*"[68] Es ist die Aufgabe unserer philosophischen Zukunft, die formalen Bedingungen für das Denken jenes zweiten Gegenstandes, des sich selbst reflektierenden Reflexionsprozesses, aufzudecken. Die Theorie des objektiven Geistes wartet seit langem auf ein gesichertes wissenschaftliches Fundament. Die

[68] *Hegel: Phänomenologie des Geistes.* 135.

Idee des Morphogramms und die daraus sich ergebende Theorie der transklassischen Logik möge als Beitrag zu einer solchen Grundlegung betrachtet werden.

## NACHWORT

Nach Abschluß dieser Untersuchung kamen zwei Veröffentlichungen zur Kenntnis des Verf., die als wichtige Beiträge zum Problem einer Formalisierung der transzendental-dialektischen Logik betrachtet werden müssen. Der Essay von Oskar LANGE: *Calosc, Roswoji Dialektika w Swietle Cybernetyki,* (hrsg. unter dem Titel: *Totality, Development and Dialectics in the Light of Cybernetics,* Warsaw 1960, vom U.S. Department of Commerce, Joint Publications Research Service, JPRS 14, 858) schließt sich an die MARXsche Version der Hegelschen Logik an und versucht einige ihrer Grundbegriffe zu mathematisieren. Die andere Arbeit ist von M. C. GOODALL. Sie ist unter dem Titel: *Cognitive Systems and Logical Induction* als interne Veröffentlichung (August 1962) des Research Laboratory of Electronics, Mass. Inst. of Tech., Cambridge Mass. erschienen.

Der Beitrag von LANGE zeigt u. E. deutlich, daß die Dialektik formalisierbare Strukturelemente enthält. Die Abhandlung von GOODALL ist deshalb bemerkenswert, weil ihr Verfasser ohne Kenntnis der Hegelschen Logik (er bezieht sich nur auf C. S. PEIRCE) zu dem Ergebnis kommt, daß „cognition" ein reflexives Entwicklungssystem sei und daß ein solches mit Hilfe einer „triadischen" Logik formalisiert werden kann. Charakteristisch ist GOODALL's Ablehnung der traditionellen Logik. Die Letztere habe Axiome und Regeln „which produce isolated true sentences" (Hegels „isolierte Menge von Bestimmungen"); auf diese Weise komme eine begriffliche „Fixierung" (fixation) zustande, die überwunden werden müsse. Eine triadische Logik der Entwicklung sei universal. D. h. in ihr habe jeder Begriff nur Bedeutung in Beziehung auf das Ganze.

# CYBERNETIC ONTOLOGY AND TRANSJUNCTIONAL OPERATIONS*

## INTRODUCTION

This essay presents some thoughts on an ontology of cybernetics. There is a very simple translation of the term "ontology". It is the theory of What There Is. (Quine) But if this is the case, one rightly expects the discipline to represent a set of statements about "everything". This is just another way of saying that ontology provides us with such general and basic concepts that all aspects of Being or Reality are covered. Consequently all scientific disciplines find their guiding principles and operational maxims grounded in ontology and legitimized by it. Ontology decides whether our logical systems are empty plays with symbols or formal descriptions of what "really" is.

The following investigation arrives at the result that our present (classic) ontology does not cover "everything". It excludes certain phenomena of Being from scientific investigation declaring them to be of irrational or metaphysical nature. The ontologic situation of cybernetics, however, is characterized by the fact that the very aspect of Being that the ontologic tradition excludes from scientific treatment is the thematic core and center of this new discipline. Since it is impossible to deny the existence of novel methods and positive results produced by cybernetic research, we have no choice but to develop a new system of ontology together with a corresponding theory of logic. The logical methods that are used *faute de mieux* in cybernetics belong to the old ontological tradition and are not powerful enough to analyze the fresh aspects of Reality that are beginning to emerge from a theory of automata.

The first section of this essay deals with classic ontology. The second is devoted to some perspectives of a trans-classic ontology. Sections three and four try to develop a new theory of

*Sponsored by National Science Foundation.

logic capable of meeting the demands of cybernetics better than the two- or many-valued systems currently in use. In the first two sections the philosophical view-point dominates. In the last two, technical problems of logic are accentuated.

The author strongly suspects that a majority of readers will hold the opinion that it would have been amply sufficient to restrict the investigation to Section 3 and 4 and to forget about the ontologic prelude of Section 1 and 2. The consensus that basic "metaphysical" reflections about logic have little or no practical value at all is widely spread. There is even some justification for this belief and it may be safely said that, as far as our two-valued traditional logic is concerned, the cyberneticist will gain nothing by submitting his logical procedures to a renewed scrutiny of its fundamental presuppositions. This logic is in its basic features now more than two thousand years old. A long historical process has worked its ontology into the very marrow of our bones, so to speak. We use this ontology with reasonable precision without being in the least aware of doing so.

There seems to be no reason why this happy and comfortable state should not continue. Einstein's widely quoted exclamation: "Der liebe Gott spielt nicht mit Würfeln"* is a poignant expression of the deep-seated belief in classic ontology. And everything might be very well, indeed, except for the advent of trans-classic calculi which demanded an ontologic interpretation. From then on, the logician was faced with an alternative. He could either try to interpret his new procedures in terms of the Aristotelian ontology or he could assume that a many-valued system is incompatible with the classic foundations of logic. This second part of the alternative involves, of course, a much greater risk. So it is understandable that Jan Lukasiewicz looked for ontological support in Aristotle's *Organon* when he introduced a third value into logic. It is important to know that he succeeded to a certain degree and that he was able to find a philosophic interpretation for a calculus with three values, and for another one with a denumerably infinite number of values. This happened between 1920 and 1930. It is quite significant, however, that after about ten years of research he was forced to admit that he could not find any ontologic significance for calculi between three and an infinite number of values. Since then hardly any progress has been made in this direction. Four- five- and other finite n-value systems have been used with practical applications but without any genuine insight into their basic ontologic significance. C. I. Lewis's sceptical statement with regard to

*Transl. "God does not play with dice."

many-valued systems, that "the attempt to include all modes of classification, and all resultant principles would produce, not a canon, but chaos" still stands unchallenged[1a]. For the first time the unity of logic is endangered! To preserve it, competent logicians have suggested that formal logic should be restricted to two values.

We are going to show that this suggestion is untenable. But so is the assumption that many-valued theories should be restricted to interpretation in terms of classic ontology. There is no doubt that this can be done within certain narrow limits and valuable results have been obtained with such procedures. Jack D. Cowan's *Many-valued Logics and Reliable Automata* is a recent and notable example of this method[1b]. We should be very clear about the fact that the interpretation of many-valued systems on the basis of Aristotelian ontology is by no means "false". It is quite legitimate. In fact a vigorous continuation along this line is absolutely necessary.

However, there is another aspect to the question of the relation between a formal logic and its ontology. *Is it possible to exploit the immense capacities of many-valued systems if we use them only to analyze what the classic tradition calls Reality?* This author confesses that the present use of many-valued logic reminds him of a man who might spend a fortune on a Ferrari racer in order that his wife should have transportation to the super-market.

An ontologic analysis of many-valued structures shows that only a tiny, almost infinitesimal, part of them concides with the concept of Being or Reality that we have inherited from the Greeks. If we intend to use the full range of logical possibilities now available to us but still cling to ancient ontological concepts, the result will indeed not be a canon but logical chaos. The basic conceptual foundations with which a logic meets Reality are established as far as two-valued theories are concerned. But with regard to many-valuedness we have not even started to lay the proper foundation. An ontology is nothing but a very general prescription of how to use a logic in an existing world. It tells us how much of this world is approachable by exact scientific procedures. It is the aim of this essay to show which specific data of Reality that the classic ontology judged to be "irrational" or "transcendent" are within the grip of cybernetics if a certain type of many-valued logic is applied. For this very reason we claim that a careful analysis of the ontologic foundation of cybernetics is an eminently practical undertaking. The cyberneticist may find it useful to learn about a new way to interpret trans-classic systems of logic. He should therefore not begrudge us the time and the effort to get acquainted with the contents of Sections 1 and 2.

This is a first attempt to outline an ontology for cybernetic logic. The author is aware of its considerable shortcomings. Among other things it is too abbreviated. But time was short and did not permit a more detailed analysis. The author hopes to make up for it in the second volume of his *Idee und Grundriss einer nicht-Aristotelischen Logik* which is in preparation.

The present essay deals only with one phenomenon, which will be called subjective self-reflection. Some of its elementary features are already recognizable in very primitive, inanimate systems. Nevertheless we shall focus our attention on its highest and richest representation, the self-awareness of Man. It may seem more reasonable to start with the simple manifestations of self-reflection in elementary models of self-organizing systems. Alas, this is not possible for a formal logic which claims general ontological validity for all structures of self-reflection. What will be valid for the self-awareness of man will also be valid for systems of lower reflective organization. But not vice versa. It is not possible to develop a new ontological theory of logic by starting at the bottom. Aristotle did not do so. The general principles of his theory of thinking which stood us in good stead till the advent of cybernetics were developed at the very outset of the evolution of Western science. Aristotle started with an answer to the primordial question: what is, "logically speaking", objective Being? We try to follow a great example if we pose and try to answer the question: what is "logically speaking" subjective self-awareness?

## 1. REMARKS ON CLASSIC ONTOLOGY

Philosophy has played a negligible part in the development of modern science since the times of Newton and Leibniz. The reasons are rather obvious and have frequently been stated. Descartes, Pascal, and Leibniz created the mathematics of their period out of the spirit of metaphysical problems. And Newton's great work *Philosophiae Naturalis Principia Mathematica* not only carried the word philosophy in its title, but fully deserved this label because the transcendental problem of the relation between motion and time played a decisive part in the development of his theory of "fluxions". But then the ways of philosophy and exact science (including mathematics) begin to part. Kant's philosophical speculations about the mutual relations of space and geometry on the one hand, and time and arithmetic on the other were actually refuted by Euler and d'Alembert even before they were stated in the Critique of Pure Reason[1]. For Hegel the mathematical type of thinking had nothing to do with philosophy. And Schopenhauer's ideas about the exact sciences of his time show a complete lack of understanding of the very essence of mathematical or experimental reasoning. Since then the regrettable alienation between philosophy and science has progressed even further. What might be the most profound metaphysical investigation of our own time, the ontological thought analysis by Martin Heidegger, remains intrinsically incomprehensible to the exact scientist or mathematician. It is not the fault of either side. This alienation has unfortunately provoked indifference, contempt, or even outspoken enmity against philosophy in the scientific camp. Perhaps the strongest and most radical expression of the present discord between philosophy and science is represented by the following statement of a well known thinker in the scientific camp: "Es gibt keine Philosophie als Theorie, als System eigener Sätze neben denen der Wissenschaft". (There is no philosophy as theory, as a system of statements *sui generis* apart from those of science). [2]

It seems a rather hopeless task under the circumstances to recommend some philosophical considerations from the field of ontology to the present-day scientist. Yet the attempt has to be made; the radical developments that have taken place within Science during the last decades, have made us suspect that certain fundamental philosophical concepts and presuppositions on which all our scientific efforts are (more or less unconsciously) based are in dire need of a thorough reexamination. The recent arrival of the youngest member of the scientific family, cybernetics, has made this suspicion almost a certainty[3]. Moreover, there is a special reason why the ontologist is interested in this situation. Formal (symbolic) logic, which has so often served as the arbiter in scientific controversies, is at present unable to help: its explosive expansion since about the middle of the last century has made the security of its own foundations dubious. Today it is still impossible to evaluate the effects which such discoveries as those that have come to us from Kurt Gödel and others will have on the future development of this discipline. The ontological basis of logic itself is in question, proof of it is the impossibility of resolving the claims of Intuitionism against Formalism and Platonism at this juncture[4].

There is no escape! When the formal logical foundations of science and mathematics become doubtful, the issue automatically reverts back to the ontological sector of philosophy. But even now the ontologist hardly dares offer his services: he knows only too well how unwelcome his reflections are, even under the present mental tribulations. The shout of logical positivism that the metaphysician is a fictioneer still reverberates loudly in the Hall of Science. But lately events have taken an ironic twist. The scientists themselves have invaded ontology. W. Heisenberg did so some time ago with a very valuable essay *Kausalgesetz and Quantenmechanik*[5]. E. Schrödinger gave in his Tarner

Lectures[6] a very competent exposition of the ontologic relations between consciousness and world. As far as cybernetics is concerned one has only to mention W. S. McCulloch, whose articles offer us quite concentrated doses of metaphysics[7], and Norbert Wiener's essay on *Newtonian and Bergsonian Time*[8] which in our opinion refutes certain basic aspects of traditional metaphysics.

Since cybernetics is much younger than quantum mechanics and, ontologically speaking, less developed, the new ontological situation naturally is delineated most sharply in the statements of Heisenberg and Schrödinger. In the above-mentioned essay Heisenberg offers the following reflections: Kant introduces in his *Critique of Pure Reason* the law of causality as an *a priori* principle by demonstrating that without this principle we could never form the concept of an objective world that exists independently of the subjective thought-processes that take place within our consciousness. Kant poses precisely this question: what "mechanism" in our mind enables us to distinguish between a sequence of events that occurs exclusively in our psyche—for instance a sequence in a dream—and a sequence that takes place in the external world independent of our observation? It is evident, so the *Critique of Pure Reason* points out, that we need a formal criterion to make the desired distinction; for we are aware of objective reality, as well as of our dreams and fantasies, only as content of our consciousness[9]. Nevertheless, we obstinately believe that some of these impressions have their origin in a world outside the mind and others have not. The source of this conviction, Kant declares, is the category of causality, which makes us look at a specific series of impressions as a rigid temporal succession that our mind is powerless to alter or stop. And what our consciousness cannot modify and control must necessarily have an existence outside and independent of it. The law of causality appears thus as a criterion to distinguish between subject and object, between consciousness and world. If we look at our impressions without interpreting them as causally linked to each other, they can be understood only as "a play of imaginations with no reference to an object"[10].

Heisenberg quotes the relevant passage (where Kant demonstrates that causality is our mental mechanism for the distinction between Subjectivity and external Reality) and admits that, if we use this interpretation, we have obtained a genuine *a priori* principle[11]. As such it is, of course, irrefutable--for the very simple reason that this *a priori* principle does not make the slightest assumption about the factual contents of the external Reality. It only states that if we want to think of a Reality that exists independently of the subject who is aware of it, we cannot do so without using the category of causality. To put it differently:

if we want to establish an absolutely objective natural science which completely describes Reality without reference to the subjective origins of our scientific terms and concepts then everything must be understood in terms of causality. Laplace's famous Spirit would face in his differential equations a world devoid of any subjectivity whatsoever. This relation between subject and object depicts the classic ideal of scientific knowledge.

This ideal, however, Heisenberg points out, cannot be pursued since the advent of quantum mechanics. A radically objective system of physics, with a dichotomy of Reality into "thing" and "thought" is now impossible: "the radically isolated object has, on principle, no describable properties"[12].

If Heisenberg's claim remains valid, and there is overwhelming evidence that it will, an entirely new type of logic must be developed. However, the term *New Logic* has been grossly misused since the Cartesian Johannes Clauberg (1622-1665) first spoke of *Logica Vetus et Nova*[13]; it will therefore be necessary to state what should be understood if such an expression is used. *A system of logic is a formalization of an ontology*[14]! If there seems to be a need for a *new logic* a new concept of ontology must be formed and *vice versa*. In the present situation, outstanding representatives of the physical sciences express viewpoints which are *de facto* statements from a new ontology. A new concept of logic is consequently called for. But since such a new concept can only be developed in contrast to our classic tradition and theory of thought, it will be useful to offer a brief sketch of the reciprocity of traditional logic and ontology.

The correspondence theory of logical and ontological structures dates back at least to the dialogues of Plato, the Aristotelian Organon, and the logic of the Stoics. During this epoch the question was raised (and answered): what are the formal and ontological requisites for making verifiable and generally valid statements about the objective world? It was found that such statements are possible only if we assume that the laws of Nature (Being) and the laws of Thought are essentially identical but differ in their formal aspects. This formal difference between a mathematical law in physics and the corresponding law in logic is due to the fact that, in the first case a description of the external world is intended, while in the second case the mirror image of this world, as it is repeated in our thought processes, is the motive and semantic theme of our representation.

Thus the set of natural laws (objectivity) and the inverse set of the rules and structures of logic together form an enantiomorphic system of rationality. The two subsets of this system constitute a symmetrical exchange relation which is as simple as our familiar distinction between left and right. This exchange relation is defined by our traditional operator of two-valued negation. Any datum of experience is either positive or negative, objective or subjective, and no third term *(tertium non datur)* is allowed. The disjunction is exclusive and total. The classic tradition, in a time-honored expression, speaks of the metaphysical identity of Thought and Being. In the realm of the ultimate, absolute Reality, Thought and Being are the same. They can be distinguished only on a relative empirical level where they appear as opposites. But our ontologic tradition insists that even in this opposition they express the same meaning and represent only two different aspects of the same "subject-matter" as our language profoundly says. However, it should never be forgotten that these two empirical aspects of Reality constitute a strict exchange relation of two sets or subsystems of a universal enantiomorphic structure which is, as such, indifferent to the distinction between subject and object (Cusanus' *coincidentia oppositorum).*

However, this system of classic (two-valued) ontology, successful as it has proved for the development of Western science, suffers from an enormous drawback. The symmetrical exchange relation and the resulting ontological equivalence of subject and object governs only the mutual relations between the two subsets as inverse totalities. It is not applicable to any individual member of either set. In other words, the context of terms that describe the structure of our external objective world permits not the slightest penetration by concepts that refer to the epistemologic subject of cognizance that comprehends and is aware of objects. We may either discourse about objective reality (i.e. nature) in ontological terms or we may refer to the perceiving subject in logo-logical concepts, but we are absolutely not permitted to mix the two. If we ignore this prohibition we invariably get lost in a jungle of contradictions and paradoxes. The very fact that we nowadays possess an accurate science and base on it a vast technology is due to an ontologic tradition which was reasonably strict in adhering to the principle of dichotomy between matter and form and between subject and object.

The two-valued character of our logical tradition from the time of the Greeks up to the present day[15] testifies to the fact that our logic is a faithful attempt to formalize the ontology of the ultimate parity of form and matter, or subject and object as it was expressed in the ancient maxim of the metaphysical identity of Thought and Being. As long as our logical endeavors are orientated to this ontology we have no right to speak of a new logic, despite the enormous amount of detail that has been added to the older system in the course of the past century. But our logic still insists that it is meaningful to conceive the idea of a thought-object being fully identical with itself and therefore capable of isolation. The assumed metaphysical parity of Thought and Being permits a consistent system of formalization (logic) only if we regard these two primordial components of Reality as a symmetrical exchange relation. But such a relation isolates the two components completely from each other. Mind and Matter belong to different metaphysical dimensions; they do not mix. There is no such division between the energetic and the material state of the Universe. The Einstein equation $E = mc^2$ states that energy may be converted into mass and vice versa. But there is no analogous formula for the conversion of thought into matter or meaning into energy. We know as an empirical fact that our brain is a physical system where certain largely unknown - but physical - events take place. These represent to the observer a combination of electrical and chemical data[16] producing a mysterious phenomenon which we might call meaning, consciousness, or self-awareness. In view of this fact we must either retreat into theology and speak of a supernatural soul which only resides in this body as a guest, or assume that matter, energy and mind are elements of a transitive relation. In other words there should be a conversion formula which holds between energy and mind, and which is a strict analogy to the Einstein equation. From the view-point of our classic, two-valued logic (with its rigid dichotomy between subjectivity and objective events) the search for such a formula would seem hardly less than insanity. The common denominator between Mind and Matter is metaphysical and not physical according to a spiritual tradition of mankind that dates back several millenia. The very structure of our logic implies this metaphysical belief.

But if Heisenberg's statements about the mathematical inseparability of subject and object in a quantum-mechanical description of the physical world are correct, then it becomes impossible to subscribe further to our traditional ontology and its consequences in formal logic. However, the mental step implied is enormous, and should not be taken on the testimony of a single witness no matter how great his scientific reputation. We shall, therefore, turn our attention to Erwin Schrödinger's more elaborate discussion of the problem.

In the main, Schrödinger's ideas take the same epistemological trend as those of Heisenberg. He discusses in detail the principle of objectivation which interprets objects as ontologically isolated identities. This has led to great successes. But the price we have paid for it is indicated by the fact that "we have not yet succeeded in elaborating a fairly understandable outlook on the world without retiring our own mind, the producer of the world picture, from it..."[17]. The principle of radical objectivation was undoubtedly necessary for the past period of scientific research and it will remain so for certain borderline cases.

However, since the advent of quantum mechanics in physics, of meta-theory in logic and mathematics, and, last but not least, since the emergence of cybernetics the scientific situation has changed so radically that a new appraisal of this principle is overdue. Schrödinger draws our attention to the fact that as long as our thinking objectivates without hindrance and inhibitions it "...has cut itself off from an adequate understanding of the subject of Cognizance, of the mind"[18]. And he continues: "But I do believe that this is precisely the point where our present way of thinking does need to be amended.... That will not be easy, we must beware of blunders.... We do not wish to lose the logical precision that our scientific thought has reached...."[18]. This is not a passing thought in the Tarner Lectures. On another page we find a similar statement where Schrodinger again admonishes us to give up ".... the time-hallowed discrimination between subject and object. Though we have to accept it in everyday life for 'practical reference' we ought, so I believe, to abandon it in philosophical thought"[19].

Unfortunately, that seems to be easier said than done. Schrödinger himself draws our attention to a very peculiar relation between subject and object when he remarks: "the reason why our sentient, percipient, and thinking ego is met nowhere within our world picture can easily be indicated in seven words: because it is itself that world picture. It is identical with the whole and therefore cannot be contained in it as a part of it"[20]. Yet common sense and daily experience tell us that our thinking ego is a content of this world which science describes as an utterly subjectless context of existence. The Tarner Lectures call this an "antinomy" and refer to it with the following remarks: "The thing that bewilders us is the curious double role that the conscious mind acquires. On the one hand it is the stage, and the only stage on which this whole world-process takes place, or the vessel and container that contains it all and outside which there is nothing. On the other hand we gather the impression, maybe the deceptive impression, that within this world-bustle the conscious mind is tied up with certain very peculiar organs (brains).... On the one hand, mind is the artist who has produced the whole; in the accomplished work, however, it is but an insignificant accessory that might be absent without detracting from the total effect"[21].

If Schrödinger states that the phenomenon of consciousness or self-awareness has no legitimate place in our world picture because it is itself this very picture, he says in effect, that to be a subject means to be a mirror for an object. But since no subjects are to be found in this world this mirror must be an object too. The conclusion is unavoidable that if we use the term "subject" we actually mean a special class of objects which have the mysterious quality that they can reflect any other object in such a way that not only the object but the process of reflection is mirrored. Fichte significantly called the subject (ego) an "image of an image" and in another context "the image of a capacity" (to have images)[22]. So there is nothing but objects and "images". And insofar as a subject "exists" it does so only as an object. *Qua* subject it simply isn't there. In fact it is nowhere. No wonder classic ontology delivered a startling dictum through the person of William James who published, in 1904, an essay: "Does Consciousness Exist"?[23] He first notes that Kant in the *Critique of Pure Reason* weakened the philosophic concept of "soul". He replaced it with his concept of the transcendental ego which in its turn attenuated itself to the "thoroughly ghostly condition" of a *Bewusstsein uberhaupt* (general consciousness) "of which in itself absolutely nothing can be said"[24]. James careful analysis finally leads to the assertion that consciousness does not exist! "That entity is fictitious, while thoughts in the concrete are fully real. But thoughts in the concrete are made of the same stuff as things are"[25].

This conclusion may sound somewhat melodramatic, but it does not come as a surprise to the student of the history of Western science. He knows that all scientific endeavors of the past are based on the ontological proposition that every law that contributes to a verifiable description of Reality must be resolvable into statements about objects and objective events, because the terms that our cognitive mind forms as categories of mental comprehension are at the same time ontic properties of things and their modes of physical existence[26]. This "metaphysical" identity of Thought and Being is, according to Aristotle, the fundamental prerequisite of any science that deserves the name. And we cannot deny that the faithful adherence to this ancient tradition has stood us in good stead.

However, this basic epistemologic attitude, which still dominates our thinking, entails a fatal weakness. All our scientific terms—as they are developed on this Aristotelian ontological basis—retain a semantic ambiguity. They can, in their entirety, either be taken as a description of the Universe as the absolute Object or as the absolute Subject. In other words: there is nothing in our present theories of thinking to enable us to distinguish logically between a genuine object like a stone and a subject or center of consciousness that appears to us to be a pseudo-object if we locate it in the body of an animal or human and call it an ego. This is the relevant meaning in Schrödinger's remark that the mysterious entity we are accustomed to call a subject is nothing but our world picture taken as a totality.

It is interesting to note that it has occurred to neither Heisenberg nor Schrödinger that this situation makes their suggested inclusion of subjectivity into our scientific world picture quite impossible. Our classic system of (two-valued) concepts represents an enantiomorphic structure of rationality where the object exhaustively mirrors the subject and vice versa. This system offers two and only two ways to provide us with an ontological description of the relation between subject and object. This relation may either be interpreted as a conjunction or as a disjunction. But these two interpretations are inextricably compounded. If we consider the relation between subject and object with regard to the totality of the world and define it as conjunctive, then both form a disjunction relative to any arbitrarily chosen part of the world. But if we take the opposite view and presume that their ultimate ontological relation is disjunctive, then their relation inside the world must necessarily be conjunctive. This is the law of duality of two-valued logic stated by the two DeMorgan expressions:

$$p \wedge q \equiv \sim(\sim p \vee \sim q)$$

$$p \vee q \equiv \sim(\sim p \wedge \sim q)$$

Since it does not matter from which angle we look at the situation we shall take our orientation in the following arguments mostly from the conjunctive viewpoint.

If we assume that subject and object are the inverse unit elements of an enantiomorph system, then it is possible to make empirically conjunctive statements about subjects and objects in a context where all terms are uniformly designated. We do that in our discourse daily and think nothing of it. But, of course, everything we say about subjects is expressed in terms that designate objects. We cannot help it because there are no other terms available owing to the collaboration between the principle of objectivation and two-valued logic. We are so accustomed to this epistomological deficiency in our language that we make automatically and unconsciously the necessary allowances when we receive information of this sort. If somebody told his friend to pick up his wife at the steps of the Lincoln Memorial and he reported afterwards: I could not pick "her" up because I located only her body standing on the steps, that would be considered a very stupid joke. However, in a strict ontological sense the friend would have been right. Subjectivity cannot be located in this manner. And what could have been picked up was merely an "it", not a "she".

But if Reality is actually the conjunction of the inverse components of subject and object, and we insist on a precise scientific language which does not permit the liberties of everyday speech, we arrive by logical necessity at a duality of interpretations for our system of objective terms. H. Reichenbach has drawn our attention to the fact that this is what has actually happened in quantum mechanics. The Schrödinger wave equation guarantees logically a "strict duality of wave and corpuscle interpretation for free particles"[27]. This is the only way to obtain an "exhaustive" description of Reality in purely objective terms. The contraposition of subject and object is transposed into Bohr's rule of complementarity. The two quantum mechanical concepts of corpuscle and wave still designate objective reality. But the degree of objectivation that is represented by them is much lower than for corresponding terms of classic physics. What dilutes their ontological significance is their complementary contraposition[28]. The degree of objectivity that was formerly represented by a single concept is now distributed over two. *This property of distribution is the disguise under which the subjective component of our quantum-mechanical terms conceals itself.*

Since we will later demonstrate that this element of distribution is the general logical criterion for determining whether a given theoretical system contains smaller or larger traces of subjectivity in its terms, it may be useful to explain a little further how it shows up in Bohr's rule of complementarity. The so-called Copenhagen Interpretation of quantum theory starts from the fact that any experiment in physics must be described by using the two-valued classic terms of physical science. These terms cannot be replaced as an epistomological basis of our thinking because our consciousness assumes a two-valued structure whenever it contacts objective facts. Our classic theories of nature use these terms exclusively because they strive for that scientific "idealization in which we can speak about parts of the world without reference to ourselves"[29]. Quantum mechanics on the other hand maintains that this radical dichotomy between subject and object is a purely formal concept'. Subject and object constitute a clear-cut division of Reality only as long as we conceive the objective world as a self-contained totality and put it as such in contrast to subjectivity in general. But as soon as we want to observe *part* of the world the symmetrical character of our formal system of logic is affected and special provisions have to be taken to preserve it.

Heisenberg has described the epistemological inbalance of terms in quantum mechanics by making the statement that modern physics "starts from the division of the world into the 'object' and the rest of the world". But dichotomy implies "already a reference to ourselves and insofar our description (of the world) is not completely objective"[30]. It is important that we are fully aware of the ontologic consequences of this statement. If the dichotomy radically separates object and subject. so that the first represents *all* of the world and the second only our description of it, then this description would be completely objective. Our set of descriptive terms and the corresponding set of objective properties of the external world would represent a structural equivalence and not an implicative relation. There would be no Reflexionsgefälle (gradient of reflection) between the subject and the object. But the division which Heisenberg proclaims is not such a simple one. He places the object on one side and the "rest of the world" on the other. But the rest of the world means a conjunction of object and subject! This is exactly his point.

But if we accept this second dichotomy, and there is no reason why we should not, we will have to remember that in any description of objective Reality the two terms "object" and "subject" are inversely equivalent. This means: Heisenberg's dichotomy is only acceptable if it is supplemented by a corresponding dimension which separates the subject from "the rest of the world". In this way we arrive at three ontologic dichotomies as the following table demonstrates:

| object ($O^o$) | subject ($S^s$) |
|---|---|
| object ($O^o$) | object ($O^s$) < subject ($S^s$) |
| object ($O^o$) < subject ($S^o$) | subject ($S^s$) |

The indices refer to the *"als"* (as if) category of transcendental logic. Something is thought of *as* having reference only to itself or *as* referring to something else. The distinction corresponds roughly to that of world in itself (an sich) and "world" as content of our awareness, and to that of consciousness as inner subjective awareness and consciousness as objective event in the external world. Heisenberg's dichotomy implies that distinction, but it seems that he is not aware of what his "rest of the world" means. The division above the horizontal line refers to the "absolute" dichotomy of the classic tradition of logic which believed in the ideal of a radically objective description of Reality. The Copenhagen interpretation of quantum mechanics is represented directly below and further down its necessary corollary. If we represent the possible formal relations between O and S in symbolic form we obtain

$$O^o \equiv S^s \qquad (1)$$

$$O^o \supset (O^s < S^s) \qquad (2)$$

$$(O^o \wedge S^o) \subset S^s \qquad (3)$$

Formula (1) is always true if $O^o$ and $S^s$ have the same value and it is always false if their values differ. Formula (2) is invalid if and only if $O^o$ is true and the conjunction of $O^s$ and $S^s$ does not hold. In Formula (3) this situation is reversed. This time the implication is not valid if $S^s$ is true and again the conjunction does not hold. It is obvious that if Formula (1) holds then Formula (2) cannot stand alone. It must be complemented by Formula (3). Otherwise the value symmetry which the Copenhagen Interpretation expressly demands is destroyed. It is significant that a two-valued calculus of logic (as applied in quantum mechanics) cannot assign different values to $S^s$ and $S^o$ or to $O^o$ and $O^s$. In other words: although the Copenhagen Interpretation acknowledges epistemological differences between $S^s$ and $S^o$ or between $O^o$ and $O^s$, from the view-point of a formal classic calculus the indices are redundant.

This co-validity of the Formulas (2) and (3) points at two distinct phenomena of distribution of terms in quantum mechanics. There must be one type of distribution concerning the $O^o$-range describing the object) and another one in the $S^s$-range (developing the logical theory). We have already taken notice of Bohr's rule of complementarity in this context and observed that the duality of corpuscle and wave indicates a distribution of subjectivity over two sets of objective terms. The second feature of distributivity shall be mentioned three paragraphs below. Whatever the epistemologic frame of a scientific discipline, the thinking that is done in it is nothing else but the mapping of a set of conceptual terms onto a field of objective data. The simplest case is represented by Formula (1). Here the set of S-terms corresponds one-to-one with the set of O-terms. But in order to give this two-valued system ontological significance either "S" or "O" must be declared as designated value. If we choose "O" we are entitled to state that our formulas provide us with an abstract picture of the objective world. But the subject as the onlooker, who *has* this image, remains an unknown x because "S" was not the designated value. In other words, the procedure of designation implies that the ontological character of either "S" or "O" must remain unknown. If "O" is the designated value, then we assume a mysterious "soul" that perceives a real world and knows about it in genuine objective terms. If, however, the designation favors "S" as for instance Fichte's and Hegel's logic does, then the resulting philosophy seems to know all about the subject but the genuine object, the thing-in-itself, disappears. Kant still admits its existence in the *Critique of Pure Reason* but emphasizes that we will never know anything about it. His successors Fichte and Hegel are not even satisfied with that. They demonstrate rather convincingly that the very concept of an isolated object-in-itself is a logical contradiction.

That means we cannot even make meaningful statements which assert the radical objective existence of such things.

We have gone in such detail about this ontological issue because it is of overriding importance to understand why a two-valued theory of thought can never describe an order of Reality in which subject *qua* subject and object *qua* object co-exist. A logic in the usual sense of the word cannot be applied at all unless we designate a value. But as soon as we have done this we are committed. We cannot have it both ways. If we use our logic to describe the object, then the context of our terms is never applicable to the subject. But if our theory aims at describing the relations between our mental (subjective) concepts, then we do not obtain a picture of the objective world, only of its reflected image, with typical properties of reflection that the objects do not possess.

The peculiar epistemological structure of quantum mechanics stems from the fact that it uses a logic in which subject and object permit only an inverse transmission of terms but it applies it to a dimension of Reality where subjective and objective properties are inextricably mixed. The result is, as we have pointed out, a distribution either of objective terms over the range of subjectivity or an inverse distribution of subjective concepts over the field of objects. Our Formulas (2) and (3) indicate these reciprocal situations. The practical effect of this unusual situation can be described as follows: As long as no factor of distribution enters the picture, the case in classic physics, we use *two and only two* distinctly different values to describe *one single* object that is fully and unquestionably identical with itself. But as soon as we allow for distribution two things happen. On the objective side it becomes impossible to retain the concept of an object that has an indivisible identity with itself. Instead of it we obtain two pseudo-objects which complement themselves as mutually exclusive pictures of the objective component of Reality. This is the duality of the corpuscle-wave concept which mirrors the classic contraposition of the two logical values "positive" and "negative". In pre-quantum-mechanical physics only one value designates the object. Consequently it is sharply focussed and single. But from the very moment the physicist claims that it is impossible to separate nonambiguously in his observational data the share of the subject and the object, *both* values have to be used for the description of what he sees. Hence the splitting of the identity of the object in its two images as corpuscle and wave. So much for the object and the rule of complementarity.

But in any science we can think of a comprehending subject facing a certain context of the world. If this context is changed, it must necessarily modify the conditions of thought under which the relevant context can be understood. This reciprocity is expressed in our Formulas (2) and (3). It means, as far as quantum mechanics is concerned, that the principle of distribution manifests itself not only in our description of objects and objectivity in general but also in the epistemological conditions that determine the logic of our scientific thought processes. We remember that on the classic level of epistemology we had two distinct logical values (true-false) on the subjective side facing one single self-identical object in the external world. Now the identity of this very same object is distributed over two complementary concepts of objectivity. But the argument applies both ways. The reciprocity of Formulas (2) and (3) implies that the principle of distribution should equally hold on the side of thought, affecting the rigid contraposition of our two values. And this is what happens indeed. "True" (T) and "false" (F) are distributed over each other; instead of the clear distinction between them which is expressed in Table I:

TABLE I

| F | T |
|---|---|
| 1 | 0 |
| 0 | 1 |

we are forced to adopt a sliding scale of "mixed" values:

TABLE II

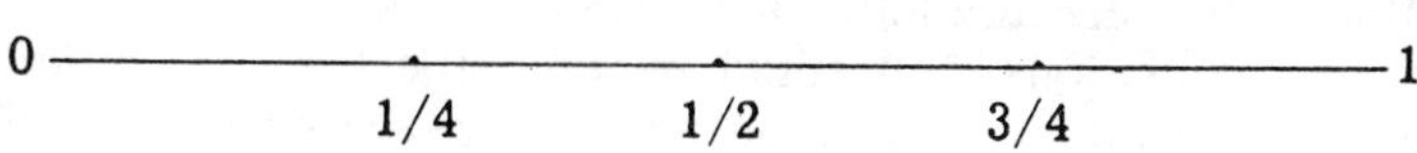


The result is that we can describe the properties of observed "objects" only in terms of probability functions. Not only external existence manifests itself in complementary forms. There is subjective complementarity too. "The *Knowledge* of the position of a particle is complementary to the *Knowledge* of its velocity or momentum"[31].

To prevent a misinterpretation of the term "subjective" as used by Heisenberg, by Schrödinger or the present author, it should be emphasized that it never means dependency on the *arbitrariness* of any subject, not even the impassioned scientific observer. Heisenberg has clearly stated: "The probability function combines objective and subjective elements. It contains statements about possibilities, or better, tendencies....but.... these statements are completely objective: they do not depend on any observer"[32]. The expression "subjective" if used in quantum mechanics with regard to the corpuscle-wave duality and the probability of functions, *can never mean anything but that the logic applied uses its two values in a distributed state.*

With these remarks we conclude our presentation of the part played by subjectivity in modern physics. However, the definition of subjectivity as a phenomenon of value-distribution in logic and as ambiguity in the concept of the object (particle plus wave) that emerged from our arguments is not sufficient for the purpose of cybernetics. We have seen how the introduction of the subject into our scientific frame of reference changes the ontology of the object. But a parallel ontology of the subject has not yet been introduced. Its discussion will be our next concern.

## 2. TRANS-CLASSIC ASPECTS OF ONTOLOGY

The reasons why the logical properties of subjectivity disclosed in quantum mechanics do not by themselves satisfy the requirements of cybernetics can be stated in simple terms. Physical science is—quite rightly so—only interested in the description of genuine objects and of objective events. Subjectivity enters the picture only in a negative manner, as a lack of certainty and as a duality of terms weakening their power to designate objectivity. The subject as such, as a center of reflections with self-reference, is not the topic of any science with the methodological aim to explore this whole world the way it is given to us as the objective content of our consciousness. Even if the ideal of objectivity seems to be rather tarnished nowadays it still remains a regulative principle of scientific conduct.

Under the circumstances it might seem doubtful whether subjective consciousness could become the topic of a serious scientific treatment. It is true that we possess a very profound epistemological theory of self-consciousness, but it was developed by metaphysicians in India as well as in the Western World. Its terminology is suspect and, in its traditional form, almost useless for scientific purposes. On the other hand, present day cybernetics is so enamored of its imposing arsenal of hardware and of a terminology attuned to the radically objective character of physical models that there seems little chance these two shall ever meet.

Yet they must be brought together. When computer theorists pose such questions as: can machines have memory? do they think? are they able to learn? can they make decisions? do they possess creativity? we can see that subjectivity enters into cybernetics from the very beginning in a much stronger fashion than into physics. Nobody has ever seriously asked whether electrons think or whether they are gifted with the power of mental creativity. Classic, as well as modern, physics are not interested in the fact that our universe contains several groups of systems with such a high capacity for self-organization that they produce a mysterious quality called consciousness or self-awareness. It is quite different with cybernetics. This novel theory potentially encompasses every scientific discipline that, by its very nature, is obliged to recognize the actual existence of a plurality of centers of self-awareness which we commonly call consciousness. In his *Design for a Brain* Ross Ashby[33] has given a very clear exposition of the methodological situation that confronts us in cybernetics. He points out that the (originally subjective) category of "learning" can be defined in a way that has no necessary dependence on consciousness. But he significantly adds that the "observation, showing that consciousness is sometimes not necessary, gives us no right to deduce that consciousness does not exist. The truth is quite otherwise, for the fact of the existence of consciousness is prior to all other facts. If I perceive - am aware of - a chair, I may later be persuaded, by other evidence, that the appearance was produced only by a trick of lighting; I may be persuaded that it occurred in a dream, or even that it was an hallucination; but there is no evidence in existence that could persuade me that my awareness itself was mistaken - that I had not really been aware at all. This knowledge of personal awareness, therefore, is prior to all other forms of knowledge"[36]. From this it follows clearly, as Ashby has pointed out in another context, that "cybernetics has its own foundations"[34]. It should be noted that the concept of consciousness is not built into the foundations of physics - despite its empirical admixture of subjective elements. However, if Ashby is right (and we believe strongly that he is) that the existence of consciousness is prior to all other facts in cybernetics, then the ontological foundations of any cybernetic theory must differ essentially from those of physics. In the latter discipline we shall continue to search, despite all modern developments, for the basic laws of materiality. Materiality is what we mean if we imply that there is an outside world beyond the confines of our or any consciousness. It does not matter at all how diaphanous this idea of materiality has become during the last decades. There is some possibility it might even fade into the concept of a "self-field", the ultimate speculation of modern physics[35]; but even such a field would be an objective order of Reality. Objectivity has always meant and will always mean materiality. Ontologically speaking it makes not the slightest difference whether we define materiality as that which we can see or touch, or whether we interpret it as a "hypostatized" field of self-interaction. It still remains the very same objective "It" as the trivial objects of our daily life. The concept of consciousness does not enter into this picture at all. In fact it has been irrelevant for the entire development of Western science from the Greeks till this present century.

For cybernetics, on the other hand, the fact of self-awareness is fundamental. It follows that Man is about to enter a new epoch in his scientific history[36]. The transition from the physical sciences to that new group of disciplines which are originating under the general label cybernetics is so basic that the magnitude of this mental revolution is not yet fully grasped even by the cyberneticists themselves. We shall try to give an approximate idea of its size by starting from some principal statements made by Ashby. He remarks in his *Introduction to Cybernetics*, under the very appropriate heading "What is New?", that "the truths of cybernetics are not conditional on their being derived from some other branch of science." Accordingly, "it depends in no essential way on the laws of physics or on the properties of matter... The materiality is irrelevant, and so is the holding or not of the ordinary laws of physics"[37].

This leads to surprising conclusions. It will be useful however, before stating them to give the working definition of cybernetics that Ashby offers under the same heading. He interprets this novel science as "the study of systems that are open to energy but closed to information and control"[38]. From a purely logical viewpoint this definition is somewhat preliminary and redundant, for the concept of control can to some degree be subsumed under information. However, it will serve, together with Ashby's other remarks, as a good starting point for a general definition which might satisfy the ontologist. Since the distinction between "open to energy" and "closed to information" implies the irrelevancy of the material aspects of a cybernetic system one might describe cybernetics from the ontological angle as the study of a specific type of systems that must be described in terms presuming but not designating the materiality of the system. However, this definition also can only be provisional. It suffers from the fact that the designating character of cybernetic terms is only negatively circumscribed. Especially since we do not know how these specific types of systems should be defined in logical terms which do refer to its susceptibility to information. But we have already learned something of considerable importance: in our universe there exists a class of physical systems which have a non-material aspect. This aspect can be scientifically investigated! It can be treated experimentally, and we may build a new type of technology on it.

The transition of our thinking to this new outlook has come to us so gradually and partially disguised in the cloak of trustworthy traditional patterns of thinking that very few contemporary thinkers realize how radical the change has been and how many innovations it will induce in the future. The idea that we encounter in our universe phenomena that seem not only to have a non-material aspect but in whom this aspect alone describes their essence is one of the oldest of mankind. We have ancient, cryptic words for it like Life and Soul. But these non-material manifestations of Reality were always considered the domain of religion and theology, beyond the reach of scientific treatment. Only in the nineteenth century did this outlook begin to change, when the influence of Kant, Fichte and Hegel made itself felt in the new scientific theories. Kant had deprived the concept of soul of all metaphysical substantiality, declaring it to be a regulative principle of thought. Following in his steps, Fichte and Hegel developed the first full-fledged logic of consciousness: the secularization of the concepts of Life and Soul had entered its first phase. A significant new term was coined during this period: *Geisteswissenschaft.* The word "Geist" is untranslatable, and since 1871 we find it in English dictionaries as an adopted foreign word. It is interesting to notice that if we divest the word of all specific nuances with which the German tradition has impregnated it and penetrate to its logical core then it means nothing but an aspect of objective Reality that must be described in terms which are indifferent to the materiality of the objective context that is under discussion. But the idea of Life or Soul as a metaphysical essence that resides temporarily or even permanently as an *alien* in our empirical reality died hard. In natural science it survived for some time in the theory of vitalism. In philosophy it continues to plague us in many disguises like, for instance, the division between the humanities and science or the modern varieties of irrationalisms.

It seems to us that cybernetics is taking up the heritage of those ancient metaphysical traditions if it deals with that sector of Reality where the question of the material character of the observed phenomenon has become irrelevant. However, the range of the phenomena that belong to this category is enormous. It encompasses the whole scope of the Universe. To it belong all inanimate systems that show even the slightest degree of capacity for self-organization. It includes as a second group all organic systems from the simplest unicellular through the whole sequence up to man. And it encircles with its terms all historical institutions that have ever been or potentially could be produced by mankind. Nobody will find it difficult to see that the mental amplitude of our cybernetic theories surpasses any other scientific discipline that has been conceived since the times of Plato and Aristotle. One might say that cybernetics stands between the whole array of our individual sciences on the one side and philosophy on the other.

This exceptional position of cybernetics has not yet been fully realized by the scholars working in this field. And therefore, no serious need has been felt to provide this novel mental undertaking with logical foundations of its own. But foundations are necessary nonetheless. It should be evident that if cybernetics is of such scope that it comprises not only natural systems of both varieties, inanimate or animate but also historical institutions as self-organizing units, then the theoretical foundations of such isolated disciplines as physics, chemistry, biology, and sociology are ridiculously insufficient. And so are our present day mathematics, which are not yet prepared for a mathematical theory of consciousness and self-awareness. But if consciousness is a basic prerequisite for the behavior of certain self-organizing systems of animal type, we shall make little progress in the cybernetic analysis of animal or human behavior until we possess a mathematical method for the treatment of the still mysterious phenomenon of self-awareness. On the other hand it has been impossible, up to now, to develop the required procedures because the underlying logical concepts are still missing. The logic which science has used so far is minutely tailored to the needs of the classical concept of intellectual pursuit with its methodological ideals of excluding subjectivity from the formation of all theoretical terms and of being radically objective. It stands to reason that this attitude is worse than useless when the behavior of a system is due to its possessing self-awareness. And self-awareness is subjectivity, a phenomenon that can only be described in terms irrelevant to the materiality of the object it is related to.

The demand for a suitable new logic should be recognized in cybernetics more than anywhere else. And this investigation has imposed upon itself the task of furnishing the basic concepts for a formal theory of self-reflection that might satisfy the comprehensive demands of cybernetics. Since all previous sciences have derived their fundamental ideas and theoretical procedures from philosophy, as the history of human knowledge amply demonstrates, we shall turn again to this great source of primordial concepts to see what more can be learned from it.

The previous relations between philosophy and empirical science can be described briefly by stating that philosophy in its ancient pre-Greek form was the only universal "science" that encompassed all material as well as non-material aspects of Reality, and that investigated the prototypal relations between these aspects. What begins approximately with the Greeks is a process of mental comminution. Certain parts of knowledge undergo a subtle change. Philosophy itself remains unaffected, but these parts detach themselves from it and become independent bodies of knowledge. Geometry is an early example of the breaking off. After a slow start this process has continued without major interruption through the last two millennia. It persisted detectably during the Middle Ages, and after the Renaissance it accelerated rapidly. In the last century it has assumed such fantastic proportions and has split our knowledge into such a gigantic labyrinth of single sciences that no human brain is still capable of understanding its general context and meaning. It is only natural that the cry for a Unified Science was heard long before the arrival of cybernetics. But, although famous names like Lukasiewicz, Bohr, Russell, and Carnap were connected with it, one is forced to admit that the undertaking has not succeeded. It was predicated on the assumption that philosophy had dissolved itself in this process of comminution and that nothing was left. Its successor was supposed to be a special discipline among others, to be called "the logical analysis of scientific language"[39].

There were good reasons for believing that the attrition of the former substance of philosophy was complete. What seemed to be the last metaphysical stronghold of old-style philosophical thinking—the theory of infinite actuality—had been conquered by George Cantor[40] during the last two decades of the nineteenth century. His theory of transfinite sets *(Lehre vom Transfiniten)* appeared to be a purely mathematical discipline; when, later on, paradoxes developed from it, no mathematician went back to the metaphysical origins of set theory. The solution of the difficulties was considered a merely technical affair of symbolic logic even if it meant resorting to such desperate measures as the restrictions that Brouwer, Heyting and other intuitionists wanted to impose on mathematics. At any rate after Cantor's initial steps, there was no turning back; and although the Transfinite is not yet fully conquered, it has irrevocably been claimed as a mathematical problem and has thus lost its dignity as a metaphysical archetype. But does that really mean that the last bulwark of classic metaphysics has crumbled? Our answer is emphatically No. But since the proof of the pudding is in the eating we intend to demonstrate that there remains at least one genuine transcendental problem of the classic tradition awaiting its exact scientific treatment and subsequent solution. Incidentally, our claim of "at least one problem" does not exclude the possibility that there may be an infinite number of them; we strongly believe this to be the case. Metaphysics is by its very nature an *inexhaustible* source of transcendental categories offered for transformation into exact scientific concepts. In fact, that seems to us to be the intrinsic difference between philosophy and the positive scientific disciplines that have emerged and separated from it. The latter are in principle exhaustible and can be completed. The former can not! And this is our only guarantee that the well of human creativity will never dry up.

The problem that remains is covered - but not defined - by such questions as: what is life? What is consciousness? What is subjectivity? and finally: what is history? It seems strange to name in one breath such divergent and apparently heterogeneous topics.

Life which is assumed to be treated fairly well by Biology and History belongs to the humanities. Here metaphysics, which has fallen in such disrepute among scientists, proves its practical usefulness.

To the philosopher it has always been clear that such heterogeneous phenomena as Life and History have this in common: they both represent self-reflective systems. In other words, they display a subjectivity of their own. However, the very fact that this has been recognized at a very early date has hampered the scientific treatment of the phenomenon of subjectivity. It is a curious situation. The overwhelming number of metaphysicians in East and West agree that Reality as such can only be understood in analogy *(analogia entis)* to a self-reflecting subject. Spinoza even chose for ultimate Reality a term that indicated its self-reflective structure: *natura naturans*. But the very fact that this category seemed to point at the metaphysical secret of all Existence made the sober scientist shy away from it. He was always familiar with the concept of ordinary physical reflection. There he had no difficulty in regarding the world as a reflection (content) of his consciousness. But self-reflection is different. From its lowest forms as the spark of Life in the primitive organism to its highest manifestations in Man it denoted always a metaphysical essence, the primordial stuff that is the very core of Reality. The prejudice voiced by Spinoza that only an *intellectus infinitus* may understand self-reflection still dominates our scientific thinking. There is a silent consensus that it is impossible to develop a strict formalism for self-reflection.

Of course, as long as self-reflection, the essence of life, consciousness and subjectivity, is considered to be something mystical and supernatural it would be hopeless to look for an exact formal logic that describes its structure. It would be even more absurd to expect a mathematical treatment of it. How would one compute the divine breath that penetrated the deadness of mere matter on the day of creation? The answer to this question is so much a foregone conclusion that we cannot help but suspect that there is a gross misunderstanding involved. Even if cybernetics should ever succeed in designing systems that must be recognized as perfect behavioral equivalents of life or conscious subjectivity it would be arrant nonsense to say: this computer is alive or is conscious. Physics has learned long ago that it does not investigate what Is. It deals only with phenomena and not with what lies behind them. The same attitude should govern cybernetics. The quention is not what life, consciousness, or self-reflection ultimately *is*, but: can we repeat in machines the behavioral traits of all those self-reflective systems that our universe has produced in its natural evolution? It is not impossible that the computer theorist might succeed completely. But even then, consciousness in a machine and consciousness in a human body would only be phenomenally identical. Ontologically speaking they would be as far apart as any two things can be. The reason is obvious: the natural product originated in a cosmic evolution lasting several billions of years and, unless we assume a divine spirit in the beginning no personal self-consciousness directed the production. The cybernetic system, however, would be produced in a radically abbreviated time scale and the development would be guided by other systems (humans) with a highly developed self-awareness. And finally the physical resources, as well as the methods of manufacture, would hardly bear any resemblance to the conditions under which Nature did its work.

Thus, even if there existed an absolute behavioral equivalence between the manifestations of self-awareness in a human body and in some other physical system designed by the methods of cybernetics, we would not know in the least what a human (or animal) personal ego actually is. In other words: the metaphysical concept of a "soul" does not enter into the theory of automata at all. *Ergo*, this novel undertaking is not hampered by any sort of metaphysical restriction. *It nowhere competes with metaphysics*[41].

If this distinction is kept in mind, the possibility of developing automata which display all characteristics of self-reflection depends entirely on finding a formal logical criterion for self-consciousness or subjectivity which would be amenable to treatment in a calculus, and consequently in mathematics. Such a criterion is still unknown to science and would forever remain so if terms such as life, subject, and consciousness denoted only something supernatural. Without detracting from their possible metaphysical implications we shall show now that this is not the case. Our demonstration will be specifically associated with the concepts of subject and subjectivity because they have, by their logical connotations, played a greater part in epistemology than other related terms[42].

What strikes even the superficial reader of philosophical texts is that the term "subject" is used in two almost diametrically opposed senses. The texts talk about an absolute subject and an epistemological subject of our individual thought processes. The absolute subject represents ultimate Reality or Being that reflects itself. It is the fountain of Truth. It is supposed to be the origin of all cosmic order and harmony. And it is totally indifferent to the distinction between form and matter[43]. Clearly, no logic or computer theory can define *this* meaning of the term in any technically usable way. Even Cantor's theory of the transfinite would fail. But the very same philosophic tradition talks about the subject and subjectivity in quite a different view when it refers to the finite empirical subject. Whereas the infinite subject represents the highest Good, finite subjects have no reality of their own. They are the source of all falsity and delusion. They represent disorder and boundless arbitrariness. Their very existence is based on the distinction between form and matter. As pure subjects they are nothing but empty form. Therefore they cannot reflect themselves in their true nature as subjects[44]. They only reflect objects, and consequently if they try to think of themselves they do so only in terms of objectivity, with a consequent semantic falsification of their self-reflective thoughts. And if human history resembles a "slaughter house", as Hegel remarks[45], this is so because this type of subject has never learned and cannot learn anything from history.

This is not exactly an impressive record. Certainly the subject empirical has nothing of the majesty and unapproachability of the subject absolute. There seems to be no reason why the former should not be imitated. Maybe in the process of doing so we might learn how to improve upon the natural product, which is by no means perfect. If it still sounds utopian to design automata which display the behavioral traits of life, consciousness and subjectivity (and even ethical personality if Warren McCulloch[46] is right), our present disability is due to the fact that we have not yet developed a logic, and a corresponding mathematical procedure, which can demonstrate that these terms, and others related to them, have a precise rational and computable core. What gives them a mystical and irrational flavor is our previous incapacity to connect them with categories which belong to a strict formalism. That a datum of experience is way beyond the present scope of logic and mathematics does not necessarily give it metaphysical dignity.

But what *is* an individual subject, and what is general subjectivity as the medium that connects different egos? The ground is much better prepared for a fruitful answer than most scientists realize. So far we have only listed two contributions. We possess the knowledge provided by quantum mechanics, that the introduction of subjectivity into our physical picture of the external world generates a peculiar phenomenon of distribution. And we are indebted to Ross Ashby for the insight that cybernetic systems must be described in terms not designating the materiality of the system. But there is one more relevant contribution. It was made by Heinz von Foerster, and from the viewpoint of a future logic of cybernetics it is in fact the most significant one.

It originated from von Foerster's evaluation of Schrödinger's thesis (in his monograph *What is Life?*) that orderly events can be produced according to two basic principles: "order-from-order" and "order-from-disorder", principles which establish two types of natural law, the dynamical and the statistical[47]. Von Foerster makes the profound observation that there is one more principle which should not be confused with Schrödinger's order-from-disorder. He called it, order-from-noise, and announced it in his contribution to the Conference on Self-Organizing Systems in 1960[48]. He demonstrated his idea by a simple mental experiment. Cubes with surfaces magnetized perpendicular to the surface are put into a box under conditions which permit them to float under friction. All these cubes are characterized by opposite polarity of the two pairs of those three sides which join in two opposite corners. Now let undirected energy (noise) be fed into the box by the simple expedient of shaking it. If we open the box after some time an incredibly ordered structure will emerge, "which, I fancy", says von Foerster, "may pass the grade to be displayed in an exhibition of surrealistic art." No order was fed into the box, just "noise"! But inside the box a principle of selection (the polarities) governed the events. "Only those components of the noise were selected which contributed to the increase of order in the system"[49].

The exemplification of the principle may be trivial to the physicist but it delights the logician, for it demonstrates the difference between order-from-disorder and order-from-noise so clearly that a logical theory can be based on it. To do so, we should return once more to Schrödinger and his two principles. The distinction he makes cannot withstand the scrutiny of the logician. He gives an example of the order-from-order principle and describes how it represents the dynamical type of law. Later, however, he takes a second look at his example and admits that it depends on our own attitude whether we assign the motion of a clock to the dynamical or to the statistical type of event. His final conclusion is "that the second attitude, which does not neglect them (statistics), is the more fundamental one"[50]. On the other hand we have to admit that he has made an excellent case for his thesis that the "real clue to the understanding of life"[51] is the order-from-order principle. But according to his own admission this is not really a basic principle; order-from-disorder is more fundamental. If we want to develop a formal logic for self-organizing systems we cannot be satisfied with a principle which turns out to be a derivative from some other which is more general. Moreover, one gets the impression that he does not take his order-from-order principle, as exemplified by a clock quite seriously because, according to his own words, "it has to be taken with a very big grain of salt." What makes it dubious is that Max Planck's interpretation of this principle (which was adopted by Schrödinger) is a straightforward physical concept! But are we supposed to forget now that we agreed with Ross Ashby that cybernetic laws do not belong in the same class as physical laws!

It seems to us that the key to the problem is to be found in von Foerster's principle of order-from-noise. We are going to show that it is as fundamental as the order-from-disorder concept because it involves certain new logical operations which have not yet been recognized in formal logic and which we would like to name "transjunctions."

Since the Planck-Schrödinger principle of order-from-order is not basic we shall have only two fundamental concepts: order-from-disorder and order-from-noise. This requires two comments. First: we will need a logical criterion to distinguish in a calculus between disorder and noise in the specific sense which is implied by von Foerster's new principle. Second: we will have to reconcile the order-from-noise idea with the fact that self-organizing systems feed on negative entropy. Taking first things first we like to draw the attention of the reader to the fact that Schrödinger's term "disorder" has already its equivalent in formal logic. He calls his disorder "statistical". But statistical laws are handled by a logic of probability. Thus probability is the logical equivalent of disorder. On the other hand it is quite obvious that the feeding of noise into von Foerster's box did not create a logical probability situation, or more disorder. We know that exactly the opposite took place. But still we must admit that disorder and noise are closely related and the old recipe for a logical definition is *genus proximum et differentia specifica*. Consequently we ask what is, from a logical point of view, the *genus proximum* or common denominator for disorder and noise? This question was already discussed in part I of this paper. It was shown that a probability logic resulted from a distribution of the two available values over the range of their "distance" such that if 0 = false and 1 = true these two values are spread over the range of all denumerable fractions between 0 and 1.

What noise has, logically speaking, in common with disorder is that it produces a distribution. But what is distributed must be something else. Certainly not logical values, since their spreading produces only probability. A closer look at von Foerster's model will give us a hint. His box contains cubes with magnetized surfaces. It is trivial to state that these cubes are in some state of distribution in the box before we start shaking it. It is also trivial to note that our shaking results in a different state of distribution. So far we may admit that noise also manifests itself as an agent of distribution. But now let us look at our cubes with the magnetized surfaces. Each individual cube may be regarded by us as a tiny logical system, the two values being north pole on the outside or north pole on the inside. *Et tertium non datur.* It goes without saying that our two values exist in their system in a non-distributed state. When the shaking begins a distribution does take place and it concerns our little two-valued systems - but not their individual values! What has happened when von Foerster's surrealistic architecture finally emerges is that without any change in their internal value structure the individual systems which represent this rigid two-valuedness have been rescued from their haphazard initial position of disorder and redistributed in a fashion such that they form a system of sorts which is composed of as many two-valued systems as there are magnetized cubes in our box.

It will be useful to have another look at the state of the box before the shaking started. The cubes were at that time in some unspecified state of disorder. But the cubes themselves represented units of order. Consequently the initial situation that existed inside the box must be described as a conjunction of order and disorder. This gives us one more hint as to the significance of von Foerster's noise influx. The noise is something which is capable of instigating a process that absorbs lower forms of order and thereby converts a corresponding degree of disorder into a system of higher order. In other words: it is a synthesis of the order-from-order and the order-from-disorder ideas. Having discarded Schrödinger's simple order-from-order concept we obtain now two basic principles:

Schrödinger: order-from-disorder
von Foerster: order-from-(order-plus-disorder)

In both cases the logical equivalent of disorder is a distribution of logical terms. But what is distributed is different. Schrödinger's principle refers to the distribution of individual values. von Foerster's concept refers to the distribution of value-systems. In the first case the internal structure of the logical system which suffers the distribution is changed: a theory of formal certainties is transformed into a theory of probabilities. In the second case nothing of this sort happens: The distribution does not concern the elements which constitute a given system but the system itself as an inviolate entity.

This gives us two entirely different meanings of distribution and consequently of disorder. von Foerster's distinction of disorder and noise is a profound one and opens up much deeper perspectives than his unassuming demonstration with the magnetized cubes suggests at first sight. Of course everything depends now on the question whether we will be able to define a logical operator that would represent a distribution not of values but of closed value-systems. It will not be necessary to discuss value-distribution. The corresponding logic of probability is well established and we could not add anything of special relevance. It suffices to point out that our traditional two-valued logic takes care of the ordinary order-from-order concept as well as of Schrödinger's order-from-disorder principle. A simple logical demonstration of order-from-order would occur if the *Principia Mathematica* were rewritten in terms of Sheffer's stroke function. The undertaking might have some merits but we confess we cannot find the prospect exciting. The order-from-disorder principle enters classical logic in its more important part. It is the predicate calculus that introduces probability and makes it basically ineliminable since we know that the "objective" verifiability of the argument of a function f(x) will ultimately depend on statistical terms.

As far as the second meaning of "distribution" is concerned, which we culled from von Foerster's order-from-noise, no recognized model exists. It is up to us to give a formal demonstration of it and to introduce the new logical operation "transjunction" which is responsible for a logic of distributed systems. The next and the last section of our investigation will give an outline of a transjunctional formalism.

## 3. LOGIC WITH TRANSJUNCTIONS

If we want to distribute not logical values but *systems* of values our next question should be: what permits values to form a system? This system-producing factor obviously must be that which allows distribution. The demanded factor is by no means unknown; in fact its indication is rather trivial: what enables our two traditional values to form a logic is *the existence of the unary operator that we call negation* (ℵ). Table I in Part 1 shows that a negation is nothing but a simple exchange relation between two values. This exchange relation is not in the least different from the familiar relation between the terms left and right. But if such an exchange relation establishes the basis for the formation of a logical system, then the distribution which von Foerster's principle, order-from-noise, is supposed to produce is actually a spreading of exchange relations. This extension, of course, can only be made by the introduction of additional values. In other words, Von Foerster's principle is logically definable only if we introduce a many-valued calculus.

For our further demonstration we shall, for convenience, use the set of positive integers as members of such an exchange relation, and we shall refer to them--if they are so related--as "logical values". We also introduce the term "successor" as it is known from Peano's group of axioms for such a numerical sequence, and we stipulate that each integer or value forms an exchange relation with its successor. By doing so we obtain a linear sequence for potential classic systems of logic; or to be more precise, we locate the very same two-valued system of logic in a linear sequence of "places". We further stipulate that the designation "classic" should apply only to systems that are established by an exchange relation between a value and its successor. For the time being we ignore possible exchange relations which may be formed by any two values where one is not the immediate successor of the other. It goes without saying that such a linear sequence of exchange relations does not yet represent a many-valued calculus, let alone the idea of a new trans-classic system of logic. Our foregoing remarks are only intended to prepare the way for a scheme that shall illustrate our two concepts of distribution and their relation to Schrödinger's "disorder" and to von Foerster's "noise". We indicate distribution of *values* by an ordinary straight line. Along this line negation is indicated by 0. For the distribution of *systems*, negation is represented by any positive integer m where $m > 1$. Both distribution patterns have in common the value "1". In its horizontal relation "1" should be interpreted as true. In its vertical reference as positive or irreflexive.

TABLE III

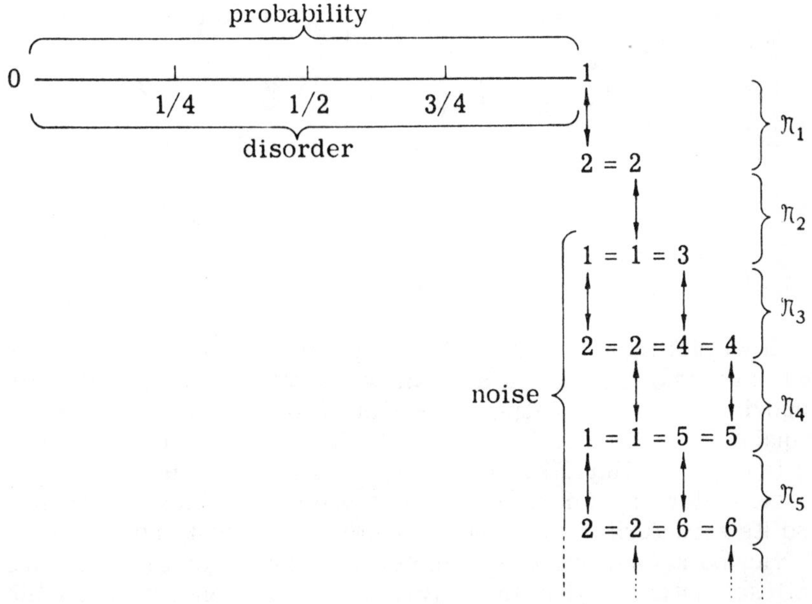

The vertical column of value-systems is written twice. On the left, only the integers "1" and "2" are used. On the right, "1" is identified in its second occurrence with "3"; from there on subsequent odd numbers are always used whenever the positive value turns up; even numbers indicate the reoccurrence of places for the negative value. This parallel arrangement helps to point out that "3", "4", "5"....do not represent values in their own right but are, for the time being at least, solely chosen for the task of identifying the place where a specific classic value is located (if it is part of a system which has suffered distribution). It is important to signify this by a unique number for each place because the very same system, and with it its values, acquires different functional properties in different stages of distribution. Furthermore, this method or a similar one is required if we want a notational opportunity to introduce a discrete series of $\eta$-operators. But it should not be forgotten that the sole object of distribution is the same classic system, 0 - 1, which provides us with the logical frame for a theory of probability (as indicated in the horizontal part of our diagram).

The reader is reminded that Table III serves only as an illustration of what is meant if we distinguish two different forms of distribution in logic. We have not yet shown how a new theory of calculi for system distribution may originate from von Foerster's principle order-from-(order-plus-disorder). So far we only know that a type of distribution that does not produce probability might be effected by a sequence of negational operators ($\eta_{1...k}$) such that any m-valued position might be reached by the use of the operators $\eta_1 .....\eta_{m-1}$ as the matrix below Table IV shows:

TABLE IV

| | $\eta_i$ |
|---|---|
| i | i + 1 |
| i + 1 | i |

If we state that a many-valued system is a distributive order for the classic two-valued system we shall have to qualify this proposition. The avowed purpose of our undertaking is, of course, to make Von Foerster's "noise" logically treatable. In other words, the traditional system of logic will appear in our trans-classic order in a form in which it possesses values that transcend its structural frame and therefore represent "noise" from the viewpoint of a strictly dichotomous theory of thought. We shall see later on that this gives the value concept a double meaning in higher systems of logic. This ambiguity reduces its importance considerably. It will be seen in due course that what is really distributed in trans-classic structures of logic are *not* so much value-systems as a new logical unit which serves as basis for systematic value constellations. But the interpretation of many-valuedness as system-distribution will serve us too. It should only be remembered that the concept of value permits only a very one-sided evaluation of trans-classic logic.

We shall now present our approach to the problem of system-distribution and show that this yields a new type of logic which might be the answer to some problems of cybernetics. This theory will permit a positive operational definition of "subject" and introduces a new logical unit which complements the value-concept. We take our start from the familiar table of the 16 two-valued, binary truth functions and demonstrate our departure by using as an example inclusive disjunction, as shown in Table V:

TABLE V

| p | q | p v q |
|---|---|---|
| 1 | 1 | 1 |
| 1 | 2 | 1 |
| 2 | 1 | 1 |
| 2 | 2 | 2 |

Now we remind ourselves that we intend to develop a logic capable of defining subjectivity in logical contraposition to everything that designates mere objects and objectivity. If we examine Table V from this viewpoint, it occurs to us that the variables "p", as well as "q", represent objective data. In the usual interpretation of the propositional calculus they are identified as unanalysed statements. But statements are clearly objects and carry an objective meaning. The same must be said—although in a lesser sense—of the values that are attached to the variables: they too have, in this two-valued context, an objective meaning. They designate whether something is or is not. In our special case the values determine two mutually exclusive properties that a statement might have. There might be some doubt about the symbol "v" which is supposed to denote disjunction. One might argue that this is a subjective concept and as such not really designating objectivity. But one might also say that it refers to a psychological act performed by our brain and in this case "v" should be classed with the other symbols contained in our table. In fact, we shall do so because we wish to be cautious and because we intend to eliminate from

Table V everything that may semantically refer to the objective context and meaning of Reality.

It seems there is nothing left to represent the subject in this context: we seem to have obliterated the whole table. But this is not quite so, for something else is offered by Table V; it also represents, apart from variables, values and operations, three abstract patterns of *possible* value occupancy. These and only these we shall retain. To claim that these empty patterns by themselves designate objective data and have a concrete semantical meaning relative to an objective world would be rather difficult. So we shall accept patterns of possible value occupancy as the basic elements of a new logic which should be capable of defining subjectivity. We obtain more patterns of this type if we extend our procedure of getting rid of symbols with reference to objectivity to all 16 truth-functions of classic logic. In order to distinguish these patterns we shall use the two symbols * and □ which, we stipulate, shall have no *logical meaning*. They only indicate that if a meaningful logical sign occupies a * place in a given pattern it cannot also occupy a place which is marked by □ and vice versa. Using these two marks we obtain, from two-valued logic, eight abstract patterns:

TABLE VIa

| 1 | 2 | 3 | 4 | 5 | 6 | 7 | 8 |
|---|---|---|---|---|---|---|---|
| * | * | * | * | * | * | * | * |
| * | * | □ | □ | * | □ | * | □ |
| * | □ | * | □ | * | * | □ | □ |
| □ | □ | □ | □ | * | * | * | * |

Since each mark—for the time being - holds the place for two values, these patterns yield, if so used, our familiar 16 two-valued truth-functions. We have numbered the patterns for easy identification; no other significance is attached to the numbers.

It is obvious, however, that Table VIa does not represent all possible abstract patterns for occupancy by meaningful logical symbols. And since the patterns by themselves are completely indifferent to the question whether there are enough such symbols to fill additional patterns there is no objection to introducing two more meaningless marks in order to give us an opportunity to complete the table of all possible four-place patterns. (If we intend to regard these patterns—without prejudice to value occupancy—as the basic elements or units of a new system of logic we cannot afford to select arbitrarily just eight out of a larger number).

In order to complete our table we shall use the additional marks ▲ and ●, to which also no logical significance is attached, in order to indicate possible value-occupancy by more than two values. We then obtain the rest of the patterns as shown in Table VIb:

TABLE VIb

| 9 | 10 | 11 | 12 | 13 | 14 | 15 |
|---|---|---|---|---|---|---|
| * | * | * | * | * | * | * |
| ▲ | * | ▲ | □ | ▲ | □ | ▲ |
| * | ▲ | □ | ▲ | ▲ | ▲ | ● |
| □ | □ | □ | □ | □ | * | □ |

Thus a table displaying all possible patterns has precisely 15 entries, a number which can be derived from Stirling's numbers of the second kind.† It will be noted that some rule of placing the marks has been followed: for instance, starting the columns always with *. This is more or less a matter of convenience and we might as well, write the pattern No. 14 with, e.g., the following order of marks: * ▲ □ *. This is for the time being quite irrelevant. We are at this moment only concerned with the abstract patterns of potential value-occupancy and from this view-point both arrangements, * □ ▲ * and * ▲ □ *, represent the same pattern. The case, of course, is different when we replace the meaningless marks by actual values with specific logical significance. The simplest case is pattern No. 5: * * * *. But even this pattern can assume an infinite number of meanings. In two-valued logic it has just two aspects of theoretical relevance expressed by the value sequences T T T T and F F F F for true and false. These aspects would grow to three in a three-valued logic and to infinity if we permitted the number of values to increase beyond any limit.

However, no matter what the actual value-occupancy of a pattern may be, the identity of the abstract pattern or structure, and therefore the continuity of meaning, would always be retained. This indicates that the fifteen patterns of the Tables VIa and VIb, although composed of signs without logical significance,

---

†See note and Formula (28) on page 376

represent some sort of meaningful order. Their full meaning still escapes us, but this much may be said now: no matter how comprehensive the logical systems we construct and no matter how many values we care to introduce, these patterns and *nothing else* will be the eternally recurring structural units of trans-classic systems. Our values may change but these fifteen units will persist.

In order to stress the logical significance of these patterns, and to point out that they, and not their actual value occupancies, represent invariants in any logic we shall give them a special name. These patterns will be called "morphograms", since each of them represents an individual structure or Gestalt (μορφή). And if we regard a logic not from the viewpoint of values but of morphograms we shall refer to it as a "morphogrammatic" system.

If we look from this angle at classic logic we see that we should more properly speak of it as a system of values. As a morphogrammatic order it is incomplete, for only the eight patterns of Table IVa are utilized. It is, therefore, impossible to say that its logical units are *the* morphograms. The tradition rightly considers the classic system as a value theory. The values are its formal units. The actually employed morphograms assume only a secondary role in this context. In more comprehensive systems the situation is reversed. The reliance on the value concept makes the interpretation of trans-classic calculi so difficult that many logicians refuse to recognize them as the potential base of a new logic[53]. They claim that the two-valued system (with the theories of probability and modality) represents the only genuine formal theory of thinking.

We shall now look at the situation from the morphogrammatic stand-point. As a system of morphograms the classic logic is incomplete. It employs only those eight patterns that are, if occupied by the two classic values, logical equivalents of the objective component of Reality. This is quite as it should be. This theory was developed for the very purpose of describing the world in radically objective terms with all subjective traits rigidly excluded. The subject was traditionally considered the metaphysical source of all arbitrariness, error, and fraud: objects never lie but the subject may. As long as this prejudice was cultivated it was, of course, absurd to try to give a formal logical definition of what is meant if we use words like "subject" or "subjectivity." On the other hand, if we look at the problem without any of the traditional prejudice and rid ourselves of the associations of irrationality that commonly accompany these two terms we shall find that a very precise logical meaning can be connected with them. Since Table VIb is excluded from a logic that describes the objective character of the world it can, if interpreted in a morphogrammatic logic, not refer to objectivity. It can consequently only refer to the part that the subject plays in a logic which does not suffer under the restrictions which an old ontological tradition has imposed on our theories of rational thought.

However, there is some grain of truth in the tradition. If we use a term borrowed from information theory we might say that a formal logic is required to be a "noiseless" system. The introduction of subjectivity into it would make it very noisy. Since this cannot be tolerated in classic logic, but is demanded in cybernetics, we are required to develop a more comprehensive theory which is not hampered by the morphogrammatic restrictions of two-valued logic. Subjectivity is a logical theme beyond the boundaries of our traditional ontological concept of Reality. We repeat again: the tradition equates Reality and objectivity and excludes the subject from it. This has led, during the long history of metaphysics, to the identification of subjectivity or consciousness with the concept of a transcendental soul which has arrived from Beyond and is but a guest in this Universe. But there is also a different concept represented by primitive religion and pointedly worded by an American Indian tribe, the Algonquins. They define a subject as "that which has cast itself adrift." With these ideas in mind we shall try to interpret Table VIb.

Since it will make our task easier, we repeat the Tables VIa and VIb but this time not as abstract morphograms. We shall present them as occupied by values. Since we will have to introduce four values, "1" and "2" shall represent the traditional values; and, since we only discuss four-place sequences for the time being, we stipulate that they may retain their full ontologic significance. "3" and "4" will be the additional values which the filling out of Table VIII requires. The value sequences thus obtained may be referred to as the "standard forms" of the morphograms. This, however, is a mere convention since any other choice of values would represent the patterns equally well.

TABLE VII

| [1] | [2] | [3] | [4] | [5] | [6] | [7] | [8] |
|---|---|---|---|---|---|---|---|
| 1 | 1 | 1 | 1 | 1 | 1 | 1 | 1 |
| 1 | 1 | 2 | 2 | 1 | 2 | 1 | 2 |
| 1 | 2 | 1 | 2 | 1 | 1 | 2 | 2 |
| 2 | 2 | 2 | 2 | 1 | 1 | 1 | 1 |

A logic which is two-valued and uses only these eight morphograms is severely restricted in its value occupancy. There is just one non-standard form which is obtained by traditional negation.

We add now the standard forms of the additional morphograms in Table VIII:

TABLE VIII

| [9] | [10] | [11] | [12] | [13] | [14] | [15] |
|---|---|---|---|---|---|---|
| 1 | 1 | 1 | 1 | 1 | 1 | 1 |
| 3 | 1 | 3 | 2 | 3 | 2 | 3 |
| 1 | 3 | 2 | 3 | 3 | 3 | 4 |
| 2 | 2 | 2 | 2 | 2 | 1 | 2 |

If a logic uses the morphograms of Table VIII, with [15] excluded, a three-"valued" system is required. The number of non-standard value occupancies increases then to five. But only a four-"valued" logic is morphogrammatically c o m p l e t e. It becomes so by adding pattern [15]. Twenty-three non-standard value occupancies are available in this case. If more value-occupancies are desired, systems with more values have to be chosen. And there is, of course, no limit how far we want to go.

But this raises the question: what is meant if we use the term "value" in systems which employ Table VIII? The answer will lead us straight to the problem how subjectivity may be defined in a system of formal logic. To make our point we will take the standard forms of the morphograms [1], [4] and [13] and consider them as functions resulting from the traditional variables "p" and "q" as is done for [1] and [2] in the truth-tables or in matrices of the propositional calculus. We now only add [13] and put all of them together, for demonstration purpose, in another Table IX. As classic values we shall use "P" and "N" for "positive" and "negative" and for the additional value required by morphogram [13] the number "3" as in the preceding Table IX:

TABLE IX

| p | q | [1] | [4] | [13] |
|---|---|---|---|---|
| P | P | P | P | P |
| P | N | P | N | 3 |
| N | P | P | N | 3 |
| N | N | N | N | N |

The additional dotted line shall indicate that [13] does not properly belong to this Table. In this arrangement "p" and "q" are supposed to represent any objective system that offers an (exhaustive) choise between two values. We notice that [1] and [4] have something in common. Where two values are proffered, as is the case in the second and third position of the value-sequence, the two classic functions *accept the choice.* Between them they take what is available in terms of values. They differ only insofar as the function which is carried by morphogram [1] prefers the lower value and the one represented by [4] picks the higher one. It is obvious that the function carried by [13] is not of this type. Where there is a choice of values offered by "p" and "q" *the very choice is rejected.* This is the only formal logical meaning any additional value beyond "P" and "N" can have. Any value that does not accept the proffered choice is a rejection value: it transcends the objective (two-valued) system in which it occurs. In analogy to disjunction and conjunction we shall therefore call a morphogram which requires more than two values for its filling a "transjunctional" pattern; an operation performed with it a "transjunction."

It stands to reason that the rejection of a value choice does not have to be total (but undifferentiated) as in [13]. There are also the possibilities arising from partial rejection: the morphograms [9] to [12] represent them in all their variations. And there is also a radical rejection [15] which differentiates the total refusal to accept the alternative of two values. Finally we have to acknowledge that equivalence too may have its transjunctional extension. It should be noted that from the morphogrammatic point of view the transjunctional equivalence cannot assume total form, for if we wrote in [14] the value sequence 1 3 3 1 we would only repeat, with different value occupancy, the morphogram [8].

So far we have interpreted the value occupancies which were effected by "3" and "4" in Table VIII from a purely formal standpoint. We characterized them as rejections of a pair of alternative values. But such abstract characterization does not provide us with an ontological interpretation of these value sequences. In other words, we also want to know the semantic meaning of the transjunctional morphograms. A clue was given in this direction when we referred to the Algonquian definition of a soul as that which has cast itself adrift. This means something that does not anymore belong to the ordered context of things that surround us and that make up the physical reality of our Universe. On the other hand, since the dawn of History, whoever used a term like "subject" (or some equivalent of it) was capable of conceiving anything else but a purely negative thought. He tried to conceive a mysterious x that defied description in terms of any predicate that was applicable to some objective content of the Universe. We find the classic expression of this ontological attitude in one of the oldest religious texts, in the Brihadāraṇyaka-Upanishad, where it is tersely said that the *ātman* (the soul) can only be described by the terms *"neti neti"*. Translated from the Sanskrit it means: not this and not that. The sentences preceding the neti-term in the Sanskrit text make it quite clear that from any duality of (contradictory) terms neither is applicable[54]. But this is exactly what morphogram [13] indicates. Where there is a choice of two alternative values both are rejected. It is impossible for us to connect any other formal logical meaning with terms like "subject", "subjectivity" or "consciousness" but rejection of an alternative that is total as the (exclusive) disjunction between true and false. For this very reason the morphograms [9] - [15] express as logical structures what we intend to say if we make statements which include references to the non-objective side of Reality.

It should be clearly understood that the issue for the cyberneticist is not whether there is an occult essence in the Universe which is called "subjectivity" and whether our definitions and methods conform to it or whether such metaphysical quale does not exist. The situation is exactly the reverse. Our logic does not depend on the fact that there are such more or less mysterious phenomena as subjects and subjective processes in the Universe, the secret properties of which we have first to discover so that afterwards we can talk about them and form categories and concepts for their empirical description. This is hopeless! Subjectivity can only be experienced by personal introspection. But the latter is not communicable in scientific terms and will never be. The procedure we propose to employ is not interested at all in what our private insight might tell us about our innermost subjective life—this is the business of artists and theologians—it only stipulates the acceptance of the morphograms [9] - [15] in the logic of cybernetics.

In the future it will be unavoidable to talk about subjective functions in cybernetic theory. This will be the case when we discuss systems that have an actual center of reflection or which at least behave in a way that such conclusion is forced upon us. Under the circumstances it will be of paramount importance to have a general agreement about what we mean if we refer to the subjectivity or the subjective functions of a given system. We propose as basis for a general consensus the following statement: *if a cyberneticist states that an observed system shows the behavioral traits of subjectivity he does so with the strict understanding that he means only that the observed events show partly or wholly the logical structure of transjunction.* There is nothing vague and arbitrary in this use of the term "subjectivity." It implies clearly that we are not interested in what a subject metaphysically is—even if this question might have some meaning—but what definitions we intend to use if we try to discourse about subjectivity in a communicable scientific manner.

However, since Table VIII presents a certain richness of transjunctional structure (when compared with the simple duality of disjunction and conjunction), some explanatory remarks are in order. The variety of morphograms refers to the fact that we cannot talk about the subjective component of Reality unless we distinguish three dfferent states of it. It may be

(a) a property of something else
(b) a personal identity structure, called a subject
(c) a self-reference of (b).

Everybody is familiar with these three aspects of subjectivity. The first is commonly called a thought; the second, an "objective" subject or person; the last, self-awareness or self-consciousness. These three distinctions correspond to the three varieties of rejection of a two-valued alternative which Table IV demonstrates:

(a) partial rejection: morphograms [9] - [12] and [14]
(b) total, undifferentiated, rejection: morphogram [13]
(c) total, differentiated, rejection: morphogram [15]

A thought is always a thought *of* something. This always implies a partial refusal of identification of (subjective) form and (objective) content. This fact has been noted time and again in the history of philosophic logic, but the theory of logical calculi has so far neglected to make use of it. Any content of a thought is, as such, strictly objective; it consequently obeys the laws of two-valued logic. It follows that for the content the classic alternative of two mutually exclusive values has to be accepted. On the other hand, the form of a thought, relative to its content, is always subjective. It therefore rejects the alternative. In conformity with this situation the morphograms [9] - [12] and [14] always carry, in the second and third rows of Table IV, both an acceptance and a rejection value. Together, they represent all possible modes of acceptance and rejection.

A personal identity structure or subject is logically characterized by the fact that not even a partial identification with anything objective (two-valued) is tolerated. The subject, *qua* subject, is in total contraposition to the whole of the Universe as its logical and epistemological object. It has "cast itself adrift." Morphogram [13] corresponds to this situation. On the other hand it is obvious that the actual refusal of identification with anything objective that is implied by [13] does not provide us with a logical pattern which would denote the potential capacity of self-awareness of subjectivity. The last discussed morphogram indicates awareness of something (which may be its objective content) but no reflection of its state of being aware. The abstract pattern of this situation is furnished by morphogram [15] which incorporates four different values. The two center values have in common that they reject the alternative of "1" and "2". But in one case the rejection is effective in a three-valued system. In the other the rejection has an iterated character. This function designates self-consciousness and the latter is, indeed, an iteration of consciousness. The morphograms [1] - [8] require for their application only a two-valued system of logic. For the patterns [9] - [13] and [14] a three-valued order is necessary. But [15] cannot be used unless a four-valued logic is accepted as basis for a theory about all subjective components of Reality.

By introducing the morphograms [9] - [15] into his logic the cyberneticist becomes able to speak in a finite and non-ambiguous way about subjectivity in self-organizing, and therefore self-reflecting systems. Warren S. McCulloch has stated that if somebody can "specify in a finite and unambiguous way what a brain does with information, then we can design a machine to do it"[55]. The above described logical situation does not yet meet McCulloch's demand, but we think it indicates at least the formal logical structures any sort of consciousness and self-consciousness must use in order to become aware of and use information that infiltrates the brain. By referring to the morphograms we are in a position to state in a finite, non-ambiguous, and computable way what we mean if we say a system has subjective properties or represents a subject or has self-awareness. The precise meaning of such a statement is simple *that the behavioral properties of the system in question display a logical structure that includes rejection values*. And the individual morphograms which come into play will indicate precisely which of the three described varieties of subjective behavior we are referring to.

The introduction of the fifteen morphograms as the basic logical units of a trans-classic system of logic has far-reaching consequences. Such units would have hardly more than decorative significance unless there exists a specific operator able to handle them and to transform one morphogram directly into another. Negation is not capable of doing this as long as we adhere to the classic concept of negation. It is traditionally a reversible exchange relation between two values. It follows that by negating values we only change the value occupancy of a morphogram, not the morphogram itself; no matter how many negations are used, the abstract pattern of value occupancy remains always the same[56].

However, there is another way to look at the matter. Kant and his successors in the field of transcendental logic: Fichte, Hegel, Schelling, discovered it. Its significance for a formal calculus of logic has so far not been understood. This was partly the fault of its initiators because they insisted that it could not be formalized. These philosophers introduced an operation into their systems of metaphysical logic which they called: "setzen".

Although the term is untranslatable-it could at best be rendered as "objectivate" - its meaning is quite clear. Every concept we use, so goes the theory, has to be treated as an objective reflection of itself. Only as such does it acquire significance. The principle of identity cannot be stated as "A" but as "A = A" (Leibniz)57. In order to emphasize the point that any concept we use behaves as a mirror image of itself Fichte introduces an interesting notation58. He does not write A = A like Leibniz but $\frac{B}{B}$ and $\frac{B}{S}$, where the horizontal line is meant to indicate the plane of reflection. For an iterated reflection59 he extends his notation to $\frac{B}{\frac{B}{B}}$. He further produces formulas of reflection60 like $I = \frac{S}{O} \infty$, where "I" stands for identity, "S" for subject and "O" for object. But he gives no formation rules. The attempt was let down by the ineptness of the technique he used, but it showed very clearly that Fichte was groping for a specific calculus of reflection. Hegel later added the idea that not only terms but also the operation commonly called "negation" should be treated as a reflection of itself. His *Logik* is an attempt to implement this program. We shall use these ideas of Leibniz, Fichte, and Hegel and show that they point the way to a general logical operator for reflection which satisfies the demand for a formal transformation of one morphogram into another regardless of their value occupancy.

For the time being we shall retain Fichte's notation; but instead of the letters A and B we shall use our nondescript marks: ∗ □, ▴, and •, because we intend to generalize the concept of self-reflection to the point where it includes our morphograms. By placing the appropriate marks above the plane of reflection and their mirror images below we obtain the following arrangement of morphogrammatic patterns. (We shall, however, not use Fichte's notation for iterated reflection: $\frac{A}{\frac{A}{A}}$ since a formal logic takes care of this phenomenon with other methods). See "Fichte-Table" X for shapes. The one-place reflection (a star and its mirror-image) is easily recognized as the classic identity principle which Leibniz wrote A = A. This star represents the only morphogram which could be ascribed to a so-called one-valued logic. The fifteen examples of four-place reflection are provided by the morphograms of a two-valued logic. If we were dealing with a three-valued logic our table would have to show nine-place reflections. Generally: for any m-valued system the reflection would have $m^2$ places.

TABLE X

| | 1 | 2 | 3 | 5 | 6 | 8 | 9 | 10 | 13 | 14 | 15 |
|---|---|---|---|---|---|---|---|---|---|---|---|
| | * | * | * | * | * | * | * | * | * | * | * |
| | * | * | □ | * | □ | □ | ▲ | * | ▲ | ▲ | □ |
| | * | □ | * | * | * | □ | * | ▲ | ▲ | ● | ▲ |
| * | □ | □ | □ | * | * | * | □ | □ | □ | □ | * |
| * | □ | □ | □ | * | * | * | □ | □ | □ | □ | * |
| | * | □ | * | * | * | □ | * | ▲ | ▲ | ● | ▲ |
| | * | * | □ | * | □ | □ | ▲ | * | ▲ | ▲ | □ |
| | * | * | * | * | * | * | * | * | * | * | * |
| | 4 | 2 | 3 | 5 | 7 | 8 | 12 | 11 | 13 | 14 | 15 |

It is worth mentioning that a generalized concept of reflection that plays an important part in Fichte's and Hegel's logic interprets negation as a specific form of reflection. If we wrote negation

*
□
―――
□
*

instead of using the conventional table form one can easily see why the process of negation was interpreted in this manner. However, we do not want to delve into this aspect of reflection. It is sufficient to say that reflection in a larger sense may utilize any number of places. In this more general theory all Stirling numbers play their proper parts. Be that as it may, this investigation considers only morphogrammatic reflections of m-valued systems with $m^2$ places. If $m > 2$ it will be advisable not to speak of morphograms alone but also morphogrammatic compounds. The distinction is essential. With increasing m the number of morphogrammatic compounds increases too. But the number of morphograms as basic units of formal logic remains the same no matter how large m is. The hierarchy of all m-valued orders represents a "quindecimal" system of morphogrammatic reflection.

Fichte's notation of a horizontal line as a symbol of reflection is not very practical. We shall replace it by the sign "$\mathfrak{R}$" which we will call a reflector. A reflector is an operator that produces the reflection of a given morphogrammatic pattern; be that a single morphogram, a morphogrammatic compound or a morphogrammatic sub-unit of such a compound. This means that $\mathfrak{R}$, if so indicated, may operate one, two, three or any number of morphograms which make up a larger compound.

Since, however, morphograms do not occur as empty structural patterns in logic, but are always occupied by values, the symbol $\mathfrak{N}$... for negation will, of course, be retained. If applied it will always carry the appropriate suffix indicating the specific values which are operated. If there is only one suffix and the suffix is an integer it is indicated that the negation represents an exchange relation between two values which are not separated by a third. All other cases will be treated as composites of such elementary exchange relations. Their composition will be indicated by adding to $\mathfrak{N}$ the suffixes of the negations which contributed to the given constellation of values. Our sequence of elementary tables looks as follows:

| | $\mathfrak{N}_1$ |
|---|---|
| 1 | 2 |
| 2 | 1 |

| | $\mathfrak{N}_2$ |
|---|---|
| 2 | 3 |
| 3 | 2 |

| | $\mathfrak{N}_3$ |
|---|---|
| 3 | 4 |
| 4 | 3 |

if $1 \leq i < m$ negation is defined

$$\mathfrak{N}_i(1, 2 \ldots . i, i+1 \ldots m) \rightarrow (1, 2 \ldots . i+1, i \ldots m)$$

for all m-valued systems. Thus the table of negations of a three-valued logic is represented by Table XI.

TABLE XI

| | $\mathfrak{N}_1$ | $\mathfrak{N}_2$ | $\mathfrak{N}_{2.1}$ | $\mathfrak{N}_{1.2}$ | $\mathfrak{N}_{1.2.1}$ or $\mathfrak{N}_{2.1.2}$ |
|---|---|---|---|---|---|
| 1 | 2 | 1 | 2 | 3 | 3 |
| 2 | 1 | 3 | 3 | 1 | 2 |
| 3 | 3 | 2 | 1 | 2 | 1 |

$\mathfrak{N}_{2.1}$ is defined by

$$\mathfrak{N}_{2.1} = \text{Def } \mathfrak{N}_1 \; . \; \mathfrak{N}_2$$

In words: operate $\mathfrak{n}_1$ on the result of the operator $\mathfrak{n}_2$. Since the order of the suffixes is somewhat awkward and $\mathfrak{n}_{2.1}$ produces the mirror-image of $\mathfrak{n}_2$ we may as well use the reflector "$\mathfrak{R}$" and write $\mathfrak{n}_{2.R}$ and $\mathfrak{n}_{1.R}$. It is worthwhile to note that these negations are not commutative:

$$\mathfrak{n}_{1.R} \neq \mathfrak{n}_{2.R}$$

If the whole standard sequence of values is reversed we omit all numerical suffixes and add only ... R. Thus we may write on the basis of Table XI:

$$\mathfrak{n}_R = \text{Def } \mathfrak{n}_{1.2.1} = \mathfrak{n}_{2.1.2}$$

This notation may be advantageous if we have a long row of suffixes for $\mathfrak{n}$.... The reflector "$\mathfrak{R}$" may be, according to Table X, added to non-negated (standard) value sequences or to negations as it is convenient.

In order to indicate (in the case of Table XI and also in the case of tables of negation with a large number of values) that "$\mathfrak{R}$" applies to constellations of individual values and not of morphogrammatic structures, the operator of reflection will always be written in index form after "$\mathfrak{n}$". If the original order of values is that of the normal sequence of integers the negational reflexion "$\mathfrak{n}_R$" shall have no index unless it is not certain to which value-system the operation applies. If we want to point out, for instance, that "$\mathfrak{n}_R$" does not signify the sequence 3-2-1 but 5-4-3-2-1, we add the number of values as subscript to $\mathfrak{R}$: $\mathfrak{n}_{R_5}$. However, this will not be necessary if the morphogrammatic compounds carry the index of the value-system to which they belong. If "$\mathfrak{R}$" operates on a morphogram, it is placed before it.

The reflective properties of the morphograms can now be written with a provisional notation (if we assume that they have standard form):

| | |
|---|---|
| $\mathfrak{R}[1] = \mathfrak{n}_1[4]$ | $\mathfrak{R}[4] = \mathfrak{n}_1[1]$ |
| $\mathfrak{R}[9] = \mathfrak{n}_1[12]$ | $\mathfrak{R}[12] = \mathfrak{n}_1[9]$ |
| $\mathfrak{R}[10] = \mathfrak{n}_1[11]$ | $\mathfrak{R}[11] \quad \mathfrak{n}_1[10]$ |
| $\mathfrak{R}[6] = [7]$ | $\mathfrak{R}[7] = [6]$ |
| $\mathfrak{R}[2] = \mathfrak{n}_1[2]$ | $\mathfrak{R}[3] = \mathfrak{n}_1[3]$ |
| $\mathfrak{R}[13] = \mathfrak{n}_1[13]$ | $\mathfrak{R}[15] = \mathfrak{n}_{1.3}[15]$ |
| $\mathfrak{R}[14] = \mathfrak{n}_2[14]$ | |
| $\mathfrak{R}[5] = [5]$ | $\mathfrak{R}[8] = [8]$ |

We notice that the reflection-operator $\Re$ affects different morphograms in different ways. The first group of our "formulae" shows that the law of duality holds not only for disjunction and conjunction but also for all forms of partial transjunction. The second group, which consists of only one line, shows the reflective symmetry between the conditional and its inverse. From the third group we learn that for morphograms [2], [3], [13], [14] and [15] the $\Re$-operator is equivalent to various forms of negation. And the last group shows that due to their symmetrical structure neither morphogram [5] nor [8] is affected by the operator of reflection.

These limitations of the $\Re$-operator show clearly that, even if we could use transjunction in a two-valued logic, which we cannot, the classic formalism does not provide us with a satisfactory theory of reflection. In a physical universe which is adequately described by a two-valued logic some phenomena show reflective properties and others do not. But this situation is unacceptable for a logical theory which is to include the subject. Fichte has pointed out repeatedly that subjectivity of the subject means nothing but perfect transparency ("Durchsichtigkeit")[61]. This does not mean, of course, that a subject or consciousness is, at all times and in every respect, completely transparent to itself: there are opaque spots in our subjectivity, as everybody knows from his own experiences. There was no need for Fichte to point that out, for Kant had already established what was meant by this term. One of the most important passages in the *Critique of Pure Reason* reads (in translation): "That: *I think* (I am aware of) must be capable of accompanying all my representations . . . "[62]. In other words, the point is not that the self-transparency of the subject must be present in every moment and with regard to every content of the reflexive mechanism but that it is on principle always *capable* of doing so. It is impossible for any subject to be aware of something, and to be at the same time constitutionally incapable of acknowledging it as its own.

This is in fact a maxim that has been incorporated in our scientific concepts for a long time, though couched in a different terminology. Physicists would reject something to be physically real if that something could never be observed, either directly or indirectly and could never be the possible object for *any* sort of thought. A "subjective" awareness which faced and reflected a "world" which contained such mythical objects would indeed be partly opaque. A subject is an all or nothing proposition. In other words: a partly opaque subjectivity could not exist at all. To understand this fully, one has to remember the distinction between the operation of reflection and what is reflected. It corresponds roughly to the difference between consciousness and what one is conscious of (commonly called its content). There are, of course, always gaps and discontinuities in the content of our consciousness. The reflexive mechanism of our body registers at any given moment a practically unlimited number of impressions from the external world we are actually not aware of. That means that any consciousness is, with regard to its content, highly fragmentary and discontinuous. But what cannot be fragmentary and full of gaps is the process of reflection itself. A simple example may make this clear. If we say: "one, two, three, four . . . " we are dimly aware of a nervous activity which we call "counting". This is at the very moment the actual content of our reflection. And nobody will deny that this content may be discontinuous and fragmentary in an indefinitely large number of ways. We may stop counting and we may resume again. A small child trying to learn it may skip numbers. Our attention may be diverted while our lips continue to articulate numerical terms or we may finally give up from sheer exhaustion. But no same person would seriously assert that the law of conscious reflection which manifested itself in this activity could be fragmentary or break down all of a sudden. The law which we applied was the principle of numerical induction; and although nobody has ever counted up to $10^{1000}$, or ever will, we know perfectly well that it would be the height of absurdity to assume that our law might stop being valid at the quoted number and start working again at $10^{10000}$. We know this with absolute certainty because we are aware of the fact that the principle of induction is nothing but an expression of the reflective procedure our consciousness employs in order to become aware of a sequence of numbers. The breaking down of the law even for one single number out of an infinity would mean there is no numerical consciousness at all! This is what we intended to say with the statement that a system of self-reflection cannot be partially opaque: its transparency is complete. And when Fichte uses this term he always means that consciousness has a knowledge of itself that it does not have to acquire empirically. It possesses it by dint of its own nature of "total reflection" (Hegel).

These considerations should make clear why a logical system that displays only partial reflexivity is an insufficient theoretical basis for a theory of consciousness. Even if we add the transjunctional morphograms to the classic array we discover that the reflections produced by the $\mathfrak{R}$-operator on four-place patterns are fragmentary. If we are restricted to four places it is nonsensical to assume that morphogram [13] could be a reflection of [5]. But a theory of total reflection would demand this very thing! On the other hand, such a demand can be met if we proceed from the single morphograms that the traditional logic uses to compounds of morphogrammatical structures.

There are still many competent thinkers who object to the proposal of a trans-classic logic (which would include the traditional two-valued theory) as a new organ of philosophy as well as of science, so the step into this novel realm should not be taken lightly. On the other hand we are forced to make it. The classic system is morphogrammatically incomplete; even if we could add the missing patterns (treating the additional values as merely some trans-logical "noise" of irrational origin and as indices of probability) the situation would not improve. As a system of reflection the revised theory would still be incomplete. The operator "ℜ" is not capable of deploying its possibilities with individual morphograms.

## 4. MORPHOGRAMMATIC COMPOUNDS IN M-VALUED SYSTEMS

In order to establish logical continuity in compounds of morphograms, the individual patterns have to be joined in such a way that *all* joinable places are actually connected with each other. These places are the top and bottom value occupancies of each morphogram. If we look at the two arrangements:

TABLE XII

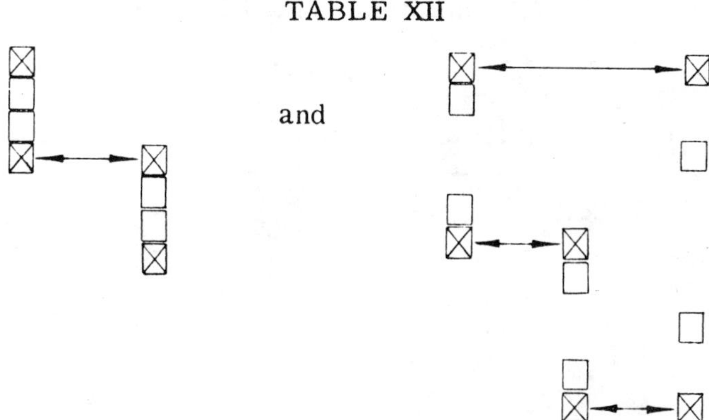


we see that a compound of only two patterns does not produce a system of morphograms. Both patterns have joinable places, indicated by x, which are not joined. The compound on the right side, however, represents a system. All joinable places of value occupancy are connected. It should also be noted that the pseudo-compound on the left side offers only seven places of value occupancy. This is too much for two values and not enough for three.

It seems at first to be trivial to point out that the value occupancies in the joinable places must always be identical, but we shall see later that this has in fact far-reaching consequences for the theory of the ℜ-operator. The morphogrammatic arrangement on the right side provides the nine places for value-occupation which are required in a three-valued logic. But whereas the traditional theories of many-valuedness, such as those of Post, Łukasiewicz, Wajsberg, and Słupecki, consider the sequence of values as continuous, we arrange them in smaller or larger compounds of morphogrammatic units. As our nine-place pattern shows, it is not necessary that the values which fill and represent a morphogram form continuous four-place sequences. In fact this is impossible. No more than two values belonging to the same pattern can ever be direct neighbors. On the other hand there is no limit to how far they can be apart. This too has weighty consequences for a general theory of reflection. The fact that we may connect individual morphograms only as allowed by their actual value-occupancy imposes, of course, certain limits on the constructuion of morphogrammatic compounds. The rules for it cannot be given within the frame of the present discussion. Instead we shall give a demonstration of how the $\Re$-operator handles values, and changes value-occupancies, for a given array of morphograms. As a model we shall use a table of several value sequences belonging to a three-valued logic. We select our value-sequences with the stipulation that they shall represent only compounds of the morphograms [1] and [4]. This limits us to exactly eight sequences:

TABLE XIII

| [4,4,4] | [1,4,4] | [4,1,4] | [4,4,1] | [1,1,4] | [1,4,1] | [4,1,1] | [1,1,1] |
|---|---|---|---|---|---|---|---|
| 1 | 1 | 1 | 1 | 1 | 1 | 1 | 1 |
| 2 | 1 | 2 | 2 | 1 | 1 | 2 | 1 |
| 3 | 3 | 3 | 1 | 3 | 1 | 1 | 1 |
| 2 | 1 | 2 | 2 | 1 | 1 | 2 | 1 |
| 2 | 2 | 2 | 2 | 2 | 2 | 2 | 2 |
| 3 | 3 | 2 | 3 | 2 | 3 | 2 | 2 |
| 3 | 3 | 3 | 1 | 3 | 1 | 1 | 1 |
| 3 | 3 | 2 | 3 | 2 | 3 | 2 | 2 |
| 3 | 3 | 3 | 3 | 3 | 3 | 3 | 3 |

We shall now apply the operator for total reflection ($\Re$ without index) to the first sequence, which contains in all three positions the morphogram [4]. In order to demonstrate the effect that this operation has on the value-occupancy of all three patterns we will separate them in the intermediate stage:

TABLE XIV

| $\Re[4,4,4]$ | | $\mathfrak{n}_R$ | | [1,1,1] |
|---|---|---|---|---|
| 1 | 3 | | 3 | 1 |
| 2 | 3 | | | 1 |
| 3 | | | 3 | 1 |
| 2 | 3 | | | 1 |
| 2 | 2 | 2 | | 2 |
| 3 | | 2 | | 2 |
| 3 | | | 3 | 1 |
| 3 | | 2 | | 2 |
| 3 | | 1 | 1 | 3 |

This table shows drastically that the $\Re$-operator is completely indifferent to the actual value-occupancy of the four-place pattern it transforms. It just changes morphograms into each other and implements these transformations with the values that are demanded by the value-occupancy of the key positions where the morphograms are joined together. This happens in Table XIV, at the first, fifth and ninth places in the column. Since the key values of the third morphogram exchange their places in the first and last position of the column, the original values "1" and "3" are retained. This, however, is not possible in the case of the first and second morphograms. Here the key values are now "3" and "2" and then "2" and "1". These key values and the structure of the morphogram determine the other value-occupancies. Since this treatment of values is rather unusual we shall demonstrate this issue of value-occupancy also for the $\Re$-operation of a single morphogram within a compound of three morphogrammatic patterns. We choose for the demonstration the first morphogram of [4,4,4] which has the standard form 1222:

TABLE XV

| $\Re^1[4,4,4]$ | | $\mathfrak{n}_1$ | | [1,4,4] |
|---|---|---|---|---|
| 1 | 2 | | 2 | 1 |
| 2 | 2 | | | 1 |
| 3 | | | 3 | 3 |
| 2 | 2 | | | 1 |
| 2 | 1 | 1 | | 2 |
| 3 | | 3 | | 3 |
| 3 | | | 3 | 3 |
| 3 | | 3 | | 3 |
| 3 | | 3 | 3 | 3 |

Although the operator "$\Re^1$" changes only the first morphogram [4] to [1], the value-occupancy of the other patterns is also altered. The first values of the second and third pattern are exchanged. By again exchanging *all* classic values ("1" and "2") with the help of the negation "$\mathfrak{N}_1$" we obtain the standard version of [1,4,4]. An explanation is due of how an $\Re$-operation is applied to one or several morphograms within a larger compound. First, we produce the mirror-image of the morphogram that is affected by the $\Re$-operator. If the operator changes two or more morphogrammatic patterns, their combined value-sequence must be put down in reverse order. By doing so, possible intervals that are produced by values from other patterns must be observed. These intervals are then filled with the values that occur in the original sequence wherever there is such an interval. Thus after having reversed the sequence 1222 in Table XV the third, sixth, seventh, eighth and ninth place is filled with the corresponding values of [4,4,4]. The following Table XVI gives an example of the application of $\Re$ to two morphograms. This time we choose the patterns 1222 and 1333 of [4,4,4]:

TABLE XVI

| $\Re^{1.3}$[4,4,4] | $\mathfrak{N}_R$ | | [4,1,1] |
|---|---|---|---|
| 1 | 3 | | 1 |
| 2 | | 2 | 2 |
| 3 | 3 | | 1 |
| 2 | | 2 | 2 |
| 2 | 2 | | 2 |
| 3 | 2 | | 2 |
| 3 | 3 | | 1 |
| 3 | 2 | | 2 |
| 3 | 1 | | 3 |

In order to illustrate how the $\Re$-operator works with two patterns the morphograms in the center of Table XVI have not been separated. First the value-sequence that is affected by $\Re^{1.3}$ is written in reversed order. This leaves us with two intervals. In the second column the values which [4,4,4] provides are written for the open places. The appropriate negation $\mathfrak{N}_R$ then returns the value-sequence to its standard form for [4,1,1].

By operating [1,1,1] in a corresponding way we obtain the following definitions for several value-sequences of Table XIII. From Table XIV we derive:

$$[1,1,1] = \text{Def } \mathfrak{N}_R \Re\, [4,4,4] \qquad (4)$$

from Tables XV and XVI

$$[1,4,4] = \text{Def}\ \mathfrak{n}_1\mathfrak{R}^1[4,4,4] \tag{5}$$

$$[4,1,1] = \text{Def}\ \mathfrak{n}_R\mathfrak{R}^{1.3}[4,4,4] \tag{6}$$

And using [1,1,1] as definitorial basis we further obtain:

$$[1,4,1] = \text{Def}\ \mathfrak{n}_2\mathfrak{R}^2[1,1,1] \tag{7}$$

$$[4,1,4] = \text{Def}\ \mathfrak{n}_R\mathfrak{R}^{2.3}[1,1,1] \tag{8}$$

It is important to note that Table XIII contains two more morphogrammatic compounds which cannot be defined in this simple manner. [4,4,1] as well as [1,1,4] have specific properties which set them apart from the other value-sequences. It will be interesting to compare the Formulas (4), (5), (6), (7), and (8) with corresponding formulas that use only negations and no $\mathfrak{R}$-operations. We obtain then DeMorgan-type relations that look as follows:

$$p[1,1,1]q = \text{Def}\ \mathfrak{n}_R(\mathfrak{n}_R\, p[4,4,4]\mathfrak{n}_R\, q) \tag{9}$$

$$p[1,4,4]q = \text{Def}\ \mathfrak{n}_1(\mathfrak{n}_1\, p[4,4,4]\mathfrak{n}_1\, q) \tag{10}$$

$$\rho[4,1,4]q = \text{Def}\ \mathfrak{n}_2(\mathfrak{n}_2\, p[4,4,4]\mathfrak{n}_2\, q) \tag{11}$$

and with [1,1,1] as definiens:

$$p[4,1,1]q = \text{Def}\ \mathfrak{n}_1(\mathfrak{n}_1\, p[1,1,1]\mathfrak{n}_1\, q) \tag{12}$$

$$p[1,4,1]q = \text{Def}\ \mathfrak{n}_2(\mathfrak{n}_2\, p[1,1,1]\mathfrak{n}_2\, q) \tag{13}$$

Again [4,4,1] and [1,1,4] remain undefined. If we want a definition for them and still rely, apart from negation, only on [4,4,4] and [1,1,1] as definitorial basis we are forced to resort to the following cumbersome sequence of symbols:

$$p[4,4,1]q = \text{Def}\ \mathfrak{n}_1(\mathfrak{n}_1\, p[1,1,1]\mathfrak{n}_1\, q)\,[4,4,4]\mathfrak{n}_2(\mathfrak{n}_2\, p[1,1,1]\mathfrak{n}_2\, q) \tag{14}$$

$$p[1,1,4]q = \text{Def}\ \mathfrak{n}_1(\mathfrak{n}_1\, p[4,4,4]\mathfrak{n}_1\, q)\,[1,1,1]\mathfrak{n}_2(\mathfrak{n}_2\, p[4,4,4]\mathfrak{n}_2\, q) \tag{15}$$

It is, of course, possible to shorten Formulas (14) and (15) if we do not restrict ourselves to the use of [4,4,4] and [1,1,1]. However, there might be reasons when this restriction is desirable.

The introduction of transjunction [13,13,13] provides us with such a motive. In two-valued logic disjunction may be defined by the use of negation and conjunction and the latter by the inverse procedure with disjunction. It would be important to have a corollary to DeMorgan's law that would establish an analog basic relation between conjunction and disjunction on one side and total transjunction in a three-valued system on the other. But if we do this with negational operations we arrive at the following involved formula:

$$p[13,13,13]q = \text{Def} < \mathfrak{N}_1(\mathfrak{N}_1 p[4,4,4]\mathfrak{N}_1 q)[1,1,1]\mathfrak{N}_2(\mathfrak{N}_2 p[4,4,4]\mathfrak{N}_2 q) >$$

$$\mathfrak{N}_1(\mathfrak{N}_1 p[4,4,4]\mathfrak{N}_1 q)[1,1,1]\mathfrak{N}_2(\mathfrak{N}_2 p[4,4,4]\mathfrak{N}_2 q) \tag{16}$$

$$\mathfrak{N}_{2.1} < \mathfrak{N}_1(\mathfrak{N}_1 p[1,1,1]\mathfrak{N}_1 q)[4,4,4]\mathfrak{N}_2(\mathfrak{N}_2 p[1,1,1]\mathfrak{N}_2 q) >$$

By using the Formulas (14) and (15) we may, of course, reduce the awkward Formula (16) to the very simple formula:

$$[13,13,13] = ([1,1,4])\,[1,1,4]\,(\mathfrak{N}_{2.1}\,[4,4,1]) \tag{17}$$

or to

$$[13,13,13] = ([4,4,1])\,[4,4,1]\,(\mathfrak{N}_{1.2}\,[1,1,4]) \tag{18}$$

But this is not exactly what we want. Here a new morphogrammatic distinction becomes important. Only two of the value-sequences of Table XIII represent one morphogram. They are [4,4,4] and [1,1,1]. We shall call sequences in which the same morphogrammatic pattern is repeated in all "places" of the system a monoform value-sequence. If more than one morphogram is used to cover all "places" we shall speak of a polyform structure. The polyform sequences [1,4,4], [4,1,4], [4,4,1], [1,1,4], [1,4,1] and [4,1,1] are all we know so far. We see now that in Formulas (17) and (18) the monoform structure of [13,13,13] is equated with two polyform expressions. The relation is, in fact, interesting in many respects; but it is not what we want. We search for a corollary to DeMorgan's law for our function [13,13,13].

Since all basic morphograms of the Tables VI and VIa must be classified as monoform it means that the DeMorgan law expresses a relation that is established with the exclusive use of monoform value-sequences. If we assume this morphogrammatic viewpoint Formulas (17) and (18) do not qualify as corollaries. Formula (16) does, but in such an awkward manner that we cannot feel very happy about it. And since it is impossible to blame [4,4,4] and [1,1,1] for the length of the formula the blame must fall upon the $\mathfrak{N}$-operator.

One cannot help but wonder under the circumstances whether trans-classic systems of logic are basically also orders of value-assertion and -negation. The Formula (16) leaves one with the impression that negation is somehow too weak an operator within these new realms. For this very reason we introduce the $\mathfrak{R}$-operator. A many-valued system, interpreted as a morphogrammatic logic, is basically not a negational order but a system of reflection. This has never been clearly recognized by previous investigations in this field. The very meritorious researches of Łukasiewicz, Wajsberg, Słupecki and others still lean on the ontology of the Aristotelian terms of δυνατὸν εἶναι (potentiality), ἐνδεχὸμενον εἶναν (contingency) and ἀναγκαῖον εἶναι (necessity) as elaborated in "De Interpretatione". This is an ontology of objective Being but not of objective-subjective Reflection. But for any ontology of the object the natural way to handle values is to assert or negate them. Using Fichte's symbolism (see Table X) we noticed that negation is equivalent to reflection for inverse value constellations like 1, 2 and 2, 1 or 1, 2, 3 and 3, 2, 1. It is true that Aristotle hints at a third value in the famous ninth chapter[63] of "De Interpretatione", but this value seems to coincide with Fichte's horizontal line. Very significant also is that considerable difficulties exist to complement the "third value" of Aristotle with a fourth. And it becomes almost impossible to interpret this ontology with five, six, or seven individual values. This was clearly recognized by Łukasiewicz. As early as 1930 he made the following statement: "Es war mir von vornherein klar, dass unter allen mehrwertigen Systemen nur zwei eine philosophische Bedeutung beanspruchen können: das dreiwertige und das unendlichwertige System"[64]. This is undoubtedly true if the extension of traditional logic into trans-classic regions is based on "De Interpretatione". Aristotle's "third value" can only be understood as the indifference (Schelling) between "true" and "false". Another way to put it is to say that the decision between the two values remains suspended because of the specific properties of the designated ontological situation. Aristotle is concerned with propositions in the future tense. He argues that it is still undetermined whether there will be a sea-battle tomorrow...or not. But although neither side of the alternative can be said to be true or false the disjunction itself: "Either this battle will be or it will not be" is accepted as true regardless of the future tense. And there will, or course, come a moment when the datum in question moves from the modal realm of possibility (δυνατὸν εἶναι) into that of reality or non-reality. Consequently the decision between the two values is suspended only because of the time element involved. It is now very easy to take the step from this third suspension value to a logic of probability. Since we have to assume that the interval between the δυνατὸν εἶναι and the ontological state of ἐνδεχόμενον εἶναι may be very long (and to all practical intents and purposes even infinite) the suspension may remain forever; the time for a final decision may never come. We have then to choose between probability values, of which there must be at least a denumerable infinity. A fourth, fifth, or sixth value between this third value of indifference and the infinity of probability data makes very little or no philosophic sense. One cannot help but agree with Łukasiewicz's statement that finite m-valued systems where $m > 3$ have no philosophic significance.

Of course, it might be argued that Aristotle's third "value" introduces reflection into formal logic ... in a manner of speaking. Deciding to suspend the decision between two values is a sort of subjective reflection. This has already been admitted, and we discussed this type of subjectivity when we mentioned the part that is played by reflection in quantum mechanics. But we also cited Heisenberg's comment that the probability functions are "completely objective" with regard to their semantic significance[65]. And this is what Aristotle is concerned about. His envisaged value of suspension designates exclusively possible or actual states of *objective* existence. His philosophical theme is - in his own words - τὸ ὄν = Being as an object. This ὄν turns up as the verb εἶναι in the modal terms which we quoted in the preceding paragraph. It is what the subject *faces*, but never the subject itself! Obviously a logic which takes its bearings from the objective side of Reality is not very well equipped to deal with subjectivity as such and as a state of being in contraposition to any thinkable object.

The defenders of the classic position in logic may, of course, say that the ultimate Reality behind the Aristotelian ὄν and εἶναι namely the τὸ τί ἦν εἶναι is the absolute indifference of Object and Subject. But this is the viewpoint of a mystic. It cannot be the basis of a logic of cybernetics. This much may, however, be admitted: the minimum of reflection which is involved in the description of the external world as a bona fide object is indeed capable of defining subjectivity. In other words: it is possible to define the subjective function of transjunction [13,13,13] in terms of negation combined with conjunction and disjunction. We did so when we produced the Formula (16). It was based on the system $\{[4], \mathfrak{N}_1, \mathfrak{N}_2\}$. However, it took logic a long time to recognize the following point. It is not sufficient that we are *able* to describe something in formal terms: it is equally important *how* we describe it. This is one of the basic tenets of the transcendental logic of Kant, Fichte, Hegel, and Schelling. These thinkers were fully aware of the fact and pointed out that it is, of course, permissible to describe a subject exclusively in terms of objective existence and that there is no limit to such a description (for no subjective phenomenon can be demonstrated which could not be submitted to such a treatment). The procedure is in itself irreproachable. But by doing so, as Fichte and his successors point out, we have described a subject *as* an object. If we intended to do so, nothing more can be said. But if we intended to describe the subject *qua* subject we have failed! We have interpreted something in terms of *being* although we wanted to know something in terms of *reflection*. In order to avoid this mistake we introduced the $\mathfrak{R}$-operation. This gives us an opportunity to express the DeMorgan law in a double fashion. First it can be presented with the help of $\mathfrak{N}$. In this form it demonstrates structural relations of objective existence. But the same law may also be expressed with the $\mathfrak{R}$-operator. In this case we define it as a law of reflection. We still owe the reader this second definition. We shall produce it after a demonstration of the capacities of the $\mathfrak{R}$-operator in morphogrammatic compounds.

It is obvious that the concept of subjectivity in formal logic, as represented by the $\mathfrak{R}$-operation, has nothing to do with distribution of values. The logical unit of many-valued systems is the morphogram. $\mathfrak{N}$-operations cannot directly transform one morphogram into another because they deal with values and not with abstract patterns incorporated in more or less irrelevant values. But the new $\mathfrak{R}$-operator demands, in its turn, distribution of morphograms. We observed that if "$\mathfrak{R}$" is applied to single morphograms the result is sometimes nothing, sometimes a negation, and only in a few cases a second morphogram. But the few morphogrammatic compounds which we demonstrated in the Table XIII contained only the patterns [1] and [4] which are amenable to $\mathfrak{R}$-transformation even in their isolated state. We shall now show that in a morphogrammatic compound a given pattern can be transformed into any other pattern. If we look, for instance, at Table XIV we observe that after operation by $\mathfrak{R}$ (total reflection) the second morphogram, represented by the value sequence 2333, becomes the reflection of the first 1222. But 2333 appears, of course, as its mirror-image 3332 in this operation. One morphogram has been transformed into another but both belong to the same Table VII. We have not yet demonstrated that an $\mathfrak{R}$-operation may also t r a n s f o r m a non-transjunctional pattern into one with transjunction. If we want to establish a DeMorgan relation between disjunction and conjunction on one side and transjunction on the other we require exactly this sort of operation.

When we produced [1,4,4] and [4,1,1] with the help of $\mathfrak{R}^1$ and $\mathfrak{R}^{1.3}$ from conjunction (see Tables XV and XVI) we omitted to use $\mathfrak{R}^2$, $\mathfrak{R}^3$, $\mathfrak{R}^{1.2}$ and $\mathfrak{R}^{2.3}$ on [4,4,4]; and later we did not apply $\mathfrak{R}^1$, $\mathfrak{R}^3$, $\mathfrak{R}^{1.2}$ and $\mathfrak{R}^{1.3}$ in our definitions based on [1,1,1]. We will now apply these not yet used $\Re$-operators on conjunction and disjunction. The next two tables show the results:

TABLE XVII

| [4,4,4] | $\Re^2$ | $\Re^3$ | $\Re^{1.2}$ | $\Re^{2.3}$ |
|---|---|---|---|---|
| 1 | 1 | 3 | 3 | 3 |
| 2 | 2 | 2 | 3 | 3 |
| 3 | 3 | 3 | 3 | 3 |
| 2 | 2 | 2 | 3 | 3 |
| 2 | 3 | 2 | 2 | 2 |
| 3 | 3 | 3 | 2 | 3 |
| 3 | 3 | 3 | 3 | 3 |
| 3 | 3 | 3 | 2 | 3 |
| 3 | 2 | 1 | 1 | 1 |
| [4,4,4] | [13,1,13] | [4,13,1] | [1,1,1] | [1,13,1] |

and

TABLE XVIII

| [1,1,1] | $\Re^1$ | $\Re^3$ | $\Re^{1.2}$ | $\Re^{1.3}$ |
|---|---|---|---|---|
| 1 | 2 | 3 | 3 | 3 |
| 1 | 1 | 1 | 2 | 1 |
| 1 | 1 | 1 | 1 | 1 |
| 1 | 1 | 1 | 2 | 1 |
| 2 | 1 | 2 | 2 | 2 |
| 2 | 2 | 2 | 1 | 1 |
| 1 | 1 | 1 | 1 | 1 |
| 2 | 2 | 2 | 1 | 1 |
| 3 | 3 | 1 | 1 | 1 |
| [1,1,1] | [4,13,13] | [13,1,4] | [4,4,4] | [13,4,4] |

First it should be noted (see also Table XIV) that:

$$[1,1,1] = \mathfrak{N}_R\,\Re[4,4,4] = \mathfrak{N}_R\,\Re^{1.2}[4,4,4] \quad (19)$$

$$[4,4,4] = \mathfrak{N}_R\,\Re[1,1,1] = \mathfrak{N}_R\,\Re^{1.2}[1,1,1] \quad (20)$$

This operational identity of $\Re$ and $\Re^{1.2}$ is by no means general. The following example will show that $\Re$ and $\Re^{1.2}$ do not always produce identical results:

$$\Re[4,2,12] = \mathfrak{N}_R[2,1,9] \quad (21)$$

$$\mathfrak{R}^{1.2}[4,2,12] = \mathfrak{N}_R[2,1,1] \tag{22}$$

On the other hand:

$$\mathfrak{R}[4,2,12] = \mathfrak{R}^{2.3}[4,2,12] \tag{23}$$

A discussion of the occasional operational identity of total $\mathfrak{R}$ with one of its sub-operators (although interesting in itself) goes beyond the scope of this investigation. However, we are very much concerned with the other $\mathfrak{R}$-operations of Table XVII and XVIII because they show us examples of transformations of classic morphograms into transjunctional patterns. The value-sequences thus obtained are polyform but with their help it is now easy to give a formulation of the DeMorgan law for transjunction using $\mathfrak{R}$-operators. Instead of Formula (16) we may now write:

$$[13,13,13] = \text{Def } \mathfrak{N}_2 \langle (\mathfrak{R}^2[4,4,4])[1,1,1](\mathfrak{N}_{1.2}[1,1,1])\rangle \tag{24}$$

This expression satisfies our stipulation that only the monoform sequences of conjunction and disjunction may be used. The considerable reduction in negational operations that Formula (24) represents when compared with Formula (16) shows that the reflectional element contained in $\mathfrak{N}$ is not adequate to cope with a logic of reflection.

We may approximate the classic law of DeMorgan even further. Instead of using both, conjunction and disjunction, to express the value-sequence of transjunction we may confine ourselves to one of the two. If we choose disjunction we obtain the desired formula by a simple substitution which gives us the new definition:

$$[13,13,13] = \text{Def } \mathfrak{N}_2 \langle(\mathfrak{N}_R\mathfrak{R}^2\mathfrak{R}[1,1,1])[1,1,1](\mathfrak{N}_{1.2}\mathfrak{R}^1[1,1,1])\rangle \tag{25}$$

By an analog procedure we can define transjunction with the exclusive use of conjunction.

$$[13,13,13] = \text{Def } \mathfrak{N}_1 \langle(\mathfrak{N}_R\mathfrak{R}^1\mathfrak{R}[4,4,4])[4,4,4](\mathfrak{N}_{2.1}\mathfrak{R}^2[4,4,4])\rangle \tag{26}$$

It stands to reason that no transformation of a classic morphogram into morphogram [15] can be accomplished with nine-place value-sequences. But this situation is easily remedied by progressing to a system which requires four values. The procedure then is analogous.

The Aristotelian ontology which advances *à la* Łukasiewicz from a hypothetical third value of logical indifference between "true" and "false" directly to an infinity of probabilities would make the introduction of an individual fourth value very difficult from the interpretational viewpoint. In a theory of objective existence the fourth value seems to represent a redundancy. It has no status of its own to keep it apart from the subsequent values. In the theory of morphograms it is different: there value four has a special significance insofar as a three-valued system is, morphogrammatically speaking, still incomplete. And in the first philosophical theory of consciousness which really deserves the name[66] - the Transzendentale Elementarlehre in the *Critique of Pure Reason* - Kant provides a table of categories[67] which, so he points out, represent the basic logical structure of the mind. These categories are subsumed under four primordial motives of consciousness which he calls:

quantity
quality
relation
modality

This would require, so far as a formal logical theory of consciousness is concerned, a system with four values. That means a structural order which is morphogrammatically complete. Thus the fourth value has a specific significance. But this significance could not mean anything to Aristotle because his philosophical theme is objective Being, and not its subjective reflection as awareness and self-consciousness.

This should take care of the fourth value. However, we have to admit that it does not solve the problem of the ontological identification of a fifth, sixth or any subsequent value. And unless we resign ourselves to their interpretation as probabilities we have to admit that the task of identifying a potential infinity of values with regard to their individual semantic significance, other than modality or probability, is hopeless. This is a further motive for giving up the value theory and for resorting to the morphogrammatic interpretation of trans-classic systems of logic. It is justifiable to call these systems non-Aristotelian because the concept of the morphogram means a departure from the way a trans-classic logic has to be developed if such development is guided by Aristotle's speculations in "De Interpretatione".

The non-Aristotelian viewpoint considers logical systems which transcend the scope of the two-valued traditional theory as vehicles of the distribution of systems. And since each individual morphogram indicates the place of a two-valued logic, which is, of course, disturbed by the "noise" of transjunction, we might as well say that a many-valued logic is a place-value order of morphograms and of compounds of morphogrammatic patterns. This relegates the concept of value in these higher systems to a subsidiary role. The use of value, and therefore the use of negation, is still necessary because it is impossible to construct compounds of morphograms in a logical sense without value-occupancy. But it is not the value but the morphogram which determines the semantic significance of the non-Aristotelian theory of thought. The classic concept of ratiocination is incomplete only from the morphogrammatic viewpoint. And it is this new aspect which introduces the idea and the operations of transjunction. The concept of a value of rejection is incompatible with the metaphysics of Aristotle. His hypothetical third value from the ninth chapter of "De Interpretatione" is anything but a rejection of the alternative of the two values on which his theory of thought is based.

If we interpret many-valued systems as place-value orders of morphograms and morphogrammatic compounds we should say something about the formal composition of these arrangements, which grow rapidly in complexity if more values are introduced. The two-valued system is not only morphogrammatically incomplete, as we have frequently noted: it is also not a compound of morphograms. Only one morphogram may be used at a time and in a single operation as far as the definition of such operations as conjunction, disjunction, conditional and so on is concerned. A three-valued system is morphogrammatically richer although still incomplete, as we know, but it also represents morphogrammatic compound structures. A four-valued system is finally both. It is complete as to the number of morphograms and it is also an order of compounds. It is important not to confuse the hierarchy of value-systems with the hierarchy of morphogrammatic compounds. A three-valued system using three connected morphograms incorporates just 3 "four-place" sub-systems which are basically "two-valued" *but open for transjunction.* A four-valued system represents 6 "two-valued" logics, 4 "three-valued" systems and 1 "four-valued" formal order. The number of two-valued svbsystems for any m-valued order is

$$\frac{m^2 - m}{2}$$

Moreover, any m-valued logic has m sub-systems of the value-order m-1. Generally it can be said that the number of s-valued sub-systems that are formed by an m-valued logic is

$$\binom{m}{s}$$

when $s \leq m$. The following Table XIX gives the values for $\binom{m}{s}$ where s ranges from 2 to 7:

TABLE XIX

| m | $\binom{m}{2}$ | $\binom{m}{3}$ | $\binom{m}{4}$ | $\binom{m}{5}$ | $\binom{m}{6}$ | $\binom{m}{7}$ |
|---|---|---|---|---|---|---|
| 2 | 1 | | | | | |
| 3 | 3 | 1 | | | | |
| 4 | 6 | 4 | 1 | | | |
| 5 | 10 | 10 | 5 | 1 | | |
| 6 | 15 | 20 | 15 | 6 | 1 | |
| 7 | 21 | 35 | 35 | 21 | 7 | 1 |
| .. | .. | .. | .. | .. | | .. |
| .. | .. | .. | .. | .. | | .. |

According to our table a five-valued logic would include as sub-systems 10 "two-valued" logics, the same number of "three-valued" systems, and 5 "four-valued" logics. We have put the value-designation in quotation marks because they all permit rejection values to enter their order. A "two-valued" sub-system in a "three-valued" logic is determined by 3 values. This awkwardness shows the inadequacy of the value concept when applied to higher systems of logic. It is more adequate to say that a three-valued logic is a compound of 3 morphograms.

Table XIX is nothing but a fragment of the well-known table of binomial coefficients[68] adopted for our purpose. An interesting fact that can be obtained from Table XIX is that the sum of the numbers of all sub-systems of $s^{th}$ order for a given m-valued logic is always equal to the number of sub-systems of s + 1 order in a logic with m + 1 values. It is implied that each logic contains itself as sub-system.

In the described sense we may interpret all m-valued systems of logic, classic as well as trans-classic, as place-value systems of sub-logics with the order indices 1, 2,... m-1. It is by no means superfluous or trivial that we include the two-valued logic. The very fact that the traditional logic, in its capacity of a place-value structure, contains only itself as subsystem points to the specific and restricted role which reflection plays in the Aristotelian formalism. In order to become a useful theory of reflection a logic has to encompass other sub-systems besides itself.

More important than the interpretation of all logics as place-value systems of suborders that are made up of values is the morphogrammatic orientation which looks at a given logic as a set of morphograms and morphogrammatic compounds. In the classic logic these two concepts coincide. There are no compounds in the proper sense unless we say that each morphogram represents its own compound. In any m-valued system where m > 2 they differ. It stands to reason that the number of morphograms which make up a compound is always identical with the number of first order systems which are incorporated in a given logic. In one (and the most important) respect, however, there is no difference between the Aristotelian and the many-valued logic: the number of morphograms and morphogrammatic compounds is always smaller than the number of value-sequences or functions. A two-valued system has eight morphograms which are represented by 16 functions of four places. A three-valued logic possess $3^9 = 19683$ nine-place value-sequences. The number of morphograms that are represented in it is, as we know, 14 and the system is therefore not yet morphogrammatically complete. However, as far as unique morphogrammatic compounds are concerned this system contains 1 compound represented by one value, 255 compounds incorporated by two values, and 3025 compounds where the structure requires three values for systematic representation. In the classic system all morphograms claim double value occupancy. In the three-valued system we find the following correlation between values and morphogrammatic compounds:

TABLE XX

| compounds | value-occupancy |
|---|---|
| 1 | 3 |
| 2 5 5 | 6 |
| 3 0 2 5 | 6 |

The more comprehensive the logical systems become, the higher is the rate of value-occupancy, or the smaller becomes the number of unique morphogrammatic structures compared with the number of value-sequences that represent them in a given logic. The author's attention was drawn by H. von Foerster to the fact that the number of ways $\mu(m)$ in which m values can be put into n different places can be defined with the aid of S(n,k), the Stirling numbers of the second kind[69], the first few values of which are given in Table XXI. It can be shown that

$$\mu(m) = \sum_{i=1}^{m} S(m^2, i). \qquad (27)$$

Thus, if we wish to know the number of morphograms, or morphogrammatic compounds, the answer will be given by Formula (27).

TABLE XXI

| n/k | 1 | 2 | 3 | 4 | 5 | 6 | 7 | 8 | 9 |
|---|---|---|---|---|---|---|---|---|---|
| 1 | 1 | | | | | | | | |
| 2 | 1 | 1 | | | | | | | |
| 3 | 1 | 3 | 1 | | | | | | |
| 4 | 1 | 7 | 6 | 1 | | | | | |
| 5 | 1 | 15 | 25 | 10 | 1 | | | | |
| 6 | 1 | 31 | 90 | 65 | 15 | 1 | | | |
| 7 | 1 | 63 | 301 | 350 | 140 | 21 | 1 | | |
| 8 | 1 | 127 | 966 | 1701 | 1050 | 266 | 28 | 1 | |
| 9 | 1 | 255 | 3025 | 7770 | 6951 | 2646 | 462 | 36 | 1 |

In a two-valued logic we have, e.g.:

$$\mu(2) = \sum_{1}^{2} S(4,i) = 1 + 7 = 8$$

Or, in the case of a three-valued system:

$$\mu(3) = \sum_{1}^{3} S(9,i) = 1 + 225 + 3025 = 3281$$

There is, however, another aspect to the theory of the morphogrammatic compounds which we will call their $\bar{\mu}$-structure. It arises from the formula:

$$\bar{\mu}(m) = \sum_{i=1}^{m^2} S(m^2, i) \qquad (28)$$

We require Formula (28) as justification of our statement that a logic of reflection has 15 basic morphogrammatic units. If we assign m the value 2 then we obtain from Formula (28)

$$\bar{\mu}(2) = 15$$

the number of morphograms represented by Tables VIa and VIb. However, Formula (28) has a deeper significance. If we equate m = 3 then

$$\bar{\mu}(3) = 21147$$

Since we know that a three-valued logic has only $3^{3^2} = 19683$ value-sequences it seems to be stark nonsense to ascribe to a trinitarian logic 21147 morphogrammatic compound structures. It is, indeed, impossible if we assume that 3 is the highest value in the system; or to put it into different words that our logic is only a sub-system of itself. In this case Formula (27) applies. On the other hand, we face a different situation if our trinitarian logic is a sub-system of, let us say, a logic with 9 values. The number of rejection values any two-valued system may have within an m-valued logic is always m-2. If a three-valued logic is only a sub-system of itself only one rejection value is available for each of its two-valued sub-systems. But if the same trinitarian logic is part of a nine-valued structure of reflection our Table IX would grow into Table XXIV.

TABLE XXIV

| p | q | [1] | [4] | [13] | [13] | [13] | [13] | [13] | [13] | [13] |
|---|---|---|---|---|---|---|---|---|---|---|
| P | P | P | P | P | P | P | P | P | P | P |
| P | N | P | N | 3 | 4 | 5 | 6 | 7 | 8 | 9 |
| N | P | P | P | 3 | 4 | 5 | 6 | 7 | 8 | 9 |
| N | N | N | N | N | N | N | N | N | N | N |

Table XXIV demonstrates clearly that nothing is or can be added to the morphogrammatic structure of "two-valued" logic. But the case is quite different for the trinitarian system. By being a sub-system of a nine-valued order of reflection it acquires a greater richness of morphogrammatic structure. We give as an example a value-sequence which may occur in a trinitarian system if and only if it is a sub-system of a logic where m ≥ q:

**1 2 3 4 5 6 7 8 9**

This is a function with the morphogrammatic order [15,15,15] which a three-valued logic that is only a sub-system of itself could not have. If the trinitarian system is a sub-system of, e.g. a four-valued logic, the increase of morphogrammatic richness would be considerably smaller. But there is a limit for such an increase. It is given by the formula

$$\bar{\mu} - \mu$$

which in the case of a three-valued logic is

$$\begin{array}{rl} \bar{\mu}(3) = & 21147 \\ - \mu(3) = & 3281 \\ \hline & 17866 \end{array}$$

No doubt the increase in morphogrammatic compound structure is impressive. But for a "three-valued" logic it ends with that number. Generally, no sub-system will increase its morphogrammatic richness if $m > s^2$.

Every logic, if included as a sub-system in a higher order of reflection finally reaches a point of morphogrammatic saturation, provided, of course, that s is finite. For a two-valued logic this stage is reached when the classic system is incorporated in a four-valued order. If, e.g., [15] as a four-place sequence is penetrated by higher values and assumes, let us say, the shape 1792, the original transjunction is monotonously iterated. As far as the classic system is concerned no new logical motive has been added. We all know from our own psychological introspection that our consciousness has a capacity for a theoretically unlimited self-iteration of its concepts. Fichte has drawn our attention to its (negative) logical significance. We have, he says, a concept of something and may iterate it into a:

concept of a concept of a concept ........of something

and so on *ad nauseam*. He and later Hegel point out that after the second step no increase in logical structure can be expected. The endless iteration of our reflection, is, to use a term of Hegel, "eine schlechte Unendlichkeit" (a bad infinity). It is important to point out that there are indeed two utterly different ways in which a formal increase of reflection may be obtained: first, by (empty) iteration of a morphogrammatically saturated system and second, by a growth of morphogrammatic structure. It is a serious argument against the reflective power of the infinite hierarchy of two-valued meta-systems that this hierarchy represents an iteration of the first kind.

From a logical point of view it is also important to know that there is a semantic difference between the morphogrammatic structure any m-valued system has as an independent logic and the additional structure it gains by becoming a sub-system of a more comprehensive order of reflection. It will be useful to stress this difference by speaking of morphogrammatic compounds of first and second order. The first is by far the more important - at least as far as the semantic interpretation plays a part.

Despite the rapid growth of the first order compounds their numerical ratio to the value-sequences grows steadily smaller. This gradually enhances the importance of the morphogrammatic structures. The higher the rate of their possible value-occupancy the more flexible they are in their employment for a theory of reflection or subjectivity. In our traditional logic they cannot be used at all in this sense since their value-occupancy means a strict alternative of two values producing a perfect involution. Morphograms indicating transjunction are useless in this situation. It may be said that the concept of Being or of Reality developed on the platform of two-valued logic is entirely irreflexive. This is why Schrödinger's complaint that it is impossible to discover subjectivity and subjects in our present scientific world-conception is more than justified. If a morphogram changes its value-occupancy, and there is only one other value available, and this value entails perfect negational symmetry (Nicholas of Cusa's *coincidentia oppositorum*), then nothing is gained by this change - except the insight into the futility of this operation for a theory of reflection.

This helps us to obtain a reliable definition of what we mean when we use the terms "irreflexive", "reflexive" and "self-reflexive"[70]. We shall stipulate that we refer with the first concept to those structures of any system that can be described by a logic which uses only the morphograms [1] to [8]. Thus the value-occupancy is automatically restricted to two inverse values. In other words, there exists a symmetry between the designating and the non-designating value. A system which is described with the exclusive use of categories derived from a logic with the above morphogrammatic restriction has a most significant property: *it has no environment of its own!* Environment would mean a third value! It also means structural asymmetry. If one reads H. von Foerster's essay *On Self-Organizing Systems and Their Environments* with the eye of a logician then it is not difficult to discover this lack of logical symmetry between what is supposed to be the system itself and its possible environment.

In fact there is only one system known to us which forces us, by logical necessity, to conceive it as having no environment. It is the objective universe as a whole representing the sum total of Reality. This is why our traditional logic applies so perfectly to all of *it*—so long as we are willing to forget about the subject.

The very moment we say that we perceive the Universe, it has acquired an enveloping environment: the "space" of perception. And it does not help us in the least if we argue that the dimension of perception is enclosed in the Universe. In the same essay, H. von Foerster correctly points out that it is irrelevant whether the environment is inside or outside the "closed surface" which separates it from that which it "envelops"[71].

Our classic tradition of science assumed that it was possible to treat, even inside the Universe, certain data of observation in total isolation and without regard to an environment. Quantum mechanics has first disabused us of this notion. But having an environment and being affected by it is one thing. A probability logic takes care of this situation. Quite a different thing is a system which *reflects* its environment by organizing itself and producing additional structure. An elementary particle which is affected by the observation does not do so: the closed surface is missing. Logically speaking, the applied values are just diffused and distributed over an area of uncertain character. But such a structure-producing action takes place in von Foerster's experiment with the magnetized cubes. The "noise" which enters the box containing them is reflected in an incredibly ordered structure. We have already pointed out that it is senseless to view this situation with categories which have sprung from a probability logic. In the case of the cubes a phenomenon of distribution is again involved, but it is no longer a distribution of single data, with corresponding individual probability values, but of arrays of data which are capable of forming systems. It is evident that this requires the service of a logic which is capable of distributing systems. The basic unit of such a logic must be something which represents an array of data. This unit is the morphogram.

We have demonstrated that such a logic exists, and we have also shown that the introduction of morphograms with transjunctional structure, [9] - [15], produces a distribution of *systems*. If we ignore the value-occupancy of our structures we call the distribution of our original four-place morphograms over different positions a morphogrammatic compound. If we look at the same structure from the viewpoint of value-occupancy, we speak about a many-valued logic having a given number of m, m-1, m-2,... m-n valued sub-systems. Both aspects are essential. The first is necessary because it indicates the structural incompleteness of two-valued logic and it provides us with a new logical unit, the morphogram, which is capable of representing a system and at the same time of demanding distribution if we intend to apply more than one of these structural patterns in the same binary function. The second aspect is essential because the morphograms, to be fully usable in terms of logic, have to be occupied by values; and values are the only means by which their distribution may be accomplished. If a many-valued logic is basically a place-value system of distributed morphograms then such places of distribution must be marked by values. If, for instance, 123223333 represents a function in which the morphogram [4] is distributed over four places then the first position is indicated by the value-sequence 1222. What we decide to call the second place is occupied by 2333 and the third place shows its location by using 1333.

These 3 four-place sequences may be considered mutual "negations". But negation in a many-valued system has, under certain conditions, an entirely different function from the corresponding operation in traditional logic. If we negate 1222 and obtain 2111 in classic logic we have negated the *meaning* of the original sequence. But if we apply the negator $\mathfrak{N}_2$, thus changing 1222 to 1333, we insist that the second value-sequence carries exactly *the same meaning* as the first. What the operator did was only to shift the meaning from one given location in a system of reflection to some other place. A change of values in a many-valued order may under given circumstances produce a change of meaning. But it does not necessarily do so. In traditional logic a value has one and only one function. By negating one value it unavoidably *accepts* the other one as the only possible expression of a choice. And by doing so it implicitly accepts the alternative that is offered by the given values. In this sense negation is a function of acceptance in the classic theory and the values "true" and "false" are *acceptance* values. All thinking starts from the primordial fact that there *is* something to think about. Consciousness is, seen from this angle, nothing but the acceptance of the fact that there is an objective world. And if we think about this objective "there is" we use only the morphograms [1] through [8] which can be arranged in a logic where each value functions as an acceptance value. And here a change of value results always in a change of meaning. A negated conjunction is not a conjunction anymore. It now carries a different meaning. It signifies incompatibility.

As soon, however, as we enter the domain of many-valued logic by making use of the morphograms [9] through [15] all values assume a second function. They may or they may not be acceptance values. And if they are not, then they represent *rejection*. In our standard form of morphogram [13] as shown in Table IV the value "3" represents a rejection. But any value may be considered a rejection value. If a given system provides for its variables, in a specific instance, the values "2", "3", "4", "5" and "6" and the applied function chooses "1" the selected value represents a rejection of the structural context which is circumscribed by the offered values. If the value-sequence [4,4,4] of Table XIV gives us conjunction with the standard and two "negated" value-occupancies

TABLE XXII

| [4] | $\pi_{2.1}[4]$ | $\pi_2[4]$ |
|---|---|---|
| 1 | 2 | 1 |
| 2 | 3 | 3 |
| 2 | 3 | 3 |
| 2 | 3 | 3 |

the $\pi$-operations which determine the relations between these 3 four-place sequences do not change the meaning of [4]. Instead of it they state the fact that conjunction is also valid within two additional structural contexts which originate from the rejection of the $1 \longleftrightarrow 2$ alternative. In other words: [4,4,4] asserts that conjunction is simultaneously valid on three different levels of reflection and that these levels are related to each other via the operations $\pi_{2.1}$ and $\pi_2$. In this specific case it is the value "3" which transjugates the meaning from one sub-system to another.

By interpreting transjunction as a logical act of rejection this type of operation acquires a specific cybernetic significance. We have already suggested on a previous page that transjunction isolates a system (by rejecting it). In doing so, it produces the distinction between a closed system and its environment. This is exactly what a two-valued logic can never do. Its very nature of having only two values makes it impossible. One value is not sufficient to define a system. Every description of it absorbs two values! But the very same values which do the job of describing it cannot be used to tell us what it means to have an envelope around it (Wittgenstein). For this very purpose we require a value which *transcends* the scope of the system. However, as we have seen, there is no way to make such a value operable as long as we stick to the classic ontology and the concomitant logic of Being-as-the-irreflexive-It. For this logic only Reality as Totality has a closed surface. In other words: all of the Universe may be considered a system of "retroverted" self-reflection. It is retroverted because the Universe as such has no environment. Or, to put it differently, the environment coincides with the system it "envelops".

On the other hand, when we speak of individual centers of self-reflection in the world and call them subjects we obviously do not refer to retroverted self-reflection. Such individual centers have, as we know very well, a genuine environment (which the Universe has not!) and what they reflect is this very environment. It stands to reason that these systems of self-reflection with centers of their own could not behave as they do unless they are capable of "drawing a line" between themselves and their environment. We repeat that this is something the Universe as a totality cannot do. It leads to the surprising conclusion that *parts of the Universe have a higher reflective power than the whole of it,* as has been recognized for a long time. In Hegel's logic the phenomenon of reflection is subdivided into three parts: He defines them as:

a. retroverted reflection (Reflexion-in-sich)
b. transverted reflection (Reflexion-in-Anderes)
c. retroverted reflection of retroversion and transversion (Reflexion-in-sich der Reflexion-in-sich und-Anderes)

Section (a) represents the physical system of the external world described by its specific reflective properties. But (b) and (c) signify the additional capacities of reflection which sub-systems of the Universe must possess if they are to be called subjects.

This shows that the early philosophic theory of reflection is still ahead of the present logical state of cybernetics. We talk about self-organizing systems and their environments; but Hegel's distinction between (a), (b) and (c) shows that this is not enough. A self-reflective system which shows genuine traits of subjective behavior must be capable of distinguishing between two types of environment and be able to react accordingly. First it must reflect an "outside" environment which lies beyond its own adiabatic shell and second it must be capable of treating (b) as an environment to (c). These two environmental meanings are not yet clearly distinguished in present cybernetics although von Foerster's experiment with the magnetized cubes may give a very rough idea of it. The cubes themselves obviously require two different environments in order to build up their complicated architecture. They could not do so unless they possessed an environment inside the box where they could move freely. If there was no such environment, i.e., if they were locked in their initial position no structure could originate. But it is equally obvious that a second environment is required as place of origin of the "noise." In our example the three orders (a), (b) and (c) are rather haphazardly thrown together. They do not represent a fully organized system of reflection—although there is reflection of a very artful kind—but the arrangement gives at least an approximate idea of what is meant when we say that a system showing subjective traits of behavior must have an inner *and* an outer environment. And it must have the inherent ability to distinguish between the two.

This leads us back to transjunction and to our interpretation of transjunctive values as operations of rejection. We stated that if a system is rejected the value which acts as rejector places itself outside of it. By doing so, it establishes a boundary or a logically closed surface for the rejected system. In other words: it makes a distinction between the system and something else, i.e., an environment. This is achieved by the operations trans-classic values perform on the basis of the morphograms [9] through [14]; but we know: a logic which uses only the patterns [1] through [14] has at its disposal only one rejection value for a given two-valued system. Thus it can only establish one boundary and one environment for the system it rejects. In other words: the distinction between an inner and an outer environment does not yet exist on the level of a three-valued logic. However, there is still one morphogram left which becomes usable in a four-valued system. It is morphogram [15] which incorporates two different values of rejection as Table XXIII shows:

TABLE XXIII

| | | (15) |
|---|---|---|
| 1 | 1 | 1 |
| 1 | 2 | 3 |
| 2 | 1 | 4 |
| 2 | 2 | 2 |

If we look at our standard value sequence which represents this operational pattern we notice as trans-classic values "3" as well as "4". Both of them have in common that they reject the alternative 1⟷2. And since value "4" implies the logical power of "3" both share in this operation. In other words: for the reflective level of "3" the operation is total. The system 1⟷2 is now clearly separated from an environment. But "4" has an additional power of rejection. It establishes a second environment within the sphere of rejection itself. This new environment has a weaker boundary. We all know what this means from our personal introspection. Our capacity to reflect upon our own thoughts and thought-processes implies that we are capable to make our own system of reflection the environment of a second order reflection. In other words: systems of reflection and environment may reverse their roles. Expressed in morphogrammatic terms: the pattern remains the same if we write [15] as sequence 1342 or as 1432. But there is a difference with regard to the functional significance for 1 ⟷ 2 implied in the exchange of the positions for "3" and "4".

It goes beyond the scope of this investigation to discuss the functional significance of the exchange relation between 1342 and 1432. If we did so it would lead us into very intricate questions about the outer and the inner environment of self-reflective systems. We have confined our theory of trans-classic logic to the development of some basic terms of reflection which we derived from von Foerster's experiment. It served us well as a starting point for our discussion of a logic with transjunctional operations. Transjunction was interpreted as "noise" relative to a two-valued system. We then showed that the only possible logical interpretation of subjectivity is formally equivalent to the order-from-noise principle. Thus we equated noise with subjectivity. However, it seems rather preposterous to say that von Foerster's experimental arrangement displays a subjectivity of its own. Although the noise that effects changes in the arrangement of the cubes has a general transjunctional (= subjective) character it lacks an essential quality. Von Foerster's principle does not permit us to distinguish between the different varieties of transjunction. Ergo, it is impossible to define in reflective terms what is inner and what is outer environment, not for us, but for the noise. There is, of course, a crude analogy to the distinction between an inner and an outer environment which every subject (potentially) has. In von Foerster's experiment it is the difference between the environment of the box and the environment of the cubes inside the box. The question may be settled for us, but we are idle spectators in this situation. Our opinions are quite irrelevant. The important issue is: what is inner and outer environment for the noise as the "soul" of this self-organizing system? If the cubes form a strange architecture is this something the noise erects in *its* external world in the way we build cathedrals, airports or communities? Or does this architecture belong to the inner (subjective) environment of this organizing principle and do the cubes and their arrangement play the part of the "thoughts" of von Foerster's principle? The structure of the experiment in question is, of course, too undifferentiated to answer these and similar questions. But it is highly instructive to see how many formal characteristics of subjectivity, e.g. distribution of systems, transjunctional organization, inner and outer environment, rejection and self-reflection are incorporated in such a simple arrangement. That these traits display themselves in a very rudimentary form is of much less importance than the fact that they exist at all and can be demonstrated in such primitive experiments.

The issues of an advanced theory of reflection cannot be discussed on such a narrow experimental basis. Least of all the problem: what is inner and what is outer environment of a system that behaves as a fully developed subject of reflection? to obtain a complete answer to this question would be equivalent to the challenge to construct a trans-classic ontology of the subject as detailed as the classic ontology of the object. This is a goal that lies in a distant future.

## 5. SUMMARY

We are coming to the conclusion of our discussion on ontology and transjunctional logic in cybernetics. Our argument started with the observation that cybernetics requires an ontology and logic which provides us with a basis from which we may include the subject and the general phenomenon of subjectivity into a scientific frame of reference without sacrificing anything of clearness and operational precision. We hope to have shown that this is entirely within the range of our logical capacities. We defined subjectivity as logical distribution and we distinguished between distribution of values and of systems which are formed by groups of values. The basic units of such groups we called "morphograms." From there the concept of a place-value system of morphograms and morphogrammatic compounds originated. This theory brought forth the idea of a set of logical operators called transjunctions. A short analysis of these operators led to the discovery that logical values have two basic functions: they can be considered either as acceptance values or as rejection values. In classic two-valued logic values are only capable of acting as acceptance values. In a morphogrammatic logic with $m > 2$ they also function as rejection values. Herein lies the difference between their objective and subjective significance. In a complete system of logic, referring to the object as well as to the subject, a value must always carry a double semantic meaning, namely being a value *of something* and *for a subject* of reflection. Our final Table XXIV illustrates this inverse relation:

TABLE XXIV

| for | value | of |
|---|---|---|
| | acceptance | object |
| subject | rejection | |

The difference in the functional character of the values which occupy the various places of the morphograms and their compounds is far reaching. The acceptance capacity of a value is precisely limited to the values that are offered for acceptance. In other words: *there are no degrees of freedom in this function.* If a value sequence which results from a binary operation is designated as a conjunction, then the higher value *must* be chosen in a two-valued system. However, it is different with rejection. A system 1 $\longleftrightarrow$ 2 may be rejected by "3" or "4", or by any higher value we care to select, provided our logic is of an order sufficiently comprehensive to provide the value we intend to use for this operation. Theoretically our choice is infinite. This situation refers to the often observed and widely discussed infinite iterativity of systems with total reflection of the order (c). The subject seems to be bottomless as far as its "self" is concerned. This however is, from the viewpoint of the logician, an unwarranted assumption. We are only permitted to say that a system represents all structural characteristics of subjectivity if it is complete with regard to the number of basic morphograms and functional representations. As a further provision it requires a logic with two stages of rejection over and above the number of values that are demanded for the description of its physical properties. In this sense a cyberneticist may talk in a definite, communicable and computable manner about the subject.

## ACKNOWLEDGMENTS

I wish to acknowledge my indebtedness to Warren S. McCulloch for most stimulating talks, for his encouragement to continue along my lines of a philosophic investigation of the logical foundation of cybernetics, and for many of his published ideas.

This paper could not have been offered in its present form without the invaluable help from my esteemed colleagues in Urbana, Heinz von Foerster and W. Ross Ashby. Dr. Ashby never tired to advise me as to the proper representation of my theme, and how to avoid several serious errors. He sacrificed much of his precious time to go most carefully over my text. H. von Foerster's influence goes even further. That I have changed my theory of the morphograms since its first presentation in the *Grundlagenstudien aus Kybernetik und Geisteswissenschaft* (1960) is exclusively due to ideas and suggestions of his. Beyond this he took an active part in formulating my comments on the Stirling numbers. In fact, several sentences in this part of the text are literally his. He also advised me to replace a formula concerning the number of morphogrammatic compounds in trans-classic systems, which gave only approximation, with Formula (27). It goes without saying that, notwithstanding my grateful acknowledgments, I take full responsibility for the text and the ideas contained therein.

Finally, I am very much indebted to Miss Hwa-Sung Hsieh and Mr. George W. Zopf for correcting the galley-proofs.

## NOTES AND REFERENCES


1a. C. I. Lewis; Alternative Systems of Logic, *The Monist*, XLII, 4, p. 507 (1932).

1b. J. D. Cowan: "Many-Valued Logics and Reliable Automata," *Principles of Self-Organization*, ed. H. Von Foerster, G. W. Zopf, Pergamon Press, London, PP. 135-179 (1962).

1. Oswald Spengler: *Der Untergang des Abendlandes*, Vol. I, C. H. Beck, München, p. 163 ss (1923).
2. Rudolf Carnap: Die alte und die neue Logik, *Erkenntnis* I, p. 23 (1930).
3. G. Günther: *Das Bewusstsein der Maschinen*, Agis Verlag, Krefeld-Baden Baden (1957) for the necessity of new philosophic foundations of cybernetics.
4. Wolfgang Stegmüller: *Metaphysik, Wissenschaft, Skepsis*,. Humboldt Verlag, Frankfurt a. Main-Wien, pp. 232-241 (1954).
5. W. Heisenberg: Kausalgesetz und Quantenmechanik, *Erkenntnis* II, 2/3, pp. 172-182 (1931).
6. E. Schrödinger: *Mind and Matter*, University Press, Cambridge (1959).
7. W. S. McCulloch: Towards Some Circuitry of Ethical Robots, *Act. Biotheoret.* XI, p. 147 (1955); "Of I and It" (not published).
8. N. Wiener: Newtonian and Bergsonian Time, *Cybernetics*, Wiley, New York, pp. 40-56 (1948).
9. Kant: *Critique of Pure Reason*, B, pp. 232-256.
10. "...ein Spiel der Vorstellungen..., das sich auf kein Object bezöge." See above Note 9, B, p. 239.
11. W. Heisenberg: loc. cit. p. 176, "Es ist evident, dass eine solche Auffassung des Kausalgesetzes als a priori Postulat *nicht* widerlegt werden kann, da es über die Erfahrung nichs aussagt."
12. W. Heisenberg, loc. cit.: "Wenn Kant gezeigt hat, dass für eine objektive Naturwissenschaft das Kausalpostulat die Voraussetzung sei, so ist dem entgegenzuhalten, dass eben eine in dem Sinne "objektive" Physik, d. h. eine ganz scharfe Trennung der Welt in Subjekt und Objekt, nicht mehr möglich ist...der völlig isolierte Gegenstand hat prinzipiell keine beschreibbaren Eigenschaften mehr."
13. First published by Schalbruch, Amsterdam, 1691. It also seems that Clauberg first suggested the term "ontology." Cf. J. E. Erdmann, "Grundriss der Geschichte der Philosophie" II, Whilhelm Hertz, Berlin, p. 33 (1878). About the misuse of the term "new logic" cf. G. Günther, "Die Aristotelische Logik des Seins und die nicht-Aristotelische Logik der Reflexion," Zeitschr. f. philos. Forsch. XX, 3; part I, pp. 360-381 (1958).

14. This has been analyzed in detail in G. Günther: Metaphysik, Logik und die Theorie der Reflexion, *Arch. d. Philos.*, VII, 1/2; pp. 1-44 (1957).
15. A striking example how little our traditional logic has deviated from its two-valued structure is J. M. Bocheński's *Formal Logic*, Karl Alber, Freiburg, München, which was published in 1956. Research in many-valued logic was started by E. L. Post and J. Lukasiewicz in 1920. But Bocheński's 640 page volume which was published 36 years later reserves only a little more than two and one half pages for this topic!
16. John von Neumann: *The Computer and the Brain,* Yale University Press, New Haven, p. 42 (1958).
17. E. Schrödinger, see Note 6, p. 66.
18. E. Schrödinger, see Note 6, p. 54s, cf. also p. 38.
19. E. Schrödinger, see Note 6, p. 51.
20. E. Schrödinger, see Note 6, p. 52.
21. E. Schrödinger, see Note 6, p. 64s.
22. J. G. Fichte: *Die Bestimmung des Menschen,* W. W. II, ed. J. H. Fichte, Mayer und Müller, GmbH, Leipzig, p. 245 (1844); N. W. W. I, p. 428.
23. W. James: Does Consciousness Exist? *Journal of Philosophy, Psychology and Scientific Methods,* I, 18, Sept. 1 (1904).
24. Quoted from *Essays in Radical Empiricism,* ed. R. B. Perry, Longmans, Green and Co., New York, p. 2 (1947).
25. Loc. cit. p. 37.
26. W. Windelband: *A History of Philosophy,* Macmillan, New York, p. 134 (1893). 'The general, the Idea, is, as the true Being, the *cause* of occurrence and change ... On the other hand, the general is in throught the ground by means of which and from which the particular is *proved.*'
27. H. Reichenbach: *Philosophic Foundation of Quantum Mechanics,* University of California Press, Berkeley and Los Angeles, pp. 71 and 33 (1946).
28. C. F. von Weizsacker: Komplementarität und Logik, *Die Naturwissenschaften,* XXXXII, 19, p. 522 (1955). 'Die Komplementarität der Begriffe (schränkt) ihre Objektivierbarkeit ein.'
29. W. Heisenberg: *Physics and Philosophy,* ed. R. N. Anshen, Harper & Brothers, New York, p. 55 (1958).
30. W. Heisenberg: loc. cit. p. 56.
31. W. Heisenberg: loc. cit. p. 49. The italics are ours.
32. W. Heisenberg: loc. cit. p. 53.
33. W. R. Ashby: *Design for a Brain,* Wiley, New York, p. 11 (1952).

34. W. R. Ashby: *An Introduction to Cybernetics*, Wiley, New York, p. 1 (1956).
35. A. W. Stern: Space, Field and Ether in Contemporary Physics, *Science*, 116, pp. 493-496 (1962). See also O. L. Reiser: Matter, Anti-Matter and Cosmic Symmetry, *Philosophy of Science* XXIV 3, pp. 271-274 (1957).
36. An approximate idea of it in G. Günther: *Das Bewusstsein der Maschinen*, see Note 3.
37. Loc. cit., p. 1.
38. Loc. cit., p. 4.
39. R. Carnap: *Logische Syntax der Sprache*, Verlag Julius Springer, Wien, p. III (1934). 'Philosophie wird durch Wissenschaftslogik, d. h. logische Analyse der Begriffe and Sätze der Wissenschaft ersetzt'.
40. G. Cantor: Uber die verschiedenen Standpunkte in Bezug auf das aktuale Unendliche, *Zeitschr. f. Philos. und philos. Kritik*, 88; pp. 240-265 (1886) - "Mitteilungen zur Lehre vom Transfiniten," I, *Ibid.* 91, pp. 81-125 and 252-270; continued as "Mitteilungen...," II, 92, pp. 240-265 (1888) - "Beitrage zur Begründung der transfiniten Mengenlehre I." *Math. Ann.* 46, pp. 481-512. Continued as "Beitrage ... II," *Ibid,* 49, pp. 207-246 (1897). Also see E. Cassirer, *Substanzbegriff und Funktionsbegriff*, Bruno Cassirer, Berlin, pp. 80-87 (1910). Cantor has 'indem er in seinen grundlegenden Untersuchungen das System der transfiniten Zahlen schuf, zugleich alle die scholastischen Gegensätze des Potentiell- und Aktuell-Unendlichen, des Infiniten und Indefiniten wiederum heraufbeschworen. Hier scheinen wir somit endgültig von der Frage nach der reinen Erkenntnisbedeutung der Begriffe zu den Problemen des absoluten *Seins* und seiner Beschaffenheit hinübergedrängt zu werden.'
41. W. Sluckin: *Minds and Machines*, Pelican Books, pp. 213-215 (1954) confronts cybernetics directly with metaphysics. Unfortunately, this is done very inexpertly, as is shown by the use of such self-contradictory terms as 'psychological metaphysics.'
42. Kant's *Critique of Pure Reason* is perhaps an exception. Here, the term 'consciousness' plays a dominant role, but his successors, especially Hegel, turn again to 'subject.'
43. This motive of indifference was especially stressed by Schelling. Cf. System der Philosophié *W. W.* III, pp. 1-108 (1801). See also Fichte's trenchant criticism of it. *N. W. W.* III, pp. 371-389.
44. E. Schrödinger: *What is Life?* University Press, Cambridge, pp. 90-92 (1955) significantly speaks of 'deception' with regard to the plurality of individual finite subjects. He even invokes the Veda concept of māya.

45. G. W. F. Hegel: Philosophie der Geschichte, Einleitung, *W. W.* XI, ed. H. Glockner, Fr. Frommanns Verlag, Stuttgart, p. 49 (1949) uses the term 'Schlachtbank.' Cf. also *ibid.*, p. 31.
46. An unavoidable conclusion from his essay "Toward some Circuitry of Ethical Robots." See Note 7.
47. Loc. cit., p. 82.
48. Heinz von Foerster: On Self-Organizing Systems and Their Environments, *In Self-Organizing Systems*, ed. M. C. Yovits and S. Cameron, Pergamon Press, London, pp. 31-50 (1960).
49. Loc. cit., p. 45.
50. Loc. cit., p. 83.
51. Loc. cit., p. 83.
52. For the ontologic interpretation of negation as exchange-relation cf. Karl Heim: *Das Weltbild der Zukunft*, C. H. Schwetschke, Berlin, p. 23 ss (1904).
53. B. von Freytag - Löringhoff: Uber das System der Modi des Syllogismus, *Zeitschr. f. Philos. Forsch.* IV, pp. 235-256 (1949). Same author: *Logik; Ihr System und ihr Verhaltnis zur Logistik*, Kohlhammer, Stuttgart (1955). Also H. A. Schmidt: *Mathematische Gesetze der Logik I*, Springer, Berlin - Gottingen - Heidelberg, p. 124s (1960).
54. *Brihadaranyaka - Upanishad*, IV, 2, 4 and IV, 5, 15.
55. W. S. McCulloch: Mysterium Iniquitatis of Sinful Man Aspiring into the Place of God. *Scientific Monthly*, 80: No. 1, pp. 35-39 (1955).
56. The situation would, of course, be different if we introduced negators like

| N | |
|---|---|
| 1 | 3 |
| 2 | 3 |
| 3 | 1 |

or

| N' | |
|---|---|
| 1 | 2 |
| 2 | 1 |
| 3 | 1 |

Although these negations have been used by Łukasiewicz and Reichenbach we cannot recognize them as basic principles of negation. Their application was dictated by material viewpoints. In Lukasiewicz' case the aim was to gain an intuitive understanding of three-valued logic. Reichenbach was moved by specific demands of quantum mechanics.

57. G. Leibniz: *Nouveaux Essays sur l'entendement humain*, IV, 2, Section 1. See also Fichte's remarks on Schelling's transcendental idealism. *N. W. W.*, Ed., J. H. Fichte, III, pp. 368-389.
58. *N. N. W.*, ed. J. H. Fichte, I, p. 160 ss. 'B' stands for 'Bild' and 'S' for 'Sein'.

59. *N. N. W.*, ed. J. H. Fichte, I, p. 419.
60. *N. N. W.*, ed. J. H. Fichte, III, p. 381.
61. *N. N. W.*, ed. J. H. Fichte, II, p. 43; Was ist die *Ichheit am Ich?* Es ist die absolute Durchsichtigkeit.
62. B 131 'Das *Ich denke* muss alle meine Vorstellungen begleiten können....'
63. Cf. *Aristotle De Interpretatione*, IX, 19, 9. It seems to us that the καὶ μᾶλλον μὲν ἀληθῆ τὴν ἑτέραν indicates *degrees* of truth or falsity. In other words: a probability logic where two - and only two - ontological values are distributed over an interval between them.
64. J. Łukasiewicz: Philosophische Bemerkungen zu mehrwertigen Systemen des Aussagenkalküls. *Comptes Rendues des Seances de la Société des Sciences et des Lettres de Varsovie*, XXIII, class III, p. 72 (1930).
65. W. Heisenberg: *Physics and Philosophy*. See Note 29, p. 53.
66. M. Bense: Bewusstseinstheorie, *Grundlagenstudien*, II, 3, p. 65 (1961). '*Bewusstseinstheorie im Sinne einer philosophischen Theorie*, also einer Theorie, deren Aussagen erkenntnistheoretisch und ontologisch hinreichend allgemein formuliert sind, so dass sie von einer specziellen Fachwissenschaft unabhängig bleiben, aber für jede verbindlich sind, *gibt es erst seit Kant.*'
67. B 106; See also B 95.
68. The author is indebted to Professor H. von Foerster for having drawn his attention to this fact.
69. J. Riordan: *Introduction to Combinatorial Analysis*, Wiley, New York (1958); See p. 32 ss, Table p. 48.
70. This is the distinction which occurs in Hegel's Logic as 'Reflexion-in-Anderes', 'Reflexion-in-sich' and 'Absolute Reflexion.' Cf. Hegel, ed. Glockner (See Note 45) IV, p. 493 ss; VIII, p. 288.
71. Loc. cit., p. 31.

# Formal Logic, Totality
# and
# The Super-additive Principle

If the title of this paper combines Formal Logic and Totality (Ganzheit) it is resisting a general trend which is still strong in present scientific activities. The most comprehensive theory of Totality which we possess is contained in Hegel's logic. But every student of this thinker knows how emphatically Hegel denounces formalization. According to him the structure of all totalities is "dialectic". Formal logic is based on a strict dichotomy of form and content (matter). But dialectics fuses the two in the super-additive principle of synthesis which combines thesis and antithesis in a way in which the contradiction between the two is not only retained but elevated to a higher level. The general consensus still is that the retention of contradiction - which is indeed demanded by all systems to which we ascribe the character of totalities - obviates all attempts of formalization. This belief is now more than two thousand years old and it is hard to shake.

However, a re-evaluation of the theory of dialectics and its super-additive principle, where the whole is more than the sum of its parts, has recently become a pressing necessity. Among the new scientific disciplines which have sprung up in recent times Cybernetics seems to have the widest interdisciplinary spread. The topics it deals with range from mathematics (information theory) and physics (quantum mechanics) over biology (bionics) to the theory of consciousness, of culture and of human history.[1)] It is hardly necessary to point out that the problem of the structure of totalities turns up various aspects within the scope of Cybernetics. Nevertheless a basic investigation into the formal logical texture of totalities is still missing. The ancient prejudice that such inquiry leads us straight out of the realm of formal, codifiable procedures of logic is still too strong.

Some progress has been made just the same. In a very relevant paper on biologic "coalitions"[2) ] H. v. Foerster has pointed out that such phenomena are characterized by what he calls, a super-additive nonlinear principle of composition where some measure $\Phi$ of the whole is more than the sum of the measures of its parts:

$$\Phi(x+y) > \Phi(x) + \Phi(y)$$

H. v. Foerster's argument cannot be repeated in detail. It will be sufficient to say that by applying the concept of "logical strength" (Carnap, Bar-Hillel) according to which a truth function increases its strength with the number of negative values it applies the author shows that a "coalition" of two statements A and B signifies such a super-additive principle:

| A | B | ≡ | & |
|---|---|---|---|
| 1 | 1 | 1 | 1 |
| 0 | 1 | 0 | 0 |
| 1 | 0 | 0 | 0 |
| 0 | 0 | 1 | 0 |

(I

Table (I) shows on the left side the value constellations (0 for negative and 1 for positive) of the statements A and B. It is obvious that the logical strength of each is 1/2. On the right side we have first the equivalence relation

(≡) of A and B which gives us their average strength as a result of what may be called a normal adjunction. This average strength is, of course, again 1/2. The last value sequence represents conjunction (&), in von Foerster's words a "coalition", and the logical strength of the value sequence is in this case 3/4 since, compared with the equivalence relation the last value of the sequence has turned from 1 to 2 which adds one quarter the strength of the function.

The argument used by von Foerster has the great merit of showing that a super-additive principle of logical strength is already extant in classic formal logic (and so is its opposite of super-subtractivity in disjunction). But the history of traditional logic has shown that the form in which super-additivity manifests itself in simple conjunctive relations does not suffice to develop all the peculiar characteristics of totalities which we find displayed in systems of reasonably high complexity. This is why the history of formal Aristotelian logic is accompanied by an equally long history of dialectic (non-formal) logic. The latter was supposed to take up the logical problems, where formal logic, due to its specific limitation, had to drop them.[3)]

It will pay to investigate the basic shortcoming of traditional formal logic. To put it in a nutshell: it excludes the subject of thought from the logical picture of the Universe.[4)] Thus this picture is entirely "objective" in the full double meaning of the term. It goes without saying that the mental image of the Universe, thus obtained, does not describe it as a totality. A very important structural element is missing in this logical imagery: the indubitable power of the Universe to form subsystems which act as centers of objective reflection as well as of self-reflection. But since this property is excluded it stands to reason that the totalities of lower order which we encounter in biology, psychology, social sciences or history are also outside the scope of traditional logic. They are parts of the Universe and available for their description are only the very same logical elements and procedures which are applicable to the objective world in its entirety. This means they cannot be described as totalities either.

It will help to understand the epistemological situation of our traditional formal logic (including modern mathematical logic!) if we draw a diagram:

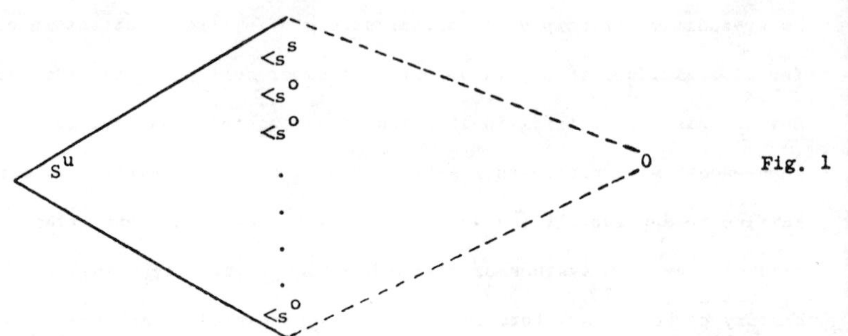

Fig. 1

In this figure 0 means, of course, the objective world as reflected in the consciousness of a subject S···. But since subjectivity is a phenomenon shared by an indefinite number of relatively independent centers of self-reflection and, moreover, only one of them may, for the purpose of developing a theory of thinking, be regarded as <u>the</u> subject who thinks whereas the others are thought of, we have to distinguish three different meanings of S···. We show this by writing: $S^u$, $S^s$ and $S^o$. With $S^u$ we indicate what in traditional logic is usually called universal subjectivity (Kant's Bewusstein überhaupt). When we write $S^s$ (or subjective subject) we refer to what is in a given process of thinking the actual subject of the mental event. All the other potential subjects of thought are, of course, relative to the designated one ($s^s$) objective subjects, i.e. possible objects of the reflection of $S^s$. In our figure they are indicated by $S^o$.

The classic theory of thinking as expressed in all our present systems of logic assumes that subject ($S^u$) and object (0) represent logically speaking an absolute dichotomy: what is not object is necessarily subject and what is not subject is correspondingly object. It is assumed that looking at the world all subjects form a closed phalanx confronting the object and since they are all - in some unexplained manner - parts of the universal subject ($S^u$) they will have a common basis of thought. Because if $S^s$ agrees in its reflection of 0 with $S^u$ then the resulting judgments of $S^s$ will be binding for all $S^o$. It follows that the general (metaphysical) dichotomy between $S^u$ and 0 is reflected in a second order dichotomy which separates $S^u$ and $S^s$ from $S^o$ and 0

Fig. 2

But since what is in the mental eye of the subjective subject (the self) only an objective subject (a thou) may in its turn become the thinker, Figure 2 is not complete, because $S^u$ and $S^o$ may also be dichotomically separated from $S^s$ and 0. Thus we obtain

Fig. 3

The pattern obtained in Figure 3 yields, if we replace S and O by P and N (P for positive and N for negative), the well known table of two-valued negation:

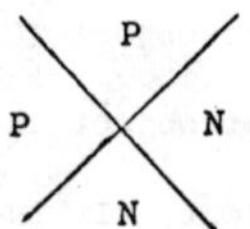


Fig. 4

The distinction between $S^u$ and $S^s$ resp. $S^o$ which has disappeared in Figure 4 reoccurs later as difference between partial and total negation and reflects itself in the qualificational equivalences:

$$(x)f(x) \equiv \sim(Ex)\sim f(x)$$

$$\sim(x)f(x) \equiv (Ex)\sim f(x)$$

$$(x)\sim f(x) \equiv \sim(Ex)f(x)$$

$$\sim(x)\sim f(x) \equiv (Ex)f(x)$$

which may be derived from the laws of the famous square of opposition.

In other words: the founding relation of all classic thought and its ultimate basis on which everything is built is an <u>exchange relation of absolute symmetry</u> between total affirmation and total negation.[5) ] Its most famous expression is Hegel's terse remark at the beginning of his dialectic logic: "Das reine Sein und das reine Nichts ist...dasselbe."[6)] A formalized equivalent of it is:

$$A \equiv \sim(\sim A)$$

which holds only in a two-valued system of logic where each value is the mirror image of the other. –

There can be no doubt that the operational basis of classic logic is an exchange relation between subject and object or between a mapping process and that which is mapped. However, if we have a second look at Figure 2 or 3 we will notice that the complete symmetry of the exchange relation between $S^{\cdots}$ and 0 is guaranteed only by the introduction of the concept of a universal subject ($S^u$) which according to the metaphysical tradition of classic logic (e.g. Nic. Cusanus) is, ontologically speaking, identical with 0.

The modern scientist who tries to discover the formulas in which the code of the Universe is written is usually not aware of the basic ontologic assumptions which govern his mode of thinking. But they show up in his results just the same. Because if $S^u$ is ultimately identical with 0 then his world picture will contain no traces of bona fide subjectivity - as Schrödinger has pointed out correctly. And if $S^{\cdots}$ and 0 represent an exchange relation of enantiomorphic equivalence then the basic laws of Nature must obey the principle of reflection-symmetry (parity). Whenever a phenomenon shows up which seems to display the structural features of non-parity there will be cogent reasons for a turn to more general principles of reasoning which explain the event again in terms of reflection-symmetry. These reasons will not only be strong, nay, they will be invincible as long as we stick to the ontologic tradition of classic logic and its principle of reflection-symmetry.

We are here not concerned with the fate of parity in the future development of physics but it must be pointed out that the concept of Totality should be ruled out as logically analyzable if parity reigns supreme in our theory of thinking. We have given the main reason above: if the relation between thought and its object is basically understood as a symmetric exchange relation the phenomenon of subjectivity disappears. But a "totality" in which everything is reduced to objectivity can never be total because something is missing. A totality is, in Hegel's terminology: 1) an iterated self-reflection of

2) a non-iterated self-reflection, and

3) a hetero-reflection

If we permit, for the description of this structure, only logical operations which lead to reflection-symmetry then 1) is eliminated, and 2) and 3) turn out to be indistinguishable and logically identical...because 1) is nothing else but the capacity of keeping 2) and 3) apart.

However, if the concept of the universal subject, i.e. of Bewusstein überhaupt (Kant), is eliminated the logical constraint to reduce everything to ultimate parity relations disappears. We will still have reflection-symmetry between $S^s$ and $S^o$ but not longer between $S^{\cdots}$ and 0 in general. In other words: it will turn out that the founding relation between subject and object or between Thought and Being is not a symmetrical exchange relation but something else. This is the point where the transition is made from formal classic logic of Aristotelian type to a theory of trans-classic, non-Aristotelian Rationality.

We begin by re-drawing Figure 1 omitting $S^u$ and having the phalanx of the $S^o$ replaced by a single S with the index o. We indicate the relations between $S^s$, $S^o$ and 0 by arrows of four different shapes. According to the logical character of the relation an arrow will either be double-pointed or it will have one shaft or be double-shafted having either continuous or dotted lines. Figure 5 will then show the following configuration:

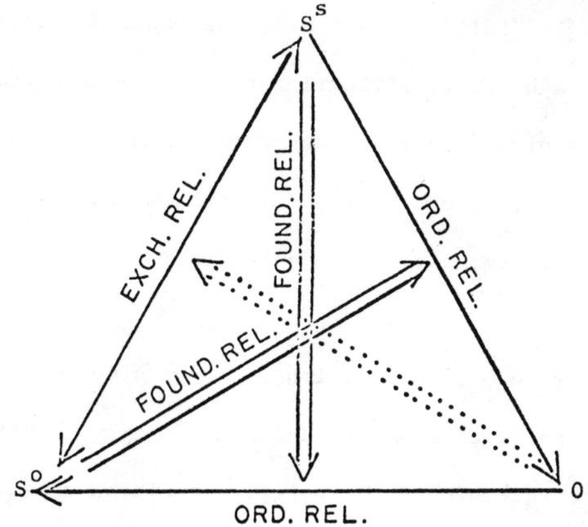


Fig. 5

If $S^S$ designates a thinking subject and 0 its object in general (i.e. the Universe) the relation between $S^S$ and 0 is undoubtedly an <u>ordered</u> one because 0 must be considered the content of the reflective process of $S^S$. On the other hand, seen from the view-point of $S^S$ any other subject (the Thou) is an observed subject and it is observed as having its place <u>in</u> the Universe. But if $S^O$ is (part of) the content of the Universe we obtain again an ordered relation, this time between 0 and $S^O$. There remains the direct relation between $S^S$ and $S^O$. This is obviously of a different type. $S^O$ is not only the passive object of the reflective process of $S^S$. It is in its turn itself an active subject which may view the first subject (and everything else) from its vantage-point. In other words $S^O$ may assume the role of $S^S$ thus relegating the original subject, the Self, to the position of the Thou. And there is neither on earth nor in heaven the slightest indication that we should prefer one subjective vantage-point for viewing the Universe to another. In short: the relation between $S^S$ and $S^O$ is not an ordered relation. It is a completely symmetrical exchange relation, like "left" and "right". An ordered relation between different centers of subjective reflection comes into play only if we re-introduce the concept of a universal subject which contains all human "souls" as computing sub-centers.[7)] Of the two relations we have so far considered, the exchange relation is symmetrical and the ordered relation represents non-symmetry.

There is, however, one more relation to be considered which combines in a peculiar way the aspects of symmetry and non-symmetry. In the previous two cases the members or arguments of the relation could be considered as unanalyzed units. Or to talk in terms of our diagram, the relations hold between

$$S^s \longrightarrow 0$$
$$0 \longrightarrow S^o$$
$$S^o \longleftrightarrow S^s$$

as the corners of our triangle. What we still have to consider is the relation any of the three terms $S^s$, 0 and $S^o$ may assume to the relation which holds between the other two terms. From a purely combinational view-point three possibilities exist for a demanded relation...$r^F$...they are:

$$S^s\ r^F\ (0 \longrightarrow S^o)$$
$$0\ r^F\ (S^o \longleftrightarrow S^s)$$
$$S^o\ r^F\ (S^s \longrightarrow 0\ )$$

From these we shall, for the time being at least, eliminate the second. It tells us nothing new. It describes only the situation we are familiar with from classic (two-valued) logic where all subjects $S^{\cdots}$ form, what we called earlier in this paper a "closed phalanx" excluding the object from themselves and thus obtaining an "objective" aspect of the Universe. Consequently $0\ r^{P}(S^{o} \longleftrightarrow S^{s})$ only informs us that if 0 develops its mirror image in $S^{\cdots}$ it will do so in dichotomic terms of positive and negative forming a strict exchange relation since $S^{\cdots}$ will be either $S^{s}$ or $S^{o}$ and a Tertium will always be excluded. We have pointed out before that such an exclusion principle obviates our conceiving totalities in terms of traditional logic. Since the relation $0\ r^{F}\ (S^{o} \longleftrightarrow S^{s})$ is known to logic since the times of Aristotle and has its own specific properties we distinguish its graphic representation from the other two by having drawn it with dotted lines.

However, the other two relations of the type $\ldots r^{F} \ldots$ have so far not obtained a legitimate place in formal logic. They define the way in which an individual consciousness (as a logical subject) may establish its position confronting the world. Formally speaking it is the relation any of the two realizations of $S^{\cdots}$, namely $S^{s}$ or $S^{o}$, may have toward the connection of the other $S^{\cdots}$ and 0. We call this the <u>founding</u> relation ($r^{F}$) because by it, and only by it, a self-reflective subject separates itself from the whole Universe which thus becomes the potential contents of the consciousness of a Self gifted with awareness. In contrast to it the classic relation $0\ r^{F}(S^{o} \longleftrightarrow S^{s})$ is still a founding relation - but not for consciousness. Not a self-reflective subject but only the <u>content</u> of the consciousness of a potential subject is established by it.

In Figure 5 the founding relations for subjectivity are indicated by the double-shafted arrows which issue from $S^s$ and $S^o$ and hit the center of the opposite side of the triangle. These arrows illustrate in diagrammatic form the relations between consciousness as a self-reflective activity and the world in general. The world is always <u>both</u> 0 (bona fide objectivity) and $S^o$ (subjects viewed as part of the objective world...where $S^{\cdots}$ is always excluded only as $S^s$. This last statement seems to be contradicted by our figure because the arrow issuing from $S^o$ seems to point to a world which includes $S^s$ and 0. This is the unavoidable fault of a still picture. An adequate representation would demand a moving picture in which the double-shafted arrow would oscillate between $S^s$ and $S^o$. One should not forget: what is in our diagram $S^o$ may at any time assume the role of $S^s$, thus relegating the latter to the logical position of $S^o$. Let us repeat that $S^s$ and $S^o$ constitute the exchange relation between subjectivity as the Self and the other subject which appears to the Self as the Thou. For any given logical position only one of the two double-shafted arrows represents actualization of a center of self-reflection. Since such actualization requires all <u>three</u> components $S^s$, $S^o$ and 0 it is impossible if we have located the center in $S^s$ to find it also in $S^o$. But it has no fixed status in $S^s$ and it may be shifted to $S^o$. Fichte calls this "die Duplizität im Ich" because, as he puts it, such a center of self-reflection can neither be fully identified as an existing entity (als seiend) nor as a structural principle of active organization (als Prinzip). This is the Duplicity of the Self.[9)]

What we have so far ignored in our contraposition of $S^s$ and $S^o$ is the fact, well known to all of us, that no Ego, or Self exists in solipsistic splendour and that this universe of ours permits the co-existence of an indefinite number of centers of self-reflection who all claim to be thinking Egos comprising the total realm of Being as potential contents of their awareness. It is obvious, therefore, that the exchange relation is an <u>exclusive</u> disjunction on a level of reflection which is identified with the logical position of $S^S$. But an impartial observer, $S^{S^S}$, who assumes his place neither in $S^S$ or $S^O$ but "outside" of Figure 5 will come to a different conclusion. He will still concede the existence of a disjunctive relation between two subjects but to him this disjunction must be inclusive. He is forced to admit that two concurring S··· may both be $S^S$ although relative to him both will be $S^O$ as long as he is claiming the exalted position of an $S^S$ of higher reflexive capacity.

But this claim also extracts from the "outside" observer, $S^{S^S}$, an interesting admission. He will state that, seen from his vantage point, the inclusive disjunction does not only hold in the case of:[10)]

$$S^S\ r^F\ (0 \longrightarrow S^O)\ .v.\ S^O\ r^F\ (S^S \longrightarrow 0) \qquad 1)$$

but also in the other two cases:[11)]

$$S^O\ r^F\ (S^S \longrightarrow 0)\ .v.\ 0\ r^F\ (S^S \longleftrightarrow S^O) \qquad 2)$$

$$S^S\ r^F\ (0 \longrightarrow S^O).v.\ 0\ r^F\ (S^S \longleftrightarrow S^O) \qquad 3)$$

provided, of course, that he uses a two-valued logic! But in doing so he realizes by self-reflection that he has committed a momentous logical mistake. Since in classic logic only two values are available for the determination of the distinction between subject and object, it is impossible to describe the triadic relation between the subjective subject, the objective subject and the object.

The common fallacy committed by logicians who reason along traditional lines is that if subject and object are different it is sufficient to assign different values to them. But since the structure of classic negation represents a symmetric exchange relation and since there can be no preference to assign a definite value to S''' or to 0, it is impossible to distinguish the subject from the object by saying, for instance, that the positive value ultimately designates the object (because we describe the Universe in affirmative statements) and that the negative value refers to the subject. Although there can be no doubt that the existence of negational processes is a symptomatic index for the presence of subjectivity in the Universe, it is not one or the other value which points to the subject but their mutual relation which displays "Reflexionsidentität" in contrast to the one-valued, stable and irreflexive identity which is incorporated in the bona fide object.

Nevertheless, it is indeed possible to determine the distinction between subject and object by logical values. Not by assigning another value to the subject but by engaging two values for the designation of one identity. And since we can think at least of one more theme beyond a) object, b) subject namely "reality" as the ultra-conscious context c) in which object and subject cooperate we would have to allot three values for the identity theory of c). In the case that we may be able to conceive something of even higher logical order, the difference between it and everything else would be determined by a tetradic structure of values.

The following table (II) will illustrate this relation between object designation, logical theme, value differential and m-valued logical system:

| object (theme) | non-object (theme) | | value-differential | log. value-system |
|---|---|---|---|---|
| 1 | 1 | hierarchy of themes | 0 | 2 |
| 1 | 2 | | 1 | 3 |
| 1 | 3 | | 2 | 4 |
| 1 | 4 | | 3 | 5 |
| .. | ... | | ... | ... |

(II)

Since the object, completely isolated from the subject, is designated by one and only one value the object column only repeats this number. In classic logic the numerical difference between the values for the object and those which designate the subject - or anything else for that matter - is zero. The third column therefore starts with 0. This informs us that the only way to think of a subject or any system gifted with self-reflection, is to conceive it as an object - which means <u>without</u> self-reflection. In other words: the first theoretical approximation to the problem of subjectivity is offered in a three-valued logic. Here again one value designates the object, but two are left over for everything which is not an object. The numerical difference between the values assignable to the object and non-object is now 1. Something can now be said (in terms of logical structure) about the non-object which would differ from all statements about bona fide objects.[12)]

Our ideal observer who contemplates the relations between subject and object as illustrated in the triangle of Fig. 5 must ultimately arrive at the conclusion that table (II) is applicable in his case. <u>He cannot differentiate between himself and the triangle unless he assigns to himself a logical value which does not occur in the triangle.</u> But what is sauce for the goose is sauce for the gander. Our observer expects that $S^s$ in the triangle is capable of differentiating between itself and 0. Consequently he has to concede that $S^s$ in contradistinction to 0 possesses an additional value. Since 0 is described in a two-valued system, the description of the triangle requires a three-valued logic. Finally, this description is the content of the consciousness of our ultimate observer who must consequently reason with four-valued structures.

However, as soon as our observer realizes that the founding relations in Fig. 5 obey the laws of a three-valued logic, he realizes that not all the inclusive disjunctions which he established in the formulas 1), 2) and 3) are analytic formulas and generally valid. He will find that only 1) still holds and that the disjunctive relation in $S^{\cdots}$ between $S^s$ and $S^o$ is indeed basic and invariant to a transition into a higher-valued system. With regard to 3) he will discover that its general validity has completely disappeared. Formula 2), on the other hand, has assumed a peculiar equivocality. Since a three-valued logic operates with five negational states[12)] - where two-valued logic uses just one - an exchange-relation may be interpreted in five different ways. In the case of three of them formula 2) will be as valid as 3); i.e. for all possible states of the system of Fig. 5. In the case of two others formula 3) will be invalid if the system 0, $S^o$, $S^s$ assumes the following values: classic negation for 0 and the irreflexive value for $S^o$ as well as $S^s$. This is a most significant result!

Unfortunately the scope of this paper precludes an interpretation and discussion of such details no matter how important they are. This investigation intends only to show that the concept of Totality or Ganzheit is closely linked to the problem of subjectivity and trans-classic logic and that it is based on three basic structural relations:

an exchange relation between logical positions

an ordered relation between logical positions

a founding relation which holds between the member of a relation and a relation itself.

It may be said that the hierarchy of logical themes as indicated in table (II) represents an hierarchy of implicational power. All themes have in common that they are self-implications; they imply themselves. However, the first theme (objective existence) implies only itself and nothing else. In this respect it differs from any succeeding theme which implies itself as well as all subordinated themes. For this reason it is proper to call the initial theme "irreflexive" and all the following "reflexive". Irreflexivity means that something we think of is only an implicate but not an implicand for something else. On the other hand if we refer logically to reflexivity we mean that our (pseudo-) object of thought is an implicand relative to a lower order and as well an implicate relative to a theme that follows it in the hierarchy of table (II).

We are now able to establish the fundamental law that governs the connections between exchange-, ordered-, and founding-relation. We discover first in classic two-valued logic that affirmation and negation form an ordered relation. The positive value implies itself and only itself. The negative value implies itself and the positive. In other words: affirmation is never anything but implicate and negation is always implication. This is why we speak here of an ordered relation between the implicate and the implicand. The name of this relation in classic two-valued logic is - inference.

It is now necessary to remember that the possibility of coexistence of two independent subjects (I and Thou) in the Universe is based on an exchange relation between equipollent centers of reflection. Moreover, these subjects are all capable of being implicands. Mere objects do not operate inferentially. That means they do not imply anything else.

If we now consider the founding relation in which a subject constitutes itself as diametrically posed relative to all objects and the total objective concept of the Universe we will discover that this relation represents an interesting synthesis of exchange and order. The founding relation is in itself an exchange relation in so far as the linking subject ($S^s$) may assume the logical position of the other subject which is thought of ($S^o$). $S^o$ may in its turn assume the rank of $S^s$. Any two centers of subjective reflection of the same order mutually imply each other. But such an exchange does not operate between $S^{\cdots}$ and O. As we pointed out before: the bona fide object cannot infer the subject and by doing so usurp the role of a subject. If it could it would imply that subjects are irreflexive entities which for a subject is a contradictio in adjecto.

It follows that the relation between implicate and implicand has two different aspects: between two subjects this relation assumes the role of a symmetrical exchange. Between subject and object it appears however as an ordered relation. The founding relation is therefore also an ordered relation. Or to put it differently: the founding relation is a combination of exchange and order. What is the implicand ($S^s$) may become the implicate not relative to 0 but to our impartial observer $S^{S^s}$. We might say that the founding relation is a concatenation of sequences of exchange - and sequences of ordered relations.

The diagram of Fig. (VI) will illustrate what we mean:

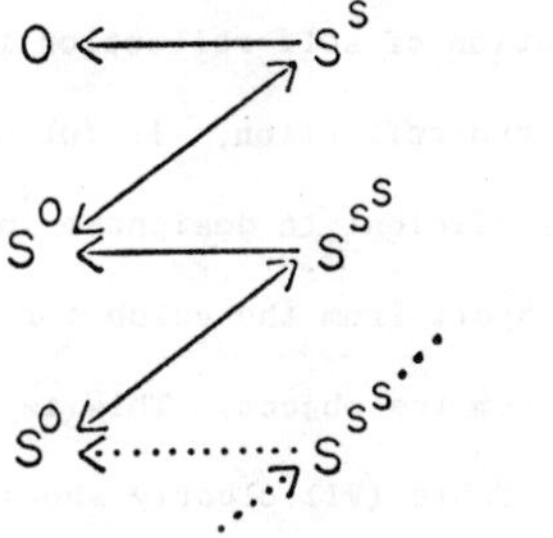

Fig. VI

Fig. (VI) indicates a sequence of single-pointed and a second sequence of double-pointed arrows such that a single-pointed arrow always alternates with a double-pointed one. A concrete example of what the figure illustrates is the father-son relation. This is first an ordered relation. But the son can also become a father. In this sense father-son is also an exchange relation. But the son does not acquire the status of father relative to his own father but relative to the grandson of his father. In abstract terms: what is member (or argument) of the ordered relation $O \longleftarrow S^S$, namely $S^S$, may become an argument of an exchange relation not relative to O but relative to $S^{S^S}$ which implies this <u>exchange</u> $S^S \longleftrightarrow S^O$.

Thus we may say: the <u>founding</u>-relation is an <u>exchange</u>-relation based on an <u>ordered</u>-relation. But since the <u>exchange</u>-relations can establish themselves only between <u>ordered</u> relations we might also say: the <u>founding</u>-relation is an <u>ordered</u> relation based on the succession of <u>exchange</u>-relations.[13] When we stated that the <u>founding</u>-relation establishes subjectivity we referred to the fact that a self-reflecting system must always be:

self-reflection of (self-and hetero-reflection)

As Hegel pointed out in his dialectic logic one and a half centuries ago, the opposition of hetero-and self-reflection is not a parity relation because it requires an iteration of self-reflection in contrast to the non-iterative character of hetero-reflection. It follows as was pointed out above, that one value is sufficient to designate in hetero-reflection but two values are required - apart from the value for object-designation - to separate self-reflection from the object. This is confirmed by the character of the <u>founding</u>-relation. Table (VI) clearly shows that it requires a minimum of three values for its own establishment.

But the introduction of a third value generates a new principle of super-additivity. In v. Foerster's case the super-additivity concerned only the increase of the classic negative value in a truth function. In the case of the <u>founding</u>-relation an increase in the number of two-valued systems is concerned. All "truth functions" of a three-valued system are compositions of three two-valued systems represented by the values 1+2, 2+3 and 1+3. For each value we might further add, we would obtain a new super-additive increase of (two-valued) systems. We can determine this increase in analogy to v. Foerster's formula $\Phi(x+y)>\Phi(x)+\Phi(y)$ by introducing the expression

$$\Phi(z) = 1/2z(z-1)$$

If z is composed of two terms, a and b, representing the poly-validity of two logical systems we have

$$z = a+b$$

The super-additivity we are looking for is then demonstrated by

$$1/2(a+b)(a+b-1) > 1/2a(a-1)+1/2b(b-1)$$

where clearly the left hand side of this inequality exceeds the right hand side by

$$ab$$

This is nothing other than the cross-term interaction of a and b.

Thus a four-valued system which our impartial observer $S^{s^s}$ would require must consist of 6 two-valued systems of reflection. In the case of a five-valued logic this number would increase to 10 two-valued subsystems.

The logical prototype of all totalities (Ganzheiten) is the system of consciousness. We know this at least since the advent of the Critique of Pure Reason. But consciousness involves as we have seen a synthesis of the two most basic relations in logic: the symmetrical exchange of values and the hierarchal order of values. Exchange and order are combined in a new codifiable principle which we call the founding relation. This principle establishes the totality of consciousness but since it is entirely formal it also governs the structural laws of any totality we may conceive as such.

Already in 1950 L. v. Bertalanffy wrote in an essay on General Systems Theory "that many concepts which have often been considered as anthropomorphic, metaphysical or vitalistic are accessible to exact formulation."[14)] However, what is still missing in General Systems Theory is the representation of such concepts as exemplifications of a universal formal theory of totalities grounded in the concept of logical value and its operation by affirmation and negation. This paper tries to make a contribution in this direction following the example given by Hegel.

## Notes and References

1) In this respect attention is drawn especially to the Russian efforts in this field. Cf. A. I. Berg, Kibernetica na Sluzhbu Kommunizmu, Vol. I. Moscow/Lenengrad 1961. (Engl. Translation. Cybernetics at the Service of Communism. Publ. Joint Publ. Research Service, Washington D. C. JPRS 14592). Also: Filosofskye voprosy Kibernetiki (Philosophical Problems of Cybernetics, JPRS 11503).

2) Heinz von Foerster, Bio-Logic, in: Biological Prototypes and Synthetic Systems, I; Plenum Press, New York 1962.

3) The terms "traditional", "classic" and "Aristotelian" shall be used in this essay as applied and interpreted in: Gotthard Gunther, Idee und Grundriss einer nicht-Aristotelischen Logik. Hamburg (Meiner) 1959.

4) An excellent description of this epistemological situation is given in E. Schrödinger, Mind and Matter, University Press, Cambridge 1959. See esp. p.51.

5) Hence the isomorphism of classic logic. Cf. Reinhold Baer, Hegel und die Mathematik. Verhandl. d. zweiten Hegel Kongresses vom 18.-21. Okt. Publ. Tübingen 1932.

6) Hegel III (Meiner 1923) p. 67.

7) The other case, that the computing mechanisms of animals, plants or artifacts may be logically regarded as subsystems in a theory which describes the epistemological structure of human consciousness is not considered here. Considerable work has been done with regard to this problem in Cybernetics, but not on a purely <u>logical</u> level. The interest of application to <u>physical</u> systems is always dominant. Cf. W. Ross Ashby, An Introduction to Cybernetics, New York 1956.

8) See Figure I.

9) Cf. Joh. G. Fichte: Die Tatsachen des Bewusstseins. Posthumous Works (ed. J. H. Fichte, vol. I) p. 573. Fichte also mentions a second duplicity of the contents of consciousness.

10) . . . $r^F$ . . . and . . . $\longrightarrow$ . . . will both be interpreted as material implications. . . . $\not\longleftrightarrow$ . . as negated equivalence or exclusive alternation.

11) For the transition of 0 to $S^o$ note Hegel's remark: ". . . im Lebendigen schlägt das <u>Objekt</u> in das <u>Subjekt</u> um . . . Hegel (ed. Glockner) X, p. 265.

12) Th reader's attention should be drawn to the significant fact that the numbers in the centre column of Table II are the numbers of rejection values in ascending value systems. Cf. G. Gunther: Cybernetic Ontology and Transjunctional Operations. Self-Organizing Systems 1962 (ed. Yovits, Jacoli, Goldstein) p. 313-392 (Washington 1962).

13) The author found that a practically identical formal pattern of the relation between symmetrical exchange and order was discussed in an earlier book by Karl Heim, Das Weltbild der Zukunft, Berlin 1904, esp. p. 35 ss. H. calls its pattern "Grundverhaltnis". However, it was developed for a very different purpose and it does not assume our initial state 0.

14) Cf. L. v. Bertalanffy, An Outline of General Systems Theory. Brit. Journ. f. the Philos. of Science I, 2 (Aug. 1950) p. 134-165.

## otthard Günther / Sein und Ästhetik

*in Kommentar zu Max Benses »Ästhetische Information«*

s kann kaum ein Zweifel daran bestehen: die Philosophie, die in der jüngstvergange-
en Epoche mehr und mehr der Langeweile und Stagnation verfallen war und alle Ini-
iative der Physik und verwandten Disziplinen überlassen hatte, beginnt wieder in
ewegung zu kommen. Ein frühes erfreuliches Zeichen eines philosophischen Denkens,
as auf neue, die klassische Tradition durchbrechende Perspektiven hindeutete, war
as Werk Heideggers. Hier ist zum ersten Mal wieder gesehen und unmißverständlich
usgesprochen worden, daß der abendländische Ansatz des Denkens auf einer seit Plato
ich stetig verengernden Basis ruht, auf der die ursprünglichen Motive eines sich aus
er Welt befreienden Bewußtseins schließlich fast bis zur Unkenntlichkeit entstellt
erden mußten.

ber Heideggers Gedankenführung ist, wie alle bisherige europäische Gedankenfüh-
ung, zu parochial. Sie ist ganz spezifisch regional, an die mittelmeerische Überlieferung
ebunden. Sein Begriff der Welt ist zu »griechisch«. Weshalb wir in seinen Schriften
as pathetische Schauspiel erleben, wie einer der originalsten Denker der Gegenwart
ie klassische Tradition mit orthodox klassischen Mitteln bekämpft. Es braucht kaum
estgestellt zu werden, daß eine solche Methodik unmöglich eine neue allgemein kom-
unikative Basis eines grundsätzlichen Verstehens des Menschen in seinem Verhalten
ur Welt liefern kann.

nsere bisherige Philosophie hat es sich zu leicht gemacht. Intersubjektive Verständi-
ung über »Geistiges« ist im Rahmen der abendländischen Kultur (wie überhaupt aller
egionalen Hochkulturen), ein eminent historisches Phänomen. Es setzt für die sich um
ommunikation bemühenden Individuen einen gemeinsamen geschichtlichen Hinter-
rund voraus. Soweit die theoretische Weltansicht in Frage kommt, ist Aristoteles unser
ller gemeinsamer Ahnherr. Und Maurice Maeterlinck hat einmal sehr treffend be-
erkt, daß der dümmste Bauer in Flandern anders denken (und fühlen) würde, als er
s eben tut, wenn Plato nie gelebt hätte. Darauf kommt es an: für jeden Europäer hat
lato gelebt. Aber dieser griechische Denker ist eine völlig nicht existente Größe für,
agen wir, einen Konfuzianer oder einen intelligenten Bantu. Eine Philosophie aber,

die sich in einer Zeit, wo zwischen London, Paris und New York nur noch vier Flugstunden liegen, auf nur dem abendländischen Menschen verständlichen Voraussetzungen aufbaut, wird unweigerlich provinziell und die unbedeutende Privatangelegenheit einer geschichtlich irrelevanten Sondergruppe.

Blicken wir wenige Generationen zurück, so war das noch ganz anders. Weltgeschichte war einmal im eminentesten Sinne des Wortes europäische Geschichte. Und das einzige Denken, das zählte, war abendländisches Denken. Es produzierte eine Lebensführung und Technik, die gegenüber allem, was in den anderen Erdteilen entstanden war, eine absolute Überlegenheit zeigte, Überlegenheit nicht nur in praktischen Machtmitteln gegenüber dem »Farbigen«, sondern vielmehr spirituell auch darin, daß die technischen Mittel dieses Lebens ein geschlossenes Rückkopplungssystem (feed-back) darstellten. Jede praktische Schöpfung dieses Geistes beruhte auf intimen metaphysischen Motiven, und da jede technische Realisation unvermeidlich hinter der ursprünglichen Intention zurückblieb, produzierte der peinigende Kontrast zwischen Idee und Wirklichkeit jenes sich allmählich zur Raserei steigernde Tempo, in dem die »europäische« Weltgeschichte sich schließlich selbst liquidiert hat.

Heute ist die abendländische Technik über alle Kontinente verbreitet. Daß einer ein »primitiver« Maori oder ein Shintoist ist, hindert nicht, daß er als kompetenter Automechaniker seinen Lebensunterhalt verdient. Mekkapilgern ist Transport im Flugzeug eine ohne weiteres geläufige Sache. Die klassische Technik ist akzeptiert. Was aber nicht übernommen worden ist, sind die metaphysischen Motive, aus denen allein jene praktischen Schöpfungen entspringen konnten. Der nicht dem platonisch-aristotelisch-demokritischen Traditionskreis Angehörige versteht diese Motive weder, noch ist er imstande, ihren intimen Zusammenhang mit den praktischen Mitteln des Lebens zu verstehen. Was ihn allein interessiert, ist, daß der Mechanismus läuft und wie er reparierbar ist. Der Geistige in Europa ist sich dieser Tatsache nicht bewußt. Blickt man von Übersee auf die alten abendländischen Kulturzentren und ihr raffiniert verfeinertes mit subtilsten Nuancen arbeitendes Denken, so hat man den Eindruck, daß alle geistige Arbeit, die heute etwa in Frankreich, Deutschland, Italien und auch anderswo geleistet wird, von der stillschweigenden Voraussetzung ausgeht, daß dem Siegeszug der klassischen Technik, die heute im Begriff ist, auch das elendste Eingeborenendorf im Urwald zu infiltrieren, ein zweiter, noch großartigerer Triumphzug der platonisch-aristotelischen Metaphysik, die alle jenen eindrucksvollen Spielzeuge wie Telephon, Radio, Auto usw. hervorgebracht hat, folgen wird. Gehören doch abendländische Spiritualität und die aus ihr entsprungene praktische Mechanik des Lebens unzertrennlich zueinander. Gewiß tun sie das — für den geistig orientierten Europäer. Er übersieht, daß eine Metaphysik lediglich für die Schöpfung einer Technik notwendig ist. Das fertige Fabrikat kann jeder gebrauchen. Ein Eskimo lernt in einem halb Dutzend Stunden fliegen. Eine — selbst unbewußte — Kenntnis von Heraklit oder Plotin ist dabei ganz überflüssig.

Es ist eine gänzlich metaphysiklose Welt, in der sich das Leben heute ausbreitet. Technik aber setzt, ganz abstrakt und formal, eine bisher nicht dagewesene Wachheit des Bewußtseins voraus. Ein waches Bewußtsein aber bedarf der Kommunikation! Wie aber soll Austausch einer allgemein verstandenen und allgemein verbindlichen Information zwischen einem Neger in Kapstadt, einem Parsen in Bombay und einem chinesischen Schneider in Honolulu möglich sein?

Das gegenwärtige amerikanische Denken macht einen ganz grundsätzlichen Versuch, dieses Problem zu lösen. Verständigung auf Grund allgemein dominierender historischer Bewußtseinsvoraussetzungen ist unmöglich. Der Neger, der Parse und unser Kleidermacher von den Hawaiischen Inseln haben keine gemeinsame Geschichte. Das Verstehensproblem ist also nicht zu lösen mit einem Appell an die *innere* Evidenz. Alle europäische Geistigkeit beruht auf einem solchen Appell! Sie setzt eine historisch uniforme Subjektivität, ein gemeinsames psychisches Grundwissen, ein völliges seelisches Aufeinander-abgestimmtsein voraus. Letzteres aber dürfte kaum produzierbar sein, wenn das, was der Afrikaner, der Inder und der chinesische Amerikaner gemeinsam haben, lediglich darin besteht, daß sie alle gegebenenfalls die gleiche genormte Glühbirne benutzen und mit Überzeugung Coca-Cola trinken.

Die originale amerikanische Idee ist nun die, daß unter diesen Umständen ein allgemeines Verständigungs- und intellektuelles Kommunikationssystem nicht von spezifisch metaphysischen Voraussetzungen ausgehen darf. Es muß statt dessen pragmatisch und sinnlich objektiv sein. Überdies soll ein solches System über die Möglichkeit verfügen, den zu kommunizierenden Informationsbestand in exakt meßbaren Maßeinheiten auszudrücken. Diese Idee schwebt schon dem älteren amerikanischen Pragmatismus vor. Darüber hinaus hat sie ihr erstes, praktisches Lösungsstadium in der vor einigen Jahren konzipierten Shannonschen Informationstheorie und der sich auf ihr aufbauenden weiteren Kommunikationstheorie erreicht. In den eben erwähnten Theorien wird nämlich eine bereits früher erfolgte Entdeckung nutzbar gemacht, nämlich, daß eine »absolute« Informationseinheit existiert und daß der kommunikative Fluß von Informationsmaterial auf Grund dieser Einheit exakt berechenbar ist.

Die grundsätzliche Bedeutung dieser neuen Konzeptionen kann gar nicht überschätzt werden. Sie geben uns nämlich zum ersten Mal Aussicht auf ein generell planetarisches intellektuelles Verständigungssystem, das nicht mehr dadurch behindert wird, daß wir Europäer von Plato und Augustin herkommen, die Chinesen von Konfuzius und Laotse und die Inder den Vedar und die Upanishaden zum Hintergrund haben.

Damit ist sowohl die Stellung wie grundsätzliche Bedeutung der Ästhetik von Max Bense bestimmt. In einem Band »Aesthetica I« hatte dieser, seiner Zeit weit vorauseilende Autor, die künstlerische Produktion aus allgemein-ästhetischen Zeichenprozessen abgeleitet. Solche Zeichenprozesse und ihre Strukturen können von der logischen Semiotik her generell verbindlich verstanden werden. In dem kürzlich erschienenen zweiten Band, der den Titel »Ästhetische Information« (Aesthetica II, Agis-Verlag, Krefeld 1956) führt, greift der Verfasser wesentlich weiter und benutzt leitende Begriffe und Denkweisen der Informationstheorie, »*um die weiteren Grundlagen einer neuzeitlichen Ästhetik zu entwickeln, die sowohl eine Terminologie wie auch eine Theorie liefert und in der angemessen, als rational . . . gesprochen werden kann* (S. 9).

Damit ist angedeutet, daß Bense die Idee einer Ästhetik als einer exakten Wissenschaft vorschwebt. Einer Wissenschaft, die von ganz impersonaler, trans-kultureller Verbindlichkeit ist und nicht mehr auf spezifisch europäischen Geschmacks- und Wertungsurteilen beruht. Denn, wie bereits angedeutet, die Bewußtseinsgehalte, die durch die Informationstheorie erfaßt werden können, sind ihrer Natur nach nicht mehr mit einem regionalen kulturellen Apriori behaftet. Sie sind völlig indifferent gegenüber den besonderen metaphysischen Voraussetzungen, die die verschiedenen Hochkulturen, die bisher auf unserem Planeten erschienen sind, voneinander trennt. Mehr noch, sie sind ebenfalls indifferent gegenüber dem Gegensatz von primitiver Kultur einerseits und Hochkultur überhaupt andererseits. Wenn also solch ein großartiges Unternehmen, wie es in der »Ästhetischen Information« zum ersten Mal abgesteckt ist, wirklich glückt, besäßen wir zum ersten Mal eine generelle ästhetische Theorie, die so divergente Phänomene wie primitive Kunst, buddhistische Architektur, chinesische Farbenholzschnitte, abendländische Gotik, indische Musik, die »Zauberflöte« und Gershwins »Porgy and Bess« als freie Varianten ein und desselben ästhetischen Prinzips verständlich machen könnte. Und am wenigsten sollte man in einer solchen Aufzählung die radikal atonale Musik und die ebenso radikal nicht-objektive Malerei vergessen, zwei Phänomene, denen gegenüber die traditionellen ästhetischen Kategorien vollkommen versagen.

Es kann kaum ein Zweifel daran bestehen, daß man aus der Lektüre von Benses Buch zum ersten Mal das atemberaubende Bild einer solchen universell-integrativen Ästhetik gewinnt. Dies hebt die »Ästhetische Information« aus dem Bereich der bloß lokaleuropäischen Philosophiesituation heraus und gibt den auf gedrängten 85 Seiten enthaltenen Analysen eine imponierende weltweite Bedeutung.

Was das Detail anbetrifft, so sind Benses Gedanken von der Unterscheidung von »klassischer« und »moderner« Ästhetik bestimmt. Die Differenz liegt in dem Schönheitsbegriff, der im ersten Fall »ontisch«, im anderen »semantisch« ist. »*In der klassischen Ästhetik gibt es an und für sich Gegebenes, das schön ist: Mond, Sonne, Wind, Rose, Duft, ein Gefühl usw. In der modernen Ästhetik werden die Dinge erst schön durch das*

*Zeichen, das man für sie findet, durch den Ton, den Vers, das Bild, die Metapher, durch Anordnungen, Rhythmen, Metriken, Perspektiven, d. h. also: in der klassischen Ästhetik bezieht sich der Ausdruck »schön« (oder »nicht schön«) auf Gegenstände, hat also eine ontische Bedeutung, in der nichtklassischen modernen Ästhetik aber bezieht sich der Ausdruck auf Zeichen und Zeichenreihen (mathematischer, kategorischer, explikater und funktioneller Art), hat also eine semantische Bedeutung«* (S. 30 f.).

Der hier angedeutete Wandel des ästhetischen Bewußtseins ist nach Bense eine Folge seiner stärkeren Integrierungsfähigkeit. Gegenüber dem klassischen (heute im Aussterben begriffenen) Menschentyp besitzt das moderne Individuum »*ein Bewußtsein stärkerer, umfassenderer Integration*« (S. 14). Und letztere ist »*ein wesentliches Merkmal des technischen Bewußtseins*« (Ibid). Nun stellt die Technik aber einen Ablösungsprozeß des Menschen von der ihn umgebenden »natürlichen« Realität dar. Denn in dem technischen Phänomen schiebt sich ein Drittes, nämlich das Artefact des homo faber, zwischen den ursprünglich gegebenen Naturzusammenhang und die menschliche Person. Diese Ablösung von der »*mütterlichen Landschaft*« (Spengler) ist in der modernen Technik mit den Händen zu greifen. Wer sich zur Fortbewegung seiner Beine bedienen muß, ist zwangsläufig an eine enge Region gebunden. Wer im transatlantischen Flugzeug sitzt oder von München nach Sidney telephoniert, ist in den entsprechenden Situationen der Bindung an die natürliche Umgebung enthoben.

Solange nun eine Ästhetik »klassisch« ist, ist sie ontisch einem bestimmten Naturzusammenhang verhaftet. Und aus ihm bestimmen sich die Kategorien und Wertungen, mit denen sie arbeitet. Nun ist einerseits über das engste Verhaftetsein des primitiven Menschen in seiner Umwelt nicht der geringste Zweifel. Andererseits aber repräsentieren die bisher auf diesem Planeten enstandenen Hochkulturen ebenfalls regionale Phänomene, die durch Namen wie Ägypten, Indien, China, das Mittelmeerbecken usw. eindeutig lokal festgelegt sind. D. h., jede dieser Kulturen entwickelt ein Seelentum, das an eine natürliche Landschaft fest gebunden ist. Alle höhere Geschichte hat sich bisher in streng regional gebundenen Formen entwickelt. Ihre jeweiligen Formenwelten haben sich in intimster Korrespondenz mit einem landschaftlich individuellen Objektbereich entwickelt. Sie sind deshalb ausnahmslos ontologisch orientiert.

Es ist offensichtlich, daß eine Ästhetik, die sich in einer dieser Kulturen entwickelt, ein natürliches Vorurteil für den Objektbereich besitzen muß, dem sie selbst angehört. Eine solche individuell-ontologische Ausrichtung gehört zu ihrem »klassischen« Charakter. Daraus folgt, daß eine ästhetische Betrachtung, die etwa einen vielgliedrigen tanzenden Siva und ein Statue des Praxiteles mit gleichem theoretischen Abstand zu würdigen versucht, dazu grundsätzlich unfähig ist, solange sie in ihrem speziellen ontologischen Vorurteilen hängen bleibt. Jeder Objektbereich, an dem sich der Geschmack ursprünglich schult, ist individuell und nicht allgemein. Eine Ästhetik, die allen Kunstphänomenen, die die menschliche Geschichte bisher hervorgebracht hat, völlig unbefangen gegenübersteht, muß also erst einmal in der Lage sein, sich der Idee des einzelnen, individuellen Objektes zu entziehen. Denn letztere ist in Indien und China eben eine andere als in Europa.

Eine solche Ablösung vom individuellen Objekt findet nun, wie Bense richtig sieht und mit eindringlichster Überzeugungskraft darstellt, in dem Übergang von der ontologischen zur semantischen Orientierung statt. Die erste Überlegenheit aller semantisch ausgerichteter Betrachtungssysteme besteht nun darin, daß in ihnen »ein Anwachsen des kommunikativen Sinnes« der allgemein mitteilbaren Sätze stattfindet. Je kommunikativer ein Erlebnissinn aber sein soll, desto weniger darf er vom individuellen (und deshalb mehr oder weniger zufälligen) Objekt und der ihm verhafteten besonderen Anschauung abhängen.

Der neue ästhetische Realitätsbegriff erfordert deshalb eine gewisse Unanschaulichkeit eines nicht mehr voll identifizierbaren Objektes, das nur noch durch das »Zeichen« vertreten ist. Damit wird »*das ästhetische Sein eines Kunstwerks nicht mehr ausschließlich in seiner individuellen, gegenständlichen Gegebenheit*« gesehen. Es ist »*nicht mehr im klassischen Sinne als individuell identifizierbare Substanz aufzufassen*«, denn wir müssen jetzt »*die substantielle Definition der Kunst durch das Kunstwerk durch eine modale und strukturelle ersetzen*« (S. 36).

Wie aber kann das geschehen? An dieser Stelle wird in der »Ästhetischen Information« mit einfach faszinierenden Analysen gezeigt, daß das Mittel dazu die Ergänzung der bisherigen (klassischen) Makroästhetik durch eine neue Mikroästhetik ist. Und wenn wir »*in erster Näherung ... unter Makroästhetik die Theorie der wahrnehmungsmäßig und vorstellungsmäßig zugängigen und evidenten Bereiche am ästhetischen Gegenstand*« zu verstehen haben, liefert »*die Mikroästhetik die Theorie der wahrnehmungsmäßig und vorstellungsmäßig nicht direkt zugängigen und nichtevidenten Bereiche am Kunstwerk*«. D. h., sie entwirft ein »*repräsentierendes« (Leibniz) transklassisch-semantisches System der ästhetischen Elemente, der Zeichen und ihrer Prozesse*« (S. 35). »*Die Differenz zwischen Makroästhetik und Mikroästhetik soll nun so verstanden werden, daß sie dem aus der modernen Naturwissenschaft stammenden Unterschied zwischen Makrophysik und Mikrophysik einigermaßen entspricht*« (S. 34).

Es ist heute schon weitgehend bekannt, daß die mikroskopische Quantentheorie den Rahmen der klassischen Metaphysik gesprengt hat und mit Denkmitteln arbeitet, die durch die traditionelle Logik nicht mehr erfüllt werden können. In dem gleichen Sinne stellt nun Bense fest, daß unser hergebrachtes metaphysisches Weltbild für eine moderne Ästhetik nicht mehr zureicht. »*Mit dem Eindringen in die Zeichenthematik der Mikroästhetik verwandelt sich die metaphysische Grundlage: an die Stelle einer klassischen (kategorialen) Gegenstandsontologie tritt die nichtklassische (schematische) Funktionsontologie«* (S. 40).

Das dominierende Motiv der klassischen Metaphysik ist die im Absoluten implizierte Identität von Sein (Inhalt) und Bewußtsein (Denken). Der ontische Prozeß muß also eine fortschreitende Verschmelzung der beiden metaphysischen Komponenten verstanden werden, derart, daß schließlich das Denken im Sein (als absolut reales »Subjekt«) aufgesogen wird. Der Weltprozeß ist also transzendental vollkommen *eindeutig*. Er läuft in einer einzigen Richtung. Und dieser Einsinnigkeit entspricht die Idee der Theodizee.

Diese Betrachtungsweise aber kann in einer »schematischen« Funktionsontologie, wie Bense sie konzipiert, nicht mehr aufrechterhalten werden. Und zwar steht dem die metaphysische Natur des Zeichens entgegen. Bense macht hierzu die interessante Bemerkung: Man »*kann sich den Zeichenprozeß in zwei Richtungen verlaufend denken: Wenn zu jedem Zeichen ein Zeichenträger gehört, gibt es einmal die Möglichkeit, daß das Zeichen mehr und mehr zum Zeichenträger zusammenschrumpft, und das andere Mal die Möglichkeit, daß das Zeichen als solches den Zeichenträger völlig absorbiert, verschluckt, ontisch aufhebt. Im durchgeführten Schrumpfungsprozeß eines Zeichens zum Zeichenträger erscheinen schließlich nur noch physikalische »Realzeichen«, Signale; im durchgeführten Absorptionsprozeß, in dem der Zeichenträger hinter dem Zeichen verschwindet, kommen die reinen Bedeutungen zum Vorschein. Der Schrumpfungsprozeß ist eine »Naturalisation«, der Absorptionsprozeß eine »Denaturalisation«* (S. 41). Bense kommt hier auf anderen Wegen und mit anderen Mitteln der Überlegung zu dem gleichen Resultat, das der amerikanische Kybernetiker Warren Weaver in der Relation zwischen Information und Bedeutung (Sinn) vermutet. Nach Weavers Auffassung scheint hier ein Komplementärprinzip (N. Bohr) zu bestehen. D. h., es ist prinzipiell unmöglich, zugleich in einem Prozeß ein Maximum von Information und Bedeutung zu haben. Je mehr Information uns zur Verfügung steht, desto weniger Sinn resp. Bedeutungsgehalt wird uns dadurch vermittelt. Und umgekehrt, je reicher und tiefer die semantische Sinndimension eines Prozesses ist, desto weniger läßt sie sich durch meßbare Informationsdaten festlegen.

Das bedeutet aber, daß zwischen Subjekt und Objekt, resp. zwischen Sinn und Sein nicht ein *einsinniger* ontischer Prozeß einer fortschreitenden Verschmelzung stattfindet, der erst dann endet, wenn Subjekt und Objekt im Absoluten ihre endgültige erstrebte Identität erreicht haben. Statt dessen haben wir jetzt mit einem reflektierten Doppelprozeß, d. h. mit zwei inversen metaphysischen Bewegungsläufen zu rechnen. Was nun den klassischen einsinnigen Prozeß anbetraf, so kannte die ältere Metaphysik nur das Problem des »Anfangs«. Das Ziel und Ende war ja eindeutig in dem absoluten Identitätsprinzip voraus gegeben. Dieser Situation entsprach die einfache klassische

Theodizee des schöpferischen Beginnens, also des »Anfangs«. Sobald wir aber mit einer sich selbst inversen metaphysischen Doppelbewegung zu rechnen haben, wird das eschatologische Ende, das bisher absolut festzustehen schien, ebenso problematisch wie der Anfang. Es treten also, wie Bense tiefsinnig bemerkt, »*Gegenprobleme*« (S. 51 ff.) zur Theodizee auf. Der klassischen Theodizee der Schöpfung tritt eine nichtklassische Gegentheodizee des »*Gerichts*« gegenüber. Dem Referenten erscheinen die wenigen Seiten, die dieser neuen metaphysischen Situation gewidmet sind, den philosophischen Höhepunkt des Buches darzustellen. Bense öffnet dem Leser hier wahrhaft grandiose Perspektiven einer neuen Wirklichkeitsdeutung. Um so mehr muß man bedauern, daß diesen »*Gegenproblemen*« nur knappe fünf Seiten gewidmet sind. Das ist gänzlich unzureichend, um dem Leser auch nur einen annähernden Begriff für die umfassende Weite und neue »meontische« Tiefe der hier angeschnittenen Problematik zu geben. Was speziell die Ästhetik anbelangt, so kommt Bense hier zu dem folgenden Schluß: »*Für die moderne, nichtontologische semantische Ästhetik ist nicht der »Anfang« des ästhetischen Zeichenprozesses das Problem, sondern der Abschluß. Nicht der Beginn der künstlerischen Produktion erscheint uns in Dunkel gehüllt, sondern ihr Ende, ihr Aufhören. Nicht das Ansetzen des realen Kunstwerks im Bereich materiell-energetischer Mittel, das Heraustreten aus dem Sinnlichen läßt Fragen entstehen, sondern sein Hineingleiten, sein Übergang in das Bewußtsein, in die rein intelligible Sphäre*« (S. 54 f.).

In der klassischen Metaphysik ist die endgültige Identität des Materiellen mit dem Intelligiblen selbstverständliche und unbezweifelte Voraussetzung. Hier aber wird sie zum letzten und schwersten Problem.

Wir stimmen mit Bense überein, daß es »*im wesentlichen nur zwei wirklich unterscheidbare Weltprozesse (gibt), den physikalischen und den ästhetischen, die in einem dialektischen Verhältnis zueinander stehen*« (S. 11). Zwischen denselben findet eine »*metaphysische Auseinandersetzung*« (S. 83) statt. Und in ihr dominiert nicht das Moment der Identität, sondern Identität und Nichtidentität halten sich ewig die Waage. Eine ausgezeichnete Analyse des in sich reflektierten Gegensatzes von physikalischem und ästhetischem Prozeß wird auf Seite 57 gegeben. Wir lesen dort: »*Die physikalische Entwicklung der Welt ist keine Entwicklung, kein Prozeß, der sich als solcher eigentümlich auf individuierte, endliche, begrenzte, anschauliche Gegenstände bezieht. Daher mußte die moderne Physik zwangsläufig die Kategorizität der Gegenständlichkeit, der Anschaulichkeit und des Individuellen aufgeben. Insofern der physikalische Weltprozeß durch die Struktur der Entropie bestimmt werden kann und Entropie als Maß für die gleichmäßige Verteilung im Sinne der wahrscheinlichen Zustände fungiert, kann er tatsächlich nicht zugleich gegenständlich werden. Denn Gegenständlichkeit, das bedeutet unwahrscheinliche Verteilung, Zustand definierter Ordnung, auffaßbar als*

*Information. Und in diesem Sinne kann man also sagen, daß nur der ästhetische Prozeß, angelegt auf unwahrscheinliche Verteilung, auf Ordnung, auf Information zugleich thematisch das konstituieren kann, was wir unter einen Gegenstand verstehen, der Konturen, Endlichkeit, Individualität, Anschaulichkeit zeigt, wie er sich im Horizont des Machens etwa als Kunstwerk, die perfekteste Form des Gegenstandes sozusagen präsentiert. Erkenntnistheoretische Feststellung (des Gegebenen) wird also durch keine Kategorizität des Gegenstandes geleitet, wohl aber die ästhetische Herstellung (des Gemachten). Nur Gemachtes kann gegenständlich sein, Gegebenes hat als solches keine Gegenständlichkeit. Ungegenständlichkeit gehört prinzipiell zum ästhetischen Weltprozeß, nicht dort, hier entstehen Gegenstände; Gegenstand ist keine physikalische, sondern eine ästhetische Kategorie. Sofern Schöpfung auf Gegenstände bezogen wird, Schöpfung gleichsam als Vergegenständlichung, reale Vergegenständlichung des Seins von Seiendem verstanden wird, handelt es sich um einen ästhetischen, niemals um einen physikalischen Prozeß. Schöpfung ist Anfang. Der ästhetische Prozeß hat immer einen Anfang, sein Ende ist nicht definiert; die Produktion des Kunstwerks beginnt zwar, aber ihr Abschluß ist ein Abbrechen, kein Fertigwerden. Der physikalische Prozeß hingegen hat keinen definierten Anfang, wohl aber, und zwar im Wärmetod, ein deutliches Ende; die Information beginnt mit dem Nichtwissen, also bei Null, aber die Entropie strebt nach den Lehrsätzen der Thermodynamik, einem Maximum zu.«*

Es braucht nicht erst ausdrücklich betont zu werden, daß diese Betrachtung der Wirklichkeit als einer Selbstreflexion nach dem Vorbild von Lewis Carrols »Through the Looking-Glass« zu einer Revidierung gewisser klassischer Denkgewohnheiten führt. Für die Tradition standen Denken und Wollen in einem sich gegenseitig ausschließenden Negationsverhältnis. Dem gegenüber bemerkt Bense: »*Es ist offenbar geworden, daß das Wesen unserer Rationalität nicht bloß in der seinssetzenden Kraft der Folgerungen besteht, sondern darüber hinaus auch in der seinssetzenden Kraft der Entscheidungen. Schlüsse und Entschlüsse scheinen immer weniger einander ausschließende Vorgänge des Bewußtseins zu sein, vielmehr gehört es zur Struktur unserer Zivilisation, daß sie einander ergänzende Intentionen des Bewußtseins bilden, ein System von Prozessen, in dem Rationalität, Sensibilität und Vitalität in ein neues Verhältnis eintreten.*« (S. 20)

Ein anderes und viel frappanteres Beispiel der neuen Einsichten, die sich auf dem Boden von Benses Reflexionsmetaphysik ergeben, ist z. B. die folgende Feststellung: »*Die plotinische Lichtmetaphysik (ist) eine Metaphysik, in der sowohl ästhetische Strukturen wie physikalische Strukturen des allgemeinen Seinsprozesses zum Ausdruck kommen, d. h. der lichtmetaphysische Weltprozeß beruht auf der Antizipation des Physikalischen durch Ästhetisches.*« (S. 93 Anm.)

Das neue metaphysische Bewußtsein aber zieht notwendig eine Reorientation des

Kunstbegriffes nach sich. Auf den abschließenden Seiten seines Buches gibt Bense dem Leser eine Idee von dem, was hier in Zukunft zu erwarten ist: »*Die vergangene Kunst hatte deutlich erkannt, daß der ästhetische Prozeß, aufgefaßt als Prozeß unwahrscheinlicher Strukturen, sich am sinnfälligsten als ästhetische Reflexion auf Gegenstände und Formen vollzieht, und in der Nachahmung und in der Abstraktion gelangen ihr daher die kühnsten Schöpfungen. Aber es ist zu verstehen, daß es ihr in der Folge darauf ankommen mußte, die Gegenstände und Formen als Vehikel ästhetischer Prozesse methodisch loszuwerden, ästhetische Nachahmung und ästhetische Abstraktion also zu überwinden und mit der Emanzipation der ästhetischen Mittel eine ästhetische Kinetik an ihre Stelle treten zu lassen . . . Die Desorganisation des künstlerischen Vorgangs ist größer geworden; die Determination des Resultates, des Werks, wenn man noch von einem solchen sprechen kann, aber geringer. Es handelt sich, im Ganzen gesehen, um eine Kunstproduktion, in der random-Elemente, wie sie in der kybernetischen Technik zur Konstruktion von Maschinen verwendet werden, die annähernd die Bewußtseinsfunktion willkürlicher Entscheidung reproduzieren, vorkommen; also um random-Kunst, deren Theorie zwangsläufig einen hohen Grad von Verwirklichung besitzt. Es ist jedoch leicht einzusehen, daß gerade diese random-Kunst noch eine zukünftige Chance für Kunst überhaupt vermittelt, denn sie deutet die Möglichkeit an, jenseits von Gegenständen und Formen, außerhalb der Nachahmung und Abstraktion, noch einmal jene gleichmäßigen Verteilungen, jene unwahrscheinlichen Zustände zu verwirklichen, die wir ästhetische Strukturen nennen . . .*« (S. 85 f.) Hier liegt offenkundig ein ganz neuer Kunstbegriff vor. Ein Kunstbegriff, in dem die Irrationalität des Schönen durch die Idee des »random element« zu neuer Intensität gesteigert wird.

Die ausklingenden Zeilen von Benses Buch stellen die beiden Kunstbegriffe mit einer Referenz auf Hegel noch einmal antithetisch dar. »Aesthetische Information« schließt mit den Worten: »*Im Naturschönen täuscht der physikalische Prozeß den ästhetischen vor, daher ist das Naturschöne, wie Hegel sagte, nur ein Echo, ein Reflex des Kunstschönen, des Kunstschönen im klassischen Sinne. Es scheint, daß in der zukünftigen Kunst der physikalische Prozeß den ästhetischen vortäuscht, das Kunstschöne also als Reflex, als Echo des Naturschönen auftritt, und diese Art von Einheit und Zusammenarbeit von ästhetischen und physikalischen Prozessen drückt am sichtbarsten und vollendetsten die aufsteigende Annäherung und Aussöhnung zwischen Bewußtsein und Maschine aus, was offensichtlich zur Signatur unserer technischen Zivilisation gehört.*« (S. 85)

Wir kommen zum Schluß unserer Betrachtungen und es scheint, daß hier ein persönliches Bekenntnis in Ordnung ist. Für den, der wie der Referent nicht nur ein starkes theoretisches Interesse besitzt, sondern darüber hinaus ein leidenschaftlicher Parteigänger in Kunstfragen ist, wird es schwer, der »Aesthetischen Information« gegenüber kühl und objektiv zu bleiben. Hier wird ein so radikal neuartiger Ausblick auf das Phänomen des Künstlerischen gegeben, daß es einem oft den Atem verschlägt. Das philosophische Denken der Gegenwart ist nicht allzu reich an Werken mit echter Originalität und souverainer schöpferischer Kraft. Aber dieses kleine Büchlein enthält beides in vollstem Maße. Wer bisher dem »Radikalismus« der modernen Kunst, wie er sich in abstrakter Malerei, atonaler Musik oder einem Literaturwerk wie dem »Ulysses« verständnislos gegenübergestanden hat, wird, wenn er Benses Arbeit sorgfältig gelesen hat, zugeben müssen, daß hier ein definitives Verständnis des modernen künstlerischen Bemühens erreicht ist, und daß das in Frage stehende Phänomen bis in seine tiefsten metaphysischen Wurzeln verfolgt worden ist.

Aber die Bedeutung von Benses Ästhetik geht (wie wir bereits weiter oben andeuteten) noch weiter. Wir haben eingangs unserer Betrachtungen bemerkt, daß die europäische Philosophie die Weltgültigkeit, die sie einmal besessen hat, in den letzten Generationen allmählich preisgeben mußte. Sie ist auf Grund folgenschwerer geschichtlicher Bewegungen mehr und mehr lokal und parochial geworden. Wir skizzierten bereits, wie die Situation in Übersee aussieht. Die Technik, die in Europa nur letzte Konsequenz und praktische Folge einer bestimmten metaphysischen Haltung — also ein historisch Letztes — war, ist in den anderen Kontinenten als *einziges* Erbe der europäischen Weltgeschichte übernommen worden. Von europäischer Metaphysik weiß man draußen nichts. Andererseits aber kann nicht geleugnet werden, daß die überseeischen Kontinente beginnen, ihre eigene Geschichte zu haben. *Dies ist eine Geschichte, in der die Technik nicht das Letzte, sondern umgekehrt allererste und selbstverständliche Voraussetzung einer neuen historischen Entwicklung ist.* Die universale planetarische Geschichte des Menschen hat unzweifelhaft von den Voraussetzungen eines extrem technisch eingestellten Bewußtseins ins herbegonnen. Das bedeutet aber, daß alle neue Geistigkeit, die sich auf jenem umfassenden geschichtlichen Boden bilden will, *zuerst als Reflex und Echo einer radikal technischen Mentalität auftreten muß.* Das Technische ist selbstverständliche Voraussetzung und eine ihm feindliche, oder zumindestens von ihm abgekehrte »Spiritualität« ist hier schlechterdings nicht lebensfähig. Diese neue Geschichte kann in der Tat nichts anderes sein, als — wie Bense mit seherischer Kraft bemerkt — »*die aufsteigende Annäherung und Aussöhnung zwischen Bewußtsein und Maschine.*«

Indem uns in der »Aesthetischen Information« aber ein neuer Kunstbegriff gegeben wird, in der das Spirituelle als das Echo des physikalisch-technischen Prozesses auftritt, sehen wir uns plötzlich mit ästhetischen Verständnisstrukturen ausgestattet, die allen provinziellen, nur lokal-europäischen, Charakter verloren haben, Das ist der große Wurf in Benses Aesthetik. Sie hat — wenigstens was das Denken über Kunst anlangt — dem europäischen Philosophieren ein wesentliches Stück ihres weltgültigen Formates zurückerobert. In ihr ist die geistige Situation von Übersee in bewundernswerter Weise aufgefangen. —

Schließlich noch einige kritische Bemerkungen: »Aesthetische Information« stellt das Verhältnis von Entropie und Information in der dem Laien am besten verständlichen Weise, d. h. in der Version Norbert Wieners dar. Demgemäß ist, wenn Entropie das Maß der Unordnung eines Systems bezeichnet, Information der Index der Ordnung im System. Information ist also *negative* Entropie. Shannon hat aber auch eine inverse Interpretation gegeben, gemäß der Information nicht als das negative sondern das *positive* Maß der Entropie zu gelten hat. Die beiden Auffassungen widersprechen sich nicht. Es handelt sich hier (worauf Warren Weaver gelegentlich hingewiesen hat) vermutlich nicht um ein ontologisches sondern ein hermeneutisches System. Der enge Zusammenhang zwischen Information und »feed-back« - (Rückkoppelung) Systemen ist bekannt. Und ein »feed-back« kann entweder positiv oder negativ sein. Daß Bense dieses Problem nicht aufgenommen hat, ist verständlich. Sein viertes Kapitel wäre dadurch in einem solchen Maßstab erweitert worden, daß der ursprüngliche Rahmen des Buches dadurch völlig gesprengt worden wäre. Andererseits aber läßt sich auch der Standpunkt verfechten, daß das erwähnte Problem infolge seines hermeneutischen Charakters — obwohl es in der ursprünglichen Informationstheorie zuerst zutage tritt — in seinem vollen Gewicht mehr in die formale Logik einer allgemeinen Kommunikationstheorie hineingehört. Letztere aber ist in den bis dato veröffentlichten Teilen der Bense'schen Aesthetik überhaupt noch nicht thematisch geworden. Sie gehört, wie Bense selbst konstatiert, in eine »Aesthetica III« (S. 11). Denn nachdem die eigentliche Informationstheorie selbst abgehandelt worden ist, erhebt sich das Problem: wie kann diese Theorie selbst kontinuiert werden und welche hermeneutischen Gesichtspunkte sind für die Transmission solcher nichtklassischen Theorien von Bewußtsein zu Bewußtsein maßgeblich?

Aus diesen und aus noch anderen Gründen muß »Aesthetica III« mit außerordentlicher Spannung erwartet werden. Denn wenn »Aesthetische Information« einen empfindlichen Mangel hat, dann ist es der, daß dieses fesselnde Werk viel zu kurz ist und wichtigste Fragen (siehe »Gegenprobleme zur Theodizee«) nicht mehr als eine skizzenhafte Andeutung finden. Wer, wie Bense, einen solchen Reichtum von neuen Perspektiven besitzt, der sollte uns auch in generösester Weise daran teilnehmen lassen.

# NACHWEIS DER ERSTVERÖFFENTLICHUNGEN

Wahrheit, Wirklichkeit und Zeit, die transzendentalen Bedingungen einer Metaphysik der Geschichte, in: Travaux du IX$^{e}$ Congrès International de Philosophie, Paris 1937, S. 105–113.

Logistik und Transzendentallogik, in: Tatwelt 16 (1940/41), S. 135–147.

Die philosophische Idee einer nicht-aristotelischen Logik, in: Actes du XI$^{e}$ Congrès International de Philosophie, Amsterdam/Louvain 1953, S. 44–50.

Metaphysik, Logik und die Theorie der Reflexion, in: Archiv für Philosophie 7/1,2 (1957), S. 1–44.

Seele und Maschine, in: Augenblick 1,3 (1956), S. 1–16.

Die „zweite" Maschine, Kommentar zu: Isaac Asimov, Ich, der Robot, Düsseldorf/Bad Salzig 1952, S. 219–242.

Die gebrochene Rationalität, in: Augenblick 3,3 (1958), S. 1–26.

Die aristotelische Logik des Seins und die nicht-aristotelische Logik der Reflexion, in: Zeitschrift für philosophische Forschung 12,3(1958), S. 360–407.

Das metaphysische Problem einer Formalisierung der transzendental-dialektischen Logik, in: Hegel-Studien, Beiheft 1: „Heidelberger Hegel-Tage 1962", hrsg. von Hans-Georg Gadamer, Bonn 1964, S. 65–123.

Cybernetic Ontology and Transjunctional Operations, in: Self-Organizing System 1962, S. 313–392.

Formal Logic, Totality and the Super-Additive Principle, Urbana, Ill. 1966 (BCL Report No. 3,3).

Sein und Ästhetik, in: Texte und Zeichen 2,3 (= 14; 1957), S. 429–440.

GOTTHARD GÜNTHER

# Beiträge zur Grundlegung einer operationsfähigen Dialektik

2. Band

Philosophie der Geschichte und Technik,
Diathematische Reflexion, logische Paradoxie, Abbildtheorie,
Vermittlung, Ontologie, Logik,
dialektischer Materialismus, poly-kontexturale Lebenskonzeption u.a.

*Inhalt:*



FELIX MEINER VERLAG HAMBURG

## Gotthard Günther

Seine Selbstdarstellung enthält der zweite Band von

# Philosophie in Selbstdarstellungen

Herausgegeben von Ludwig J. Pongratz

Bd. I mit Beiträgen von E. Bloch, J. M. Bochenski, A. Dempf, H. Glockner, H.-E. Hengstenberg, P. Jordan, W. Marx, J. Pieper, H. Plessner.

X, 316 S. und 9 Bildtafeln.
Kart. [3-7873-0341-3] DM 34,–

Bd. II mit Beiträgen von G. Günther, D. von Hildebrand, L. Landgrebe, B. Liebrucks, F. Mayer-Hillebrand, W. Schulz, W. Weischedel, C. F. von Weizsäcker.

VI, 399 S. und 8 Bildtafeln.
Kart. [3-7873-0342-1] DM 34,–

Wissenschaft in einer besonderen Art von Selbstbiographien darzustellen, geht auf ein Vorhaben des Verlages Anfang der 20er Jahre zurück. Freud, Kerschensteiner, Natorp, Schweitzer, Croce, um nur einige zu nennen, folgten der damaligen Einladung und bestätigten damit die Fruchtbarkeit dieser Idee. Auch die heutigen Beiträge beweisen, daß in der Selbstdarstellung von „Erlebtem und Erkanntem" (W. Wundt) sich die Gedanken eines Gelehrten in ihrer Psychogenese herausschälen — und eine geradezu spannende Einführung in die betreffende Wissenschaft darstellen können. Mit den oft konträren Ansichten und Bestrebungen seiner Autoren vermittelt jeder Band eine Vielzahl verschiedener Meinungen, die den Leser zu kritischer Urteilsbildung herausfordern. Von besonderer Bedeutung, ja geradezu von dokumentarischem Wert, sind in vielen Fällen die wissenschafts- und zeitgeschichtlichen Schilderungen, die Werk und Persönlichkeit in den unmittelbaren Zusammenhang mit ihrer Epoche stellen.

„Zusammen genommen ergeben diese einzelnen Beiträge eine lebendige Übersicht über das heutige Philosophieren, wie sie unter so vielfältigen Perspektiven auch das glücklichste Bemühen eines Einzelnen nicht zuwege bringen könnte."

Rhein-Neckar-Zeitung

„Persönliches Einzelschicksal, meist unaufwendig und undramatisch, aber immer anregend und manchmal sogar spannend erzählt, zeigt sich in unmittelbarer Verwobenheit mit dem Intellektuell- und Politisch-Allgemeinen der Zeit. So verspricht diese Reihe nicht nur ein Nachschlagewerk zur Information über Vita und Werk verschiedener lebender philosophischer Autoren zu werden, sie läßt darüber hinaus vor dem Hintergrund der großen abendländischen Tradition ein kaleidoskopartiges Bild einer philosophischen Bühne erstehen."

R. Malter in „Information Philosophie"

„Hier ist alles aus erster Hand. Keine Sekundärliteratur kann diese Verbindung von Erlebtem und Erkanntem erreichen. Die Beiträge bieten natürlich jeweils noch mehr als nur die eigene Philosophie und können somit zu Recht in ihrer Gesamtheit geradezu als so etwas wie eine Einführung in die Philosophie der ersten Jahrhunderthälfte bezeichnet werden."

dpa-buchbrief/Kultur

Weitere Bände in Vorbereitung mit Beiträgen von R. Berlinger, J. Ebbinghaus, G. Funke, L. Gabriel, H.-G. Gadamer, H. Heimsoeth, E. Heintel, F. Kaulbach, H. Kuhn, F.-J. von Rintelen u. a.

FELIX MEINER VERLAG · HAMBURG 76